GEBROKEN

Michael Robotham

Gebroken

Vertaling Joost Mulder

2008
DE BEZIGE BIJ
AMSTERDAM

09. 06. 2008

Cargo is een imprint van uitgeverij De Bezige Bij, Amsterdam

Copyright © 2008 Michael Robotham
Copyright Nederlandse vertaling © 2008 Joost Mulder
Oorspronkelijke titel *Shatter*
Oorspronkelijke uitgever Little, Brown and Company, Londen
Omslagontwerp Studio Jan de Boer
Omslagillustratie Trevillion Images/Andrew Davis
Foto auteur Mike Newling
Vormgeving binnenwerk Peter Verwey, Heemstede
Druk Wöhrmann, Zutphen
ISBN 978 90 234 2795 7
NUR 305

www.uitgeverijcargo.nl

Opgedragen aan Marc Lucas,
in de eerste plaats vriend

'De droom van de rede brengt monsters voort.'
Goya, Los Caprichos

'Zijn mond is gladder dan boter, maar strijd is in zijn hart; zijn
woorden zijn zachter dan olie, maar het zijn ontblote klingen.'
Psalm 55:21

Er is een moment waarop alle hoop vervliegt, waarop elk gevoel van trots, elke verwachting, elk geloof, elk verlangen verdwijnt. Ik bezit dat moment. Het behoort mij toe. Het is het moment waarop ik het geluid hoor, het geluid van een geest die breekt.

Het is geen luid kraken, zoals wanneer botten breken of een ruggengraat of een schedel. Het is ook niet iets zachts en nats, zoals een gebroken hart. Het is een geluid dat maakt dat je je afvraagt hoeveel pijn je iemand kunt aandoen, een geluid dat zelfs de allersterkste wil breekt en het verleden in het heden doet weglekken, een geluid zo hoog dat alleen de hellehonden het kunnen horen.

Hoor je het al? Er ligt iemand tot een balletje opgerold zachtjes te huilen in een nacht zonder einde.

1

UNIVERSITEIT VAN BATH

Het is elf uur in de ochtend, half oktober en buiten regent het nu al zo lang zo hard dat er koeien in de rivieren drijven, met vogels op hun opgezwollen lijven.

De collegezaal is afgeladen. Tussen de trappen aan weerszijden van het auditorium lopen rijen stoelen in een flauwe helling omhoog, om bovenaan in het donker te eindigen. Mijn publiek bestaat uit bleke gezichten, jong en serieus. En brak. De introductieweek is in volle gang en velen van hen hebben een mentale strijd gevoerd om hier aanwezig te kunnen zijn, worstelend met de keuze tussen naar college gaan of toch maar terug naar bed. Ze zijn begonnen aan een leven weg van huis, van dronken worden van gesubsidieerde alcohol en wachten op de kennis die komen gaat.

Ik loop naar het midden van het podium en klem mijn handen om de lessenaar, alsof ik bang ben te vallen.

'Ik ben professor Joseph O'Loughlin. Ik ben klinisch psycholoog en neem jullie mee op deze inleiding in de klinische en gedragspsychologie.'

Ik stop even en knipper met mijn ogen in het felle licht. Ik had niet gedacht dat opnieuw college geven me nerveus zou maken, maar ineens twijfel ik of ik wel over kennis beschik die het overdragen waard is. Ik hoor nog het advies van Bruno Kaufmann. (Bruno is het hoofd van de vakgroep psychologie van de universiteit en gezegend met de perfecte Duitse naam voor die rol.) Hij zei me: 'Niets van wat we hun leren zal ook maar van het geringste nut zijn in het echte leven, ouwe jongen. Onze taak is hun een lulkoekmeter aan te reiken.'

'Een wat?'

'Als ze hun best doen en er iets van oppikken zullen ze leren ontdekken wanneer iemand hun volstrekte lulkoek vertelt.'

Bruno lachte en ik hoorde mezelf meedoen.

'Doe het rustig aan met ze,' voegde hij eraan toe. 'Ze zijn nu nog onbedorven en opgewekt en weldoorvoed. Over een jaar noemen ze je bij je voornaam en denken ze de wijsheid in pacht te hebben.'

Hoe doe je dat, rustig aan doen met ze, wil ik hem vragen. Ik ben zelf ook een beginneling. Ik haal diep adem en steek opnieuw van wal.

'Waarom stuurt een welbespraakte universiteitsstudent stedelijke ontwikkeling een passagiersvliegtuig een wolkenkrabber in, met duizenden doden als gevolg? Waarom bedekt een jongen, nog maar net een tiener, een schoolplein onder een spervuur van kogels of baart een tienermoeder in een toilet een kind om de baby vervolgens in de prullenbak achter te laten?'

Stilte.

'Hoe heeft een onbehaarde primaat zich kunnen ontwikkelen tot een soort die kernwapens vervaardigt, naar Big Brother kijkt en zich afvraagt wat het betekent om mens te zijn en hoe we hier zijn gekomen? Waarom zijn we geneigd om in God te geloven of juist aan zijn bestaan te twijfelen? Waarom raken we opgewonden als iemand aan onze tenen sabbelt? Waarom hebben we moeite bepaalde dingen te onthouden, maar kunnen we dat irritante nummer van Britney Spears maar niet uit ons hoofd zetten? Wat doet ons liefhebben of haten? Waarom verschillen we zo van elkaar?

Ik kijk naar de gezichten op de voorste rijen. Ik heb hun aandacht weten te vangen, althans voor even.

'Wij mensen hebben onszelf al duizenden jaren bestudeerd en hebben ontelbare theorieën en filosofieën, verbazingwekkende kunstwerken, technische hoogstandjes en oorspronkelijke gedachten voortgebracht en toch is dit wat we in al die tijd hebben geleerd.' Ik houd mijn duim en wijsvinger omhoog, een fractie van een centimeter van elkaar.

'Jullie zijn hier gekomen om iets te leren over psychologie, de wetenschap van de geest. De wetenschap die zich bezighoudt met kennen, geloven, voelen en verlangen, de minst begrepen wetenschap van allemaal.'

Mijn linkerarm trilt tegen mijn zij.

'Hebben jullie dat gezien?' vraag ik terwijl ik de zich misdragende arm optil. 'Af en toe doet hij dat. Soms denk ik dat hij een eigen wil heeft, maar dat kan uiteraard niet. Je geest schuilt niet in een arm of been.

Laat me jullie een vraag stellen. Er komt een vrouw op onze poli. Ze is van middelbare leeftijd, beschaafd, welbespraakt en goed verzorgd. Ineens schiet haar linkerarm naar haar keel en haar vingers sluiten zich om haar luchtpijp. Haar gezicht wordt rood. Haar ogen puilen uit. Ze wordt gewurgd. Haar rechterhand schiet haar te hulp. Hij pelt de vingers los en wringt haar linkerhand opzij. Wat zou ik moeten doen?'

Stilte.

Een meisje op de voorste rij steekt zenuwachtig haar hand op. Ze heeft kort, rossig haar dat in veervormige plukken achter in haar dunne nek hangt.

'Een gedetailleerde anamnese afnemen?'

'Dat is al gedaan. Ze heeft geen psychiatrisch verleden.'

Er gaat nog een hand de lucht in. 'Er is sprake van automutilatie.'

'Onmiskenbaar waar, maar ze *kiest* er niet voor zichzelf te wurgen. Het is ongewenst. Beangstigend. Ze wil hulp.'

Een meisje met zware mascara veegt met één hand een pluk haar achter haar oor. 'Misschien is ze suïcidaal.'

'Haar linkerhand wel. Haar rechterhand is het er duidelijk niet mee eens. Het is als een Monty Python-sketch. Soms moet ze op haar linkerhand gaan zitten om hem onder controle te houden.'

'Is ze depressief?' vraagt een jongen met een grote oorring.

'Nee. Ze is bang, maar kan het grappige van haar probleem inzien. Op haar komt het absurd over. Toch, op haar slechtste momenten, denkt ze aan amputatie. Wat als haar linkerhand haar 's nachts wurgt terwijl haar rechterhand slaapt?'

'Hersenbeschadiging?'

'Er zijn geen in het oog lopende neurologische gebreken – geen verlammingsverschijnselen of versterkte reflexen.'

De stilte zwelt aan en vult de ruimte boven hun hoofden, als herfstdraden in de warme lucht zwevend.

Een stem uit het donker galmt de leegte binnen. 'Ze heeft een beroerte gehad.'

Ik herken de stem. Bruno is gekomen om te zien hoe ik het op mijn eerste dag doe. In de schaduw kan ik zijn gezicht niet zien, maar ik weet dat hij glimlacht.

'Geef die man een sigaar,' roep ik.

'Maar u zei net dat er geen hersenbeschadiging was,' pruilt het enthousiaste meisje op de eerste rij.

'Ik zei dat er geen in het oog lopende neurologische gebreken waren. Deze vrouw had een lichte beroerte gehad aan de rechterkant van haar hersenen, in een gebied dat verantwoordelijk is voor onze emoties. Normaliter communiceren onze twee hersenhelften met elkaar en worden ze het eens, maar in dit geval bleef dat achterwege en vocht haar geest via beide kanten van haar lichaam een fysieke strijd uit.

'Deze casus dateert van vijftig jaar geleden en behoort tot de beroemdste uit het onderzoek van de hersenen. Het bracht een neuroloog met de naam Kurt Goldstein ertoe een van de eerste theorieën over het gedeelde brein te formuleren.'

Mijn linkerarm trilt opnieuw, wat dit keer iets merkwaardig geruststellends heeft.

'Vergeet alles was men je over psychologie heeft verteld. Je zult er niet beter door gaan pokeren of meisjes versieren en ze beter begrijpen. Ik heb er thuis drie en ze zijn een volstrekt raadsel voor me.

Het gaat niet over droominterpretatie, buitenzintuiglijke waarneming, meervoudige persoonlijkheden, gedachtelezen, Rorschachtests, fobieën, herwonnen herinneringen of verdringing. En het allerbelangrijkst: het gaat *niet* over dichter bij jezelf komen. Als dat je bedoeling is stel ik voor dat je een pornoblad koopt en een rustig hoekje opzoekt.'

Hier en daar klinkt snuivend gelach.

'Ik heb nog met niemand van jullie kennisgemaakt, maar ik weet wel dingen over jullie. Sommigen van jullie willen zich onderscheiden van de massa, anderen er juist in opgaan. Misschien heb je de kleren die je moeder heeft ingepakt bekeken en overweeg je een expeditie naar H&M om daar een machinaal verouderd kledingstuk te kopen dat uitdrukking geeft aan jouw eigenheid door je er net zo uit te laten zien als ieder ander op de campus.

Anderen onder jullie vragen zich wellicht af of je van één avond drinken een leverbeschadiging kunt oplopen of wie vanochtend om drie uur in de studentenflat het brandalarm heeft doen afgaan. Jullie willen weten of ik een strenge beoordelaar ben of dat ik jullie gemakkelijk uitstel geef voor opdrachten en of je misschien niet toch politicologie had moeten kiezen in plaats van psychologie. Blijf komen en je zult op sommige vragen antwoord krijgen, maar niet vandaag.'

Ik loop terug naar het midden van het podium en struikel bijna.

'Ik wil jullie één ding meegeven. Een stukje menselijk brein ter grootte van een zandkorrel bevat honderdduizend neuronen, twee miljoen axonen en één miljard synapsen, die allemaal met elkaar praten. Het aantal theoretisch mogelijke permutaties en combinaties van activiteit in het hoofd van elk van ons overtreft het aantal elementaire deeltjes in het universum.'

Ik stop even en laat de getallen over hen heen komen. 'Welkom in het grote onbekende.'

*

'Verbluffend, ouwe jongen, je hebt bij hen de vreze des Heren gewekt,' zegt Bruno terwijl ik mijn papieren bij elkaar scharrel. 'Ironisch. Gepassioneerd. Vermakelijk. Je hebt ze geïnspireerd.'

'Het was nou niet bepaald Mr. Chips.'

'Niet zo bescheiden. Geen van deze jeugdige cultuurbarbaren heeft ooit van Mr. Chips gehoord. Ze zijn opgegroeid met Harry Potter en de Versteende Wijzer.'

'Volgens mij is het "De Steen der Wijzen".'

'Ook goed. Met dat kleine kunstje van je heb je alles in huis om zeer geliefd te worden.'

'Wat voor kunstje?'

'Je Parkinson.'

Hij verblikt of verbloost niet als ik hem vol ongeloof aankijk. Ik stop mijn gehavende aktetas onder mijn arm en ga op weg naar de zijdeur van de collegezaal.

'Het doet me goed te horen dat ze hebben geluisterd,' zeg ik.

'O, van luisteren is nooit sprake,' zegt Bruno. 'Het is een kwestie van osmose: heel af en toe dringt er iets door de alcoholische waas heen. Maar je hebt er wel voor gezorgd dat ze terug zullen komen.'

'Waarom?'

'Ze zullen niet weten hoe ze tegen je moeten liegen.'

Zijn oogleden knijpen zich tot rimpels samen. Bruno draagt een broek zonder zakken. Om de een of andere reden heb ik mannen die geen zakken nodig hebben altijd gewantrouwd. Wat voeren die met hun handen uit?

De gangen en dwarsgangen wemelen van de studenten. Er komt een meisje aanlopen. Ze heeft een gave huid, draagt bordeelsluipers en zwarte jeans. Haar zware mascara geeft haar ogen iets wasbeerachtigs, met een verborgen triestheid.

'Gelooft u in het kwaad, professor?'

'Pardon?'

Ze stelt haar vraag opnieuw, een notitieboekje tegen haar borst geklemd.

'Ik denk dat het woord kwaad te vaak gebezigd wordt en aan kracht heeft ingeboet.'

'Worden mensen zo geboren of maakt de maatschappij hen zo?'

'Ze worden zo gemaakt.'

'Er bestaan dus geen geboren psychopaten?'

'Ze zijn zo zeldzaam dat het niet te kwantificeren valt.'

'Wat is dat nou voor een antwoord?'

'Het enige juiste.'

Ze wil me nog iets vragen maar is zichtbaar moed aan het verzamelen. 'Zou ik u mogen interviewen?' flapt ze er ineens uit.

'Waarvoor is het?'

'De studentenkrant. Volgens professor Kaufmann bent u een soort beroemdheid.'

'Ik geloof niet...'

'Hij zegt dat u beschuldigd bent geweest van moord op een voormalige patiënt en uw straf heeft weten te ontlopen.'

'Ik was onschuldig.'

Het onderscheid lijkt aan haar niet besteed. Ze wacht nog steeds op een antwoord.

'Ik geef geen interviews. Sorry.'

Ze haalt haar schouders op en draait zich om, klaar om te gaan. Er schiet haar nog iets te binnen. 'Ik heb genoten van uw college.'

'Dank je.'

Ze verdwijnt de gang in. Bruno kijkt me schaapachtig aan. 'Ik weet niet waar ze het over heeft, ouwe jongen. Die heeft het niet helemaal begrepen.'

'Wat vertel jij mensen allemaal?'

'Alleen goede dingen. Ze heet Nancy Ewers. Een slim jong ding. Studeert Russisch en politicologie.'

'Waarom schrijft ze voor de krant?'

'Kennis is kostbaar, of hij nu wel of niet van enig nut is voor de mensheid.'

'Van wie is dat?'

'A.E. Housman.'

'Was dat geen communist?'

'Een kussenbijter.'

Het regent nog altijd. Het stortregent. Zo gaat het nu al weken. Veertig dagen en veertig nachten zal er niet ver van af zitten. Over het westen van het land spoelt een olieachtige golf van modder, brokstukken en slib die wegen onbegaanbaar maakt en kelders in zwembaden verandert. De radio doet verslag van overstromingen langs de rivier de Malago en in Hartcliffe Way en Bedminster. Er zijn waarschuwingen afgegeven voor de Avon, die bij Evesham buiten zijn oevers is getreden. Sluizen en rivierdijken lopen gevaar. Er worden mensen geëvacueerd. Dieren verdrinken.

Het vierkante binnenplein wordt overspoeld door de regen, die in dichte vlagen zijwaarts wordt gestuwd. Studenten kruipen bij elkaar onder jassen en paraplu's en maken een spurt naar hun volgende college of de bibliotheek. Anderen blijven waar ze zijn en staan door elkaar heen in de hal. Bruno observeert de knapsten onder de meisjes, zonder het een moment in de gaten te laten lopen.

Hij was het die voorstelde dat ik college zou gaan geven: twee uur per week en vier werkgroepen van elk een halfuur. Klinische en gedragspsychologie. Dat moest niet moeilijk zijn.

'Heb jij een paraplu?' vraagt hij.

'Ja.'

'We delen hem.'

Binnen enkele seconden staan mijn schoenen vol water. Bruno houdt de paraplu vast en duwt me onder het rennen telkens met zijn schouder opzij. Als we aankomen bij de faculteit psychologie zie ik op de voor noodgevallen vrijgehouden plek voor de hoofdingang een politiewagen geparkeerd staan. Er stapt een jonge zwarte agent uit in een regenjas. Hij is lang, heeft kortgeknipt haar en licht gekromde schouders, alsof de regen hem terneerdrukt.

'Dr. Kaufmann?'

Bruno geeft een kort knikje ter bevestiging.

'We hebben een incident op de Cliftonbrug.'

Bruno kreunt. 'O nee, niet nu.'

Een weigering is niet wat de agent had verwacht. Bruno wringt zich langs hem heen en loopt naar de glazen toegangsdeuren van het psychologiegebouw, met mijn paraplu nog altijd in zijn hand.

'We hebben geprobeerd u te bellen,' schreeuwt de agent. 'Ik moest u gaan halen.'

Bruno blijft staan en komt verwensingen mompelend teruglopen.

'Er is vast wel iemand anders beschikbaar. Ik heb geen tijd.'

Het regenwater loopt langs mijn nek. Ik vraag Bruno wat er aan de hand is.

Ineens verlegt hij zijn koers. Terwijl hij over een plas springt geeft hij me mijn paraplu terug alsof hij de Olympische fakkel doorgeeft.

'Dit is de man die jullie er eigenlijk bij willen hebben,' zegt hij tegen de agent. 'Professor Joseph O'Loughlin, mijn geachte collega, klinisch psycholoog van grote faam. Een oude rot. Zeer ervaren in dit soort zaken.'

'Wat voor soort zaken?'

'Een springer.'

'Pardon?'

'Op de Clifton Suspension Bridge,' gaat Bruno verder. 'Een of andere halve gare die niet het benul heeft om de regen te ontvluchten.'

De agent houdt het autoportier voor me open. 'Een vrouw, begin veertig,' zegt hij.

Ik begrijp het nog steeds niet.

'Kom op, ouwe jongen. Het is een dienst aan het publiek,' voegt Bruno eraan toe.

'Waarom doe jij het niet?'

'Belangrijkere zaken. Een bespreking van faculteitshoofden met de rector magnificus.' Hij liegt. 'Valse bescheidenheid is niet nodig, ouwe jongen. Denk maar aan die jonge knaap in Londen die je hebt gered. Ruimschoots verdiende lof. Jij bent veel beter gekwalificeerd dan ik. Maak je geen zorgen. Waarschijnlijk is ze al gesprongen als je aankomt.'

Ik vraag me af of hij zelf wel eens hoort wat hij zegt.

De agent houdt nog altijd het portier open. 'Ze hebben de brug afgesloten,' legt hij uit. 'We moeten echt voortmaken, meneer.'

*

Ruitenwissers gaan als razenden tekeer, een sirene huilt. Binnen in de auto klinkt het merkwaardig gedempt en ik blijf over mijn schouder kijken, in de verwachting een achteropkomende politiewagen te zien naderen. Het duurt heel even voordat ik besef dat het geluid van de sirene van het dak komt.

In de verte doemen gemetselde torens op. Het is het meesterwerk van Brunel, de Clifton Suspension Bridge, een technisch wonder uit het stoomtijdperk. Achterlichten gloeien op. Vanaf de toerit staat meer dan anderhalve kilometer verkeer. Over de vluchtstrook snellen we langs de stilstaande auto's en houden stil bij een afzetting waar politiemensen in fluorescerende hesjes toeschouwers en boze bestuurders op een afstand houden.

De agent doet aan mijn kant het portier open en overhandigt me mijn paraplu. Een regenvlaag zwiept langs en rukt hem bijna uit mijn handen. Vóór me lijkt de brug er verlaten bij te liggen. De gemetselde torens ondersteunen zware, golvende en aan elkaar gekoppelde kabels die gracieus naar het brugdek toe buigen en weer omhoogrijzen naar de overkant van de rivier.

Een van de eigenschappen van bruggen is dat ze het mogelijk maken dat iemand oversteekt zonder ooit de overkant te bereiken. Voor die persoon is de brug virtueel: een open venster waar hij steeds weer voorbij kan lopen of waar hij doorheen kan klimmen.

De Clifton Suspension Bridge is Bristols grootste toeristische attractie en alles-in-één-eindbestemming voor depressieve doe-het-zelvers. Veelgebruikt, vaak gekozen, 'favoriet' is misschien niet de gelukkigste woordkeuze. Sommige mensen zeggen dat de brug bezocht wordt door de geesten van eerdere zelfmoordenaars; men heeft griezelige schaduwen over het brugdek zien zweven.

Vandaag zijn er geen schaduwen. En de enige geest op de brug is er een van vlees en bloed. Een vrouw, naakt, die aan de andere kant van het veiligheidshek staat, met haar rug tegen het metalen traliewerk en de draadstrengen gedrukt. De hakken van haar rode schoenen balanceren op de rand.

Ze ziet eruit als een figuur uit een surrealistisch schilderij, haar naaktheid is niet bijzonder schokkend, maar wel misplaatst. Rechtop staand, met een verstarde elegantie, staart ze naar het water met de houding van iemand die zich van de wereld heeft losgemaakt.

De politieman die de leiding heeft stelt zich voor. Hij is in uniform: brigadier Abernathy. Zijn voornaam ontgaat me. Een agent houdt een paraplu boven zijn hoofd. Water valt van de donkere plastic koepel en komt op mijn schoenen terecht.

'Wat heeft u nodig?' vraagt Abernathy.

'Een naam.'

'Die hebben we niet. Ze wil niet met ons praten.'

'Heeft ze überhaupt iets gezegd?'

'Nee.'

'Ze verkeert mogelijk in een shocktoestand. Waar zijn haar kleren?'

'Die hebben we niet aangetroffen.'

Ik werp een blik langs het voetpad van de brug, dat omsloten is door een hek met aan de bovenkant vijf rijen staaldraad, wat het overklimmen voor wie dan ook lastig maakt. De regen is zo intens dat ik de andere kant van de brug amper kan zien.

'Hoe lang staat ze daar al?'

'Al bijna een uur.'

'Hebben jullie een auto aangetroffen?'

'We zoeken nog.'

Ze is waarschijnlijk vanaf de oostkant gekomen, die dicht bebost is. Zelfs als ze haar kleren op het voetpad heeft uitgedaan moeten tientallen bestuurders haar hebben gezien. Waarom heeft niemand haar tegengehouden?

Een grote vrouw met kortgeknipt, zwartgeverfd haar onderbreekt het gesprek. Ze heeft gebogen schouders en haar handen steken in de zakken van een regenjack dat tot op haar knieën hangt. Ze is enorm. Vierkant. En ze draagt mannenschoenen.

Abernathy verstrakt. 'Wat komt u hier doen, mevrouw?'

'Ik probeer gewoon thuis te komen, brigadier. En houd op met dat gemevrouw. Ik ben verdomme de koningin niet.'

Ze kijkt naar de tv-ploegen en persfotografen die zich op een strook gras verzameld hebben en bezig zijn statieven en lampen te plaatsen. Na een tijd wendt ze zich tot mij.

'Waarom tril je zo, schat? Zo eng ben ik nou ook weer niet.'

'Sorry. Ik heb de ziekte van Parkinson.'

'Dat is pech. Houdt dat in dat ze je een vignet geven?'

'Een vignet?'

'Invalidenparkeren. Dan kun je bijna overal staan. Het is bijna net zo handig als rechercheur zijn, alleen mogen wij af en toe mensen neerschieten en te hard rijden.'

21

Het is duidelijk dat ze van de politie is en hoger in rang dan Abernathy.

Ze kijkt in de richting van de brug. 'Het komt best in orde, dok, u hoeft niet nerveus te zijn.'

'Ik ben professor, geen dokter.'

'Serieus? Heeft u *Gilligan's Island* wel eens gezien?'

Ik aarzel. 'Ja.'

'Denkt u dat de professor het wel eens met Ginger heeft gedaan? Ze was schattig, op een suikerspinachtige manier.'

'Ik heb nooit echt . . .'

'U gaat me toch niet vertellen dat u Maryanne leuk vond. Het meisje met de staartjes. Vertel eens: hoe kon het dat de professor van een lege kokosnoot een telefoon kon maken die het ook deed, maar een gat in een boot niet kon repareren?'

'Dat is een van de grote raadselen des levens, denk ik.'

'Daar heb ik er massa's van.'

Onder mijn jasje wordt een zender/ontvanger bevestigd. Een reflecterende gordel zit over mijn schouders gelust en aan de voorkant dichtgeklemd. De vrouwelijke rechercheur steekt een sigaret aan en blaast langzaam uit. Terwijl ze de sigaret tegen de regen beschermt, plukt ze een draadje tabak van het puntje van haar tong.

Hoewel ze geen dienst heeft, is ze een geboren leider. De geüniformeerde agenten lijken ineens geconcentreerder en klaar om in actie te komen.

'Wilt u dat ik met u meega?' vraagt ze.

'Ik red me wel.'

'Oké, zeg maar tegen die stopnaald dat ik haar op een vetarme muffin trakteer als ze weer naar onze kant van het hek stapt.'

'Dat zal ik doen.'

Tijdelijke afzettingen hebben beide toegangswegen naar de brug geblokkeerd. De brug is verlaten, op twee ziekenauto's en wachtend ambulancepersoneel na. Automobilisten en toeschouwers staan onder paraplu's en jassen bij elkaar. Sommigen zijn op een grastalud geklauterd om beter te kunnen kijken.

De regen ketst terug van het asfalt en ontploft in minuscule paddenstoelwolkjes water, stroomt door goten en gutst in een gordijn van water van de zijkanten van de brug.

Ik kruip onder de afzetting door en begin naar de brug te lopen. Ik heb mijn handen uit mijn zakken. Mijn linkerarm weigert mee te zwaaien. Dat doet hij soms, tegen de draad in gaan. In de verte ontwaar ik de vrouw.

Langs mijn rug lekt water dat zich verzamelt in het kuiltje boven mijn riem. Ik ga het voetpad aan de zuidkant op. Uit de verte leek haar huid volkomen gaaf, maar nu zie ik dat haar dijen kriskras bezaaid zijn met schrammen en moddervegen. Haar schaamhaar vormt een donkere driehoek: donkerder dan haar haar, dat in een losse vlecht zit die achterin haar nek valt.

Er is nog iets – letters die op haar buik geschreven staan. Een woord. Als ze zich naar me omdraait zie ik het.

'SLET.'

Vanwaar die zelfbeschuldiging? Waarom naakt? De mogelijkheden tuimelen als dominostenen in mijn hoofd, de ene steen tegen de andere. Dit is publieke vernedering. Misschien had ze een verhouding en is ze iemand kwijtgeraakt van wie ze houdt. En nu wil ze zichzelf straffen om te bewijzen dat het haar spijt. Het zou een dreigement kunnen zijn, het ultieme staaltje van de rand opzoeken: 'Als je van me af gaat, maak ik me van kant.'

Nee, dit hier is te extreem. Te gevaarlijk. Tieners dreigen soms zichzelf iets aan te doen als een relatie misloopt. Het is een teken van emotionele onvolwassenheid. Deze vrouw is eind dertig en heeft vlezige dijen en cellulitis die vage kuiltjes vormt op haar billen en heupen. Ik zie een litteken. Een keizersnee. Ze is moeder.

Ik ben nu dicht bij haar. Een kwestie van meters en centimeters.

Haar billen en rug zijn stevig tegen het hek gedrukt. Haar linkerarm zit om een van de bovenste draadstrengen geslagen. Haar andere hand houdt een mobiele telefoon tegen haar oor.

'Hallo. Mijn naam is Joe. En hoe heet u?'

Ze geeft geen antwoord. Gepakt door een windvlaag lijkt ze haar evenwicht te verliezen en naar voren te zwaaien. Het draad dringt dieper in de holte van haar arm. Ze trekt zichzelf weer op.

23

Haar lippen bewegen. Ze praat met iemand door de telefoon. Ik moet haar aandacht zien te vangen.

'Zeg me alleen hoe u heet. Dat is niet zo moeilijk. Zeg maar Joe en dan zeg ik...'

De wind schuift een lok haar voor haar rechteroog. Alleen haar linkeroog, vervuld van een uitgeputte angst, is zichtbaar.

De knagende onzekerheid in mijn maag breidt zich uit. Vanwaar de hoge hakken? Heeft ze een nachtclub bezocht? Het is te laat op de dag. Is ze dronken? Gedrogeerd? Ecstasy kan een psychose veroorzaken. LSD. Methamfetamine, wellicht.

Ik vang flarden van haar gesprek op.

'Nee. Nee. Alsjeblieft. Neem mij.'

'Wie is dat aan de telefoon?'

'Dat doe ik. Ik beloof het. Laat haar met rust.'

'Luister naar me. U wilt dit niet.'

Ik kijk omlaag. Meer dan zeventig meter onder me zwoegt een plompe boot tegen de stroom, op zijn plaats gehouden door zijn motoren. De gezwollen rivier klauwt naar de doornstruiken en haagdoorns langs de lagere delen van de oevers. Er drijft een dode koe voorbij, heen en weer rollend als een biervat. Een confetti van afval wervelt rond op het wateroppervlak: boeken, takken en plastic flessen.

'Ik heb hier een jas voor u. U zult het wel koud hebben. Ik leg hem hier alleen even neer en ga terug. Goed?'

Opnieuw geen antwoord. Ik moet zorgen dat ze mijn aanwezigheid bevestigt. Een hoofdknik of één woordje ter bevestiging is genoeg. Ik moet me ervan verzekeren dat ze luistert.

'Misschien kan ik proberen een arm om uw schouders te leggen, gewoon om u warm te houden.'

Haar hoofd schiet mijn kant op en ze zwiept naar voren alsof ze op het punt staat los te laten. Ik sta abrupt stil, de jas nog altijd in mijn hand.

'Oké, ik zal niet dichterbij komen. Ik blijf hier staan. Zeg me alleen hoe u heet.'

Ze kijkt omhoog en knippert met haar ogen tegen de regen. Ze doet me denken aan een gedetineerde op een sportveld die een kort moment van zijn vrijheid geniet.

'Wat er ook aan de hand is. Wat er ook met u gebeurd is of u onderuit heeft gehaald, we kunnen er over praten. Ik neem u de keuze niet uit handen. Ik wil alleen weten waarom.'

Haar tenen zakken omlaag en ze moet zichzelf dwingen weer op haar hielen te staan om haar evenwicht te bewaren. Haar kuiten moeten het zwaar te verduren hebben. In haar spieren bouwt het melkzuur zich op.

'Ik heb mensen zien springen, weet u. Niet vanaf deze plek, maar van gebouwen. U moet niet denken dat het een pijnloze manier van sterven is. Zal ik zeggen wat er gebeurt? Het zal minder dan drie seconden duren voordat u bij het water bent. Tegen die tijd heeft u een snelheid van zo'n honderdtwintig kilometer per uur. Uw ribben zullen breken en de rafelige uiteinden zullen uw inwendige organen doorboren. Soms wordt het hart samengedrukt door de klap, scheurt het los van de aorta en vult de borstkas zich met bloed.'

Haar blik is nu op het water gefixeerd. Ik weet dat ze luistert.

'Uw armen en benen zullen nog intact zijn, maar de tussenwervelschijven in uw nek of ruggengraat zullen hoogstwaarschijnlijk scheuren. Dat zal niet prettig zijn. Het zal niet pijnloos zijn. Iemand zal u moeten oppikken. Iemand zal uw lichaam moeten identificeren. Iemand zal achterblijven.'

Hoog in de lucht klinkt een dreunend geluid. Rollende donder. De lucht vibreert en de aarde lijkt uit meeleven of angst mee te trillen. Er is iets ophanden.

Haar ogen hebben zich naar me toe gekeerd.

'U begrijpt het niet,' fluistert ze tegen me terwijl ze de telefoon laat zakken. Een fractie van eens seconde bungelt hij aan de uiteinden van haar vingers, alsof hij zich aan haar vast probeert te klampen, om vervolgens weg te tuimelen en in de leegte te verdwijnen.

De lucht wordt donker en ik krijg een half gevormd beeld voor ogen – een smeltende figuur met wijd opengesperde mond die in wanhoop schreeuwt. Haar billen drukken niet langer tegen het metaal. Haar arm zit niet langer om de draad geslingerd.

Ze verzet zich niet tegen de zwaartekracht. Er zijn geen armen en benen die wild in het rond zwaaien of naar de lucht klauwen. In stilte valt ze uit het zicht.

Alles lijkt tot stilstand te komen, alsof de wereld een hartslag heeft overgeslagen of tussen opeenvolgende pulsaties is blijven steken. Daarna begint alles weer te bewegen. Verplegers en politieagenten stormen langs me heen. Mensen schreeuwen en huilen. Ik draai me om en loop in de richting van de afzettingen, me afvragend of dit geen onderdeel van een droom is.

Ze staren naar de plek waar ze viel. Stellen dezelfde vraag. Waarom heb ik haar niet gered? Hun ogen maken me klein. Ik kan hun blikken niet beantwoorden.

Mijn linkerbeen blijft staan en ik val op mijn handen en knieën en kijk in een zwarte plas. Ik krabbel weer overeind, dring me door de menigte en duik onder de afzetting door. Naast de weg voortstrompelend ploeter ik door plassen heen, regendruppels van me af slaand. In greppels borrelt en schuimt het. De rij voertuigen is een stilstaande stroom. Ik hoor automobilisten met elkaar praten. Een van hen schreeuwt naar me.

'Is ze gesprongen? Wat is er gebeurd? Wanneer geven ze de weg weer vrij?'

Ik loop door, mijn blik woest vooruit gericht, in een soort slaaptoestand. Mijn linkerarm zwaait niet meer. Bloed zoemt in mijn oren. Misschien was het mijn gezicht dat haar ertoe aanzette. Het Parkinsonmasker, als afkoelend brons. Zag ze iets of zag ze juist iets niet?

Ik strompel naar de goot, leun over de veiligheidsreling en geef over tot er niets meer in mijn maag zit.

*

Op de brug is een kerel bezig zijn darmen uit te kotsen. Hij zit op zijn knieën tegen een plas te praten tegen alsof die naar hem luistert. Ontbijt. Lunch. Weg. Mocht er iets ronds, bruins en harigs meekomen, dan hoop ik dat hij zich flink houdt.

Op de brug zwermen mensen rond. Ze turen over de reling. Ze hebben mijn engel zien vallen. Ze was als een marionet waarvan de touwtjes zijn doorgesneden, alsmaar door tuimelend, met losse ledematen en gewrichtsbanden, naakt als op de dag dat ze geboren werd.

Ik heb ze een schouwspel geboden. Een nummer op het slappe koord; een vrouw op het randje die de leegte in stapt. Heb je haar geest horen breken? Heb je gezien hoe de bomen achter haar vervaagden tot een groene waterval? De tijd leek tot stilstand te komen.

Ik voel in de achterzak van mijn spijkerbroek, haal er een stalen kam uit en haal hem door mijn haar, van voor naar achter dunne, gelijkmatig verdeelde sporen trekkend. Ik houd mijn blik op de brug gericht. Ik druk mijn voorhoofd tegen het raam en zie de omlaag vallende kabels rood en blauw opkleuren in de knipperlichten.

Langs de buitenkant van het glas schieten druppeltjes omlaag, voortgedreven door windstoten die de ruiten doen schudden. Het begint donker te worden. Ik wou dat ik van hieruit het water kon zien. Bleef ze drijven of zonk ze meteen naar de bodem? Hoeveel botten brak ze? Leegden haar darmen zich vlak voordat ze stierf?

De torenkamer maakt deel uit van een Georgian huis dat eigendom is van een Arabier die 's winters weg is. Een schatrijke, in olie zwemmende rukker. Het was lange tijd een oud, vervallen pension, totdat hij er weer een chique boel van liet maken. Het ligt twee straten van de bedding van de Avon, die ik over de daken heen vanuit de torenkamer kan zien liggen.

Ik vraag me af wie hij is, de man op de brug. Hij kwam in gezelschap van de lange politieagent aanlopen en liep met een vreemd slepende tred, waarbij zijn ene arm de lucht doorkliefde en de andere roerloos langs zijn zij hing. Misschien een bemiddelaar. Een psycholoog. Geen liefhebber van grote hoogtes.

Hij probeerde haar te overreden, maar ze luisterde niet. Ze luisterde naar mij. Dat is het verschil tussen een professional en een kloterig amateurtje. Ik weet hoe je een geest open krijgt. Ik kan hem buigen of breken. Ik kan hem op slot doen voor de winter. Ik kan er op duizend verschillende manieren mee kloten.

Ik heb ooit met een gast gewerkt die Hopper heette, een grote boe-

27

renpummel uit Alabama die altijd moest kotsen als hij bloed zag. Hij was marinier geweest en beweerde altijd dat een marinier en zijn geweer het dodelijkste wapen ter wereld vormden. Maar niet als de man moet kotsen, natuurlijk.

Hopper geilde op films en haalde altijd zinnen aan uit Full Metal Jacket. De figuur Hartman, sergeant artillerie, die zijn rekruten toebulderde en hen voor luie flikkers en tuig en tweeslachtige stukken stront uitmaakte.

Hopper was niet alert genoeg voor een ondervrager. Hij was een bullebak, maar daarmee kom je er niet. Je moet slim zijn. Je moet mensen doorzien, wat hen vrees aanjaagt, hoe ze denken, waar ze zich aan vastklampen als ze in de problemen zitten. Je moet kijken en luisteren. Mensen geven zich op duizend verschillende manieren bloot. Door de kleren die ze dragen, hun schoenen, hun handen, hun stemmen, hun stiltes en aarzelingen, tics en gebaren. Luister en kijk.

Mijn ogen dwalen af tot boven de brug, naar de parelgrijze wolken die nog altijd huilen om mijn engel. Ze zag er beeldschoon uit toen ze viel, als een postduif met een gebroken vleugel of een houtduif die met een luchtbuks wordt neergehaald.

Als kind schoot ik op duiven. Onze buurman, meneer Hewitt, die aan de andere kant van het hek woonde, had een duiventil en deed mee aan prijsvluchten. Het waren echte wedstrijdduiven; hij nam ze mee op tochten en liet ze los. Dan zat ik in mijn slaapkamer en wachtte tot ze terugkwamen. Die suffe ouwe lul kon er maar niet achter komen waarom zoveel duiven het niet haalden.

Vannacht zal ik lekker slapen. Ik heb één hoer het zwijgen opgelegd en de andere een boodschap gestuurd.

Aan die ene…

Ze zal terugkomen als een duif naar zijn hok. En ik zal daar op haar zitten wachten.

2

Een bemodderde landrover komt tot stilstand in de berm en slipt heel even op het losse grind. De vrouwelijke rechercheur die ik op de brug heb ontmoet leunt opzij en opent het portier aan de passagierskant. Scharnieren maken kreunend bezwaar. Ik ben doorweekt. Mijn schoenen zitten onder het braaksel. Ze zegt dat het niet uitmaakt.

Ze rijdt de weg weer op en rukt zich door stugge versnellingen heen terwijl ze de landrover door bochten wringt. De eerste paar kilometer doen we er het zwijgen toe.

'Ik ben recherche-inspecteur Veronica Cray, voor vrienden Ronnie.'

Ze stopt heel even om te zien of het ironische van de naam doorkomt. Ronnie en Reggie Kray waren legendarische zware jongens uit het East End van de jaren zestig.

'Het is "Cray" met een "C" en niet met een "K",' voegt ze eraan toe. 'Mijn opa heeft de spelling laten veranderen omdat hij niet wilde dat mensen dachten dat we verwant waren aan een familie van psychopaten en moordenaars.'

'Wil dat zeggen dat u wel familie bent?' vraag ik.

'Een verre nicht, zoiets.'

De ruitenwissers slaan hard tegen de onderste rand van de voorruit. De auto ruikt vaag naar paardenvijgen en nat hooi.

'Ik heb Ronnie één keer ontmoet,' vertel ik haar. 'Vlak voordat hij stierf. Het was voor een onderzoek voor het ministerie van Binnenlandse Zaken.'

'Waar zat hij toen?'

'Broadmoor?'

'De psychiatrische gevangenis.'

'Die ja.'

'Wat was het voor een type?'

'Van de oude stempel. Welgemanierd.'

'Ja, dat soort ken ik – erg goed voor hun moeder,' lacht ze.

De volgende anderhalve kilometer blijft het stil.

'Ik heb ooit gehoord dat, toen Ronnie stierf, de patholoog zijn hersenen heeft meegenomen omdat ze er experimenten mee wilden doen. De familie kwam erachter en eiste de hersenen terug. Ze gaven ze een aparte begrafenis. Ik heb me altijd afgevraagd hoe het toegaat bij de begrafenis van hersenen.'

'Een kleine kist.'

'Niet meer dan een schoenendoos.'

Ze trommelt met haar vingers op het stuurwiel.

'Weet u, u kon er niks aan doen, daar op die brug.'

Ik reageer niet.

'Magere Mientje had al voordat u ten tonele verscheen besloten om te springen. Ze wilde niet gered worden.'

Mijn ogen schieten naar rechts, naar buiten. De nacht is bijna gevallen. Er is niets meer te zien.

Ze zet me af bij de universiteit en steekt een hand uit om die van mij te schudden. Korte nagels. Een stevige greep. We laten los. In mijn handpalm zit een visitekaartje.

'Mijn thuisnummer staat achterop,' zegt ze. 'We moeten maar eens een keer samen dronken worden.'

*

Mijn mobieltje heeft uitgestaan. Er staan drie berichten van Julianne op mijn voicemail. Haar trein uit Londen is meer dan een uur geleden gearriveerd. Van bericht naar bericht verandert haar stem van boos in bezorgd.

Ik heb haar al drie dagen niet gezien. Ze is met haar baas, een Amerikaanse durfinvesteerder, op zakenreis geweest naar Rome. Mijn briljante echtgenote spreekt vier talen en is een hoogvlieger geworden in het bedrijfsleven.

Ze zit op haar koffer op haar PDA te werken als ik de afhaalstrook kom oprijden.

'Wil je een lift?' vraag ik.

'Ik wacht op mijn man,' zegt ze terug. 'Hij had hier al een uur geleden moeten zijn, maar hij is niet komen opdagen. Niet gebeld ook. Zonder een goede verklaring zou hij hier niet durven verschijnen.'

'Sorry.'

'Dat is een verontschuldiging, geen verklaring.'

'Ik had moeten bellen.'

'Dat had je je wel eerder kunnen bedenken. Het is nog steeds geen verklaring.'

'Wat dacht je van een verklaring, een nederige verontschuldiging en een voetmassage?'

'Mijn voeten masseren doe je alleen als je uit bent op seks.'

Ik wil haar tegenspreken, maar ze heeft gelijk. Als ik uitstap voel ik door mijn sokken heen het koude wegdek.

'Waar zijn je schoenen?'

Ik kijk naar mijn voeten.

'Er zat kots op.'

'Heeft er iemand over je heen gekotst?'

'Ikzelf, ja.'

'Je bent doorweekt. Wat is er gebeurd?' Onze handen ontmoeten elkaar op de handgreep van de koffer.

'Een zelfmoord. Ik kon haar niet op andere gedachten brengen. En toen is ze gesprongen.'

Ze slaat haar armen om me heen. Er hangt een geur om haar heen. Iets afwijkends. Houtrook. Copieus voedsel. Wijn.

'Wat erg, Joe. Het moet verschrikkelijk zijn geweest. Weet je iets van haar af?'

'De politie wist zelfs haar naam niet.'

'Hoe ben je erbij betrokken geraakt?'

'Ze kwamen langs op de universiteit. Ik wou dat ik haar had kunnen redden.'

'Je mag jezelf geen verwijten maken, Joe. Je kende haar niet. Je wist niet waar ze mee worstelde of hoe ze ertoe kwam dit te doen.'

De olieachtige plassen ontwijkend leg ik haar koffer in de kofferbak en doe het portier aan de kant van de bestuurder open. Dat doet ze tegenwoordig automatisch, het stuur overnemen. Van opzij zie ik hoe een ooghaartje haar wang raakt als ze knippert en hoe de roze schelp van haar oor door haar haar heen steekt. God wat is ze mooi.

Ik herinner me nog altijd de eerste keer dat mijn oog op haar viel, in een pub in de buurt van Trafalgar Square. Ze zat in het eerste jaar van haar talenstudie aan London University en ik was doctoraalstudent. Ze was net getuige geweest van een van mijn sterkste momenten, een zeepkistpreek vóór de Zuid-Afrikaanse ambassade over de wandaden van het apartheidsregime. Ik weet zeker dat zich ergens in de ingewanden van MI5 een afschrift van die toespraak bevindt, vergezeld van een foto van ondergetekende met een krulsnor en hoog getailleerde spijkerbroek.

Na de demonstratie raakten we in een pub verzeild, waar Julianne naar me toe kwam en zich voorstelde. Ik bood haar een drankje aan en deed mijn best haar niet aan te staren. Ze had een donkere sproet op haar onderlip waar ik mijn ogen niet van kon afhouden… en nog altijd niet van kan afhouden. Mijn ogen worden ernaartoe getrokken als ik met haar praat, mijn lippen als we kussen.

Ik hoefde Julianne niet voor me te winnen met etentjes bij kaarslicht of bloemen. Zij koos mij. En tegen de ochtend, ik zweer het, boomden we bij stukjes toast met marmite en eindeloze koppen thee over het leven dat we samen zouden leiden. Ik houd van haar om ik weet niet hoeveel redenen, maar vooral omdat ze achter me staat en aan mijn kant staat en omdat haar hart groot genoeg is voor ons beiden. Ze maakt een beter, moediger, sterker mens van me. Ze stelt me in staat te dromen. Ze houdt me bijeen.

We rijden over de A37 richting Frome, tussen de heggen, hekken en muren door.

'Hoe ging je college?'

'Bruno vond het inspirerend.'

'Jij wordt een geweldige docent.'

'Volgens Bruno Kaufmann is mijn Parkinson een pluspunt. Het wekt een vermoeden van oprechtheid.'

'Dat moet je zo niet zeggen,' zegt ze, boos. 'Jij bent de meest oprechte man die ik ooit heb ontmoet.'

'Het was een grapje.'

'Maar geen grappig grapje. Die Bruno klinkt cynisch en sarcastisch. Ik weet niet of ik hem wel mag.'

'Hij kan heel charmant zijn. Je zult het zien.'

Ze is niet overtuigd. Ik verander van onderwerp. 'Hoe was het?'

'Druk.'

Ze begint te vertellen over hoe haar bedrijf namens een bedrijf in Duitsland onderhandelingen voert over de overname van een keten radiostations in Italië. Er zit vast iets interessants in, maar ik ben al lang voordat ze op dat punt is aangeland afgehaakt. Na negen maanden kan ik de namen van haar collega's of haar baas nog altijd niet onthouden. Erger nog, ik kan me niet *voorstellen* dat ik ze ooit zal onthouden.

De auto stopt voor een huis in Wellow. Ik besluit mijn schoenen aan te doen.

'Ik heb mevrouw Logan gebeld en gezegd dat we later kwamen,' zegt Julianne.

'Hoe klonk ze?'

'Zoals altijd.'

'Ik weet zeker dat zij ons de slechtste ouders ter wereld vindt. Jij bent een overdreven carrièrevrouw en ik een… een…'

'Een man?'

'Dat alleen zal al erg genoeg zijn.'

We moeten allebei lachen.

Mevrouw Logan past op dinsdag en vrijdag op onze Emma van drie. Nu ik aan de universiteit doceer hebben we een kindermeisje voor hele dagen nodig. Maandag spreek ik de eerste kandidaten.

Emma komt naar de deur rennen en slaat haar armen om mijn benen. Mevrouw Logan staat in de vestibule. Haar T-shirt maat XL hangt vanaf haar borsten recht omlaag en bedekt een bobbel van onzekerheid. Ik weet nooit of ze zwanger is of gewoon dik, dus houd ik mijn mond.

'Sorry dat we zo laat zijn,' begin ik. 'Een noodsituatie. Het zal niet meer gebeuren.'

Ze pakt Emma's jas van een haakje en duwt me haar tas in de armen. Dit opzettelijke zwijgen is vrij normaal. Ik til Emma op mijn heup. Ze houdt een potloodtekening stevig vast, een krabbel van lijnen en spikkels.

'Voor jou, pappie.'

'Wat mooi. Wat is het?'

'Een tekening.'

'Dat snap ik, maar van wat?'

'Gewoon, een tekening.'

Ze heeft de gave van haar moeder om het voor de hand liggende te zeggen en mij voor schut te zetten.

Julianne neemt haar van me over en geeft haar een knuffel. 'Je bent de afgelopen vier dagen gegroeid.'

'Ik ben drie.'

'Precies, jij bent drie.'

'Charlie?'

'Die is thuis, lieverd.'

Charlie is onze oudste. Ze is twaalf, bijna eenentwintig.

Julianne gespt Emma in haar autostoeltje vast en ik zet haar favoriete cd op, waar op de hoes vier Australische mannen van middelbare leeftijd in Teletubbykleurige topjes te zien zijn. Vanaf de achterbank brabbelt ze tegen ons, ondertussen haar sokken uittrekkend omdat ze er graag als een inboorling bij loopt.

Ik denk dat we dat allemaal een beetje hebben sinds we uit Londen zijn weggegaan. Het was Juliannes idee. Ze zei dat het voor mij minder stress zou betekenen, wat klopt. Goedkopere huizen. Goede scholen. Meer ruimte voor de meiden. De gebruikelijke argumenten.

Onze vrienden dachten dat we gek geworden waren. Somerset? Dat meen je niet! Het zit daar vol met Aga-pummels en leden van de groenelaarzenbrigade die naar bijeenkomsten van ponyclubs gaan en rondrijden in terreinwagens met een verwarmde paardentrailer aan de trekhaak.

Charlie wilde niet bij haar vriendjes en vriendinnetjes vandaan maar ging overstag toen ze de mogelijkheid van een eigen paard ontdekte, waarover nog wordt onderhandeld. En nu wonen we dus hier, in de wildernis van de West Country, waar we als nieuw-komers worden behandeld door de lokale mensen, die ons pas helemaal zullen vertrouwen als er vier generaties O'Loughlins op het dorpskerkhof begraven liggen.

Het huis is verlicht als een studentenflat bij avond. Charlies vurige wens om de planeet te redden heeft er nog niet toe geleid dat ze bij het verlaten van de kamer het licht uitdoet. Ze staat met haar handen in haar zij bij het hek van de voortuin.

'Ik heb pa op tv gezien. Net…op het nieuws.'

'Je kijkt nooit naar het nieuws,' zegt Julianne.

'Soms wel. Er is een vrouw van een brug gesprongen.'

'Je vader wil niet herinnerd worden…'

'Waarom heb je haar niet gered?'

'Ik heb het geprobeerd.'

Ik til Emma uit de auto. Ze slaat meteen haar armen om mijn nek, als een koalabeer die zich aan een boom vastklampt.

Charlie gaat tegen Julianne verder met haar verhaal over de re-portage op het nieuws. Hoe komt het toch dat kinderen zo ge-fascineerd zijn door de dood. Dode vogels. Dode dieren. Dode insecten.

'Hoe was het op school?' vraag ik in een poging van onderwerp te veranderen.

'Goed.'

'Nog iets geleerd?'

Charlie rolt met haar ogen. Vanaf haar eerste dag op de kleu-terschool heb ik haar elke middag na elke schooldag deze zelfde vraag gesteld. Ze is al lang geleden gestopt met antwoorden.

Ineens is het huis vervuld van geluid en bedrijvigheid. Julianne begint met koken terwijl ik Emma in bad doe en tien minuten lang naar haar pyjama zoek terwijl ze in haar blootje Charlies ka-mer in en uit rent.

Ik roep naar beneden. 'Ik kan Emma's pyjama niet vinden.'

'In de bovenste la van haar kast.'

'Heb ik al gekeken.'

'Onder haar kussen.'

'Nee.'

Ik weet wat er nu gaat gebeuren. Julianne komt helemaal naar boven lopen en vindt de pyjama waar ik bij sta. Dit heet 'huiselijk gezichtsverlies'. Ze roept naar Charlie. 'Help je vader even Emma's pyjama zoeken.'

Emma wil een verhaaltje voor het slapen gaan. Ik moet er eentje verzinnen met een prinses, een toverfee en een sprekende ezel. Dat krijg je als je een driejarige de creatieve teugels in handen geeft. Ik kus haar welterusten en laat haar deur op een kier.

Avondeten. Een glas wijn. Ik doe de afwas. Julianne valt op de bank in slaap en maakt dromerig verontschuldigingen als ik haar met zachte hand naar boven werk en het bad voor haar laat vollopen.

Dit zijn onze beste avonden, als we elkaar een paar dagen niet hebben gezien en we elkaar aanraken en langs elkaar heen strijken en bijna niet kunnen wachten tot Charlie op bed ligt.

'Weet je waarom ze is gesprongen?' vraagt Julianne terwijl ze zich in het badwater laat glijden. Ik zit op de rand van het bad en probeer contact te houden met haar ogen. Mijn blik wil omlaag dwalen naar waar haar tepels door het schuim heen prikken.

'Ze wilde niet met me praten.'

'Ze moet heel verdrietig zijn geweest.'

'Ja.'

3

Middernacht. Het is weer gaan regenen. Water gorgelt in de regenpijpen buiten ons slaapkamerraam, glijdt langs de heuvel omlaag, om uit te komen in een beek die in een rivier is veranderd en het voetpad en de stenen brug onder water heeft gezet.

Ik vond het altijd heerlijk om wakker te liggen als mijn meiden sliepen. Dan voelde ik me als een wachter die over hen waakte en hen beschermde. Deze nacht is anders. Elke keer als ik mijn ogen dichtdoe zie ik beelden van een tuimelend lichaam en opent de grond zich onder mijn voeten.

Julianne wordt één keer wakker en laat haar hand over de lakens tot op mijn borstkas glijden, alsof ze mijn hart tot bedaren probeert te brengen.

'Rustig maar,' fluistert ze. 'Je bent hier, bij mij.'

Haar ogen zijn niet open geweest. Haar hand glijdt opzij.

Om zes uur in de ochtend neem ik een klein wit pilletje in. Mijn been trekt als een hond die in zijn droom achter konijnen aan zit. Langzaam komt het schokken tot stilstand. In Parkinsontermen sta ik nu 'aan'. De medicatie is begonnen te werken.

Het is vier jaar geleden dat mijn linkerhand me de boodschap gaf. Het was geen geschreven of getypte of op luxe papier gedrukte boodschap. Het was een onbewuste, willekeurige trilling van mijn vingers, eerder een rukje dan een epistel. Een spookmoment. Een schaduw tot werkelijkheid gemaakt. Zonder dat ik het wist, in het geheim opererend, waren mijn hersenen begonnen zich van mijn geest los te maken. Het is een langgerekte scheidingsprocedure geweest zonder juridisch gesteggel over de verdeling van bezittingen – wie krijgt de cd-verzameling en tante Gracia's antieke buffet?

Het begon met mijn linkerhand en breidde zich uit naar mijn arm en mijn been en mijn hoofd. Mijn lichaam wordt nu bediend door iemand anders die eruitziet als ik, maar dan minder vertrouwd.

Als ik naar oude video's van onszelf kijk kan ik de veranderingen zelfs twee jaar voordat de diagnose werd gesteld al waarnemen. Ik sta aan de zijlijn te kijken hoe Charlie voetbalt. Mijn schouders staan schuin naar voren, alsof ik schrap sta tegen een gure wind. Is dit het begin van een ronde rug?

Ik heb de vijf stadia van verdriet en rouw doorlopen. Ik heb het ontkend, ben tekeergegaan tegen de onrechtvaardigheid ervan, heb verbonden gesloten met God, ben in een donker hol gekropen en heb uiteindelijk mijn lot aanvaard. Ik heb een progressieve, degeneratieve neurologische aandoening. Ik zal het woord ongeneeslijk niet gebruiken. Want er is genezing mogelijk. Ze weten alleen nog niet hoe. Ondertussen gaat de scheiding verder.

Ik wou dat ik je kon zeggen dat ik er inmiddels vrede mee heb, dat ik blijer ben dan ooit, dat ik het leven heb omarmd, dat ik nieuwe vrienden heb gemaakt en een spiritueel en volledig mens ben geworden. Was het maar waar.

We hebben een huis dat op omvallen staat, een kat, een eend en twee hamsters, Bill en Ben, die mogelijk meisjes zijn. (De eigenaar van de dierenwinkel leek er niet helemaal zeker van te zijn.)

'Het is belangrijk,' vertelde ik hem.

'Waarom?'

'Ik heb thuis al genoeg vrouwen.'

Volgens onze buurvrouw, mevrouw Nuttall, een uitgesproken malloot, hebben we ook een huisspook, een vroegere bewoonster die van de trap schijnt te zijn gevallen toen ze hoorde dat haar man was omgekomen in de Eerste Wereldoorlog, ook wel bekend als The Great War.

Ik heb me altijd verbaasd over die term 'The Great War'. Wat was daar zo 'great', zo geweldig aan? Acht miljoen soldaten kwamen om en ongeveer evenveel burgers. Het is net als met de 'The Great Depression'. Een geweldige crisis. Kunnen we daar niet iets anders voor bedenken?

We wonen in een dorp genaamd Wellow, iets minder dan negen kilometer van Bath Spa. Het is een van die eigenaardige, ansichtkaartgrote groepjes van gebouwen die amper groot genoeg lijken om hun eigen geschiedenis te bevatten. De dorpspub, de Fox & Badger, is tweehonderd jaar oud en heeft zijn eigen huisdwerg. Kan het rustieker?

Het komt niet langer voor dat rijschoolleerlingen achteruit onze oprit op rijden, honden op onze stoep schijten of er in de straat autoalarms staan te loeien. We hebben tegenwoordig buren. Die hadden we in Londen ook wel, maar die deden alsof ze niet bestonden. Hier komen ze langs om tuingereedschap of een kopje bloem te lenen. Ze wisselen hun politieke meningen met je uit, wat iedereen die in Londen woont een gruwel is, met uitzondering van taxichauffeurs en politici.

Ik weet niet wat ik van Somerset verwachtte, maar dit is goed genoeg. En als ik sentimenteel klink vraag ik daarvoor vergeving. Dat is meneer Parkinsons schuld. Sommige mensen denken dat sentimentaliteit een onverdiende emotie is. Die van mij niet. Ik betaal er elke dag voor.

*

De regen is afgenomen tot motregen. De wereld is nat genoeg. Terwijl ik een jack over mijn hoofd houd doe ik het achterhek open en loop het voetpad op. Mevrouw Nuttall is bezig een afvoer in haar tuin te ontstoppen. Ze heeft krulspelden in en haar voeten zijn in groene kaplaarzen gestoken.

'Goedemorgen,' zeg ik.

'Ach man, val toch dood.'

'Misschien dat de regen wegtrekt.'

'Sodemieter op en sterf.'

Volgens Hector, de eigenaar van de Fox & Badger, heeft mevrouw Nuttall niets tegen mij persoonlijk. Het schijnt dat een vorige eigenaar van ons huis had beloofd met haar te zullen trouwen, maar in plaats daarvan ervandoor ging met de vrouw van de chef van het postkantoor. Dat was vijfenveertig jaar geleden en bij mevrouw Nuttall is van vergeven en vergeten nog altijd geen sprake. Wie het huis bezit, bezit ook de blaam.

De plassen ontwijkend volg ik het voetpad naar de dorpswinkel, waar ik mijn best doe niet op de stapels kranten te druppelen die pal achter de deur liggen. Als eerste blader ik de serieuze kranten door, op zoek naar een bericht over wat er gisteren is gebeurd. Er staan foto's in, maar het verhaal beslaat slechts een paar alinea's. Zelfmoorden doen het niet goed in krantenkoppen, omdat redacteuren bang zijn dat ze mensen op verkeerde ideeën brengen.

'Als u ze hier gaat staan lezen haal ik wel een gemakkelijke stoel voor u en een kopje thee,' zegt Eric Vaile, de winkeleigenaar, terwijl hij opkijkt van een onder zijn getatoeëerde armen uitgespreid exemplaar van de *Sunday Mirror*.

'Ik zocht alleen even iets,' zeg ik verontschuldigend.

'Uw portemonnee zeker.'

Eric ziet eruit alsof hij beter een havencafé had kunnen hebben dan een dorpswinkel. Zijn vrouw Gina, een nerveuze vrouw die ineenkrimpt zodra Eric een te abrupte beweging maakt, verschijnt vanuit de opslagruimte. Ze draagt een platte doos frisdrank en vouwt bijna dubbel onder het gewicht. Eric doet een stap achteruit om haar te laten passeren en plant daarna zijn ellebogen weer op de toonbank.

'Ik zag u nog op de tv,' bromt hij. 'Ik had u op een briefje kunnen geven dat ze zou springen. Ik zag het aankomen.'

Ik reageer niet. Het zal niet helpen. Stoppen zal hij niet.

'Nou moet u mij toch eens vertellen: als mensen zichzelf dan toch om zeep helpen, waarom hebben ze dan niet het fatsoen om het ergens te doen waar ze alleen zijn, in plaats van het verkeer op te houden en de belastingbetaler geld te kosten?'

'Ze was duidelijk erg in de war,' mompel ik.

'Erg laf, zult u bedoelen.'

'Er is veel moed voor nodig om van een brug te springen.'

'Moed, het zal wat,' schimpt hij.

Ik kijk opzij naar Gina. 'En er is nog meer moed voor nodig om hulp te vragen.'

Ze kijkt weg.

*

40

Halverwege de ochtend bel ik het hoofdbureau van politie in Bristol en vraag naar brigadier Abernathy. Het is eindelijk opgehouden met regenen. Boven de boomtoppen uit zie ik een stukje blauw en vage sporen van een regenboog.

'Waarom belt u, professor?' klinkt het raspend door de telefoon.

'Ik bied mijn excuses aan voor gisteren, dat ik zo snel vertrok. Ik voelde me niet goed.'

'Het is zeker besmettelijk.'

Abernathy mag me niet. Hij vindt me onprofessioneel of onbekwaam. Dienders als hij heb ik vaker ontmoet, krijgshaftige types die denken dat ze losstaan van de gewone maatschappij, dat ze erboven staan.

'We hebben een verklaring nodig,' zegt hij. 'Er komt een gerechtelijk onderzoek.'

'Weten jullie al wie ze is?'

'Nog niet, nee.'

Er valt een stilte. Mijn zwijgen irriteert hem.

'Misschien is het u ontgaan, professor, maar ze droeg geen kleren, wat inhoudt dat ze geen papieren bij zich had.'

'Natuurlijk. Ik begrijp het. Het enige wat ik…'

'Wat?'

'Ik dacht dat iemand haar inmiddels toch wel als vermist zou hebben opgegeven. Ze was zo goed verzorgd: haar haar, haar wenkbrauwen, haar bikinilijn. Haar vingernagels waren gemanicuurd. Ze besteedde tijd en geld aan zichzelf. Ze heeft waarschijnlijk vrienden, een baan, mensen die om haar geven.'

Abernathy zit zeker aantekeningen te maken. Ik hoor hem krabbelen. 'Wat heeft u me nog meer te melden?'

'Ze had een litteken van een keizersnede, wat duidt op een kind. Gezien haar leeftijd is die inmiddels waarschijnlijk oud genoeg om naar school te gaan. Basisschool of middelbare school.'

'Heeft ze iets tegen u gezegd?'

'Ze sprak met iemand door een mobiele telefoon, smekend. Ze bood zich aan als plaatsvervanger.'

'Wat bedoelde ze daarmee?'

41

'Weet ik niet.'

Abernathy zit nog steeds te mokken. 'Is dat alles wat ze zei?'

'Ze zei dat ik het niet zou begrijpen.'

'Nou, dat had ze in ieder geval goed.'

De brigadier baalt ervan dat dit geen rechttoe rechtaan zaak is. Zolang hij geen naam heeft kan hij niet de vereiste verklaringen verzamelen en aan de patholoog-anatoom overhandigen.

'Wanneer wilt u dat ik langskom?'

'Vandaag.'

'Kan het niet wachten?'

'Als ík op zaterdag moet werken, dan kunt u dat ook.'

Het hoofdbureau van politie van district Avon en Somerset staat in Portishead, aan de monding van de Severn, een kleine vijftien kilometer ten westen van Bristol. De architecten en ontwerpers werkten mogelijk vanuit de misvatting dat, als ze een hoofdbureau van politie ver van de door misdaad geteisterde straten van het hart van Bristol zouden neerzetten, de lokale booswichten misschien wel zouden meeverhuizen. Als wij het bouwen dan komen ze vanzelf.

De lucht is opgeklaard, maar de velden staan nog steeds onder water en de palen van hekken steken als de masten van gezonken schepen uit het brakke water omhoog. Aan de rand van Saltford, op Bath Road, zie ik een tiental koeien samengedromd op een door water omgeven eiland van gras. Een uiteengetrokken baal hooi ligt uitgespreid onder hun hoeven.

Op andere plaatsen lopen golven water, modder en afval stuk op hekken, bomen en bruggen. Duizenden stuks vee zijn verdronken en op lager gelegen stukken land staan in de steek gelaten machines, die er door de aangekoekte modder uitzien als dof geworden bronzen sculpturen.

Abernathy heeft een burgersecretaresse, een kleine grijze vrouw met kleren die fleuriger zijn dan ze zelf is. Ze komt met zichtbare tegenzin omhoog uit haar stoel en gaat me voor naar zijn kantoor.

De brigadier, een grote, sproetige man, zit aan een bureau. Zijn mouwen zijn omlaag geknoopt en onwrikbaar gesteven, met een scherpe vouw die van zijn polsen tot aan zijn schouders loopt.

Hij spreekt met een diep, rommelend geluid. 'Ik neem aan dat u wel uw eigen verklaring kunt schrijven.' Hij schuift me een klein folioformaat schrijfblok toe.

Ik kijk omlaag op zijn bureaublad en zie een tiental manilla mappen en stapeltjes foto's liggen. Het is opmerkelijk hoeveel papierwerk er in zo een korte tijdsspanne is gegenereerd. Een van de mappen draagt het opschrift 'Sectierapport'.

'Vindt u het goed als ik het even inkijk?'

Abernathy kijkt me aan alsof ik iets vies heb gezegd en schuift de map mijn kant op.

PATHOLOOG-ANATOOM AVON & SOMERSET

Obductierapport   *Nr. DX-56 312*

Datum en tijdstip van overlijden: 10/12/2007   *17.07 uur*

Naam: onbekend
Geboortedatum: onbekend
Geslacht: vrouwelijk
Gewicht: 58,52 kg
Lengte: 168 cm
Kleur ogen: bruin

Het lichaam is dat van een normaal volgroeide, goed doorvoede blanke vrouw. De irissen zijn bruin en beide cornea's zijn helder. De pupillen zijn lichtstijf en verwijd.

Het lichaam voelt koel aan en de rugzijde is blauwachtig verkleurd en vertoont een partiële lijkstijfheid. Er is geen sprake van tatoeages, misvormingen of amputaties. Ter hoogte van de bikinilijn heeft het slachtoffer een 12,5 centimeter lang operatielitteken op haar abdomen, wat duidt op een eerdere keizersnede.

Zowel de rechter- als de linkeroorlel is doorboord. Haar haar is ongeveer veertig centimeter lang, bruin van kleur en golvend. Ze heeft haar eigen gebit nog, dat in goede conditie is. Haar vingernagels zijn kort, zorgvuldig afgerond en gelakt. Ook op haar teennagels is roze nagellak aanwezig.

Onderbuik en rug vertonen tekenen van significante ontvelling en door stomp trauma veroorzaakte zware kneuzingen. Deze sporen zijn verenigbaar met een botsing zoals een val.

De uitwendige en inwendige geslachtsdelen vertonen geen sporen van aanranding of penetratie.

De feiten hebben een grimmige wreedheid. Een menselijk wezen met een leven aan ervaringen, beschreven als een meubelstuk in een catalogus. De patholoog heeft haar organen gewogen, de inhoud van haar maag onderzocht, weefselmonsters genomen en haar bloed onderzocht. De dood kent geen privacy.

'Hoe zit het met het toxicologisch rapport?' vraag ik.

'Dat is niet eerder dan maandag gereed,' antwoordt hij. 'Denkt u aan drugs?'

'Dat sluit ik niet uit.'

Abernathy staat op het punt iets te zeggen en verandert van gedachten. Uit een kartonnen koker haalt hij een satellietkaart en rolt hem uit op zijn bureau. In het midden is de Clifton Suspension Bridge te zien, beroofd van zijn perspectief, ogenschijnlijk boven op het water liggend in plaats van vijfenzeventig meter erboven.

'Dit is Leigh Woods,' zegt hij terwijl hij naar een donkergroen gebied aan de westkant van Avon Gorge wijst. 'Vrijdagmiddag om 13.40 uur heeft een man die met zijn hond in het Ashton natuurreservaat liep daar een naakte vrouw gezien in een gele regenjas. Toen hij naar haar toe liep rende de vrouw weg. Ze sprak in een mobiele telefoon en hij dacht dat het misschien wel een of andere stunt was voor de televisie.

Om 15.45 uur was er een tweede waarneming. Een bezorger van een stomerij zag een volledig ontklede vrouw langs Rownham Hill Road lopen, ter hoogte van St. Mary's Road.

Om 16.02 uur kreeg een bewakingscamera bij de westelijke toegang tot de brug haar in beeld. Ze moet vanuit Leigh Woods de Bridge Road hebben genomen.'

De bijzonderheden zijn als streepjes op een tijdlijn die de middag in gaten opdeelt waarvoor geen verklaring is. Tussen de eerste en de tweede waarneming zit twee uur en achthonderd meter.

De brigadier bladert de afgedrukte camerabeelden zo snel door dat het is alsof de vrouw zich in schokkerige slow motion voortbeweegt. De lens is bevlekt met regendruppels, wat de afdrukken aan hun randen onscherp maakt, maar haar naaktheid had niet scherper zichtbaar kunnen zijn. De laatste foto's tonen haar lichaam terwijl het op het dek van een platte boot ligt. Albinowit. Rond haar billen en haar geplette borsten is een geringe blauwachtige verkleuring te zien en de enige waarneembare kleur is het rood van haar lippenstift en de uitgelopen letters op haar buik.

'Hebben jullie haar mobieltje teruggevonden?'

'In de rivier verdwenen.'

'En haar schoenen?'

'Jimmy Choo's. Duur, maar al wel van nieuwe hakken voorzien.'

De foto's worden opzijgelegd. De brigadier legt weinig sympathie voor de vrouw aan de dag. Zij is een probleem dat moet worden opgelost en hij wil een verklaring. Niet voor zijn eigen gemoedsrust of uit beroepsmatige nieuwsgierigheid, maar omdat iets aan de zaak hem niet lekker zit.

'Wat ik niet begrijp,' zegt hij zonder me aan te kijken, 'is waarom ze in het bos is gaan wandelen. Als ze zichzelf om wilde brengen, waarom is ze dan niet meteen naar de brug gegaan en eraf gesprongen?'

'Misschien dacht ze nog na.'

'Naakt?'

Hij heeft gelijk. Dat is inderdaad bizar. Datzelfde geldt voor de lichaamsversiering. Zelfmoord is de ultieme daad van zelfverachting, maar gaat doorgaans niet gepaard met publieke zelfontering en vernedering.

Mijn ogen speuren nog steeds de foto's af. Op één ervan blijven ze rusten. Ik zie mezelf op de brug staan. Door de perspectivische vertekening lijk ik dicht genoeg bij haar om haar te kunnen aanraken, een hand uit te steken en haar te kunnen grijpen voordat ze valt.

Ook Abernathy ziet de foto. Hij staat op van zijn bureau, loopt naar de deur en heeft hem al open voordat ik ben opgestaan.

'Het was gewoon een slechte dag in de kolenmijn, professor. Die hebben we allemaal wel eens. Ik zal iemand uw verklaring laten opnemen en daarna kunt u naar huis.'

De telefoon op het bureau gaat. Ik sta nog in de deuropening als hij hem opneemt. Ik kan alleen zijn kant van het gesprek horen.

'Weet je dat zeker? Wanneer heeft ze haar voor het laatst gezien? Oké... En ze heeft sinds die tijd niets meer van haar gehoord? Juist... Is ze nu thuis?

Stuur er iemand heen. Pik haar op. Zorg dat je een foto in handen krijgt. Ik wil geen zestienjarige een lijk laten identificeren als we er niet allejezus zeker van zijn dat het inderdaad haar moeder is.'

Mijn maag stort zich omlaag als een vallende lift. Een dochter. Zestien. Zelfmoord is geen kwestie van zelfbeschikking of vrije wil. Er blijft altijd iemand achter.

4

De wandeling van het botenhuis in Eastville Park naar Stapleton Road kost me tien minuten. Ik mijd de industrieterreinen en het met slijm bedekte kanaal en kies voor het betonnen geweld van de flyover van de M32.

Het plastic van de draagtassen snijdt in mijn vingers. Ik zet ze neer op het voetpad en rust even uit. Ik ben niet ver van huis meer. Ik heb mijn voorraad binnen: maaltijden in plastic bakjes, een sixpack bier, een punt kwarktaart in een plastic driehoek – mijn zaterdagavond-traktaties, gekocht bij een Pakistaanse kruidenier die, pal naast de in plastic gestoken pornobladen, een pistool onder zijn toonbank heeft liggen.

De smalle straten lopen in vier richtingen uiteen en worden geflankeerd door huizenrijen en winkels met rechte voorgevels. Een drankwinkel. Een wedkantoor. Het Leger des Heils met tweedehands kleding. Er hangen aanplakbiljetten tegen tippelen en wildplassen en, deze vind ik schitterend, tegen het aanplakken van aanplakbiljetten. Niemand die zich er ook maar iets van aantrekt. Dit is Bristol, stad van leugens, hebzucht en corrupte politici. Hier weet de rechterhand altijd wat de linkerhand doet: hem van zijn laatste geld beroven. Dat zei mijn vader altijd. Hij beschuldigt mensen er voortdurend van dat ze hem bestelen.

De wind heeft de meeste bladeren van de bomen langs Fishponds Road gerukt en de goten met natte bladerhopen gevuld. Een logge veegmachine baant zich met draaiende bezems een weg tussen de geparkeerde auto's door. Jammer dat hij niet ook het menselijk uitschot kan opvegen, de heroïnehoeren en dealers, gedrogeerde achterbuurt-kinderen die met me willen neuken of me crack proberen te slijten.

Een van de crackhoertjes staat op een straathoek. Een auto houdt stil. Ze onderhandelt, waarbij ze haar hoofd in haar nek gooit en lacht als een paard. Een gedrogeerd paard. Niet berijden, vriend, je weet niet waar ze allemaal aan gezeten heeft.

In een koffiehuis op de hoek van Glen Park en Fishponds hang ik mijn regenjack aan een haakje naast de deur en mijn hoed en oranje sjaal ernaast. Het is er warm en het ruikt naar gekookte melk en toast. Ik neem een tafel bij het raam en neem even de tijd om een kam door mijn haar te halen, waarvan ik de metalen tanden stevig tegen mijn hoofdhuid druk terwijl ik hem vanaf mijn kruin tot achter in mijn nek haal.

De serveerster is stevig gebouwd en bijna knap, nog maar een paar jaar verwijderd van echt dik. Haar plooirok strijkt langs mijn dij als ze tussen de tafels door voorbij komt. Ze heeft een pleister om haar vinger.

Ik pak mijn blocnote en een potlood dat scherp genoeg is om iemand mee te verminken. Ik begin te schrijven. Eerst de datum. Dan een lijst van dingen die ik moet doen.

Aan een tafel in de hoek zit een klant. Een vrouw. Ze verstuurt sms'jes vanaf haar mobieltje. Als ze me straks aankijkt glimlach ik terug.

'Ze gaat je niet aankijken.'

'Wel waar. Over tien seconden.'

'Nog in geen tien minuten.'

'Negen…acht…zeven…zes…'

'Of tien jaar.'

'Vijf…vier…drie…'

'Nou, wat zei ik?'

Arrogant wijf. Ik zou die grijns wel van haar gezicht willen vegen. Ik zou haar wangen met mascara kunnen besmeuren. Ik zou kunnen maken dat ze aan haar eigen naam twijfelt.

Ik verwacht niet van iedere vrouw dat ze me zomaar groet. Maar als ik dag tegen ze zeg of een babbeltje begin, zouden ze toch op zijn minst de beleefdheid kunnen hebben om op dezelfde manier te reageren.

De vrouw in de bibliotheek, die Indiase met hennatatoeages op haar handen en teleurstelling in haar ogen, die glimlacht altijd. De andere bibliotheekmedewerkers zijn oud en moe en behandelen iedereen als boekendieven.

De Indiase vrouw heeft slanke benen. Ze zou korte rokken moeten dragen en er mee moeten pronken in plaats van ze te bedekken. Ik zie haar enkels alleen als ze aan haar bureau zittend haar benen over elkaar slaat. Dat doet ze vaak. Ik denk dat ze weet dat ik naar haar kijk.

Mijn koffie is gearriveerd. In de linker kolom staan namen. Contacten. Mensen van belang. Ik zal elk van hen doorhalen zodra ik ze heb gevonden.

Ik laat een paar munten achter op de tafel, trek mijn jas aan, zet mijn hoed op en doe mijn sjaal om. De serveerster ziet me niet weggaan. Ik had haar het geld moeten overhandigen. Dan had ze me aan moeten kijken.

Ik kan niet snel lopen met die boodschappentassen. De regen loopt mijn ogen in en gorgelt in de regenpijpen. Ik ben inmiddels aan het einde van Bourne Lane en sta bij de ingang van een omheind voorterrein waarvan de hekken aan de bovenkant van prikkeldraad zijn voorzien. Dit was vroeger een uitdeukerij of een soort werkplaats met dienstwoning.

De deur heeft drie veiligheidssloten: een Chubb Detector, een vijfpins-Weiser en een Lips 8362C. Ik begin onderaan en luister hoe de stalen palletjes zich in hun cilinders terugtrekken.

Ik stap over de ochtendpost heen. In de hal zijn geen lichten. Ik heb de peertjes verwijderd. Twee verdiepingen van het huis staan leeg. Afgesloten. De radiatoren zijn koud. Toen ik het huurcontract ondertekende, vroeg de eigenaar, meneer Swingler, of ik een groot gezin had.

'Nee.'

'Waar heeft u dan zo'n groot huis voor nodig?'

'Ik heb grote dromen.'

Meneer Swingler is Joods maar ziet eruit als een skinhead. Hij bezit ook nog een pension in Truro en een blok flats in St. Pauls, niet ver hiervandaan. Hij vroeg me om referenties. Die had ik niet.

'Heb je een baan?'

'Ja.'

'Geen drugs, geen party's, geen orgies.'

Hij had ook 'corgies' kunnen zeggen. Door zijn accent kon ik hem

niet goed verstaan, maar de drie maanden huur die ik hem vooruit-
betaalde snoerde hem de mond.

Ik pak een zaklantaarn van de koelkast, loop terug naar de hal en
raap de post op: een gasrekening, een menu van een pizzeria en een
grote witte envelop met een schoolwapen in de linkerbovenhoek.

Ik neem de envelop mee naar de keuken en laat hem op tafel lig-
gen terwijl ik de boodschappen opruim en een blik bier opentrek.
Dan ga ik zitten, haal mijn vinger onder de flap door en scheur hem
in een rafelige lijn los.

De envelop bevat een duur uitziend tijdschrift en een brief van
het hoofd van het bureau toelating van de Oldfield Girls School in
Bath.

Geachte mevrouw Tyler,

Met referte aan uw verzoek om adressen moet ik u helaas
meedelen dat wij geen gegevens bijhouden van voormalig studentes. Wel is er een Old Girls-website. Voor een gebruikersnaam, pincode en wachtwoord waarmee u toegang krijgt tot het
afgeschermde deel van de site met contactgegevens van oud-
studentes kunt u contact opnemen met verenigingssecretaresse
Diane Gillespie.

Bijgesloten treft u een exemplaar van het jaarboek 1988,
waarvan ik hoop dat het herinneringen bij u zal terugbrengen.

Veel succes met uw zoektocht.

Met vriendelijke groet,
Belinda Casson

Op de voorkant van het jaarboek staat een foto van drie glimla-
chende meisjes in uniform die de schoolpoort in lopen. Het school-
wapen bevat een Latijnse spreuk: 'Lux et Veritas', licht en waar-
heid.

In het boek staan nog meer foto's. Ik sla de bladzijden om en laat
mijn vingers over de beelden gaan. Sommige ervan zijn klassenfoto's
op een getrapt podium. De meisjes vooraan zitten met hun knieën

bij elkaar en hun handen in hun schoot gevouwen. Ik bestudeer de onderschriften, de namen, de klas, het jaar.

Daar heb je haar – mijn beminde – de hoer der hoeren. Tweede rij. Vierde van rechts. Ze heeft een bruin knotje. Een rond gezicht. Een ingehouden glimlach. Je was achttien jaar oud. Ik was nog tien jaar van je verwijderd. Tien jaar. Hoeveel zondagen zijn dat?

Ik klem het jaarboek onder mijn arm en haal nog een blik bier. Boven staat op mijn bureau een computer te zoemen. Ik tik het wachtwoord in en roep een online telefoonboek op. Het scherm wordt ververst. In de eindexamenklas van 1988 zaten achtenveertig meisjes. Achtenveertig namen. Vandaag zal ik haar niet vinden. Vandaag niet, maar wel binnenkort.

Misschien dat ik de video nog eens ga bekijken. Ik vind het leuk te kijken hoe ze valt.

5

Charlie, in spijkerbroek en sweater, staat in de zitkamer met Emma te dansen. Ze heeft de muziek voluit gezet en neemt Emma op haar heup en zwaait haar rond terwijl ze haar telkens achterover laat vallen. Emma giechelt en proest het uit van het lachen.

'Voorzichtig. Straks moet ze nog spugen.'

'Kijk eens wat voor nieuw kunstje we hebben.'

Charlie hijst Emma op haar schouders, leunt naar voren en laat de kleine langs haar rug omlaag kruipen.

'Heel knap. Jullie kunnen zo bij het circus.'

In de afgelopen maanden is Charlie een stuk volwassener geworden. Ze is bijna een jonge vrouw. Daarom is het prettig te zien hoe ze zich weer als een kind gedraagt als ze met haar zusje speelt. Ik wil niet dat ze te snel volwassen wordt. Ik wil vooral niet dat ze een van die meiden wordt die ik in Bath zie rondlopen met navel-piercings en T-shirts met 'Ik-heb-het-met-jouw-vriendje-gedaan' erop.

Julianne heeft een theorie. Overal is seks expliciet, behalve in het echte leven. Ze zegt dat tienermeisjes zich dan misschien wel als Paris Hilton uitdossen en dansen als Beyoncé, maar dat dat niet wil zeggen dat ze amateurpornovideo's maken of seks hebben op motorkappen van auto's. Alstublieft, God, ik hoop dat ze gelijk heeft.

Ik kan de veranderingen in Charlie al waarnemen. Ze zit in dat éénlettergrepige stadium waarin er aan haar ouders geen woorden worden verspild. Ze bewaart ze voor haar vriendinnen en zit uren te sms'en en online te chatten.

Toen we uit Londen weggingen hebben Julianne en ik het erover gehad haar op kostschool te doen, maar ik wilde haar elke avond goedenacht kunnen kussen en haar 's morgens kunnen wekken.

Volgens Julianne probeerde ik de tijd goed te maken die mijn eigen vader nooit voor me had, Gods hoogstpersoonlijke lijfarts, die me op mijn achtste naar kostschool stuurde.

Misschien heeft ze gelijk.

Julianne is naar beneden gekomen om te zien wat de opwinding te betekenen heeft. Ze heeft op haar werkkamer zitten werken, documenten vertaald en e-mails verstuurd. Ik pak haar om haar middel en we dansen mee met de muziek.

'Ik vind dat we moeten oefenen voor de dansles,' zeg ik.

'Voor de wat?'

'De lessen beginnen dinsdag. Latin voor beginners – de Samba en de Rrrrrumba!'

Haar gezicht betrekt.

'Wat is er?'

'Dat red ik niet.'

'Hoezo niet?'

'Ik moet morgenmiddag weer naar Londen. Maandagochtend nemen we de eerste vlucht naar Moskou.'

'We?'

'Dirk.'

'O, Dirk de Druiloor.'

Ze kijkt me boos aan. 'Je kent hem niet eens.'

'Kan hij geen andere vertaler vinden?'

'We werken al drie maanden samen aan deze klus. Hij wil er geen nieuw iemand bij hebben. En ik wil het niet uit handen geven. Sorry, ik had het je moeten vertellen.'

'Maakt niet uit. Het is je zeker gewoon ontschoten.'

Mijn sarcastische toon irriteert haar.

'Ja, Joe, dat is me inderdaad ontschoten. Ga nou niet moeilijk lopen doen.'

Er valt een ongemakkelijke stilte. Een pauze tussen twee liedjes. Charlie en Emma zijn gestopt met dansen.

Julianne geeft als eerste toe. 'Het spijt me. Ik ben vrijdag weer terug.'

'Dan zeg ik het dansen af.'

'Ga jij maar. Je zult je geweldig amuseren.'

'Maar ik ben nog nooit geweest.'

'Het is een beginnerklasje. Niemand verwacht van je dat je Fred Astaire bent.'

De danslessen waren mijn idee. Of eigenlijk was het een idee van mijn beste vriend Jock, die neuroloog is. Hij heeft me artikelen gestuurd die laten zien wat voor baat Parkinsonpatiënten kunnen hebben bij het oefenen van hun coördinatie. Het was yoga of dansles. Het liefst allebei.

Ik vertelde het aan Julianne. Ze vond het een romantisch idee. We zouden het samen kunnen doen.

Het is zowel persoonlijk als praktisch. Ik word langzaamaan beroofd van mijn coördinatie, die als een lange, zachte, tegen de wind in gelaten scheet in een droefgeestige noot aan het verdwijnen is. Dansen was een manier om meneer Parkinson de handschoen toe te werpen, een duel op leven en dood, vol pirouetten en flitsend voetenwerk. Dat de beste moge winnen.

Emma en Charlie zijn weer begonnen te dansen. Julianne voegt zich bij hen en vindt moeiteloos het ritme. Ze steekt een hand naar me uit. Ik schud mijn hoofd.

'Kom op, pap,' zegt Charlie.

Emma wiegelt met haar achterste. Het is haar beste beweging. Ik heb geen beste beweging.

We dansen en zingen en vallen lachend neer op de bank. Het is lang geleden dat Julianne zo gelachen heeft. Mijn linkerarm trilt en Emma houdt hem stil. Het is een spelletje dat ze speelt. Hem met beide handen vasthouden en weer loslaten om te zien of hij nog steeds trilt en hem dan weer vastpakken.

Later die avond, als de kinderen slapen en onze horizontale wals voorbij is knuffel ik Julianne en raak ik triest gestemd.

'Heeft Charlie verteld dat ze ons spook heeft gezien?'

'Nee. Waar?'

'Op de trap.'

'Ik wou dat mevrouw Nuttall ophield haar verhalen op de mouw te spelden.'

'Ze is een gestoorde oude heks.'

'Is dat een beroepsmatige diagnose?'

'Absoluut,' zeg ik.

Julianne staart in de ruimte, in gedachten ergens anders... in Rome wellicht.

'Weet je dat ik ze de hele tijd ijs geef als jij er niet bent?' vraag ik.

'Dat doe je om hun liefde te kopen,' reageert ze.

'Wat dacht je dan? Die is ook te koop en ik wil hem hebben.'

Ze lacht.

'Ben je gelukkig?' vraag ik

Ze draait haar gezicht naar me toe. 'Dat is een rare vraag.'

'Ik kan die vrouw op de brug maar niet uit mijn gedachten zetten. Er is iets wat haar ongelukkig heeft gemaakt.'

'En jij denkt dat ik dat ook ben?'

'Het was fijn je vandaag te horen lachen.'

'Het is fijn om thuis te zijn.'

'Er is geen betere plek dan thuis.'

6

Maandagochtend. Grauw. Droog. Het bemiddelingsbureau stuurt drie kandidaten langs waarmee ik een gesprek heb. Kindermeisjes worden ze geloof ik niet meer genoemd. Het zijn verzorgenden en professionals in de kinderverzorging.

Julianne is naar Moskou vertrokken, Charlie is met de bus onderweg naar school. Emma zit in de eetkamer met haar poppenkleren te spelen en probeert Sniffy, onze neurotische kat, een mutsje op te zetten. Sniffy's volledige naam is Sniffy Toiletpapier. Dat komt ervan als je een driejarige de bevoegdheid schenkt de huisdieren in het gezin een naam te geven.

Het eerste gesprek begint slecht. Ze heet Jackie en ze is nerveus. Ze bijt op haar nagels en zit constant aan haar haar, alsof ze wil checken dat het er nog zit.

Juliannes instructies waren helder. Ik moet er me ervan vergewissen dat het kindermeisje geen drugs gebruikt, drinkt of te hard rijdt. Hoe ik daar precies achter moet komen weet ik niet.

'We zijn op het punt beland waarop ik geacht word uit te vinden of jij omaatjes mishandelt,' zeg ik tegen Jackie.

Ze kijkt me niet-begrijpend aan. 'Mijn oma is dood.'

'Maar je hebt haar niet geslagen, of wel?'

'Nee.'

'Mooi.'

Ik streep haar van de lijst.

De volgende kandidaat is vierentwintig jaar oud, komt uit Newcastle en heeft een spits gezicht, bruine ogen en donker haar dat zo strak naar achteren is getrokken dat het haar wenkbrauwen omhoogtrekt. Het lijkt alsof ze het huis in zich opneemt met het doel om het later met haar inbrekervriendje te komen leeghalen.

'Wat voor auto krijg ik tot mijn beschikking?' vraagt ze.

'Een Astra.'

Ze is niet onder de indruk. 'Ik kan geen handgeschakelde auto rijden. Ik vind ook niet dat dat van me verwacht mag worden. Heb ik een tv op mijn kamer?'

'Dat kan.'

'Hoe groot?'

'Dat weet ik niet precies.'

Denkt ze aan televisiekijken of over hoe ze hem kan verpatsen, vraag ik mezelf af. Ik gum haar naam uit. Twee slag.

Om elf uur in de ochtend heb ik een sollicitatiegesprek met een knappe Jamaicaanse met gevlochten haar dat op zichzelf terug is gelegd en met een grote schildpadden haarspeld op haar achterhoofd is vastgezet. Ze heet Mani, heeft goede referenties en een aangename lage stem. Ik mag haar. Ze heeft een leuke glimlach.

Halverwege het gesprek hoor ik een gil vanuit de eetkamer. Emma. Ik probeer op te staan maar mijn linkerbeen wil niet. Plotseling zit ik op mijn plaats bevroren, niet in staat te bewegen. Het effect wordt *bradykinesie* genoemd, een symptoom van Parkinson.

Mani is als eerste bij Emma. Haar vingers waren klem komen te zitten onder het scharnierende deksel van de speelgoedkist. Emma werpt één blik op de donkere vreemdeling en begint, zichtbaar bang, nog harder te brullen. Ik probeer de situatie te redden.

'Ze is niet vaak door donkere mensen vastgehouden,' zeg ik. Vervolgens maak ik de zaak erger. 'Het gaat niet om je huidskleur. We hebben massa's zwarte vrienden in Londen. Tientallen.'

Mijn God, ik doe het voorkomen of mijn driejarige een racist is!

Mani's glimlach is verbleekt. 'Het is mijn schuld. Ik had haar niet zo plotseling moeten oppakken.'

'Ze kent je nog niet.'

'Inderdaad.'

Mani pakt haar spullen bijeen.

'Ik zal het bemiddelingsbureau bellen,' zeg ik. 'Je hoort het van hen.'

We weten echter allebei hoe het nu verdergaat. Ze gaat ergens anders werken. Het is zonde. Een misverstand.

Nadat ze is vertrokken maak ik een boterham voor Emma en leg haar in bed voor haar middagslaapje. Er zijn karweitjes te doen: wassen en strijken. Ik weet dat ik het niet mag zeggen, maar thuiszitten is saai. Emma is geweldig en verrukkelijk en ik ben stapeldol op haar maar ik kan niet eindeloos met sokpoppen spelen of toekijken terwijl ze op één been staat of haar van boven in het klimrek horen verklaren dat zij toch echt de koning van het kasteel is en ik de vuile boef, voor de tigste keer.

Voor kinderen zorgen is de belangrijkste baan ter wereld. Geloof me, dat is echt zo. De trieste, onuitgesproken, impliciete waarheid is echter dat voor jonge kinderen zorgen saai is. Die gasten die in raketsilo's zitten te wachten tot het ondenkbare zich voltrekt doen eveneens belangrijk werk, maar je maakt mij niet wijs dat ze zich niet te pletter vervelen en op de computers van het Pentagon niet eindeloze potjes patience en zeeslagje zitten te spelen.

De deurbel gaat. Op de stoep staat een tiener met kastanjebruin haar en zwarte heupbroek, T-shirt en schots geruit jasje. Aan haar oorlellen glinsteren oorknopjes als kwikdruppels.

Ze houdt een schoudertas stevig tegen haar borst geklemd en leunt licht naar voren, haar hoofd schuin en met een frons op haar gezicht. Een vlaag oktoberwind werpt een draaikolk van bladeren op aan haar voeten.

'Ik had niet nog iemand verwacht,' zeg ik tegen haar.

Ze kantelt haar hoofd naar één kant en fronst.

'Bent u professor O'Loughlin?'

'Ja.'

'Ik ben Darcy Wheeler.'

'Kom binnen Darcy. We moeten stil zijn. Emma slaapt.'

Ze loopt achter me aan door de gang naar de keuken. 'Je bent wel erg aan de jonge kant. Ik had een ouder iemand verwacht.'

Ze kijkt me opnieuw vreemd aan. Het wit van haar ogen is bloeddoorlopen en geïrriteerd door de wind.

'Hoe lang werk je al in de kinderverzorging?'

'Pardon?'

'Hoe lang pas je al op kinderen?'

Nu kijkt ze bezorgd. 'Ik zit nog op school.'

'Ik begrijp het niet.'

Ze drukt haar tas nog steviger tegen zich aan en fluistert: 'U heeft met mijn moeder gepraat. U was erbij. Ze heeft geen zelfmoord gepleegd. Ze zou nooit… dat kon ze niet, niet op die manier.'

Haar woorden slaan de stilte als een vallend dienblad met glazen aan stukken. De vrouw op de brug. Ik zie een gelijkenis, de vorm van haar gezicht, de donkere wenkbrauwen.

'Hoe heb je mij gevonden?'

'Ik heb het politierapport gelezen.'

'Hoe ben je hier gekomen?'

'Ik heb de bus gepakt.'

Dit is niet de bedoeling. Treurende dochters worden niet geacht mij te achterhalen. De politie had haar vragen moeten beantwoorden en haar professionele hulp moeten bieden.

'Wat is je moeders voornaam?'

'Christine. De politie zei dat het zelfmoord was, maar dat kan gewoon niet. Mam zou zoiets nooit doen.'

'Wil je een kop thee, Darcy?'

Ze knikt. Ik laat de ketel vollopen en zet mokken klaar, wat me de gelegenheid geeft te bedenken wat ik ga zeggen.

'Waar heb je gelogeerd?' vraag ik.

'Ik zit op kostschool.'

'Weten ze op school waar je bent?'

Ze geeft geen antwoord. Haar schouders krommen zich en ze krimpt nog verder ineen. Ik ga tegenover haar zitten en zorg dat we elkaar recht aankijken.

'Ik wil precies weten hoe je hier terecht bent gekomen.'

Het verhaal tuimelt naar buiten. De politie had haar zaterdagmiddag verhoord. Ze kreeg hulp van een maatschappelijk werker en werd toen teruggebracht naar Hampton House, een particuliere meisjesschool in Cardiff.

Zondag wachtte ze tot het bedtijd was, schroefde de houten blokken van het raam van haar slaapgebouw los en opende het ver genoeg om naar buiten te kunnen glippen. Na de nachtwaker te hebben omzeild liep ze naar het centraal station van Cardiff en

59

wachtte de eerste trein af. Ze nam die van vier over acht naar Bath Spa en daarna een bus naar Norton St. Phillips. De laatste vijf kilometer naar Wellow had ze gelopen. De tocht nam het grootste deel van de ochtend in beslag.

Ik zie dat ze grasmaaisel in haar haar heeft en modder op haar schoenen.

'Waar heb je vannacht geslapen?'

'In een park.'

Mijn god, ze moet door en door verkleumd zijn. Ik reik haar een mok thee aan. Ze brengt hem aan haar lippen en houdt hem met beide handen stil. Ik kijk naar haar zachte bruine ogen, haar blote hals, de dunheid van haar jasje en de donkere beha die zich onder haar T-shirt aftekent. Ze is prachtig lelijk op een onhandige tienerachtige manier, maar voorbestemd om over een paar jaar uitzonderlijk mooi te zijn en hordes mannen peilloos leed te bezorgen.

'En je vader, waar is die?'

'Geen idee.'

'Sorry.'

'Hij heeft mijn moeder vóór mijn geboorte in de steek gelaten. Sindsdien hebben we nooit meer iets van hem vernomen.'

'Helemaal niets?'

'Nee, nooit.'

'Ik zal je school moeten bellen.'

'Ik ga niet terug.' De plotselinge onverzettelijkheid in haar stem overvalt me.

'Je moet hen laten weten waar je zit.'

'Waarom? Hun zal het worst wezen. Ik ben zestien. Ik kan doen en laten wat ik wil.'

Haar opstandigheid heeft alle kenmerken van een op een kostschool doorgebrachte jeugd. Het heeft haar sterk gemaakt. Onafhankelijk. Boos. Waarom is ze hier? Wat verwacht ze van me?

'Het was geen zelfmoord,' zegt ze opnieuw. 'Mam haatte hoogtes. En dan bedoel ik echt haten.'

'Wanneer heb je haar voor het laatst gesproken?'

'Vrijdagochtend.'

60

'Wat voor indruk maakte ze?'

'Gewoon. Opgewekt.'

'Waar hebben jullie het over gehad?'

Ze staart in haar mok, alsof ze de theeblaadjes leest. 'We hadden onenigheid.'

'Waarover?'

'Dat doet er niet toe.'

'Vertel het me toch maar.'

Ze aarzelt en schudt haar hoofd. De droefheid in haar ogen vertelt de helft van het verhaal. De laatste woorden die ze tot haar moeder sprak zaten vol woede. Ze wil ze terugnemen of het overdoen.

In een poging van onderwerp te veranderen doet ze de koelkastdeur open en begint ze aan de inhoud van Tupperware bakjes en dozen te snuffelen. 'Heeft u iets te eten?'

'Ik kan een boterham voor je maken.'

'En cola?'

'We hebben nooit frisdrank in huis.'

'Serieus?'

'Serieus.'

In de provisiekast heeft ze een pak biscuitjes gevonden en ze pulkt met haar vingernagels de plastic verpakking open.

'Mam had op vrijdagmiddag de school moeten bellen. Ik wilde het weekend naar huis komen, maar daar had ik haar toestemming voor nodig. Ik heb haar de hele dag proberen te bellen, op haar mobieltje en thuis. Ik heb haar sms'jes gestuurd, tientallen. Ik kon haar niet bereiken.

Ik zei tegen mijn mentrix dat er volgens mij iets aan de hand was, maar zij zei dat mam het waarschijnlijk gewoon druk had en ik me geen zorgen moest maken, maar dat deed ik juist wel. Ik heb me de hele vrijdagavond en zaterdagochtend zorgen lopen maken. De mentrix zei dat mam waarschijnlijk het weekend weg was gegaan en vergeten was me dat te vertellen, maar ik wist dat het niet waar was.

Ik vroeg toestemming om naar huis te gaan, maar ze wilden me niet laten gaan. En dus ben ik zaterdagmiddag weggelopen en naar ons huis gegaan. Mam was er niet. Haar auto was verdwenen. Het was allemaal zo onlogisch. Dat was het moment dat ik de politie belde.'

Ze zit volmaakt stil en lijkt nauwelijks adem te halen terwijl ze vertelt hoe ze haar naar het politiebureau brachten en haar foto's van haar moeder op de brug lieten zien.

'Ik zei tegen ze dat het iemand anders moest zijn, dat ze de verkeerde voor zich hadden. Mam durfde nog niet eens in het reuzenrad in Londen. Afgelopen zomer gingen we naar Parijs en raakte ze in paniek toen we de Eiffeltoren beklommen. Daarna brachten ze me naar de plek waar ze lijken bewaren. Ik zag... ik zag...'

Darcy is niet in staat de zin af te maken. Het pak biscuitjes in haar handen is opengescheurd, de kruimels zitten tussen haar vingers. Ze kijkt naar de ravage en wiegt naar voren terwijl ze haar knieën tegen haar borst trekt en een lange, gepijnigde snik loslaat.

De professional in me weet dat lichamelijk contact dient te worden vermeden, maar de vader in me wint het. Ik sla mijn armen om haar heen en druk haar hoofd tegen mijn borst.

'U was erbij,' fluistert ze.

'Ja.'

'Het was geen zelfmoord. Ze zou me nooit in de steek laten.'

'Het spijt me.'

'Alstublieft, help me.'

'Ik weet niet of ik dat kan, Darcy.'

'Alstublieft.'

Niets is zo hartverscheurend als een kind dat pijn heeft en niets is moeilijker te negeren. Ik heb deskundigen op het gebied van kinderzorg horen praten over hoe snel kinderen vergeven en vergeten. Dat is gelul! Kinderen onthouden. Kinderen koesteren wrok. Kinderen dragen geheimen met zich mee. Kinderen kunnen soms sterk lijken doordat hun verdediging nog nooit door tragedie is doorbroken of aangetast, maar ze zijn licht en fragiel als gesponnen glas.

Emma is wakker en roept me. Ik ga de trap op naar haar kamer, doe één kant van haar ledikantje omlaag en neem haar in mijn armen. De slaap heeft haar dunne donkere haar in de war gemaakt.

Ik hoor het toilet beneden doorspoelen. Darcy heeft haar gezicht gewassen en haar haar geborsteld en het strak in een knotje gespeld waardoor haar nek er onmogelijk lang uitziet.

'Dit is Emma,' zeg ik als ze de keuken weer in komt.

Emma doet alsof ze er niets van moet hebben en wendt haar gezicht af. Ineens ziet ze de biscuitjes en pakt er een. Ik zet haar op de grond en tot mijn verrassing loopt ze recht op Darcy af en kruipt bij haar op schoot.

'Ze vindt je geloof ik aardig,' zeg ik.

Emma speelt met de knopen van Darcy's jasje.

'Ik moet je nog een paar vragen stellen.'

Darcy knikt.

'Was je moeder overstuur over iets? Depressief?'

'Nee.'

'Had ze slaapproblemen?'

'Ze had pillen.'

'At ze regelmatig?'

'Ja.'

'Wat deed je moeder voor werk?'

'Ze regelt trouwerijen. Ze heeft haar eigen bedrijf – Blissful. Zij en haar vriendin Sylvia zijn het begonnen. Ze hebben een trouwerij gedaan voor Alexandra Phillips.'

'Wie is dat?'

'Een beroemd iemand. Heeft u nooit dat programma gezien over die dierenarts die in Afrika voor dieren zorgt?'

Ik schud mijn hoofd.

'Nou die ging trouwen en mam en Sylvia hebben alles geregeld. Het heeft in alle bladen gestaan.'

Darcy heeft nog steeds niet in de verleden tijd over haar moeder gesproken. Dat is niet ongewoon en heeft niets te maken met ontkenning. Twee dagen is te kort om de waarheid door te laten dringen en vat op haar te laten krijgen.

Ik begrijp nog steeds niet wat ze hier komt doen. Ik ben er niet in geslaagd haar moeder te redden en kan haar niet méér vertellen dan de politie. Christine Wheelers laatste woorden waren tot mij gericht maar ze heeft me geen aanknopingspunten gegeven.

'Wat wil je dat ik doe?' vraag ik.

'Kom naar het huis. Dan kunt u het zelf zien.'

'Wat zien?'

'Dat ze geen zelfmoord heeft gepleegd.'

'Ik heb haar zien springen, Darcy.'

'Er moet iets zijn geweest dat haar zover heeft gebracht.' Ze geeft Emma een kus op haar hoofd. 'Ze zou het nooit op die manier doen. Ze zou mij nooit in de steek laten.'

Tegen de achttiende-eeuwse arbeiderswoning zit een knoestige en verwrongen blauweregen die boven de voordeur doorklimt en tot aan de dakrand reikt. De aanpalende garage was ooit een stal en is bij het huis getrokken.

Darcy doet de voordeur van het slot en blijft even staan.

'Is er iets?'

Ze schudt weinig overtuigend haar hoofd.

'Als je wilt kun je buiten blijven en op Emma letten.'

Ze knikt.

Emma loopt op het pad bladeren omhoog te schoppen.

Over de leistenen vloer van de hal lopend schamp ik een lege wandkapstok waaronder ik een paraplu zie staan. Aan de rechterkant is een keuken. Door de ramen zie ik een achtertuin en een houten hek dat de scheiding vormt tussen keurig gesnoeide rozenstruiken en de tuinen van de buren. In het afdruiprek staan een kopje en een ontbijtkom. De gootsteen is droog en schoongeveegd.

In de keukenemmer zitten groenterestanten, gekrulde sinaasappelschillen en gebruikte theezakjes die de kleur hebben van hondendrollen. De tafel is leeg, op een stapeltje rekeningen en geopende brieven na.

Ik roep over mijn schouder. 'Hoe lang wonen jullie hier al?'

Door de deuropening klinkt Darcy's antwoord. 'Acht jaar. Mam heeft een tweede hypotheek moeten nemen toen ze het bedrijf begon.'

De woonkamer is smaakvol maar fantasieloos ingericht, met een niet meer zo heel nieuwe bank, leunstoelen en een groot dressoir met krabsporen op de hoeken. Op de schoorsteenmantel staan ingelijste foto's. Op de meeste ervan staat Darcy in uiteenlopende balletpakjes in de coulissen of op het toneel. In een vitrine prijken ballettrofeeën en medailles en nog meer foto's.

'Je doet aan ballet.'

'Ja.'

Ik had het kunnen weten. Ze heeft het klassieke danseressen-lichaam: slank en lenig, met iets naar buiten gedraaide voeten.

Mijn vragen hebben Darcy de kamer in gelokt. Ze stapt vanuit het halfduister van de gang naar binnen en aarzelt even, worstelend met emoties die haar bewegingen vertragen.

'Heb je het huis zo aangetroffen?'

'Ja.'

'Je hebt geen dingen verplaatst?'

'Nee.'

'Of dingen aangeraakt?'

Hier denkt ze even over na.

'Ik heb de telefoon gebruikt... om de politie te bellen.'

'Welke telefoon?'

'Die van boven.'

'Waarom niet die?' Ik wijs naar een snoerloze telefoon die in zijn houder op een bijzettafeltje staat.

'Hij lag op de grond. De batterij was leeg.'

Aan de voet van de tafel ligt een stapeltje slordig neergegooide vrouwenkleren – een opzettelijk sleets gemaakte spijkerbroek, een topje en een vest. Ik kniel neer. Onder de bank steekt iets kleurigs uit, inderhaast weggestopt in plaats van verborgen. Ondergoed: een beha en bijpassend slipje.

'Was er iemand met wie je moeder omging? Vriendjes of mannen die ze regelmatig zag?'

Darcy onderdrukt een lach. 'Nee.'

'Hoe weet je dat zo zeker?'

'Mijn moeder was voorbestemd om zo'n oud vrouwtje te worden met een legertje katten en een kast vol gebreide vesten.'

'Zou ze het je hebben verteld als er iemand was?'

Darcy twijfelt.

Ik houd het ondergoed omhoog. 'Is dit van je moeder?'

Ze knikt en fronst haar wenkbrauwen.

66

'Wat?'

'Dat was echt een obsessie van haar, dingen oprapen en opbergen. Ik mocht alleen kleren van haar lenen als ik ze zelf weer terughing of ze na afloop in de was deed. "De grond is geen kledingkast," zei ze.'

Ik ga de trap op naar de grote slaapkamer. Het bed is onaangeroerd, zonder ook maar een kreukje in het dekbed. Flesjes staan keurig gerangschikt op de kaptafel. In de aanpalende badkamer hangen handdoeken gelijkmatig opgevouwen op handdoekenrekjes.

Ik doe de grote inloopkast open en stap naar binnen. Ik kan Christine Wheeler ruiken. Ik raak haar jurken aan, haar rokken, haar shirts. Ik ga met mijn handen door de zakken van haar jasjes. Ik vind een taxibonnetje, een stomerijlabel, een munt van één pond, een after dinner-pepermuntje. Er zijn kledingstukken bij die ze in jaren niet heeft gedragen. Kleren die ze zo lang mogelijk wil laten meegaan. De kleren van een vrouw die gewend was geld te hebben en ineens niet genoeg heeft.

Een avondjurk glijdt van een hangertje en kringelt zich aan mijn voeten. Ik pak hem op en voel de stof tussen mijn vingers glijden. Er staan rekken met schoenen, minstens tien paar, in keurige rijen gerangschikt.

Darcy zit op bed. 'Mam was gek op schoenen. Ze zei dat het haar enige uitspatting was.'

Ik denk aan het paar felrode Jimmy Choo's dat Christine op de brug aan had. Feestschoenen. Aan het eind van de onderste plank zie ik een lege plek waar een ontbrekend paar moet hebben gestaan.

'Sliep je moeder naakt?'

'Nee.'

'Liep ze wel eens bloot door het huis?'

'Nee.'

'Deed ze de gordijnen dicht als ze zich uitkleedde?'

'Daar heb ik nooit zo op gelet.'

Ik kijk door het slaapkamerraam dat uitkijkt op een volkstuin met groentebedden en een kas waarop een iep neerkijkt. Door de takken van de bomen zitten spinnenwebben geweven, ragfijn als mousseline. Iemand zou gemakkelijk het huis in de gaten kunnen houden zonder zelf te worden opgemerkt.

'Als er iemand aan de deur kwam, zou ze dan open hebben gedaan of de deur op de ketting hebben gehouden?'

'Geen idee.'

Mijn gedachten gaan terug naar de kleren bij de telefoon. Christine kleedde zich uit zonder de moeite te nemen de gordijnen dicht te doen. Ze liet na haar kleding op te vouwen of over een stoel te hangen. De snoerloze telefoon werd op de grond aangetroffen.

Darcy zou het mis kunnen hebben wat betreft een vriendje of minnaar, maar er zijn geen tekenen dat het bed werd gebruikt. Geen condooms. Geen tissues. Er zijn ook geen sporen van een indringer. Er lijkt niets overhoop te zijn gehaald of verdwenen. Er zijn geen tekenen van een zoekactie of een worsteling. Het huis is schoon. Netjes. Het is niet het huis van iemand die de hoop heeft laten varen of niet langer wil leven.

'Zat de voordeur op het nachtslot?'

'Dat weet ik niet meer,' zegt Darcy.

'Het is wel belangrijk. Toen je thuiskwam heb je de sleutel in het slot gestoken. Had je toen twee sleutels nodig?'

'Ik geloof van niet, nee.'

'Had je moeder een regenjas?'

'Ja.'

'Hoe zag die eruit?'

'Het was een goedkoop plastic ding.'

'Wat voor kleur?'

'Geel.'

'Waar is die gebleven?'

Ze gaat me voor naar de vestibule, waar een kale kledinghaak de rest van het verhaal vertelt. Het regende vrijdag, het hoosde. Ze nam de regenjas, maar niet de paraplu.

Emma zit aan de keukentafel en gaat met kleurpotloden een stuk papier te lijf. Ik loop langs haar heen naar de zitkamer en probeer me een beeld te vormen van wat zich vrijdag heeft afgespeeld. Ik vang een glimp op van een doodgewone dag, van een vrouw die haar huishouden deed, een kopje afwaste en de gootsteen droog maakte toen de telefoon ging. Ze nam op.

Ze deed haar kleren uit. Ze deed de gordijnen niet dicht. Ze verliet naakt haar huis, gekleed in niet meer dan een plastic regenjas. Ze deed de deur niet op het veiligheidsslot. Ze had haast. Haar handtas ligt nog altijd op het tafeltje in de hal.

De dikke glazen plaat van de salontafel steunt op twee keramische olifanten met geheven slurven en van boven afgeplatte koppen. Naast de tafel knielend houd ik mijn hoofd omlaag en speur het gladde glasoppervlak af. Ik zie minuscule flinters gebroken potlood of lippenstift. Dit is de plek waar ze het woord 'SLET' op haar lichaam schreef.

Er zit nog iets op het glas, een reeks ondoorzichtige rondjes en abrupt eindigende strepen lippenstift. De rondjes zijn opgedroogde tranen. Ze huilde. De strepen zouden de uiteinden kunnen zijn van lusletters die van een stuk papier af liepen. Christine schreef iets met lippenstift. Een telefoonnummer kan het niet geweest zijn, daar had ze een pen voor kunnen gebruiken. Het was eerder een boodschap of een signaal.

Achtenveertig uur geleden zag ik deze vrouw haar dood tegemoet vallen. Het kan niet anders dan zelfmoord zijn geweest en toch klopt er psychologisch gezien iets niet. Alles aan haar handelen wees op opzet, en toch was ze een onwillige deelnemer.

Het laatste wat Christine Wheeler tegen me zei was dat ik het niet zou begrijpen. Ze had gelijk.

8

Sylvia Furness bewoont een appartement in Great Pulteney Street op de eerste verdieping van een Georgian huizenblok dat vermoedelijk in elke BBC-dramaserie sinds de oorspronkelijke *Forsyte Saga* te zien is geweest. Half en half verwacht ik er door paarden voortgetrokken koetsen te zien langsrijden en paraderende vrouwen met grote hoeden.

Sylvia Furness heeft geen hoed op. Haar korte blonde haar wordt door een haarband uit haar gezicht gehouden en ze is gekleed in een korte zwarte stretchbroek, een witte sportbeha en een lichtblauw T-shirt met een laag uitgesneden hals. Aan een sleutelbos waarmee je alleen al door hem mee te zeulen extra calorieën verbrandt bungelt een lidmaatschapskaart van een sportschool.

'Neem me niet kwalijk dat ik stoor, mevrouw Furness. Kan ik u heel even spreken?'

'Als u maar niets komt verkopen, ik koop niks.'

'Het gaat over Christine Wheeler.'

'Ik ben al laat voor mijn spingroepje. Ik praat niet met journalisten.'

'Ik ben geen journalist.'

Ze kijkt langs me heen en ziet Darcy bovenaan de trap staan. Met een smartelijk gilletje wringt ze zich langs me en slaat, tranen bij zichzelf oproepend, haar armen om het meisje heen. Darcy werpt me een blik toe die 'Nou, wat zei ik?' suggereert.

Ze wilde niet mee naar boven omdat ze wist dat haar moeders zakenpartner stampij zou maken.

'Wat voor stampij?'

'Gewoon stampij.'

De voordeur gaat voor de tweede keer open en ze gaat ons voor naar binnen. Sylvia houdt nog steeds Darcy's hand vast. Emma, plotseling stil en met een duim in haar mond geklemd, komt achter ons aan.

Het appartement heeft gewreven houten vloeren, smaakvol meubilair en plafonds die hoger lijken dan de wolken buiten. Overal is de hand van een vrouw zichtbaar, van de losjes neergegooide kussens met Afrikaanse motieven tot aan de sierlijk gerangschikte droogbloemen.

Ik kijk de kamer rond. Mijn blik valt op een naast de telefoon staande uitnodiging voor een verjaardag. 'Alice' wordt uitgenodigd op een pizza- en pyjamaparty. Haar vriendinnetje Angela wordt twaalf.

Sylvia Furness heeft nog altijd Darcy's hand vast, stelt haar vragen en betuigt haar medeleven. De tiener slaagt erin zich uit haar greep los te maken en pakt Emma op. Op de hoek, achter het museum, is een park. Er staan schommels en een glijbaan.

'Mag ze met me mee?'

'Dan sta je haar wel de hele tijd zetjes te geven,' waarschuw ik haar.

'Dat vind ik niet erg.'

'Als je terug bent praten we verder,' zegt Sylvia, die haar sporttas weer op de bank heeft gegooid. Ze kijkt op haar horloge, een roestvrijstalen, sportief geval. Haar spingroepje gaat ze niet halen. In plaats daarvan ploft ze met een geërgerde blik neer in een leunstoel. Haar borsten bewegen niet mee. Ik vraag me af of ze echt zijn. Alsof ze mijn gedachten leest recht ze haar schouders.

'Vanwaar uw interesse in Christine?'

'Darcy gelooft niet dat het zelfmoord was.'

'En waarom zou u zich daar druk over maken?'

'Ik wil er gewoon zeker van zijn.'

Haar ogen vullen zich met een milde nieuwsgierigheid als ik haar mijn betrokkenheid bij Christine uitleg en vertel hoe Darcy naar me op zoek was. Sylvia legt haar afgetrainde benen op tafel en laat zien wat een loopband voor een vrouw kan doen.

'Jullie waren zakenpartners.'

'We waren meer dan dat,' reageert ze. 'We zaten op dezelfde school.'

'Wanneer heeft u Christine voor het laatst gezien?'

'Vrijdagochtend. Ze kwam op kantoor. Ze had een afspraak met een jong stel dat van plan was met de kerst te trouwen.'

'Wat voor indruk maakte ze?'

'Gewoon.'

'Leek ze bezorgd of verontrust over iets?'

'Nee.'

'Wat voor iemand was ze?'

'Een ontzettend lief mens. Absoluut uniek. Ik dacht wel eens bij mezelf dat ze te aardig was.'

'In wat voor opzicht?'

'Voor het zakenleven. Ze was te zacht. Mensen hingen bij haar een huilverhaal op en dan gaf ze ze uitstel van betaling of korting. Chris was een onverbeterlijke romanticus. Ze geloofde in sprookjes. Sprookjestrouwerijen. Sprookjeshuwelijken. Grappig als je bedenkt dat dat van haar nog geen twee jaar heeft geduurd. Op school werkte ze al aan haar uitzet. Ik bedoel, wie heeft er tegenwoordig nou nog een uitzet? Ze zei altijd dat er voor ieder van ons een speciale zielsverwant is, de ware jakob.'

'Daar bent u het duidelijk niet mee eens.'

Haar hoofd draait mijn kant op. 'Kom nou toch, professor. U bent psycholoog. Gelooft u nu werkelijk dat er voor ieder van ons maar één persoon is op deze grote wijde wereld?'

'Het is een leuk idee.'

'Helemaal niet! Zo saai.' Ze lacht. 'Maar als het dan toch waar is, dan kan die zielsverwant van mij maar beter zorgen dat hij een wasbordje heeft en een wasteil vol bankbiljetten.'

'En uw eigen man?'

'Een vetklomp, maar hij weet wel hoe hij geld moet verdienen.' Ze strijkt met haar handen over haar benen. 'Hoe komt het toch dat getrouwde mannen het zo laten lopen terwijl hun vrouwen uren spenderen om er mooi uit te zien?'

'Wilt u zeggen dat u dat niet weet?'

Ze lacht. 'Misschien is dat een onderwerp voor een andere keer.'

Sylvia staat op en loopt naar de slaapkamer. 'Vindt u het erg als ik me even omkleed?'

'Geen probleem.'

Ze laat de deur open en gooit haar T-shirt en beha uit. Op haar rug lopen spieren als platte stenen onder haar huid. Haar korte zwarte stretchbroek glijdt langs haar benen omlaag, maar ik kan niet zien wat er voor in de plaats komt; het bed en de invalshoek beletten het.

Gekleed in een crèmekleurige sportpantalon en een kasjmieren trui komt ze de zitkamer weer binnen en gooit haar broekje en beha op haar sporttas.

'Waar waren we ook alweer gebleven?'

'Bij Christine. Je zei dat ze in het huwelijk geloofde.'

'Zij juichte altijd het hardst. Ze moest bij elke door ons geregelde trouwerij huilen. Echt bij elke trouwerij. Terwijl volstrekte vreemden hun boterbriefje haalden zaten haar zakken vol met doorweekte zakdoekjes. Schei toch uit.'

'Is dat de reden dat ze Blissful is begonnen?'

'Het was haar kindje. Ze vond het heerlijk om trouwerijen te doen. Blissful had een groot succes kunnen worden.'

'U zegt "had". Waarom?'

'Zoals ik al zei, Chris was een watje. Mensen vroegen om een droomtrouwerij met alle toeters en bellen en weigerden vervolgens om te betalen of waren laat met overmaken. En Christine geloofde hun uitvluchten.'

'Er waren geldproblemen.'

'Dat is zacht uitgedrukt.' Ze strekt haar armen uit boven haar hoofd. 'Regen. Afzeggingen. Advocatenwerk. Het was geen goed seizoen. We moeten vijftigduizend pond per maand omzetten willen we quitte spelen. Een gemiddelde trouwerij kost vijftienduizend pond. De grote trouwpartijen waren dun gezaaid.'

'Hoeveel verlies leden jullie?'

'Toen we begonnen sloot Chris een tweede hypotheek af. Nu staan we twintigduizend rood bij de bank en hebben we in totaal meer dan tweehonderdduizend pond aan schulden.'

Sylvia staat op en buigt diep voorover, met haar handen rond haar knieën.

'U had het over advocatenwerk.'

'Een trouwerij in de lente liep uit op een ramp. De mayonaise van het visbuffet was bedorven. Voedselvergiftiging. De vader van de bruid is advocaat. Christine bood aan de factuur te verscheuren, maar hij wil dat we een schadevergoeding betalen.'

'Jullie zijn natuurlijk verzekerd.'

'De verzekeraar probeert er onderuit te komen. Ook daarvoor moeten we mogelijk naar de rechtbank.'

Ze pakt een plastic fles water uit haar sporttas, neemt een paar slokken en veegt met haar duim en wijsvinger haar lippen af.

'U lijkt zich er niet al te druk over te maken.'

Ze zet haar fles neer en kijkt me strak in de ogen.

'Chris bracht het merendeel van het geld in. Voor mij was de schade minimaal en mijn echtgenoot is heel begripvol.'

'Lankmoedig.'

'Dat kun je wel zeggen, ja.'

De geldproblemen en de juridische stappen zouden een verklaring kunnen zijn voor wat er vrijdag is gebeurd. Misschien had de persoon die met Christine Wheeler belde geld te goed. Of dat, of ze had de moed verloren en zag geen uitweg meer.

'Was Christine er de persoon naar om zelfmoord te plegen?' vraag ik.

Sylvia haalt haar schouders op. 'U kent dat gezegde wel, dat als mensen zeggen dat ze zelfmoord gaan plegen de kans klein is dat ze het ook zullen doen. Nou, Chris heeft het er nooit over gehad. Ze was de positiefste, vrolijkste, meest optimistische persoon die ik ooit heb ontmoet. Dat meen ik. En ze hield waanzinnig veel van Darcy. Ik heb geen idee waarom ze het heeft gedaan. Op een of andere manier moet ze zijn gebroken.'

'Wat gaat er nu met het bedrijf gebeuren?'

Ze kijkt opnieuw op haar horloge. 'Sinds een uur is het in handen van de curator.'

'U gaat de tent sluiten.'

'Wat kan ik anders doen?'

Ze trekt haar benen zijwaarts op de achteloze, moeiteloze manier waarop alle vrouwen dat kunnen. Ik bespeur geen tekenen van spijt of teleurstelling. De afgetrainde Sylvia Furness is van binnen net zo gestaald als van buiten.

Beneden wachten Darcy en Emma me op. Ik neem Emma op mijn heup.

'Waar gaan we heen?' vraagt Darcy.

'Naar de politie.'

'U gelooft me.'

'Ik geloof je.'

9

Inspecteur Veronica Cray duikt op uit een stal. Ze heeft een in kaplaarzen weggestoken wijde spijkerbroek aan en een herenoverhemd met knoopzakken die bijna horizontaal op haar borsten liggen.

'U hebt me betrapt bij het strontscheppen,' zegt ze terwijl ze tegen de zware deur leunt, die op roestige scharnieren naar binnen draait. Ze laat een zware plank in de planksteun vallen. In de stallen hoor ik paarden rondschuifelen. Ik ruik ze.

'Bedankt dat u tijd voor me hebt kunnen vrijmaken.'

'U vond het eindelijk tijd voor die borrel, zeker,' zegt ze terwijl ze haar handen afveegt aan haar heupen. 'Het is er een perfecte dag voor. Mijn vrije dag.'

Ze ziet Darcy zitten op de passagiersstoel van mijn auto en Emma die met het stuurwiel zit te spelen.

'U hebt uw gezin meegebracht.'

'Het kleine meisje is van mij.'

'En de ander?'

'Dat is de dochter van Christine Wheeler.'

De inspecteur heeft zich abrupt naar me omgedraaid.

'U bent op zoek gegaan naar haar dochter?'

'Zij heeft mij gevonden.'

Haar warmte en vriendelijkheid hebben deels plaatsgemaakt voor argwaan.

'Wat bent u in godsnaam aan het doen, professor?'

'Christine Wheeler heeft geen zelfmoord gepleegd.'

'Met alle respect, maar ik vind dat wij dat oordeel aan de patholoog-anatoom moeten overlaten.'

'U hebt haar gezien – ze was doodsbang.'

'Om te sterven?'

'Om te vallen.'

'Jezus, man, ze stond op het randje van een brug.'

'Nee, u begrijpt het niet.'

Ik kijk naar Darcy, die er vermoeid en bezorgd uitziet. Ze zou weer op school moeten zijn of onder de hoede van haar familie. Heeft ze wel familie?

De rechercheur haalt diep adem. Haar hele borstkas zet uit en ze slaakt een zucht. Ze beent naar de auto, hurkt neer naast het geopende portier en richt zich tot Emma.

'Ben jij een toverfee?'

Emma schudt haar hoofd.

'Een prinses?'

Opnieuw hoofdschudden.

'Dan ben je vast en zeker een engel. Leuk je te ontmoeten. In mijn soort werk kom ik niet veel engelen tegen.'

'Ben jij een man of een vrouw?' vraagt Emma.

De inspecteur lacht.

'Ik ben toch echt een vrouw. Honderd procent.'

Ze kijkt Darcy aan. 'Ik vind het heel erg van je moeder. Is er iets wat ik voor je kan doen?'

'Me geloven,' zegt ze zacht.

'Normaal gesproken geloof ik oprecht in de meeste dingen, maar misschien moet je me in dit geval eerst overtuigen. Maar laten we je eerst naar een plek brengen waar het warmer is.'

Ik moet bukken om door de deuropening te stappen. Inspecteur Cray schopt haar kaplaarzen uit. Uit het profiel van de zolen vallen rechthoekjes modder.

Ze draait zich om en loopt de gang in.

'Ik neem even een douche, professor. Zet u deze meisjes maar bij de haard. Ik heb zes verschillende soorten warme chocolademelk en ben vandaag in een uitdeelstemming.'

Darcy en Emma hebben geen woord gezegd. Veronica Cray kan iemand in eerste instantie sprakeloos maken. Je kunt niet om haar heen. Niet van haar plaats te krijgen. Als een rotsformatie bij windkracht tien.

Ik hoor de douche lopen. Ik zet een ketel op het Agafornuis

en doorzoek de voorraadkast. Op de televisie heeft Darcy voor Emma een tekenfilm opgezocht. Op wat biscuitjes en een banaan na heb ik haar sinds het ontbijt niets te eten gegeven.

Aan een prikbord zie ik een kalender hangen. Hij is bezaaid met neergekrabbelde afspraken met veevoederleveranciers, hoefsmeden en paardenveilingen. Er hangen nog te betalen rekeningen en herinneringsbriefjes. Ik loop de eetkamer in, op zoek naar dingen die op een partner wijzen. Op de schoorsteenmantel en op de koelkast staan foto's van een donkerharige jongeman, een zoon wellicht.

Normaal gesproken ga ik, althans niet bewust, nooit zo openlijk op zoek naar aanknopingspunten voor wie iemand is, maar Veronica Cray fascineert me. Het is alsof ze een levenslange strijd heeft gevoerd om geaccepteerd te worden zoals ze is. Inmiddels is ze tevreden met haar lichaam, haar seksuele geaardheid en haar leven.

De badkamerdeur gaat open en ze stapt naar buiten, gehuld in een enorme handdoek die tussen haar borsten vastgeknoopt zit. Ze moet langs me heen stappen. We bewegen allebei dezelfde kant op en weer terug. Ik verontschuldig me en druk mezelf plat tegen de muur.

'Maakt u zich geen zorgen, professor. Ik ben opblaasbaar. Normaal ben ik maatje achtendertig.'

Ze lacht. Ik ben de enige die zich geneert.

De slaapkamerdeur sluit zich. Tien minuten later komt ze de keuken binnen in een geperst overhemd en broek. Haar stekelhaar is doorpareld met waterdruppeltjes.

'U fokt paarden.'

'Ik red oude springpaarden van de slager.'

'Wat doet u met ze?'

'Ik zoek een goed tehuis voor ze.'

'Mijn dochter Charlie wil een paard.'

'Hoe oud is ze?'

'Twaalf.'

'Ik kan er een voor haar regelen.'

De meisjes drinken chocolademelk. Inspecteur Cray biedt me

iets sterkers aan, maar ik mag eigenlijk niet meer drinken omdat het mijn medicatie beïnvloedt. In plaats daarvan houd ik het bij koffie.

'Beseft u wel waar u mee bezig bent?' vraagt ze, eerder bezorgd dan boos. 'Dat arme meisje haar moeder is dood en u sleept haar het platteland over op een of andere dwaze missie.'

'Zij heeft mij opgezocht. Ze was van school weggelopen.'

'En u had haar daar linea recta naar terug moeten sturen.'

'En als ze nou gelijk heeft?'

'Dat heeft ze niet.'

'Ik ben naar Christine Wheelers huis geweest. Ik heb met haar zakenpartner gesproken.'

'En?'

'Ze had financiële problemen, maar verder was er niets dat wees op een vrouw die op de rand van instorten stond.'

'Zelfmoord is een impulsieve daad.'

'Klopt, maar mensen kiezen nog altijd een methode die bij hen past, meestal eentje die ze als snel en pijnloos beschouwen.'

'Wat wilt u daarmee zeggen?'

'Mensen met hoogtevrees springen niet van een brug.'

'Maar we hebben haar allebei zien springen.'

'Ja.'

'En dus slaat uw argument nergens op. Niemand heeft haar geduwd. U was het dichtst bij haar. Heeft u iemand gezien? Of denkt u dat ze op afstand is vermoord? Hypnose? Gedachtemanipulatie?'

'Ze wílde niet springen. Ze had zich erbij neergelegd. Ze deed haar kleren uit en trok een regenjas aan. Ze liep het huis uit zonder de deur op slot te doen. Ze liet geen afscheidsbrief achter. Ze wikkelde haar zaken niet af en gaf geen bezittingen weg. Niets in haar gedrag wees op een vrouw die overweegt zelfmoord te plegen. Een vrouw die bang is voor hoogtes kiest er niet voor om van een brug af te springen. Die doet het niet naakt. Die schrijft geen zelfbeschimpingen op haar huid. Vrouwen van haar leeftijd zijn zich van hun lichaam bewust. Ze dragen kleding die flatteert. Ze bekommeren zich om hun uiterlijk.'

'U bent uitvluchten aan het zoeken, professor. Mevrouw is gesprongen.'

'Ze sprak met iemand die ze aan de lijn had. Mogelijk heeft die iets tegen haar gezegd.'

'Misschien slecht nieuws: een sterfgeval in de familie of een slechte diagnose. Voor hetzelfde geld had ze ruzie met een vriendje dat haar had gedumpt.'

'Ze had geen vriend.'

'Heeft haar dochter u dat verteld?'

'Waarom heeft de persoon die ze aan de lijn had zich niet gemeld? Als een vrouw van een brug dreigt te springen kun je toch zeker wel de politie of een ziekenwagen bellen?'

'Waarschijnlijk is hij getrouwd en wil hij er niet in betrokken raken.'

Ik kom niet verder bij haar. Ik heb een theorie en geen solide bewijs ter ondersteuning. Theorieën krijgen pas de duurzaamheid van feiten als ze overeind blijven en stapsgewijs aan significantie winnen. Dat geldt ook voor misvattingen. Het maakt ze nog niet tot waarheid.

Veronica Cray staart naar mijn linkerarm, die is begonnen te trekken, wat een siddering door mijn schouder stuurt. Ik pak hem vast om hem stil te houden.

'Wat geeft u het idee dat mevrouw Wheeler bang was voor hoogtes?'

'Dat heeft Darcy me verteld.'

'En u gelooft haar, een tienermeisje dat in een shocktoestand verkeert, dat rouwt, die niet kan begrijpen hoe de belangrijkste persoon in haar leven haar in de steek heeft kunnen laten…'

'Heeft de politie haar auto doorzocht?'

'Ze hebben hem opgehaald.'

Dat is wat anders. Dat weet ze.

'Waar bevindt de auto zich nu?'

'In depot bij de politie.'

'Kan ik hem zien?'

'Nee.'

Ze weet niet welke kant ik hiermee op ga, maar wat er ook gebeurt, ik ben meer werk voor de politie aan het veroorzaken. Ik zet vraagtekens bij het officiële onderzoek.

'Dit is mijn zaak niet, professor. Ik heb echte misdaden op te lossen. Verkrachtingen en moorden. Dit was een zelfmoord. Dood door zwaartekracht. We hebben het beiden zien gebeuren. Van zelfmoorden wordt niet verwacht dat ze hout snijden, omdat ze zinloos zijn. Ik zal u nog iets vertellen: de meeste mensen laten helemaal geen briefje achter. Ze knakken gewoon en laten iedereen met vragen achter.'

'Ze gaf geen signalen af...'

'Laat me uitspreken,' blaft ze, zodat het klinkt als een bevel.

Onbehagen kietelt onder mijn huid.

'Neem u nou, professor. U heeft een ziekte. Wordt u elke ochtend wakker met de gedachte hoe geweldig het is dat u leeft? Of kijkt u wel eens naar die schuddende ledematen en denkt u dan na over wat u te wachten staat en overweegt u heel even, een vluchtige seconde slechts, een mogelijke uitweg?'

Ze leunt achterover in haar stoel en staart naar het plafond. 'We hebben het allemaal. We dragen ons verleden met ons mee, de vergissingen, de trieste dingen. U zei dat Christine Wheeler een optimist was. Ze hield van haar dochter. Ze hield van haar werk. Maar u kent haar niet werkelijk. Misschien was het iets met die trouwerijen dat haar heeft aangegrepen. Al die sprookjes. De witte jurken en de bloemen, het uitwisselen van geloftes. Misschien deden ze haar denken aan haar eigen huwelijk en de teleurstelling ervan. Haar man ging bij haar weg. Ze voedde in haar eentje een kind op. Ik weet het niet. Niemand weet het.'

De inspecteur rolt met haar hoofd en rekt haar nekspieren.

'U voelt zich schuldig, professor, dat begrijp ik. U vindt dat u haar had moeten redden, maar wat er op de brug is gebeurd was niet uw schuld. U heeft gedaan wat u kon. Mensen hebben daar begrip voor. Maar nu bent u een ongelukkige situatie erger aan het maken. Breng Darcy terug naar school. Ga naar huis. Het is uw probleem niet meer.'

'En als ik u nou vertel dat ik iets heb gehoord,' zeg ik.

Ze aarzelt en kijkt me argwanend aan.

'Op de brug, terwijl ik met Christine Wheeler probeerde te praten, dacht ik te horen dat er iets tegen haar werd gezegd, door haar mobiele telefoon.'

'Wat dan?'

'Een woord.'

'Welk woord?'

'Spring!'

Ik zie de subtiele verandering in de rechercheur, een licht ineenkrimpen, teweeggebracht door één enkel woord. Ze staart naar haar grote, hoekige handen en weer terug naar mij, mijn blik zonder gêne beantwoordend. Dit is geen zaak die ze wil doorzetten.

'U dénkt het gehoord te hebben?'

'Ja.'

Haar aarzeling is van voorbijgaande aard. Ze heeft de mogelijke uitkomsten al gerationaliseerd en alleen de minkant laten wegen.

'Volgens mij moet u dat maar aan de patholoog-anatoom vertellen. Ik weet zeker dat hij met die informatie als een kind zo blij zal zijn. Wie weet – misschien weet u hem te overtuigen, maar ik betwijfel het. Voor mijn part was het God zelf aan de andere kant van de lijn, maar je kan iemand niet dwingen te springen, niet op die manier.'

*

De lichten van tegenliggers strijken langs het interieur en verdwijnen in het duister.

Darcy slaat haar ogen op naar de voorruit.

'Die rechercheur gaat niet meewerken, hè?'

'Nee.'

'Dus u geeft het op?'

'Wat verwacht je dat ik doe, Darcy? Ik ben geen politieman. Ik kan ze niet dwingen een onderzoek in te stellen.'

Ze keert haar gezicht af. Haar schouders gaan omhoog alsof ze moeten voorkomen dat ze nog meer hoort. De volgende anderhalve kilometer rijden we in stilte.

'Waar gaan we heen?'

'Ik breng je terug naar school.'

'Nee!'

De agressie in haar stem overrompelt me. Emma krimpt ineen en kijkt ons vanaf de achterbank van de auto aan.

'Ik ga niet terug.'

'Je kan niet terug naar huis, niet in je eentje.'

'Ik neem een hotel.'

'En hoe ga je dat dan betalen?'

'Ik heb geld.'

'Luister, Darcy, ik weet dat je heel erg zeker van jezelf bent, maar ik geloof niet dat je je helemaal realiseert wat er is gebeurd. Je moeder komt niet meer terug. En je wordt niet ineens, simpelweg doordat zij er niet meer is, een volwassene.'

'Ik ben oud genoeg om zelf te beslissen.'

'Je hebt vast andere familieleden.'

'Nou, veel succes met zoeken.'

'Hoe zit het met grootouders?'

'Daar heb ik een tekort aan.'

'Wat wil dat zeggen?'

'Ik heb er eentje over en die kwijlt. Hij zit in een verpleeghuis.'

'Is er nog iemand?'

'Een tante. Ze woont in Spanje. Mams oudste zus. Ze runt een opvang voor ezels. Ik geloof tenminste dat het ezels zijn. Het zouden ook muilezels kunnen zijn. Ik ken het verschil niet. Mijn moeder zei dat zij een tweederangs Brigitte Bardot was, wie dat ook moge zijn.'

'Dat is een filmster.'

'Ook goed.'

'We gaan je tante bellen.'

'Ik ga niet tussen de ezels wonen.'

Ik begin andere namen af te lopen. Haar moeder had vrienden. Eén van hen wil vast wel een paar dagen voor Darcy zorgen. Ze heeft hun nummers niet. Ze doet niet eens een poging behulpzaam te zijn.

'Ik zou bij u kunnen logeren,' zegt ze terwijl ze haar tong tegen de binnenkant van haar wang duwt alsof ze op een zuurtje zuigt.

'Ik geloof niet dat dat een goed idee is.'

'Waarom niet? Uw huis is groot genoeg. U zoekt een inwonende oppas. Ik zou kunnen helpen voor Emma te zorgen. Ze mag me...'

'Ik kan je niet bij ons laten logeren.'

'Waarom niet?'

'Omdat je zestien bent en op school zou moeten zijn.'

Over de rugleuning reikt ze naar haar tas. 'Stop. Ik wil er hier uit.'

'Dat kan ik niet maken.'

Het elektrisch bediende raam gaat omlaag.

'Wat doe je nou?'

'Ik ga roepen dat ik verkracht word of ontvoerd of wat ik ook moet roepen om u de auto te laten stilzetten en me eruit te laten. Ik ga niet terug naar school. Ik kan helpen met op...'

Vanuit het zitje achterin onderbreekt Emma's stem ons. 'Niet doen, ruziemaken.'

'Pardon?'

'Niet ruziemaken.'

Ze kijkt ons streng aan.

'We maken geen ruzie, lieverd,' leg ik uit. 'We hebben een serieus gesprek.'

'Ik houd niet van ruzie,' verklaart ze. 'Ruzie is stout.'

Darcy lacht. Haar blik is uitdagend. Waar heeft ze dat zelfvertrouwen vandaan? Hoe komt ze zo onverschrokken?

De volgende rotonde rijd ik helemaal rond en ik keer om.

'Waar gaan we nu heen?' vraagt ze.

'Naar huis.'

10

Als Darcy een treurende echtgenoot of een maat van me was zouden we naar de pub gaan en ons een stuk in de kraag drinken. Dan zouden we wankelend thuiskomen, Sky Sports aanzetten en een of andere obscure ijshockeywedstrijd in Canada bekijken of die maffe sport waarbij ze door de bossen skiën en schietschijven onder vuur nemen. Mannen doen dat soort dingen. Alcohol is geen substituut voor tranen. Het voedt ze van binnen uit, waar het minder in het oog loopt.

Tienermeisjes zitten ingewikkelder in elkaar. Dat weet ik uit mijn spreekkamer. Ze zijn eerder geneigd tot piekeren, tot stoppen met eten, tot depressief of promiscue gedrag. Darcy is een uitzonderlijk schepsel. Ze babbelt er niet op los zoals Charlie en Emma. Ze doet enorm volwassen, bijdehand en pittig, maar onder het vertoon van lef schuilt een beschadigd kind dat minder van de wereld weet dan een scoutingmeisje dat met koekjes langs de deur gaat.

Zodra het serviesgoed was weggeborgen zocht ze het bed in de logeerkamer op. Een paar minuten terug hield ik stil bij haar deur, drukte mijn oor tegen het geschilderde hout en meende haar te horen huilen. Dat kan verbeelding zijn geweest.

Wat moet ik doen?

Ik kan geen onderzoek instellen naar haar moeders dood. Misschien heeft inspecteur Cray gelijk en zal niemand ooit achter de waarheid komen.

Ik zit in de werkkamer. Mijn linkerhand schudt oncontroleerbaar, maar ik wil vandaag geen extra medicijnen innemen, aangezien mijn doses toch al te hoog zijn en ze na verloop van tijd minder goed werken. Het telefoonnummer van Vincent Ruiz ligt voor me op het bureau.

Ruiz is voormalig inspecteur-rechercheur bij de London Metropolitan Police. Vijf jaar geleden arresteerde hij me op verdenking van moord. Een van mijn voormalige cliëntes was doodgestoken aangetroffen langs het Grand Union Canal in Londen. Mijn naam stond in haar agenda. Oude koeien uit de sloot is gezien de omstandigheden misschien niet de meest passende metafoor. Laten we zeggen dat het geschiedenis is.

Sinds die tijd is Ruiz een van die bijfiguren die zo af en toe mijn leven komen binnendrijven en weer weggaan en met hun aanwezigheid het grijs wat opfleuren. Voordat hij met pensioen ging had hij de gewoonte zichzelf voor het eten uit te nodigen, met Julianne te flirten en mij ideeën te ontfutselen over zijn jongste moordzaak.

Het zwak dat Julianne voor Ruiz heeft is groter dan 's mans lever, wat zowel iets zegt over zijn alcoholconsumptie als over haar vermogen om zwervers en buitenbeentjes aan te trekken.

Pas bij mijn derde poging lukt het me om Ruiz' nummer in te toetsen op mijn telefoon. Ik hoor hem overgaan.

'Hallo Vincent.'

'Nee maar, als dat mijn favoriete zielenknijper niet is.'

Hij heeft een stem die bij zijn lichaam past: van binnen hard, vlezig aan de buitenkant, grind in een jasje van slijm.

'Ik zag je gisteravond op een van die realityprogamma's op tv,' zegt hij. 'News at Ten noemen ze het geloof ik. Je was bezig een vrouw van een brug te gooien.'

'Ze sprong.'

'Ga weg,' lacht hij. 'Geen wonder dat je al die titels achter je naam hebt staan. Hoe gaat het met die verrukkelijke echtgenote van je.'

'Die zit in Moskou.'

'In haar eentje?'

'Met haar baas.'

'Waarom kan ik haar baas niet zijn?'

'Omdat je geen benul hebt van de wereld van het grote geld en jouw idee van schaalvergroting is dat je een grotere maat broek koopt.'

'Cru gezegd, maar correct.'

'Zin om een paar dagen naar het westen te komen?'

'Neu. Ik ben allergisch voor schapen.'

'Ik heb je hulp nodig.'

'Iets overtuigender graag, kindje.'

Ik vertel hem over Christine Wheeler en Darcy en beschrijf de afgelopen twaalf uur op een puntsgewijze manier die voor ex-smerissen bijna een tweede taal is. Ruiz weet hoe hij de gaten moet invullen. Zonder inspecteur Cray ook maar te noemen voorspelt hij feilloos hoe ze op mijn verzoek reageerde.'

'Ben je hier zeker van?'

'Zo zeker als ik op dit moment kan zijn.'

'Wat heb je nodig?'

'Voordat ze viel sprak Christine Wheeler via haar mobieltje met iemand. Is het mogelijk dat telefoontje te traceren?'

'Hebben ze de telefoon gevonden?'

'Die ligt op de bodem van de Avon.'

'Weet je het nummer van die dame?'

'Dat weet Darcy.'

Heel even is hij stil. 'Ik ken een gast die voor British Telecom werkt. Een beveiligingsspecialist. Hij was onze aangewezen man als we telefoontaps hadden of gesprekken moesten traceren, allemaal volstrekt legaal uiteraard.'

'Tuurlijk.'

Ik hoor hem aantekeningen maken. Ik kan me zelfs het gemarmerde opschrijfboek voor de geest halen dat hij overal mee naartoe neemt en dat uitpuilt van de visitekaartjes en kattebelletjes, samengehouden door een postelastiek.

Opnieuw gerinkel van ijs in een glas.

'Stel dat ik naar Somerset kom, mag ik dan met je vrouw naar bed?'

'Nee.'

'Ik dacht dat plattelandslui zo gastvrij waren.'

'Het huis is min of meer vol. Je kunt boven de pub overnachten.'

'Oké, dat is bijna net zo goed.'

Het gesprek is beëindigd en ik stop Ruiz' nummer in een la. Er wordt op de deur geklopt. Charlie komt binnenwandelen, valt zijdelings neer in een leunstoel waar toch echt niets mis mee is en laat haar benen over de armleuning bungelen.

'Hoi, pap.'

'Hoi.'

'Wat ben je aan het doen?'

'Niets bijzonders, en jij?'

'Ik heb morgen een geschiedenisproefwerk.'

'Heb je zitten leren?'

'Yep. Wist jij dat ze, als ze in het oude Egypte farao's balsemden, ze hun hersenen er met een haakje via het linker neusgat uit haalden?'

'Dat wist ik niet.'

'En daarna legden ze het lichaam op een bed van zout om het uit te laten drogen.'

'Echt waar?'

'Yep.'

Charlie zit met een vraag, maar heeft even nodig om hem te formuleren. Zo is ze, heel precies, zonder uh's en ah's of lange stiltes.

'Waarom is ze hier?'

Ze doelt op Darcy.

'Ze zocht een plek waar ze even kon blijven.'

'Weet mam het al?'

'Nog niet.'

'Wat moet ik tegen haar zeggen als ze belt?'

'Laat dat maar aan mij over.'

Charlie staart naar haar handen. Ze denkt veel dieper na over dingen dan ik me kan herinneren ooit gedaan te hebben. Soms peinst ze dagen over iets, formuleert een theorie of een mening en komt er ineens mee op de proppen, lang nadat alle anderen zijn opgehouden erover te denken of de oorspronkelijke discussie al lang weer vergeten zijn.

'Die vrouw op het nieuws gisteravond, degene die sprong.'

'Wat is daarmee?'

'Dat was Darcy's mam.'

'Ja.'

'Moet ik iets tegen haar zeggen? Ik bedoel, ik weet niet of ik het onderwerp moet mijden of doen of er niets aan de hand is.'

'Als Darcy er niet over wil praten, zal ze je dat wel laten weten.'

Ze knikt instemmend. 'Komt er een begrafenis of iets dergelijks?'

'Over een paar dagen.'

'En waar is haar mam nu?'

'In het mortuarium, dat is een plek waar ze…'

'Dat weet ik,' antwoordt ze, heel volwassen klinkend.

Opnieuw een lange stilte.

'Heb je Darcy's sportschoenen gezien?'

'Wat is daarmee?'

'Die wil ik ook.'

'Oké. Anders nog iets?'

'Nee.'

Charlie slingert haar paardenstaart over één schouder en loopt driftig de kamer uit.

Ik ben alleen. Er ligt een stapel privérekeningen en facturen die moeten worden gesorteerd, betaald of opgeborgen. Julianne heeft de bonnen van haar werk eruit gehaald en in een envelop gedaan.

Als ik de la dichtdoe zie ik op de grond een gedeeltelijk verfrommeld bonnetje liggen. Ik pak het op en strijk het glad op de bureaulegger. De naam van het hotel staat in kunstige belettering langs de bovenkant. Het is een rekening van roomservice voor een ontbijt op de kamer, inclusief champagne, bacon, eieren, fruit en vruchtentaartjes. Julianne heeft er echt werk van gemaakt. Normaal houdt ze het bij muesli of fruitsalade.

Ik verfrommel de bon tot een balletje en maak aanstalten hem weg te gooien. Ik weet niet wat me ervan weerhoudt – een vraagteken, een zweempje onrust. Het gevoel kruipt weg en verdwijnt. Het is te stil buiten. Ik wil mezelf niet horen denken.

11

Zonder sleutel een slot openmaken vereist een superieure tastzin en dito gehoor. Eerst visualiseer ik het inwendige mechanisme. Ik roep het voor mijn geestesoog op en projecteer mijn zintuigen in het beeld. Alle zintuigen spelen een rol, niet alleen je gehoor en tastzin. Je gezichtsvermogen om het merk en het model vast te stellen. Je reuk om te kijken of het slot onlangs nog is gesmeerd. Je smaak om vast te stellen met welk smeermiddel.

Elk slot heeft zijn eigen karakter. Onder invloed van de tijd en de elementen zullen zijn karakteristieken veranderen. Temperatuur. Vochtigheid. Als de lockpick er eenmaal in zit doe ik mijn ogen dicht. Luister ik. Voel ik. Terwijl de pick op en neer hobbelt over de palletjes moet ik een vaste hoeveelheid druk uitoefenen om hun weerstand te bepalen. Dit vereist gevoeligheid, behendigheid, concentratie en analytisch denken. Het is een vloeiend iets.

Dit hier is een veiligheidsslot met een UL 437-keurmerk. Het heeft zes palletjes, waarvan enkele paddenstoelvormig. Het sleutelgat is paracentrisch, als een misvormde bliksemflits. Volgens verzekeraars houdt dit slot twintig minuten stand. Ik heb hem in drieëntwintig seconden open. Dat vereist oefening. Uren. Dagen. Weken.

Ik herinner me nog de eerste keer dat ik een huis binnendrong. Het was in de Duitse plaats Osnabrück, een kilometer of tachtig ten noorden van Dortmund. Het huis was van een legeraalmoezenier die mijn vrouw bijstond en haar achter mijn rug om bezocht. Ik heb zijn hond achtergelaten in de vrieskist en het bad en de wasmachine.

De tweede plek waar ik binnendrong was de Special Forces Club in Knightsbridge, een paar passen verwijderd van de achteringang van Harrods. Op de deur van het gebouw zat geen naamplaatje. Het is een besloten club voor huidige en voormalige leden van de inlich-

tingendiensten en de SAS. *Mij laten ze niet toe als lid, aangezien ik zo speciaal ben en tot een zo kleine elite behoor dat niemand mij kent.*

Ik kan door muren lopen. Onder mijn handen vallen sloten in stukken uiteen. Terwijl de pick erlangs glijdt zijn de palletjes als muzieksleutels, elk met een eigen toon en timbre. Hoor. De laatste noot. De deur gaat open.

Ik stap het appartement binnen en zet mijn voeten behoedzaam op de gewreven vloerplanken. Mijn gereedschap heb ik ingepakt en opgeborgen. Het is tijd voor de staaflantaarn.

De teef heeft smaak, wat niet vanzelfsprekend is bij mensen met geld. Voor haar geen in een platte kartonnen doos verpakte meubelen die je met een inbussleuteltje in elkaar zet. De salontafel is van gedreven koper, de keramische schalen zijn handbeschilderd.

Ik ga op zoek naar de telefoonaansluitingen. In de keuken ligt een draadloze telefoon, in de woonkamer staat een oplader en nog een in de grote slaapkamer.

Ik werk de kamers af, open kasten en laden en maak in gedachten een schets van de indeling van het huis. Er moeten brieven worden gelezen, rekeningen worden bekeken en telefoonnummers en foto's worden bestudeerd. Naast de telefoon staat een uitnodiging voor een verjaardagsfeestje.

Wat valt er nog meer te vinden? Hier heb ik een fleurige envelop van glanspapier – je bent van harte uitgenodigd voor een vrijgezellenavond met alle vriendinnen. Onderaan staat een opmerking gekrabbeld. 'Dansschoenen niet vergeten!'

Het appartement heeft drie slaapkamers. De kleinste is die van een kind. Naast een Harry Potter-kalender heeft ze een poster van Coldplay aan de muur hangen. Er hangen foto's van paarden en rozetten van een ponyclub. Haar pyjama ligt onder haar kussen. Op de vensterbank staat een haak waaraan een kristal bungelt. In een hoek hangen knuffeldieren over de rand van een kist.

Naast de grote slaapkamer is een badkamer en suite. De laden van de kaptafel puilen uit van de lippenstiften, body scrubs, nagellakflesjes en meegenomen monsterzeepjes en flesjes van een tiental hotels en vliegreizen. Weggestopt in de onderste la ligt een make-uptasje met daarin een kleine roze vibrator en een stel handboeien.

Beneden is de centrale toegangsdeur opengegaan. Op de trap klinken voetstappen. Mijn hartslag versnelt. Heel even blijf ik in de slaapkamer met een schuin oor staan luisteren. Gerammel van sleutels. Een ervan glijdt de cilinder van het slot binnen. Draait om.

De deur gaat open en weer dicht. Ik voel het zachte trillen onder mijn voeten en hoor hun stemmen. Jassen worden uitgetrokken en aan een haak gehangen. Iemand laat een fluitketel vollopen. Er klinkt zacht gelach en ik ruik de geur van afhaaleten, iets Aziatisch met koriander en kokosmelk. Ik luister naar het geluid van eten dat op borden wordt geschept en voor de televisie wordt opgegeten.

Na afloop worden de borden afgeruimd. Er komt iemand aan. Ik trek me schielijk terug in de schaduwen, stap een kast binnen en trek kleding om me heen. Ik ruik de geur van de teef, haar verschaalde parfum en zweet.

Als kind was ik dol op verstoppertje spelen met mijn broer. Het ballenbeklemmende, blaasafknijpende gevoel van opwinding, de angst ontdekt te worden. Soms rolde ik me helemaal op en probeerde ik geen adem te halen, maar mijn broer wist me altijd te vinden. Hij zei dat hij me kon horen omdat ik te hard mijn best deed géén geluid te maken.

Er glijdt een schaduw langs de deur. In de schuine spiegel zie ik de weerspiegeling van de teef. Ze gaat naar de wc. Ze heeft haar rok opgetrokken, haar panty afgerold. Haar dijen zijn bleek als kaarsvet. Ze staat op, trekt door en draait zich om naar de spiegel. Ze leunt over de wasbak naar voren om haar gezicht te inspecteren en trekt aan de huid rond haar ogen. Ze praat in zichzelf. Ik kan niet verstaan wat ze zegt. Ze laat haar panty op de grond vallen. Ze doet haar armen omhoog. Een nachtpon glijdt over haar schouders, de zoom valt omlaag tot aan haar knieën.

Haar dochter is naar haar kamer gegaan. Ik hoor hoe haar schooltas in een hoek wordt gesmeten en het geluid van de douche. Later komt ze binnen om welterusten te zeggen. Luchtzoenen. Door elkaar gewoeld haar. Droom maar zacht.

Ik ben alleen met de teef. Een man-in-huis is er niet. Hij is eruit gezet, verjaagd, vergeten, uit zijn recht ontzet; de koning is dood, leve de koningin!

Ze heeft de tv aangezet en ligt vanuit haar bed te kijken, van kanaal naar kanaal springend, een helder rechthoekje weerspiegeld in beide ogen. Ze kijkt niet echt. In plaats daarvan pakt ze een boek. Voelt ze mijn aanwezigheid? Heeft ze een rilling van ongerustheid, een gevoel van onrust; voelt ze een geest voorbijkomen; voetstappen op haar graf?

Ik ben de stem die ze zal horen wanneer ze sterft. Mijn woorden. Ik ga haar vragen of ze bang is. Ik ga haar geest openmaken. Ik ga haar hart laten stilstaan. Ik ga haar tegen de grond slaan en me laven aan haar bloederige mond.

Wanneer?

Binnenkort.

Mijn benen willen vanochtend niet meewerken. Alleen met krachttermen en wilskracht lukt het me ze over de rand van het bed te slingeren. Ik kom omhoog en trek een kamerjas aan. Het is na zevenen. Charlie had me al gewekt moeten hebben. Ze komt nog te laat voor school. Ik roep haar. Niemand reageert.

De slaapkamers zijn verlaten. Ik loop naar beneden. Op de keukentafel staan twee schaaltjes met papperig geworden cornflakes. De melk is niet teruggezet in de koelkast.

De telefoon gaat. Het is Julianne.

'Hallo.'

Het blijft heel even stil.

'Hai.'

'Hoe gaat het?'

'Goed. Hoe is het in Rome?'

'Ik zit in Moskou. Rome was vorige week.'

'O ja, dat is waar ook.'

'Gaat het een beetje?'

'Prima. Net wakker.'

'Hoe maken mijn prachtige dochters het?'

'Perfect.'

'Hoe komt het toch dat ze als ik in de buurt ben niet te pruimen zijn, maar ze zich bij jou voorbeeldig gedragen?'

'Ik koop ze om.'

'Dat is waar ook. Heb je al een kindermeisje gevonden?'

'Nog niet.'

'Hoe komt dat?'

'Ik ben nog bezig. Ik zoek Moeder Theresa.

'Je weet dat die dood is.'

'Wat dacht je van Scarlet Johansson?'

'Ik wil niet dat Scarlet Johansson op onze kinderen past.'

'Wie is hier nou kieskeurig?'

Ze lacht. 'Kan ik Emma even spreken?'

'Die is er even niet.'

'Waar is ze dan?'

Ik kijk naar de geopende deur en hoor het ruisen van mijn eigen ademhaling in de telefoon. 'In de tuin.'

'Dus het is opgehouden met regenen?'

'Uh-huh. Hoe verloopt je bezoek?'

'Moeizaam. De Russen traineren de zaak. Ze willen het onderste uit de kan.'

Ik sta bij het aanrecht en kijk uit het raam. De onderste ruiten zijn beslagen. De bovenste ruiten omlijsten een blauwe lucht.

'Weet je zeker dat alles in orde is?' vraagt ze. 'Je klinkt heel raar.'

'Ik voel me prima. Ik mis je.'

'Ik jou ook. Ik moet ophangen. Dag.'

'Dag.'

Ik hoor de klik van de telefoon. Alsof het afgesproken werk is komt Emma de achterdeur binnenhuppelen met Darcy in haar kielzog. De tiener grijpt de kleine en klemt haar stevig tegen zich aan. Ze moeten allebei lachen.

Darcy draagt een jurk. Hij is van Julianne. Ze moet hem in de wasmand hebben gevonden. Het licht uit de deuropening doet het silhouet van haar lichaam er duidelijk in uitkomen.

'Waar hebben jullie gezeten?'

'We zijn wezen wandelen,' zegt ze afwerend. Emma strekt haar armen naar me uit en ik til haar op.

'Waar is Charlie?'

'Op weg naar school. Ik heb haar naar de bushalte gebracht.'

'Dat had je even moeten zeggen.'

'U sliep.' Met haar heup duwt ze me zachtjes opzij en pakt het schaaltje cornflakes.'

'Dan had je een briefje moeten neerleggen.'

Ze vult de spoelbak met heet water en zeepsop. Voor de eerste keer ziet ze hoe mijn arm trilt en mijn been meevoelend mee lijkt

95

te schokken. Ik heb mijn ochtendmedicijnen nog niet ingenomen.

'Wat is dat voor geschud?'

'Ik heb Parkinson.'

'Wat is dat?'

'Dat is een progressieve degeneratieve neurologische aandoening.'

Darcy doet het bandje van haar beha goed. 'Is het besmettelijk?'

'Nee. Ik beef. Ik slik pillen.'

'En dat is het?'

'Zo'n beetje wel, ja.'

'Mijn vriendin Jasmine had kanker. Ze moest een beenmergtransplantatie ondergaan. Ze zag er stoer uit zonder haar. Ik geloof niet dat ik dat had gekund. Dan was ik nog liever dood geweest.'

De laatste zin heeft de botheid en overdrijving van de jeugd. Alleen tieners weten van pukkeltjes een ramp te maken en van leukemie een stijldilemma.

'Vanmiddag ga ik een bezoekje brengen aan de directrice van je school…'

Darcy opent haar mond om te protesteren. Ik kap haar af. 'Ik ga haar melden dat je een paar dagen van school wegblijft, tot aan de begrafenis of totdat we hebben besloten wat je wilt gaan doen.'

Ze reageert niet. In plaats daarvan keert ze zich naar het aanrecht en gaat verder met het afwassen van een bord.

Mijn arm trilt. Ik moet gaan douchen en me omkleden. Ik sta al op de trap als ik haar laatste opmerking hoor.

'Vergeet niet uw pillen in te nemen.'

*

Ruiz arriveert even na elven. De bumpers en onderkanten van de portieren van zijn oude, bosgroene Mercedes zitten onder de modderspatten. Het is het soort auto dat ze gaan verbieden zodra de uitstootnormen van kracht worden, omdat er in de Stille

96

Zuidzee elke keer als hij hem volgooit complete koraaleilanden verdwijnen.

Sinds zijn pensionering is hij aangekomen en heeft hij zijn haar laten groeien, tot net over zijn oren. Ik kan niet uitmaken of hij content is. Geluk is geen begrip dat ik met Ruiz associeer. Hij treedt de wereld tegemoet als een sumoworstelaar die op zijn dijen slaat en zijn gewicht in de strijd gooit.

Hij ziet er als altijd gekreukeld en getekend uit en geeft me een verpletterend stevige handdruk.

'Fijn dat je er bent,' zeg ik.

'Waar heb je anders vrienden voor?'

Hij zegt het zonder een spoortje ironie.

Darcy staat bij het hek. In die jurk ziet ze eruit als een jonge fee. Voordat ik haar aan hem kan voorstellen pakt hij haar, in de veronderstelling dat hij Charlie voor zich heeft, om haar middel en zwaait haar in het rond.

Ze verzet zich tegen zijn armen. 'Laat me los, vuile viezerik!'

Ruiz zet haar abrupt weer neer. Hij kijkt me aan.

'Jij zei dat Charlie zo'n grote meid was geworden.'

'Ja, maar ook weer niet zó groot.'

Ik weet niet of hij zich geneert. Hoe kun je dat zien? Darcy doet de jurk goed en veegt een pluk haar uit haar ogen.

Ruiz glimlacht en maakt een lichte buiging. 'Ik bedoelde er niets mee, juffrouw. Ik zag u aan voor een prinses. Ik ken er verschillende hier in de buurt. In hun vrije tijd veranderen ze kikkers in prinsen.'

Darcy kijkt me aan, in verwarring, maar weet een compliment te herkennen. De blos op haar gezicht heeft niets te maken met de kou. Intussen komt Emma het pad af rennen en werpt zich in zijn armen. Als hij haar hoog in de lucht houdt is het alsof Ruiz probeert te schatten hoeveel ze is gegroeid. Het kan ook zijn dat hij bedenkt hoe ver hij haar weg zou kunnen gooien. Emma noemt hem Dooda. Ik heb geen idee waarom. Het is een naam die ze al sinds ze begon te praten gebruikt als Ruiz op bezoek komt. Haar terughoudendheid tegenover volwassenen heeft voor hem nooit gegolden.

'We moeten gaan,' zegt hij. 'Ik heb mogelijk iemand gevonden die ons kan helpen.'

Darcy kijkt me aan. 'Mag ik mee?'

'Ik wil dat jij op Emma past. Het is maar voor een paar uurtjes.'

Ruiz staat al bij de auto. Voordat ik instap sta ik even stil en kijk achterom naar Darcy. Ik ken het meisje amper en laat haar nu al alleen met mijn jongste dochter. Julianne zou er ongetwijfeld iets van zeggen. Misschien vertel ik haar dit deel van het verhaal maar niet.

We vertrekken in westelijke richting naar Bristol en nemen de kustweg naar Portishead, langs de monding van de Severn. Boven de daken zwenken en draaien meeuwen, opboksend tegen een stormachtige wind.

'Een mooi grietje,' zegt Ruiz terwijl zijn vingers op het stuurwiel bungelen. 'Logeert ze bij jullie?'

'Voor een paar dagen.'

'Wat vindt Julianne ervan?'

'Die heb ik het nog niet verteld.'

Zijn gezicht blijft volledig in de plooi. 'Denk je dat Darcy je alles vertelt over haar moeder?'

'Ik denk niet dat ze liegt.' We weten allebei dat dat niet hetzelfde is.

Ik vertel hem wat er vrijdag allemaal is gebeurd, beschrijf Christine Wheelers laatste ogenblikken op de brug en vertel hoe haar kleren bij haar thuis op de grond naast de telefoon werden aangetroffen en hoe ze over de salontafel geleund een of ander bericht schreef.

'Had ze een relatie?'

'Nee.'

'Mogelijke geldproblemen?'

'Ja, maar ze leek er niet te veel over in te zitten.'

'Dus je denkt dat iemand haar bedreigde.'

'Ja.'

'Hoe?'

'Dat weet ik niet. Afpersing, intimidatie… Ze was doodsbang.'

'Waarom heeft ze de politie niet gebeld?'

'Misschien kon ze dat niet.'

We slaan af en rijden een nieuw bedrijvenpark op vol uit metaal en glas opgetrokken kantoorgebouwen. De geasfalteerde straten steken grimmig grijs af tegen de pas aangeplante borders.

Ruiz draait een parkeerplaats op. Het enige bord aan het gebouw is een naamplaatje naast een zoemer: 'Fastnet Telecommunications'. De receptioniste is amper twintig en heeft een kokerrokje en een witte blouse aan, en nog wittere tanden. Zelfs bij de aanblik van Ruiz blijft haar innemende glimlach ongebroken.

'We komen voor Oliver Rabb,' zegt hij.

'Neemt u plaats.'

Ruiz blijft liever staan. Aan de muren hangen affiches met mooie jonge mensen die staan te kletsen door modieuze telefoontjes waaraan ze overduidelijk hun grote geluk, welvaart en spannende dates te danken hebben.

'Stel je voor dat mobieltjes eerder waren uitgevonden,' zegt Ruiz. 'Dan had Custer de cavalerie kunnen bellen.'

'En had Paul Revere zich een lange rit te paard kunnen besparen.'

'Nelson had een sms'je kunnen sturen vanaf Trafalgar.'

'Met welke boodschap?'

'Reken maar niet op mij met eten.'

De receptioniste is terug. We worden meegenomen naar een kamer vol beeldschermen en planken vol softwarehandleidingen. Er hangt zo'n typische, bij nieuwe computers horende lucht van spuitgietplastic, oplosmiddelen en lijmstoffen.

'Wat doet die Oliver Rabb?' vraag ik.

'Hij is telecomingenieur. De beste, volgens mijn maatje bij British Telecom. Waar anderen telefoons repareren, repareert hij satellieten.'

'Is hij in staat Christine Wheelers laatste telefoontje te traceren?'

'Dat gaan we hem vragen.'

Oliver Rabb komt bijna stiekem aangeslopen en duikt ineens op in het gat van een andere deur. Hij is lang en kaal, met grote handen en een ronde rug, en lijkt als hij buigt en ons de hand schudt ons zijn kruin aan te bieden. Hij is een studie in tics en zonderling gedrag, het type man voor wie een vlinderdasje en bretels praktische dingen zijn in plaats van accessoires die je er goedgekleed uit doen zien.

'Brand los, brand los,' zegt hij.

'We zijn op zoek naar telefoontjes die gepleegd zijn naar een bepaald mobiel nummer,' antwoordt Ruiz.

'Is dit een officieel onderzoek?'

'Wij helpen de politie.'

Ik vraag me af of Ruiz zijn badge mist om mee te zwaaien. Het is niet te merken.

Oliver heeft ingelogd op de computer en is bezig een reeks wachtwoordprotocollen te doorlopen. Hij tikt Christine Wheelers mobiele nummer in.

'Het is verbazingwekkend wat je allemaal over een persoon te weten kunt komen door zijn gespreksgegevens te bekijken,' zegt hij terwijl hij het scherm afzoekt. 'Een paar jaar terug heeft iemand op het Massachusetts Institute of Technology een promotie-onderzoek gedaan waarin hij honderd studenten en medewerkers een gratis mobieltje gaf. De negen maanden daarop volgde hij die telefoontjes en legde hij meer dan driehonderdvijftigduizend uur aan data vast. Hij luisterde niet naar de gesprekken zelf. Hij was alleen geïnteresseerd in de nummers en de gespreksduur, het tijdstip van de dag en de locatie.

'Tegen de tijd dat hij klaar was ging zijn kennis aanzienlijk verder. Hij wist hoe lang iedere persoon sliep, hoe laat ze wakker werden, wanneer ze naar hun werk gingen en waar ze boodschappen deden en kende hun beste vrienden, favoriete restaurants, nachtclubs, stamkroegen en vakantiebestemmingen. Hij kon zeggen wie elkaars collega's of minnaars waren. En hij kon met een nauwkeurigheid van vijfentachtig procent voorspellen wat het volgende was wat die mensen gingen doen.'

Ruiz kijkt me over zijn schouder aan. 'Dat klinkt als uw terrein, professor. Hoe vaak heeft u het bij het rechte eind?'

'Ik houd me bezig met de afwijkingen, niet met de gemiddelden.'

'Touché!'

Op het scherm verschijnen de abonnee- en gespreksgegevens van Christine Wheeler.

'Dit is het overzicht van haar gesprekken van de afgelopen maand.'

'En vrijdagmiddag?'

'Waar was ze toen?'

'Op de Clifton Suspension Bridge, rond vijf uur.'

Oliver start een nieuwe zoekactie. Er verschijnt een zee aan getallen op het scherm. Het lijkt of de knipperende cursor ze leest. De zoekvraag levert niets op.

'Dat kan niet,' zeg ik. 'Toen ze sprong praatte ze in een mobiele telefoon.'

'Misschien praatte ze in zichzelf,' reageert Oliver.

'Nee. Er was nog een andere stem.'

'Dan moet ze een andere telefoon hebben gebruikt.'

Mijn verstand struikelt over de mogelijkheden. Hoe kwam ze aan een tweede mobiele telefoon? Waarom veranderde ze van telefoon?

'Kan het zijn dat de gegevens niet kloppen?' vraagt Ruiz.

Oliver reageert nijdig op de suggestie. 'Mijn ervaring is dat computers betrouwbaarder zijn dan mensen.' Zijn vingers strelen de bovenkant van de monitor, alsof hij bezorgd is dat de gevoelens van het apparaat gekwetst zijn.

'Kunt u me nog eens uitleggen hoe het systeem werkt?' vraag ik.

De vraag lijkt hem plezier te doen.

'Een mobiele telefoon is in feite een verfijnde radio, niet zo gek veel anders dan een walkietalkie, maar terwijl een walkietalkie misschien een bereik van anderhalve kilometer heeft en een cb-radio zo'n acht kilometer, is het bereik van een mobiele telefoon enorm doordat hij, zonder het signaal kwijt te raken, van de ene naar de andere zendmast kan overspringen.

Hij steekt zijn hand uit. 'Laat me uw telefoon eens zien.'

Ik geef hem het apparaat.

'Elke mobiele telefoon meldt zich op twee manieren aan. Het Mobile Subscriber Identification Number of MSIN wordt toegekend door de telefoonmaatschappij en is vergelijkbaar met een vaste lijn met een driecijferig kengetal en een zevencijferig telefoonnummer. Het Electronic Serial Number of ESN is een 32-bits binair getal dat door de fabrikant wordt toegekend en nooit kan worden veranderd.

'Als je op je mobiele telefoon wordt gebeld gaat de aanroep over het telefoonnetwerk tot hij een basisstation bereikt dat dicht in de buurt is van je eigen telefoon.'

'Een basisstation?'

'Een telefoonmast. U hebt ze vast wel eens op een gebouw zien staan. De mast zendt radiogolven uit die door uw telefoon worden opgemerkt. Hij wijst ook een kanaal toe, zodat je niet ineens met zijn allen op één telefoonlijn zit.'

Olivers vingers tikken verder. 'Elk telefoontje dat je pleegt of ontvangt wordt digitaal geregistreerd, als een spoor van broodkruimels.'

Hij wijst naar een knipperend rood driehoekje op het scherm.

'Volgens het gesprekkenlogboek was de laatste keer dat mevrouw Wheelers mobiele telefoon een gesprek binnenkreeg vrijdagmiddag om 12.36 uur. Het gesprek werd doorgegeven via een mast aan Upper Bristol Road. Hij staat op de Albion Buildings.'

'Dat is nog geen anderhalve kilometer van haar huis,' zeg ik.

'Hoogstwaarschijnlijk de dichtstbijzijnde mast.'

Ruiz tuurt mee over Olivers schouder. 'Kunnen we zien wie haar belde?'

'Een andere mobiele telefoon.'

'Van wie?'

'Voor dat soort informatie is een machtiging vereist.'

'Ik zal niks verklappen,' reageert Ruiz met de intonatie van een schooljongen die achter de fietsenstalling om een stiekem zoentje bedelt.

'Hoe laat was het gesprek ten einde?' vraag ik.

Oliver keert zich weer naar het scherm en roept een nieuwe kaart op het scherm, overdekt met getallen. 'Dat is interessant. De signaalsterkte begon te veranderen. Ze moet zich hebben verplaatst.'

'Hoe ziet u dat?'

'Deze rode driehoekjes zijn de locaties van telefoonmasten. In dichtbebouwde gebieden staan ze door de bank genomen een kilometer of drie uit elkaar, maar op het platteland kan er meer dan dertig kilometer tussen zitten.

'Naarmate je je verder van een mast af beweegt, loopt de signaalsterkte terug. Het volgende basisstation, de mast waar je je heen beweegt, ziet het signaal sterker worden. De twee basisstations stemmen onderling het moment af waarop jouw gesprek aan het andere station wordt overgedragen. Dat gaat zo snel in zijn werk dat we er zelden iets van merken.'

'Christine Wheeler was dus nog altijd met haar mobieltje aan het bellen toen ze haar huis verliet.'

'Daar lijkt het wel op.'

'Kunt u ook zeggen waar ze heen ging?'

'Als u me de tijd geeft wel. Broodkruimels, weet u nog? Het zou een paar dagen in beslag kunnen nemen.'

Ruiz is ineens in de technologie geïnteresseerd geraakt. Hij trekt een stoel bij en staart naar het scherm.

'Er ontbreken drie uren. Misschien kunnen we uitvinden waar Christine Wheeler heen ging.'

'Zolang ze haar telefoon maar bij zich had,' antwoordt Oliver. 'Zodra een mobiele telefoon wordt aangezet, zendt hij een signaal uit, een zogeheten "ping", waarmee hij de basisstations opzoekt die zich binnen zijn bereik bevinden. Dat kunnen er meer dan één zijn, maar hij maakt uiteindelijk alleen contact met de mast met het sterkste signaal. Die "ping" is in feite een heel kort bericht dat minder dan een kwart seconde duurt, maar wel het MSIN en ESN van het toestel bevat: de digitale vingerafdruk. Het basisstation slaat die informatie op.'

'Dus je kunt elk mobieltje volgen,' zeg ik.

'Zolang hij maar aanstaat.'

'Hoe dichtbij kun je komen? Kun je de precieze locatie bepalen?'

'Nee. Het is anders dan een gps. De dichtstbijzijnde mast kan kilometers ver weg staan. Soms kun je een kruispeiling doen op basis van het signaal van drie of meer torens en zo een nauwkeuriger beeld krijgen.'

'Hoe nauwkeurig precies?'

'Tot op de straat nauwkeurig, in elk geval niet tot op het niveau van een gebouw.' Hij gniffelt om mijn ongeloof. 'Het is niet iets waar uw welwillende leverancier mee te koop loopt.'

'En de politie al evenmin,' zegt Ruiz, die begonnen is aantekeningen te maken, met gekrabbelde cirkeltjes rond bepaalde details.

We weten dat Christine Wheeler vrijdagmiddag op de Clifton Suspension Bridge eindigde. Op enig moment stapte ze van haar eigen mobieltje over op een andere telefoon. Wanneer was dat en waarom?

Oliver duwt zijn stoel van het bureau weg en laat zich door de kamer naar een tweede computer rollen. Zijn vingers dansen over het toetsenbord.

'Ik ben op zoek naar de basisstations daar in de buurt. Als we terugwerken vanaf vijf uur kunnen we mogelijk mevrouw Wheelers mobieltje traceren.

Hij wijst naar het scherm. 'Er zijn drie basisstations in de buurt. Het dichtstbijzijnde staat op het dak van het Princes' Building. Nummer twee staat een kleine tweehonderd meter verder, op het dak van Clifton Library.'

Hij toetst Christine Wheelers nummer in de zoekmachine in. Het scherm verandert.

'Kijk!' Hij wijst naar een driehoekje op het scherm. Om 15.20 uur was ze in het gebied.'

'In gesprek met dezelfde beller?'

'Zo te zien wel. Het gesprek eindigde om 15.26 uur.'

Ruiz en ik kijken elkaar aan. 'Hoe kwam ze aan een ander mobieltje?' vraagt hij.

'Ofwel gekregen van een ander, of ze had hem al bij zich. Darcy heeft niets gezegd over een tweede telefoon.'

Oliver luistert mee. Hij wordt langzaam in onze zoektocht gezogen. 'Vanwaar uw interesse in deze vrouw?'

'Ze is van de Clifton Suspension Bridge gesprongen.'

Hij blaast langzaam uit, wat zijn gezicht nog meer het aanzien van een doodshoofd geeft.

'Er moet een manier zijn om het gesprek op de brug te kunnen traceren,' zegt Ruiz.

'Niet zonder het nummer,' antwoordt Oliver. 'Elke vijftien minuten passeerden achtduizend gesprekken het dichtstbijgelegen basisstation. Tenzij we de zoekactie kunnen verfijnen...'

'Aan de hand van de gespreksduur wellicht? Christine Weeler heeft een uur lang op het randje van de brug staan balanceren. Al die tijd was ze aan het bellen.'

'Gesprekken worden niet op lengte vastgelegd,' legt hij uit. 'Het zou me dagen kunnen kosten om ze te scheiden.'

Ik heb een ander idee. 'Hoeveel van die gesprekken eindigden precies om 17.07 uur?'

'Waarom?'

'Dat was het tijdstip waarop ze sprong.'

Hij huivert en draait zich weer naar het toetsenbord om de parameters voor een nieuwe zoekactie in te tikken. Het scherm verandert in een stroom getallen die zo snel voorbijflitsen dat ze tot een waterval van zwart en wit vervagen.

'Dat is frappant,' zegt Oliver terwijl hij naar het scherm wijst. 'Kijk, daar, een gesprek dat precies om 17.07 uur eindigde, opgepikt door het dichtstbijzijnde basisstation. Het duurde meer dan negentig minuten.'

Zijn vingers glijden langs de gespreksgegevens. 'Dat is vreemd.'

'Wat?'

'Ze was in gesprek met een andere mobiele telefoon die door hetzelfde basisstation werd gerouteerd.'

'Wat houdt dat in?'

'Dat betekent dat degene die met mevrouw Wheeler sprak ofwel bij haar op de brug was ofwel de brug kon zien.'

Op het veld zijn meisjes aan het hockeyen. Blauwe plooirokjes die rond modderknieën op en neer dansen, huppelende staartjes en tegen elkaar tikkende sticks. Ik moet denken aan het woord ontluikend. Dat heb ik altijd al lekker vinden klinken. Het doet me denken aan toen ik jong was en aan de meisjes die ik wilde neuken.

De sportlerares leidt de wedstrijd, haar stem schril als een scheidsrechtersfluitje. Ze roept dat ze niet zo op een kluitje moeten spelen en de bal moeten afgeven en vrijlopen.

'Meekomen, Alice. Meng je in het spel.'

Ik ken de namen van sommige meisjes. Louise is die met het lange bruine haar, Shelly die met de zonnige glimlach. Arme Alice heeft sinds het begin van de wedstrijd niet één keer de bal aangeraakt.

Een groep opgroeiende jongens staat onder een taxusboom toe te kijken. Ze maken taxerende opmerkingen over de meisjes, speculerend over de kleur van hun ondergoed en de vraag of ze al borsten beginnen te krijgen.

Elke keer dat ik naar de meisjes kijk haal ik me mijn Chloë voor de geest. Toen ze nog maar drie jaar oud was leerde ik haar hoe ze een bal moest werpen. En vangen kon ze al toen ze bijna vier was.

Ik maakte een basket voor haar. Lager dan de officiële hoogte, zodat ze erbij kon. We speelden vaak één tegen één, waarbij ik haar altijd liet winnen. In het begin kreeg ze de bal nauwelijks door de ring, maar naarmate ze sterker werd en trefzekerder was zo'n beetje twee op de drie schoten raak.

De hockeywedstrijd is voorbij. De meisjes rennen naar binnen om zich om te kleden. Shelly met de zonnige glimlach rent de andere kant op om met de jongens te flirten en wordt door de sportlerares weggeleid.

Ik klem mijn vingers om een krijtachtig stuk steen en begin letters

te krassen op de hardstenen deklaag van de muur. Het poeder verdwijnt diep in de spleten. Ik trek de letters nog een keer.

C...H...L...O...Ë

Om de naam teken ik een hart, doorboord door een liefdespijl met
een driehoekige punt en afgeschuinde staart. Dan doe ik mijn ogen
dicht en doe een vurige wens.

Mijn oogleden gaan trillend open. Ik knipper twee keer. De sportlerares staat pal voor mijn neus met een hockeystick over haar schouder, haar vuist rond de gekleurde badstof greep geklemd.

Alleen haar lippen gaan van elkaar. 'En nou oprotten griezel, of ik
bel de politie.'

Er zijn momenten, ze zijn me maar al te vertrouwd, dat meneer Parkinson weigert toe te geven en als een vent zijn medicijnen in te nemen. Hij haalt wrede trucs met me uit en zet me in het openbaar voor schut.

Het lichaam kent duizenden onwillekeurige processen die we niet in de hand hebben. We kunnen ons hart niet laten ophouden met kloppen, onze huid niet laten stoppen met transpireren of tegenhouden dat onze pupillen zich verwijden. Andere bewegingen zijn opzettelijk en juist die laten me in de steek. Mijn ledematen, mijn onderkaak en mijn gezicht trillen of trekken soms of verstarren juist. Zonder waarschuwing vooraf bevriest mijn gezicht tot een masker en ben ik niet in staat tot een verwelkomende glimlach of een teken van droefheid of bezorgdheid. Wat ben ik straks nog waard als psycholoog als ik mijn vermogen om mijn emoties te uiten kwijt ben?

'Je hebt die starende blik weer,' zegt Ruiz.

'Sorry.' Ik kijk weg.

'We kunnen maar beter naar huis gaan,' zegt hij zacht.

'Nog niet.'

We zitten buiten voor een Starbucks koffietent en trotseren de kou omdat Ruiz niet in een dergelijke tent gezien wil worden en vindt dat we naar een pub hadden moeten gaan.

'Ik wil een espresso, geen pul bier,' heb ik hem gezegd.

Waarop hij antwoordde: 'Probeer je nu als een dameskapper te klinken?'

'Drink je koffie op.'

Zijn handen zitten weggestopt in de zakken van zijn overjas. Het is dezelfde gekreukelde jas die hij aanhad toen ik hem voor het eerst ontmoette, vijf jaar geleden. Hij onderbrak me tijdens een praatje voor prostituees dat ik in Londen gaf. Ik probeerde hen te helpen hun veiligheid op straat te garanderen. Ruiz was bezig een moordzaak op te lossen.

Ik mocht hem meteen. Mannen die te veel zorg besteden aan zichzelf en hun kleding kunnen een ijdele en overambitieuze indruk maken, maar Ruiz was al lang gestopt zich druk te maken over wat anderen van hem dachten. Hij was als een groot, donker en vaag meubelstuk dat naar tabak en natte tweed rook.

Iets anders wat me opviel was de manier waarop hij, zelfs als hij zich in een kamer bevond, in de verte kon staren. Het was alsof hij door muren heen kon kijken naar een plek waar dingen helderder waren of beter of aangenamer voor het oog.

'Weet je wat ik maar niet begrijp aan deze zaak?' begint hij.

'Nou?'

'Waarom heeft niemand haar tegengehouden? Een naakte vrouw loopt haar huis uit, stapt in een auto, rijdt vijfentwintig kilometer en klimt op een brug over een veiligheidshek en er is niemand die haar tegenhoudt. Kun jij dat verklaren?'

'Dat heet het omstandereffect.'

'Dat heet apathie,' bromt hij.

'Niet waar.'

Ik vertel hem het verhaal van Kitty Genovese, een New Yorkse serveerster die halverwege de jaren zestig voor de deur van haar appartementengebouw werd aangevallen. Veertig buren hoorden haar om hulp gillen en keken toe hoe ze met een mes werd gestoken, maar niemand die de politie belde of een poging deed haar te helpen. De aanval duurde tweeëndertig minuten. Ze wist twee keer weg te komen, maar haar aanvaller kreeg haar beide keren weer te pakken en stak opnieuw toe.

De beller die uiteindelijk alarm sloeg belde eerst met een vriend om te vragen wat hij moest doen. Daarna liep hij naar het appartement van de buren en vroeg hen om het telefoontje te plegen omdat 'hij er niet bij betrokken wilde raken'. Kitty Genovese stierf binnen twee minuten na aankomst van de politie.

In Amerika en de rest van de wereld ontketende het misdrijf een enorme golf van woede en ongeloof. Mensen wezen naar overbevolking, verstedelijking en armoede als verklaring voor het ontstaan van een generatie stadsbewoners met de morele waarden en het gedrag van gekooide ratten.

Toen de hysterie was gaan liggen en er gedegen onderzoek werd gedaan, ontdekten psychologen het omstandereffect. Als een groep mensen getuige is van een noodsituatie kijken ze of anderen reageren en verwachten ze dat iemand anders het initiatief zal nemen. Ze vervallen in passiviteit die het gevolg is van een soort collectieve onnozelheid.

Tientallen mensen moeten Christine Wheeler vrijdagmiddag hebben gezien – automobilisten, inzittenden, voetgangers, tolontvangers, mensen die in Leigh Woods hun hond uitlieten – en ze gingen er allemaal van uit dat iemand anders zich erin zou mengen en haar zou helpen.

'Wat zijn mensen toch heerlijke wezens,' gromt Ruiz sceptisch.

Hij doet zijn ogen dicht en ademt langzaam uit, alsof hij probeert de wereld te verwarmen.

'En nu?' vraagt hij.

'Ik wil een kijkje nemen in Leigh Woods.'

'Waarom?'

'Misschien helpt het me dingen te begrijpen.'

*

We rijden knooppunt 19 af en rijden over secundaire wegen verder in de richting van Clifton, ons een weg zoekend langs speelterreinen, boerderijen en stroompjes die er brak en naargeestig bij liggen nu het water van de overstroming zich aan het terugtrekken is. Voor het eerst in weken zijn kleine stukken asfalt drooggevallen.

Pill Road gaat over in Abbots Leigh Road en achter de bomen loopt de wand van de rivierkloof spectaculair omlaag. Volgens plaatselijke legenden is de kloof het werk van twee reuzen, Vincent en Goram, die broers van elkaar waren en de geul met één enkele pikhouweel uithakten. De reuzen stierven en hun lijken dreven de rivier de Avon af om te eindigen als eilanden in het kanaal van Bristol.

Ruiz vindt het verhaal en de namen van de broers leuk. Misschien appelleert het aan zijn gevoel voor het absurde.

De ingang van Leigh Woods wordt gemarkeerd door een zandstenen boog. De smalle toegangsweg, omgeven door bomen, voert naar een kleine parkeerplaats en loopt daar dood. Dit is waar ze Christine Wheelers auto hebben aangetroffen, geparkeerd tussen de afgevallen boombladeren. Het soort plek waar iemand je de weg heen moet wijzen, tenzij je er al eens bent geweest.

Een kleine dertig meter van de parkeerplaats vandaan staat een richtingaanwijzer die verschillende uitgezette wandelingen aangeeft. De rode route voert wandelaars in een uur over iets meer dan drie kilometer tot aan de rand van Paradise Bottom, waar je uitkijkt over de rivierkloof. De paarse wandeling is korter, maar heeft als attractie Stokeleigh Camp, een op een heuvel gelegen fort uit de IJzertijd.

Ruiz loopt voor me uit, af en toe halt houdend om mij weer bij te laten komen. Ik heb hier niet de goede schoenen voor aan. Dat had Christine Wheeler ook niet. Wat moet ze zich naakt en onbeschermd hebben gevoeld. En koud en angstig. Christine Wheeler liep dit pad op naaldhakken. Ze struikelde en viel in de modder. Ze haalde haar huid open aan doornstruiken. Iemand gaf haar aanwijzingen, leidde haar weg van de parkeerplaats, isoleerde haar.

Langs de greppels liggen gevallen bladeren als hopen stuifsneeuw en de wind schudt kleine druppels van de takken. Dit is oeroud bosgebied. Ik ruik het aan de vochtige aarde, de rottende stammen en schimmels: een opeenvolging van kwalijke dampen. Tussen de bomen door vang ik af en toe een glimp op van een hek dat de grens van het bos markeert. In de verte zijn daken van huizen te zien, die boven de bomen uitsteken.

Ten tijde van de onlusten in Ierland begroef de IRA vaak wapenvoorraden in open terrein en gebruikte de zichtlijnen tussen drie oriëntatiepunten om de wapens zonder enige zichtbare markering in het open veld te verbergen. Britse patrouilles die naar deze bergplaatsen zochten leerden het landschap te bestuderen en in het oog vallende kenmerken eruit te pikken. Dat kon een afwijkend gekleurde boom zijn of een hoop stenen of de scheefstaande paal van een hek.

Ik ben in zekere zin met hetzelfde bezig, op zoek naar referentiepunten of psychologische aanwijzingen die mogelijk op Christine Wheelers laatste wandeling wijzen. Ik haal mijn mobieltje tevoorschijn en kijk wat voor bereik ik heb. Drie balkjes. Sterk genoeg.

'Ze heeft dit pad genomen.'

'Hoe ben je daar zo zeker van?' vraagt Ruiz.

'Het is minder beschut. Hij wilde haar kunnen zien. En hij wilde dat zij gezien werd.'

'Waarom?'

'Dat weet ik nog niet precies.'

De meeste misdaden zijn toeval – een willekeurige nevenschikking van omstandigheden. Een paar minuten eerder of een paar minuten later en de misdaad was nooit gebeurd. Hier ging het anders. Degene die dit heeft gedaan kende Christine Wheelers telefoonnummers en wist waar ze woonde. Hij droeg haar op hierheen te komen. Hij bepaalde welke schoenen ze droeg.

Hoe? Hoe wist hij wie ze was?

Je moet haar ergens al eerder hebben gezien. Misschien droeg ze de rode schoenen.

Waarom heb je haar hierheen laten komen?

Het is te open, te openbaar. Iemand had haar staande kunnen houden of de politie kunnen bellen. Ze had haar auto ergens tegenaan kunnen laten botsen. Zelfs op een troosteloze dag als vrijdag waren er mensen op de wandelpaden. Als je haar echt had willen isoleren had je vrijwel elke andere plek kunnen kiezen. Ergens achteraf, waar je meer tijd had.

In plaats daarvan koos je deze plek. En in plaats van haar op een afgezonderde plek te vermoorden maakte je er een uiterst publieke vertoning van. Je zei haar dat ze de brug op moest lopen en over de reling moest klimmen. Dat soort dwang is verbijsterend. Ongelooflijk.

Christine verzette zich niet. Er zaten geen huidcellen onder haar nagels, er waren geen kneuzingen die wezen op verzet. Je hoefde

112

haar niet vast te binden of fysieke kracht te gebruiken om haar eronder te krijgen. Niemand heeft jou met Christine Wheeler in haar auto gezien. Geen van de getuigen maakt melding van iemand die in haar gezelschap was. Je moet ergens op haar hebben gewacht, ergens waar jij je veilig voelde, een schuilplaats.

Ruiz is stil blijven staan om op me te wachten. Ik loop hem voorbij, verlaat het voetpad en klim een hellinkje op. Bovenaan de richel ligt een door drie bomen gevormd heuveltje. Het uitzicht op de riviergeul van de Avon wordt nergens onderbroken. Ik kniel neer in het gras en voel de nattigheid van de aarde door mijn broek en de ellebogen van mijn jas heen dringen. Je hebt in beide richtingen over een afstand van honderd meter zicht op het pad. Het is een goede schuilplaats, een plek voor onschuldig minnekozen of het ongeoorloofd achtervolgen van iemand.

Er breekt een plotselinge vlaag zonneschijn door de voortjagende wolken. Ruiz is achter me aan de helling op geklommen.

'Iemand heeft deze plek gebruikt om mensen te bespieden,' leg ik uit. 'Kijk maar hoe het gras is geplet. Iemand heeft op zijn of haar buik gelegen, met de ellebogen hier.'

Op het moment dat ik dit zeg wordt mijn blik gevangen door een stuk geel plastic dat een meter of tien verder in een doornstruik vastzit. Ik sta op, loop erheen en buig me voorover tussen de stekelige takken totdat mijn vingers zich om de plastic regenjas sluiten.

Ruiz ademt met een langgerekte fluittoon uit. 'Je bent een fanaat en dat weet je.'

De motor loopt. De blower staat voluit. Ik probeer mijn broek te drogen.

'We moeten de politie bellen,' zeg ik.

'Om wat te melden?'

'Dat van die regenjas.'

'Dat verandert niets aan de zaak. Ze weten al dat ze in het bos is geweest. Mensen hebben haar gezien. Ze hebben haar zien springen.'

'Maar ze zouden het bos kunnen doorzoeken, het afsluiten.'

Ik zie de tientallen agenten in uniform voor me die voetje voor voetje het terrein uitkammen en de politiehonden die een geurspoor volgen.

'Je weet hoeveel regen we sinds vrijdag hebben gehad. Er zal niets meer te vinden zijn.'

Hij haalt een blikje zuurtjes uit de zak van zijn jasje en biedt me er een aan. Het keiharde snoepje rammelt tegen zijn kiezen terwijl hij erop zuigt.

'Hoe zit het met haar mobiele telefoon?'

'Die ligt in de rivier.'

'De eerste, die ze van huis had meegenomen.'

'Die zou ons niets nieuws kunnen vertellen.'

Ik weet dat Ruiz vindt dat ik te veel achter dingen zoek en dat hij denkt dat ik op zoek ben naar een soort verklaring of afronding. Het is niet waar. Er is maar één natuurlijk, overtuigend slot, het slot waar geen van ons omheen kan – het slot waar Christine Wheeler met een snelheid van honderdtwintig kilometer per uur mee in botsing is gekomen. Het enige wat ik wil is de waarheid, omwille van Darcy en omwille van mezelf.

'Je zei dat ze financiële problemen had. Ik heb woekeraars gekend die nogal losse handjes hadden.'

'Dit gaat wel iets verder dan iemand de benen breken.'

'Misschien hebben ze zo hard op haar geleund dat ze het niet meer aankon.'

Ik staar naar mijn linkerhand, waar mijn duim en wijsvinger aan het 'geldtellen' zijn. Dit is de manier waarop de tremors beginnen, een ritmisch heen en weer gaan van twee vingers met een frequentie van drie slagen per seconde. Als ik me sterk op mijn duim concentreer en hem probeer te dwingen te stoppen kan ik de tremor kortstondig tegenhouden.

Onhandig probeer ik mijn hand in mijn zak weg te stoppen.

'Nog één tussenstop en dan op huis aan,' suggereer ik.

'Ben je daartoe in staat?'

'Ik voel me prima.'

15

Het voertuigendepot van de politie van Bristol ligt vlakbij spoor-wegstation Bedminster, verborgen achter met roet besmeurde muren en prikkeldraadhekken. Telkens als er een trein voorbij komt denderen of abrupt afremt bij een perron voel je de grond trillen.

De plek ruikt naar vet, transmissievloeistof en carterolie. Een monteur tuurt door het vuile raam van een kantoor en zet met een trage beweging zijn theekopje weer op het schoteltje. Hij heeft een oranje overall en een geruit hemd aan en wacht ons met één arm tegen het kozijn geleund in de deuropening op, alsof hij eerst een wachtwoord wil horen.

'Sorry dat we je rust komen verstoren,' zegt Ruiz.

'Gaat u dat doen dan?'

De monteur veegt omzichtig zijn handen af aan een lap.

'Een paar dagen geleden is vanuit Clifton een auto hierheen ge-sleept. Een blauwe Renault Laguna. Hij was van een vrouw die van de Clifton Suspension Bridge is gesprongen.'

'Komt u hem ophalen?'

'We komen hem bekijken.'

Het antwoord lijkt hem niet goed te smaken. Hij laat het een paar keer rondgaan in zijn mond en spuugt het uit in de lap. Met een zijwaartse blik op mij gericht overweegt hij of ik wel een po-litieman ben.

'Wacht je op een politiepenning, jongen?'

Hij knikt afwezig, niet meer zo zelfverzekerd.

'Ik ben gepensioneerd,' gaat Ruiz verder. 'Ik was inspecteur van de recherche bij de London Metropolitan Police. Jij gaat mij van-daag terwille zijn en weet je waarom? Omdat ik alleen even in een auto wil kijken die niet het onderwerp is van een strafrechtelijk onderzoek en die hier slechts staat te wachten tot een familielid van de overledene hem komt ophalen.'

'Dan kan het denk ik geen kwaad.'

'Iets meer overtuiging graag, jongen.'

'Oké, hij staat daar.'

De blauwe Renault staat langs de noordwand van de werkplaats geparkeerd, naast een verwrongen wrak dat zo te zien minstens één leven heeft gekost. Ik open het portier aan de bestuurderskant van de Renault en laat mijn ogen wennen aan het donker binnenin. Het binnenlichtje is niet fel genoeg om de schaduwen te verjagen. Ik weet niet waar ik naar op zoek ben.

Er ligt niets in het handschoenenkastje of onder de stoelen. Ik doorzoek de zijvakken in de portieren. Ik stuit op papieren zakdoekjes, vochtinbrengende crème, make-up en los geld. Onder de stoel liggen een ruitendoekje en een krabbertje.

Ruiz heeft de achterbak geopend. Hij is leeg, op de reserveband, een gereedschapssetje en een brandblusser na.

Ik loop terug naar het bestuurdersportier, ga in de stoel zitten en sluit mijn ogen in een poging me die natte vrijdagmiddag voor te stellen waarop de regen langs de voorruit liep. Christine Wheeler reed zo'n vijfentwintig kilometer van haar huis weg, naakt op een regenjas na. De blazer maakte overuren, net als de verwarming. Heeft ze haar raampje opengedaan en om hulp geroepen?

Mijn ogen worden naar rechts getrokken, waar vegen op het glas zitten van vingerafdrukken en nog iets anders. Ik heb meer licht nodig.

Ik roep naar Ruiz. 'Ik heb een zaklamp nodig.'

'Wat heb je gevonden?'

Ik wijs naar de sporen.

De monteur komt aanlopen met een elektrische lamp met een peertje in een behuizing van metaaldraad. Het snoer ligt over zijn schouder gedrapeerd. Reusachtige schaduwen glijden langs de bakstenen muren en vervagen weer terwijl het licht zich verplaatst.

Als ik de lamp aan de andere kant van het glas houd, kan ik niet meer dan uiterst vage lijntjes onderscheiden. Het is alsof ik naar een door kindervingers gemaakte tekening kijk, getekend op op een beslagen raam nadat de regen is opgehouden. Deze lijnen zijn niet door een kind getekend. Ze zijn ontstaan doordat er iets tegen het glas werd gedrukt.

Ruiz kijkt de monteur aan. 'Rook jij?'

'Ja.'

'Geef me een sigaret.'

Ik kijk hem verbijsterd aan. Ik heb Ruiz minstens twee keer zien stoppen met roken, maar hem er nog nooit van het ene op het andere moment weer mee zien beginnen.

Ik loop achter hen aan naar het kantoor. Ruiz steekt een sigaret aan, neemt een flinke haal en staart naar het plafond terwijl hij uitblaast.

'Hier, neem er ook een,' zegt hij terwijl hij me er eentje voorhoudt.

'Ik rook niet.'

'Doe nou maar wat ik zeg.'

Ook de monteur steekt er een op. Ondertussen pakt Ruiz uitgedrukte sigarettenpeuken uit de metalen asbak en begint de grijze as tot poeder te wrijven.

'Heb je ook een kaars?'

De monteur doorzoekt de laden tot hij er een heeft gevonden. Ruiz steekt hem aan, druppelt kaarsvet in het midden van een schoteltje en houdt de onderkant van de kaars erin gedrukt tot hij rechtop blijft staan. Daarna pakt hij een koffiebeker en rolt hem heen en weer boven de vlam, zodat het oppervlak zwart wordt van het roet.

'Het is een oud kunstje dat ik geleerd heb van een gozer die George Noonan heet en die met dode mensen praat, legt hij uit. 'Hij is patholoog.'

Ruiz begint het roet van de beker te schrapen en het met de punt van een potlood zorgvuldig door het groeiende hoopje as te mengen.

'En nu een kwastje. Iets zachts. Niet te groot.'

Christine Wheeler had een klein tasje met make-up in een van de zijvakken zitten. Ik pak het en stort de inhoud uit op het bureau: een lippenstift, mascara, een oogpotlood en een poederdoos van gepolijst staal met rouge en een kwastje.

Ruiz pakt het kwastje voorzichtig op, alsof het tussen zijn duim en wijsvinger zou kunnen verkruimelen. 'Hiermee moet het lukken. Neem de lamp mee.'

Hij loopt terug naar de Renault en gaat in de bestuurdersstoel zitten met de deur open en de lamp aan de andere kant van het raampje. Beheerst in- en uitademend begint hij het mengsel van roet en as op de binnenkant van het glas aan te brengen. Het meeste valt van het kwastje op zijn schoenen, maar er blijft net voldoende aan de vegen en strepen aan de binnenkant van het raampje hangen. Als door toverkracht beginnen de vage lijnen vorm te krijgen en tekens en woorden te vormen.

HELP ME

Buiten klinken donderslagen die de lucht doen verfrommelen en door blijven rollen totdat er diep in mijn binnenste iets begint te ratelen. Christine Wheeler schreef met lippenstift een boodschap en hield hem tegen de binnenkant van haar autoraampje gedrukt, in de hoop dat iemand hem zou opmerken. Dat gebeurde niet.

*

In het midden van de garage balanceren booglampen op hun statieven. De vierkante, naar het midden gerichte koppen zorgen voor een witte gloed die het onmogelijk maakt de achterliggende schaduwen te doorgronden. Leden van het team plaats delict lopen rond in het licht. Hun witte overalls lijken van binnenuit verlicht.

De auto wordt ontmanteld. Zittingen, vloermatten, ramen, panelen en bekleding worden verwijderd, gezogen, afgestoft, uitgekamd en geplukt als het karkas van een metalen beest. Elk snoeppapiertje, vezeltje, pluisje en vieze veeg zal worden gefotografeerd, bemonsterd en geregistreerd.

Vingerafdrukborsteltjes dansen over de harde oppervlakken

en laten een laagje zwart of zilverkleurig poeder na dat fijner is dan Ruiz' in elkaar geknutselde versie. Magnetische staven glijden door de lucht en pikken details op die voor het menselijk oog onzichtbaar zijn.

Het hoofd van het team plaats delict is een gedrongen man uit Birmingham die er in zijn overall uitziet als een groot wit zuurtje. Het lijkt alsof hij een groep medewerkers in opleiding een masterclass staat te geven: hij heeft het over 'het bewijsmateriaal van tijdelijke aard' en 'de integriteit van de plaats delict handhaven'.

'Waar zijn we eigenlijk naar op zoek, meneer?' vraagt een stagiair.

'Bewijs, mijn jongen, we zijn op zoek naar bewijs.'

'Bewijs voor wat?'

'Voor het verleden.' Hij strijkt zijn rubberen handschoenen glad over zijn handpalmen. 'Het mag dan nog maar drie dagen geleden zijn, het is toch geschiedenis.'

Buiten is het licht aan het wegsterven en de temperatuur aan het dalen. Inspecteur Veronica Cray staat in de opening van de hoofdingang van de garage, een boog van zwart geworden bakstenen onder het spoorwegviaduct. Boven haar hoofd dendert een trein.

Ze steekt een sigaret op en steekt de uitgebrande lucifer achter de andere in het luciferboekje. Het biedt haar een denkpauze voordat ze haar instructies geeft aan haar direct ondergeschikte.

'Ik wil weten hoeveel mensen deze auto hebben aangeraakt sinds hij werd gevonden. Ik wil dat van ieder van hen vingerafdrukken worden genomen zodat we ze kunnen wegstrepen.'

De brigadier heeft een bril met stalen montuur en kortgeknipt, rechtopstaand haar.

'Wat onderzoeken we eigenlijk, chef?'

'Een verdacht sterfgeval. Het huis van Wheeler wordt eveneens aangemerkt als plaats delict. Ik wil dat het verzegeld wordt en bewaakt. En misschien kun je ook kijken waar er hier een beetje redelijke afhaalindiër zit.'

'Honger, chef?'

'Ik niet, brigadier, maar jij bent hier voorlopig nog niet weg.'

Ruiz zit in zijn Duitse slee met het portier open en zijn ogen gesloten. Ik vraag me af of hij, nu hij met pensioen is, het lastig vindt een stapje terug te doen in een zaak als deze. Ongetwijfeld komen er oude instincten om de hoek kijken, het verlangen om het misdrijf op te lossen en de orde te herstellen. Hij heeft me vaak verteld dat het geheim bij het onderzoeken van geweldsmisdrijven was dat je je concentreerde op de verdachte, en niet op het slachtoffer. Ik ga precies andersom te werk. Door het slachtoffer te leren kennen, leer ik de verdachte kennen.

Een moordenaar gaat niet altijd op dezelfde manier te werk. Omstandigheden en gebeurtenissen zullen dat wat hij zegt en doet beïnvloeden. Datzelfde geldt voor het slachtoffer. Hoe reageerde ze onder druk? Wat heeft ze gezegd? Tot wie zou ze zich wenden?

Christine Wheeler komt niet op me over als een vrouw die seksueel uitdagend was of neigde om met haar verschijning en maniertjes de aandacht op zichzelf te vestigen. Ze droeg behoudende kleding, ging zelden uit en bleef het liefst op de achtergrond. Verschillende vrouwen vertegenwoordigen verschillende kwetsbaarheids- en risiconiveaus. Dat soort dingen moet ik te weten zien te komen. Als ik Christine ken ben ik een stap dichter bij het antwoord op de vraag wie haar heeft vermoord.

Inspecteur Cray staat naast me en werpt een blik in de smeerkuil.

'Vertelt u me eens, professor, praat u zich wel vaker naar binnen bij politiedepots om daar belangrijk bewijsmateriaal te contamineren?'

'Nee, inspecteur.'

Ze blaast rook uit en snuift twee keer terwijl ze het voorterrein overziet, waar Ruiz zit te dutten.

'Wie is het dansmaatje dat u heeft meegenomen?'

'Vincent Ruiz.'

Ze knipoogt. 'U maakt een gebbetje.'

'Om de dooie dood niet.'

'Hoe in godsnaam kent u Vincent Ruiz?'

'Ik ben ooit door hem gearresteerd.'

'Daar kan ik inkomen.'

Ze heeft haar ogen nog altijd op Ruiz gericht.

'U was niet in staat deze zaak los te laten.'

'Het was geen zelfmoord.'

'We hebben haar allebei zien springen.'

'Ze deed het niet uit vrije wil.'

'Ik heb niemand een pistool tegen haar hoofd zien houden. Ik heb geen hand gezien die haar duwde.'

'Een vrouw als Christine Wheeler besluit niet ineens om haar kleren uit te trekken en de deur uit te lopen met een stuk papier in haar hand waarop "HELP ME" staat.'

De inspecteur onderdrukt een boer, alsof iets wat ik heb gezegd haar niet goed bekomen is. 'Oké. Laten we voor het moment aannemen dat u gelijk heeft. Als mevrouw Wheeler bedreigd werd, waarom heeft ze dan niemand gebeld en is ze niet naar het dichtstbijzijnde politiebureau gereden?'

'Misschien kon ze dat niet.'

'U denkt dat hij bij haar in de auto zat?'

'Niet als ze een stuk papier omhoog heeft gehouden.'

'En dus moet hij hebben meegeluisterd.'

'Inderdaad.'

'En toen heeft hij haar zeker de dood in gepraat?'

Ik zeg niets. Ruiz is uit de Mercedes geklommen en staat zich uit te rekken, zijn schouders in luie cirkels ronddraaiend. Hij komt naar ons toe. De twee nemen elkaar op als hanen in een kippenhok.

'Inspecteur Cray, dit is Vincent Ruiz.'

'Ik heb veel over u gehoord,' zegt ze terwijl ze zijn hand schudt.

'U moet de helft niet geloven.'

'Dat doe ik ook niet.'

Hij kijkt naar haar voeten. 'Zijn dat herenschoenen?'

'Yep. Heeft u daar problemen mee?'

'Absoluut niet. Welke maat heeft u?'

'Waarom?'

'Misschien heb ik wel de juiste maat.'

'U bent niet groot genoeg.'

'Hebben we het over schoenen of over iets anders?'

Ze glimlacht. 'Wat een heerlijke man bent u toch.'

Ze wendt zich tot mij. 'Ik verwacht u morgen bij mij op kantoor.'

'Ik heb al een verklaring afgelegd.'

'Dat is nog maar het begin. U gaat mij helpen deze zaak te doorgronden, want zoals het er nu voorstaat snap ik er echt geen ruk van.'

16

'Wat is er met u gebeurd?'

'Ik heb op mijn knieën in de modder gezeten.'

'O.'

Darcy staat in de deuropening en kijkt me heel even ontwapenend bezorgd aan. Ik doe mijn schoenen uit en zet ze op het achterbordes neer. De lucht geurt naar suiker en kaneel. In de keuken staat Emma op een stoel met een houten lepel in haar hand. Ze heeft chocolade op haar kin.

'Je mag niet in de modder spelen, pappie. Dan word je vies,' zegt ze ernstig, direct gevolgd door: 'Ik ben koekjes aan het maken.'

'Dat zie ik, ja.'

Ze heeft een veel te groot schort aan dat tot haar enkels reikt. In de gootsteen staat een stapel vuile borden.

Darcy glijdt langs me heen en gaat bij Emma staan. Er is een band tussen die twee. Het is bijna alsof ik stoor.

'Waar is Charlie?'

'Boven, huiswerk aan het maken.'

'Sorry dat ik zo lang wegbleef. Hebben jullie al gegeten?'

'Ik heb spaghetti gemaakt.'

Emma knikt en zegt 'pagetti'.

'Er is een paar keer voor u gebeld,' zegt Darcy. 'Ik heb het opgeschreven. Meneer Hamilton, van het keukenmontagebedrijf, zei dat hij komende dinsdag zou kunnen. En maandag komen ze uw openhaardhout brengen.'

Ik ga aan de keukentafel zitten en proef met groot ceremonieel een van Emma's koekjes, die uitgeroepen worden tot de beste ooit gebakken.

Het huis zou een janboel moeten zijn, maar is het niet. Op de keuken na is alles smetteloos. Darcy heeft schoongemaakt. Ze heeft zelfs de werkkamer op orde gemaakt en in het washok een lamp vervangen die het al sinds we hier introkken niet deed.

Ik vraag haar te gaan zitten.

'De politie gaat een onderzoek instellen naar je moeders dood.'

Heel even betrekt haar blik.

'Ze geloven me.'

'Ja. Ik moet je nog een paar vragen stellen over je moeder. Wat voor persoon was ze? Wat waren haar gewoontes? Was ze open en goed van vertrouwen of behoedzaam en gereserveerd? Als iemand haar zou bedreigen, zou ze dan agressief reageren of van schrik geen woord kunnen uitbrengen?'

'Waarom wilt u dat weten?'

'Als ik haar ken, weet ik meer over hem.'

'Hem?'

'De laatste persoon die met haar heeft gesproken.'

'Degene die haar heeft vermoord.'

Haar eigen uitspraak lijkt haar ineen te doen krimpen. Boven haar rechterwenkbrauw zit een minuscuul vlekje meel op haar voorhoofd.

'Je had het over een ruzie met je moeder. Waar ging die over?'

Darcy haalt haar schouders op. 'Ik wilde naar de school van het Engelse nationale ballet. Ik mocht eigenlijk geen auditie doen, maar ik heb mams handtekening op het inschrijfformulier vervalst en ben in mijn eentje met de trein naar Londen gegaan. Ik dacht dat ze als ik eenmaal was toegelaten wel van gedachten zou veranderen.'

'En hoe ging het?'

'Elk jaar worden er maar vijfentwintig dansers uitgekozen. En er melden zich er honderden aan. Toen de brief kwam dat ik was toegelaten, las mam hem en gooide hem in de prullenbak. Ze ging naar haar slaapkamer en deed de deur op slot.'

'Waarom?'

'Het schoolgeld is twaalfduizend pond per jaar. Dat konden we ons niet permitteren.'

'Maar ze betaalde toch al schoolgeld?'

'Ik heb een studiebeurs. Als ik van school ga, ben ik dat geld kwijt.' Darcy pulkt aan haar vingernagels om de bloem onder haar nagelriemen vandaan te krabben. 'Mams bedrijf liep niet zo goed. Ze had een hoop geld geleend en kon het niet terugbetalen. Ik werd geacht dat niet te weten, maar ik hoorde haar ruziemaken met Sylvia. Daarom wilde ik van school af, om werk te gaan zoeken en geld te kunnen sparen. Ik dacht dat ik dan volgend jaar naar de balletacademie kon.' Haar stem gaat over in gefluister. 'Daar ging die ruzie over. Toen mam me die spitzen stuurde dacht ik dat ze van gedachten was veranderd.'

'Spitzen? Dat begrijp ik niet.'

'Die gebruik je bij ballet.'

'Ik weet heus wel wat spitzen zijn.'

'Iemand heeft me een paar gestuurd. Er was een pakketje gekomen. De conciërge had het zaterdagochtend bij het schoolhek zien liggen. Het was aan mij geadresseerd. Er zaten spitzen in, Gaynor Mindens, die zijn echt duur.'

'Hoe duur?'

'Tachtig pond per paar.'

Haar handen ballen zich samen in de zak van haar schort. 'Ik dacht dat mam ze had opgestuurd. Ik heb geprobeerd haar te bellen, maar kon haar niet bereiken.'

Ze doet haar ogen dicht en haalt diep adem.

'Ik wou dat ze hier was.'

'Dat begrijp ik.'

'Ik haat haar om wat ze gedaan heeft.'

'Moet je niet doen.'

Ze keert haar gezicht af, staat op en loopt rakelings langs me. Ik hoor haar de trap op gaan. Hoor hoe ze de slaapkamerdeur dichtdoet. Op bed neervalt. De rest is verbeelding.

17

De gangpaden van de supermarkt zijn uitgestorven. Ze doet haar in-
kopen 's avonds omdat haar dagen te gevuld zijn en haar weekenden
bestemd zijn voor lang uitslapen en bezoekjes aan de sportschool en
niet voor huishoudelijke karweitjes. Ze koopt een lamsbout. Spruit-
jes. Aardappelen. Zure room. Voor een etentje met vrienden wellicht,
of een romantisch diner.

Ik kijk voorbij de kassa's naar de tijdschriftenrekken. Alice staat
een muziektijdschrift te lezen en op een lolly te sabbelen. Ze heeft
haar schooluniform aan: een blauwe rok, witte blouse en donker-
blauwe trui.

Haar moeder roept haar. Alice legt het tijdschrift terug in het
rek en begint haar te helpen de boodschappen in tassen te doen. Ik
loop langs een andere kassa achter hen aan naar buiten, waar ze de
boodschappentassen in de achterbak van een luxe vw Golf Cabriolet
laadt.

Alice krijgt te horen dat ze in de auto moet wachten. Haar moeder
huppelt over de parkeerplaats, het hoofd omhoog en met wiegende
heupen. Ik blijf aan de overkant van de straat en loop over het trot-
toir met haar op langs helverlichte winkels en cafeetjes tot ze voor
een stomerij staat en de deur openduwt.

Achter de toonbank staat een jong Aziatisch meisje te glimlachen.
Er gaat nog een klant naar binnen. Een man. Ze kent hem. Hun
wangen raken elkaar heel even, links en rechts. Zijn hand ligt op
haar heup. Ze heeft een bewonderaar. Ik kan zijn gezicht niet zien,
maar hij is lang en goed gekleed.

Ze staan dicht bij elkaar. Ze lacht en doet haar schouders naar
achteren. Ze staat met hem te flirten. Ik zou hem moeten waarschu-
wen. Ik zou hem moeten zeggen dat hij het voorspel moet overslaan.
Laat dat trouwen en die rommelige scheidingsprocedure maar zit-

ten. *Koop een huis voor dat wijf en geef haar de sleutels, dat is op de lange termijn goedkoper.*

Ik bekijk haar vanaf de overkant van de weg, ze staat bij een toeristenplattegrond. De lichten van een nabijgelegen restaurant verlichten de onderste helft van mijn lichaam en laten mijn gezicht in de schaduw. Een keukenhulp is naar buiten gekomen voor een sigaret. Ze haalt het pakje uit haar schortzak en kijkt me over het door haar handen beschutte vlammetje aan.

'Bent u verdwaald?' *vraagt ze me en ze draait haar hoofd weg om uit te blazen.*

'Nee.'

'Wacht u op iemand?'

'Zou kunnen.'

Haar korte blonde haar zit met speldjes achter haar oren. Ze heeft donkere wenkbrauwen, die verraden wat haar eigenlijke haarkleur is.

Ze volgt mijn blik en ziet naar wie ik sta te kijken.

'Heeft u een oogje op haar?'

'Ik dacht dat ik haar ergens van kende.'

'Zo te zien heeft ze het al aardig gezellig. U zou wel eens te laat kunnen zijn.'

Ze draait opnieuw haar hoofd af en blaast rook weg.

'Hoe heet u?'

'Gideon.'

'Ik ben Cheryl. Heeft u trek in een kop koffie?'

'Nee.'

'Ik kan er eentje voor u halen.'

'Nee, laat maar.'

'Wat u wilt.' *Ze wrijft de sigaret fijn onder haar zool.*

Ik kijk achterom naar de stomerij. De vrouw staat nog steeds te flirten. Ze nemen afscheid. Ze gaat op haar tenen staan en kust zijn wang, dit keer dichter in de buurt van zijn lippen. Ze maakt geen haast. Dan loopt ze, terwijl ze lichtjes met haar heupen wiegt, naar de deur. Over haar linkerschouder hangen een stuk of tien in plastic gehulde kledingstukken.

Ik volg haar. Ze steekt de weg weer over. Nog zes passen en ze is bij me. Ze slaat haar ogen niet op. Ze loopt me straal voorbij, alsof ik niet besta of onzichtbaar ben. Misschien is dat het: ik ben langzaam aan het verdwijnen.

Soms word ik 's nacht wakker en ben ik bang dat ik tijdens mijn slaap verdwenen ben. Dat is wat er gebeurt als er niemand is die om je geeft. Stukje bij beetje begin je te verdwijnen, totdat mensen dwars door je borstkas en je hoofd heen kunnen kijken, alsof je van glas bent.

Het heeft niet te maken met liefde, het heeft te maken met vergeten worden. We bestaan slechts zolang anderen aan ons denken. Het is als die boom in het bos die omvalt, met niemand in de buurt om het te horen. Wie, op de vogels na, kan dat ene rooie rotmoer schelen?

18

Ik heb ooit een patiënt gehad die ervan overtuigd was dat zijn hoofd vol zeewater zat en onderdak bood aan een krab. Toen ik hem vroeg wat er met zijn hersenen was gebeurd zei hij dat buitenaardse wezens ze er met een rietje uit hadden gezogen.

'Het is beter zo,' hield hij vol. 'Er is nu meer ruimte voor de krab.'

Ik vertel dit verhaal aan mijn studenten en krijg ze ermee aan het lachen. De introductieweek is achter de rug. Ze zien er gezonder uit. Tweeëndertig van hen zijn komen opdagen voor de werkgroep, in een meedogenloos moderne en lelijke zaal met lage plafonds en wanden van vezelplaten die met bouten tussen geschilderde steunbalken bevestigd zitten.

Voor me op een tafel staat een grote glazen pot waarover een wit laken ligt. Mijn surprise. Ik weet dat ze zich afvragen wat ik ze ga laten zien. Ik heb ze lang genoeg in spanning gehouden.

Ik pak de hoeken van de stof vast en maak een snelle polsbeweging. De doek bolt op, valt neer en onthult een menselijk brein op sterk water.

'Dit is Brenda,' leg ik uit. 'Ik weet niet of ze echt zo heette, maar wel dat ze achtenveertig jaar oud was toen ze stierf.'

Ik trek rubberen handschoenen aan en til het rubberachtige orgaan er met mijn tot een kom gebogen handen uit. Er vallen druppels op tafel. 'Is er iemand die naar voren wil komen en haar vast wil houden?'

Niemand verroert zich.

'Ik heb nog meer handschoenen.'

Nog steeds geen liefhebbers.

'Elke religie en elke geloofsovertuiging in de geschiedenis heeft beweerd dat er in ieder van ons een innerlijke kracht huist, een ziel, een geweten, de Heilige Geest. Niemand weet waar deze innerlijke kracht zich bevindt. Het zou de grote teen kunnen zijn, de oorlel of de tepel.'

Gegiechel en bulderend gelach bewijzen dat er wordt geluisterd.

'De meeste mensen zouden misschien het hart of het hoofd kiezen als voor de hand liggende locaties. Wie zal het zeggen. Met behulp van röntgenstralen, echoscopieën, MRI- en CT-scans hebben wetenschappers elk denkbaar deel van het menselijk lichaam in kaart gebracht. Vierhonderd jaar lang zijn mensen in plakjes en blokjes gesneden, gewogen, ontleed, geprikt en met sondes bekeken en nog altijd heeft niemand in ons binnenste een geheim compartiment of mysterieuze zwarte plek of magische innerlijke kracht of stralend licht aangetroffen. Ze hebben geen geest in de fles gevonden, geen ziel in de machine, geen piepklein mensje dat als een razende trappend op een fietsje zit.

'Wat moeten we hieruit concluderen? Zijn we niets meer dan vlees en bloed, neuronen en zenuwen, een briljante machine? Of huist er een geest in ons die we niet kunnen zien of begrijpen?'

Er gaat een hand de lucht in. Een vraag! Hij komt van Nancy Ewers, de journaliste van het studentenblad.

'Hoe zit het dan met ons zelfbesef?' vraagt ze. 'Dat maakt ons toch zeker anders dan machines?'

'Zou kunnen. Denk jij dat we met dit zelfbesef worden geboren, ons egobewustzijn, onze unieke persoonlijkheid?'

'Ja.'

'Misschien heb je gelijk. Ik wil dat je nadenkt over een andere mogelijkheid. Wat nu als ons bewustzijn, of zelfbesef, voortkomt uit onze ervaringen, onze gedachten, gevoelens en herinneringen. In plaats van dat we geboren zijn met een blauwdruk zijn we het product van onze levens en een afspiegeling van hoe anderen ons zien. We worden van buitenaf verlicht, en niet van binnen uit.'

Nancy trekt een pruilmondje en gaat weer achterover zitten. Rondom haar zitten mensen driftig aantekeningen te maken. Ik heb geen idee waarom. Het is geen examenstof.

Als ik de onderwijsruimte uit kom lopen houdt Bruno Kaufmann me staande.

'Hé, ouwe jongen, wat dacht je ervan om samen te lunchen?'

'Ik heb al een lunchafspraak.'

'Is ze knap?'

Ik zie Ruiz voor me en antwoord ontkennend. Bruno begint met me op te lopen.

'Afschuwelijk verhaal over wat er op de brug is gebeurd vorige week, echt verschrikkelijk.'

'Ja.'

'Zo'n aardige vrouw.'

'Jij kénde haar?'

'Mijn ex-vrouw heeft met Christine op dezelfde school gezeten.'

'Ik wist niet eens dat je getrouwd bent geweest.'

'Jawel. Maureen heeft het er nogal moeilijk mee gehad, de arme ziel. Voor haar was het echt een klap.'

'Dat is rot voor haar. Wanneer heeft ze Christine voor het laatst gezien?'

'Ik zou het haar kunnen vragen.' Hij aarzelt.

'Is dat een probleem voor je?'

'Dan zou ik haar moeten bellen.'

'Jullie hebben geen contact?'

'De rode draad van ons huwelijk, ouwe jongen. Dat was als een stuk van Pinter: vol diepzinnige stiltes.'

We gaan de overdekte trap af en steken het plein over.

'Dat is nu natuurlijk allemaal anders,' zegt Bruno. 'Ze heeft me elke dag wel een keer gebeld, om even te kunnen praten.'

'Ze is van streek.'

'Misschien wel, ja,' peinst hij hardop. 'Vreemd genoeg vind ik het best prettig als ze me belt. Ik ben al acht jaar geleden van die vrouw gescheiden en toch merk ik bij mezelf dat ik buitensporig veel waarde hecht aan haar oordeel over mij. Wat betekent dat volgens jou?'

'Dat klinkt als liefde.'

'O hemel, nee! Op zijn hoogst vriendschap.'

'Jij ligt zeker liever tegen een doctoraalstudente aan die half zo oud is als jij.'

'Dat is romantiek. Ik doe mijn best die twee begrippen niet door elkaar te halen.'

Onderaan de trap, voor het psychologiegebouw, laat ik Bruno alleen. Ruiz staat bij zijn auto te wachten, ondertussen de krant lezend.

'Wat gebeurt er allemaal in de wereld?'

'De gebruikelijke porties dood en verderf. In Amerika heeft een of ander joch een middelbare school overhoop geschoten. Dat krijg je ervan als de schoolkantine automatische wapens in zijn assortiment heeft.'

Van een op de zitting liggend dienblad pakt Ruiz een afhaalbekertje koffie voor me.

'Hoe was je kamer in The Fox & Badger?'

'Te dicht bij de bar.'

'Gehorig zeker?'

'Te verleidelijk. Ik heb een paar dorpelingen ontmoet. Jullie hebben hier een dwerg.'

'Nigel.'

'Ik dacht dat hij een geintje maakte toen hij zei dat hij Nigel heette. Hij wilde buiten met me op de vuist.'

'Dat wil hij altijd.'

'Heeft iemand hem wel eens een klap verkocht?'

'Het is een dwerg!'

'En een irritant klein opneukertje.'

Ik heb een afspraak met Veronica Cray op politiebureau Trinity Road in Bristol.

'Weet je zeker dat je wilt dat ik meega?' vraagt Ruiz.

'Waarom niet?'

'De klus is geklaard. Je hebt wat je wilde.'

'Je kunt niet teruggaan naar Londen, nog niet. Je bent er net. Je hebt Bath nog niet eens gezien. Je kunt niet naar de West Country komen zonder een bezoekje aan Bath. Dat is hetzelfde als Los Angeles bezoeken zonder met Paris Hilton naar bed te gaan.'

'Beide laat ik graag aan me voorbijgaan.'

'Julianne dan? Die komt vanmiddag thuis. Ze zal je willen ont-moeten.'

'Het begint al aanlokkelijker te worden. Hoe gaat het met haar?'

'Goed.'

'Hoe lang is ze al weg?'

'Sinds afgelopen maandag. Het lijkt langer.'

'Dat doet het altijd.'

Als symbool voor de hedendaagse wetshandhaving is politiebu-reau Trinity Road niet te overtreffen: een in zichzelf gekeerd ge-bouw waarvan de onderste verdiepingen geen ramen hebben. Het is als een voor een belegering gebouwde bunker, met bewakings-camera's op alle hoeken en scherpgepunte versperringen op de muren. Het heeft iemand er kennelijk niet van weerhouden om graffiti op het metselwerk te kladderen: 'Stop de moordsmerissen: weg met de staatsterreur.'

Tegenover het bureau staat de dichtgetimmerde Holy Trinity Church er verlaten bij. In het portiek staat een oude vrouw te schuilen, in het zwart gekleed en kromgebogen als een afgebrand luciferhoutje.

We wachten beneden tot er iemand komt. Er gaat een metalen veiligheidsdeur open. Een lange zwarte man moet bijna bukken om erdoor te kunnen. Mijn eerste gedachte is de verkeerde. Hij is niet net op vrije voeten gesteld. Hij hoort hier.

'Ik ben agent-rechercheur Abbott,' zegt hij, 'maar zeg maar Monk. Dat doen al die klojo's hier.'

Zijn handen hebben het formaat van bokshandschoenen. Ik voel me alsof ik weer tien ben.

'Heeft iedereen hier een bijnaam?' vraagt Ruiz.

'De meesten van ons wel.'

'En de inspecteur?'

'Die noemen we chef.'

'Meer niet?'

'We willen nog langer mee dan vandaag.'

Veronica Crays werkkamer blijkt een doos binnen deze doos

te zijn, ingericht met een eenvoudig vurenhouten bureau en archiefkasten. De wanden zijn bedekt met foto's van onopgeloste zaken en onopgepakte verdachten. Waar andere mensen laden en agenda's vullen met hun onafgemaakte zaken, maakt de inspecteur er behang van.

Ze is in het zwart gekleed en zit nog te ontbijten. Een zoet broodje ligt naast een bekertje koffie tussen de paperassen.

Ze neemt een laatste hap en grist haar aantekeningen bij elkaar.

'Ik heb een briefing. Jullie kunnen meeluisteren.'

De commandokamer is een moderne, open ruimte, hier en daar onderbroken door verplaatsbare schotten en whiteboards. Op de bovenkant van een van de whiteboards zit met plakband een foto bevestigd, met Christine Wheelers naam ernaast geschreven.

De verzamelde rechercheurs, vrijwel uitsluitend mannen, staan op als inspecteur Cray binnenkomt. Er is een tiental rechercheurs op de zaak gezet, die nog niet als een onderzoek naar moord staat geclassificeerd. Tenzij de groep binnen vijf dagen met een motief of een verdachte weet te komen, zal de zaak in handen worden gegeven van de patholoog-anatoom om daarover een beslissing te nemen.

Inspecteur Cray likt suiker van haar vingers en steekt van wal.

'Afgelopen vrijdagmiddag om 17.07 uur is deze vrouw van de Clifton Suspension Bridge haar dood tegemoet gesprongen. Op dit moment is onze eerste prioriteit de laatste uren van haar leven te reconstrueren. Ik wil weten waar ze is geweest, met wie ze heeft gesproken en wat ze heeft gezien.

Ik wil ook dat er gesproken wordt met haar buren, vrienden en zakenrelaties. Ze was eigenaresse van een bureau dat trouwerijen organiseert. Het bedrijf verkeerde in financiële problemen. Praat met de gebruikelijke figuren – louche geldschieters en andere bloedzuigers – en kijk of ze haar kennen.'

Ze schetst het verloop van de gebeurtenissen, te beginnen op vrijdagochtend. 'Christine Wheeler was twee uur op haar kantoor bij Blissful en ging daarna naar huis. Om 11.45 uur kreeg ze een telefoontje op haar vaste toestel dat werd gepleegd vanuit een openbare telefooncel in Clifton, op de hoek van Westfield Place en Sion Lane, met uitzicht op de Clifton Suspension Bridge.

Dit gesprek duurde dertig minuten. Het kan iemand geweest zijn die ze kende. Misschien sprak ze af hem of haar te ontmoeten.

Het gesprek via de vaste verbinding eindigde direct nadat haar mobiele telefoon over begon te gaan. Het ene gesprek kan het andere hebben beëindigd.'

Inspecteur Cray haalt een kaart tevoorschijn die Bristol en Bath bestrijkt.

'Telecomingenieurs proberen driehoekspeilingen te maken op basis van de signalen van Christine Wheelers mobieltje en zo de vermoedelijke route te reconstrueren die ze vrijdag heeft genomen van haar huis naar Leigh Woods.

We hebben twee getuigen die haar hebben gezien. Met deze getuigen moet opnieuw worden gesproken. Daarnaast wil ik de namen van iedere andere persoon die vrijdagmiddag in Leigh Woods was. Ik wil weten waarom ze daar waren en hun huisadressen.'

'Het regende, mevrouw,' probeert een van de rechercheurs.

'We zijn hier in Bristol, hier regent het godverdomme altijd. En houd op met dat gemevrouw. Ik ben de koningin niet.'

Ze richt zich tot de enige andere vrouw onder de rechercheurs. 'Alfie.'

'Ja, chef.'

'Ik wil dat je het zedendelinquentenregister doorzoekt. Zorg voor een lijst met daarop iedere bekende geperverteerde die binnen een straal van acht kilometer van Leigh Woods woont. Ik wil ze gerangschikt hebben op de ernst van hun vergrijp en de datum waarop ze voor het laatst zijn veroordeeld of op vrije voeten zijn gesteld.'

'Ja, chef.'

De inspecteur verplaatst haar blik. 'Jones en McAvoy, van jullie wil ik dat je de beelden van de bewakingscamera's bekijkt. Er hangen vier camera's op de brug.'

'Over welke tijdsperiode?' vraagt een van hen.

'Vanaf het middaguur tot zes uur 's avonds. Zes uur, vier ca-mera's, reken maar uit.'

'Wat zoeken we precies, chef?'

'Noteer elk kenteken. Haal ze door de automatische nummer-plaatherkenningsoftware. Kijk of er gestolen voertuigen tussen zitten en vergelijk de namen met die van Alfie. Misschien hebben we geluk.'

'U heeft het over duizenden auto's.'

'Dan zou ik maar voortmaken.' Ze wendt zich tot een andere rechercheur, die gekleed gaat in een jasje met korte mouwen en spijkerbroek. 'Safari Roy?'

'Ja, chef.'

'Ik wil dat jij met haar zakenpartner gaat praten, Sylvia Furness. Ga de boeken van het bedrijf na. Zoek uit wie de belangrijkste crediteuren zijn en of er figuren bij waren die de duimschroeven begonnen aan te draaien.'

Ik val haar in de rede en vertel over het voedelvergiftigings-incident in de zomer. De vader van de bruid wil een schadever-goeding en dreigt met de rechter. Safari Roy maakt een aanteke-ning om dit na te trekken.

Inspecteur Cray werpt een andere rechercheur een map in de schoot. 'Hier heb je een lijst van elke seksueel getinte aanval of klacht over onzedelijk gedrag in Leigh Woods van de afgelopen twee jaar, inclusief naakt zonnen en potloodventers. Ik wil dat je de betrokkenen stuk voor stuk opzoekt. Vraag hun wat ze vrijdag-middag aan het doen waren. Neem D.J. en Curly mee.'

'Denkt u dat het iets seksueels was, chef?' vraagt Curly.

'De vrouw was naakt en op haar lichaam stond het woord SLET geschreven.'

'Hoe zit het met het mobieltje?'

'Dat wordt nog steeds vermist. Monk coördineert het uitkam-men van Leigh Woods. Degenen onder jullie die geen speciale opdracht hebben gekregen gaan met hem mee. Jullie gaan op deuren kloppen en met de omwonenden praten. Ik wil weten of iemand zich vreemd heeft gedragen en of zich de afgelopen paar weken iets ongewoons heeft voorgedaan. Was er een spreeuw die een scheet liet? Een boutende beer in het bos? Jullie voelen wat ik bedoel.'

Er duikt een nieuw gezicht op op de briefingsessie, een hoge politieman in uniform met gepoetste knopen en een pet onder zijn linkerarm.

De rechercheurs zijn snel op de been.

'Ga verder, ga verder,' zegt hij op een doe-maar-net-of-ik-er-niet-ben-toontje.

Inspecteur Cray stelt ons aan elkaar voor. Commissaris Fowler is klein van stuk en breedgeschouderd en heeft een kogelvrije handdruk en de air van een landmachtgeneraal die zijn manschappen probeert aan te sporen. Hij richt zijn aandacht op mij.

'Professor in de wat?' vraagt hij.

'Psychologie, meneer.'

'U bent psycholoog.' Zoals hij het zegt klinkt het als een ziekte. 'Waar komt u vandaan?'

'Ik ben geboren in Wales. Mijn moeder is Welse.'

'Dan heeft u vast en zeker ook het laatste nieuw uit Wales wel gehoord, professor?'

'Nee, wat dan?'

'Nou, dat ze in Cardiff een maagd hebben gevonden.'

Hij kijkt de zaal rond, wachtend tot er wordt gelachen. Hij wordt door de verzamelde rechercheurs op zijn wenken bediend. Tevreden neemt hij plaats, legt zijn pet op het bureau en doet zijn leren handschoenen erin.

Inspecteur Cray gaat verder met de briefing maar wordt abrupt onderbroken.

'Waarom is dit geen zelfmoord?' vraagt Fowler.

Ze draait zich naar hem om. 'We zijn de zaak opnieuw aan het bekijken, meneer. Het slachtoffer schreef een boodschap waarin ze om hulp vroeg.'

'Ik dacht dat de meeste zelfmoorden een schreeuw om hulp waren.'

De inspecteur aarzelt even. 'Wij denken dat degene die via de telefoon met mevrouw Wheeler sprak haar opdracht gaf te springen.'

'Iemand gaf haar ópdracht te springen en dat deed ze ook, zo-maar?'

'Wij denken dat ze mogelijk is bedreigd of geïntimideerd.'

Fowler knikt en glimlacht, maar zijn gekunsteldheid heeft iets vaag bevoogdends. Hij keert zich naar mij toe. 'Dat is uw idee, nietwaar, professor? En hoe werd deze vrouw dan precies bedreigd of geïntimideerd om haar zelfmoord te laten plegen?'

'Dat weet ik niet.'

'Dat weet u niet?'

Ik voel hoe mijn kaak verstrakt en mijn gezicht verstijft. Dat effect hebben pestkoppen op mij. In hun buurt word ik een andere persoon.

'Dus volgens u loopt er buiten een gestoorde rond die vrouwen de opdracht geeft van bruggen af te springen.'

'Nee, geen gestoorde. Ik heb geen aanwijzingen dat we hier met geestesziekte te maken hebben.'

'Pardon?'

'Mijn ervaring is dat het weinig oplevert als je mensen etiketten zoals psychopaat of gestoorde opplakt. Het kan een dader helpen zijn daden goed te praten of een verweer op te bouwen van volledige of gedeeltelijke ontoerekeningsvatbaarheid.'

Fowlers gezicht is stijver dan bordkarton. Hij kijkt me strak aan.

'Wij hanteren hier bepaalde protocollen, professor O'Loughlin, en één ervan stelt dat hooggeplaatste politiemensen worden aangesproken met "meneer" of met hun juiste titel. Het is een kwestie van respéct. Ik denk dat ík dat respect verdien.'

'Ja, meneer, mijn fout.'

Hij leek heel even zijn zelfbeheersing te verliezen, maar heeft hem alweer hervonden. Hij staat op, pakt zijn pet en handschoenen en verlaat de commandokamer. Niemand heeft een vin verroerd.

Ik kijk naar Veronica Cray, die naar de grond kijkt. Ik heb haar teleurgesteld.

De briefing is ten einde. Rechercheurs verspreiden zich.

Op weg naar de trap verontschuldig ik me tegenover de inspecteur.

'Maakt u zich geen zorgen.'

'Ik hoop niet dat ik er een vijand bij heb.'

'De man slikt elke ochtend een poehapil.'

'Hij is oud-militair,' zeg ik.

'Hoe weet u dat?'

'Hij draagt zijn pet onder zijn linkerarm, zodat hij zijn rechterarm vrij heeft om te kunnen salueren.'

De inspecteur schudt haar hoofd. 'Hoe weet u dat soort ongein allemaal?'

'Omdat hij een fanaticus is,' antwoordt Ruiz.

Ik loop achter hem aan naar buiten. Een burgerwagen staat met draaiende motor op de laad- en losplek te wachten. De bestuurder, een vrouwelijke agent, opent de portieren aan onze kant. Veronica Cray en Monk gaan beide op weg naar Leigh Woods.

Ik wens hen geluk.

'Gelooft u in geluk, professor?'

'Nee.'

'Mooi. Ik ook niet.'

19

Julianne heeft de trein van 15.40 uur vanaf Paddington genomen, de Great Western-lijn. Het rijdt lekker door op dit tijdstip van de dag, het meeste verkeer komt uit de tegenovergestelde richting.

Emma zit in haar kinderzitje gegord en Darcy zit naast me, met haar armen om haar opgetrokken knieën. Ze neemt ongelooflijk weinig ruimte in als ze haar lichaam op die manier samenvouwt.

'Wat is uw vrouw voor iemand?'

'Ze is geweldig.'

'Houdt u van haar?'

'Wat is dat nou weer voor een vraag?'

'Gewoon een vraag.'

'Nou, het antwoord is ja.'

'Ja, wat moet je anders zeggen,' zegt ze met een klank alsof ze de wereld moe is. 'Hoe lang bent u al getrouwd?'

'Bijna twintig jaar.'

'Bent u wel eens vreemdgegaan?'

'Dat gaat jou niks aan, zou ik zeggen.'

Ze haalt haar schouders op en kijkt naar buiten. 'Volgens mij is het niet normaal om een heel leven trouw te blijven aan één persoon. Wie zegt dat je liefde voor iemand niet een keer ophoudt of dat je niet iemand kunt tegenkomen waar je meer van houdt?'

'Je klinkt nogal wijs. Ben jij wel eens verliefd geweest?'

Ze maakt een laatdunkende hoofdbeweging. 'Mij niet gezien. Ik weet waar dat op uitdraait.'

'Soms valt er niets te kiezen.'

'Er valt altíjd iets te kiezen.'

Ze laat haar kin op haar knieën rusten. Pas nu zie ik de paarse lak op haar vingernagels.

'Wat doet uw vrouw?'

'Zeg maar Julianne. Ze is tolk.'

'Is ze vaak weg?'

'De laatste tijd wat vaker.'

'En u blijft thuis?'

'Ik heb een deeltijdbaan op de universiteit.'

'Is dat vanwege dat gebibber?'

'Zo zou je het kunnen zeggen, ja.'

'U ziet er niet ziek uit – als u zich daar beter door voelt – ik bedoel, behalve dat trillen dan. U ziet er best goed uit.'

Ik lach naar haar. 'Nou, dank je wel, hoor.'

Julianne stapt uit de trein. Ze zet toverachtig grote ogen op als ze de bloemen ziet.

'Wie is de gelukkige?'

'Het is een goedmakertje voor wat er de laatste keer is gebeurd.'

'Je had een reden.'

Ik kus haar. Zij houdt het bij een vluchtig kusje. Mijn lippen talmen. Ze haakt haar arm door de mijne. Ik sleep haar koffer achter ons aan.

'Hoe gaat het met de meiden?'

'Super.'

'Hoe zit het nou met dat kindermeisje? Door de telefoon was je erg terughoudend. Heb je iemand gevonden?'

'Niet echt.'

'Wat wil dat zeggen?'

'Ik heb de eerste gesprekken gehad.'

'En?'

'Er kwam iets tussen.'

Nu staat ze stil. Draait zich naar me om. Bezorgd.

'Waar is Emma?'

'In de auto.'

'Wie is er bij haar?'

'Darcy.

Ik probeer te lopen en te praten tegelijk. De wieltjes van haar koffer ratelen over de keien. Het verhaal dat ik heb ingestudeerd zou volstrekt natuurlijk moeten klinken, maar zoals het mijn mond uit komt wordt het zwakker en zwakker.

'Ben je nou helemaal gek geworden?'

'Ssst.'

'Niet tegen me sissen, Joe.'

'Je begrijpt het niet.'

'Nou, ik dacht het wel. Wat jij me vertelt is dat onze kleine onder de hoede is van een tienermeisje waarvan de moeder is vermoord.'

'Het ligt nogal ingewikkeld.'

'En ze woont bij ons in.'

'Het is een goed kind. Met Emma is ze geweldig.'

'Kan me niet schelen. Ze heeft geen opleiding, geen referenties. Ze zou op school moeten zitten.'

'Ssst.'

'Niet tegen me sissen, zei ik.'

'Ze is meegekomen.'

Ze kijkt abrupt op. Darcy staat naast de auto ritmisch kauwgom te kauwen. Emma balanceert tussen haar armen op de bumper.

'Darcy, dit is Julianne. Julianne, dit is Darcy.'

Julianne schenkt haar een onbeweeglijke, overdreven glimlach. 'Hallo.'

Darcy tilt haar hand een paar centimeter op en wuift zenuwachtig. 'Heeft u een prettige reis gehad?'

'Ja. Dank je.' Julianne neemt Emma van haar over. 'Het spijt me van je moeder, Darcy. Het is verschrikkelijk.'

'Was is er gebeurd?' vraagt Emma.

'Niets waar jij je zorgen om hoeft te maken, lieverd.'

We rijden in stilte. De enige die praat is Emma, zij is degene die alle vragen stelt en beantwoordt. Darcy heeft zich teruggetrokken in een cocon van zwijgen en onzekerheid. Ik weet niet wat er met Julianne aan de hand is. Het is niets voor haar om zo koel en koppig te doen.

Thuis komt Charlie naar buiten rennen om ons te begroeten. Ze loopt over van voor Julianne bestemde nieuwtjes, de meeste over Darcy, die ze moet inslikken omdat Darcy pal naast haar staat.

Ik draag de bagage naar binnen, waar Julianne van kamer naar kamer gaat, alsof ze een inspectieronde maakt. Misschien had ze verwacht het huis in een puinhoop aan te treffen, met vuile was, onopgemaakte bedden en vuile vaat in de gootsteen. In plaats daarvan is alles smetteloos. Om de een of andere reden maakt dit haar stemming er niet beter op. Bij het eten, een door Darcy bereide stoofschotel, drinkt ze twee glazen wijn, maar in plaats van dat ze zich ontspant, verstrakken haar lippen tot dunne lijnen en krijgen haar opmerkingen een scherpe en beschuldigende toon.

'Ik ga Emma in bad doen,' zegt Julianne terwijl ze zich naar de trap omdraait. Darcy's ogen ontmoeten vragend de mijne.

Nadat de afwasmachine is ingeruimd ga ik naar boven en tref Julianne zittend op ons bed aan. Haar koffer ligt open. Ze is kleding aan het sorteren. Waarom is ze zo kwaad dat Darcy bij ons is? Het is bijna een kwestie van eigendomsrecht: het afbakenen van haar territorium of de verdediging van haar aanspraak op iets.

Ik zie een hoopje zwarte kant in haar koffer liggen. Een hemdje en een broekje.

'Wanneer heb je die gekocht?'

'Vorige week in Rome.'

'Je hebt ze me niet laten zien.'

'Niet aan gedacht.'

Ik drapeer de bandjes over mijn wijsvingers. 'Ik wed dat het er nog mooier uitziet als je het aanhebt. Misschien kun je me het straks laten zien.'

Ze pakt de lingerie van me af en gooit hem in de wasmand. Voor wie heeft ze dit gedragen? Er haakt zich iets vast in mijn borst, hetzelfde knagende gevoel van onrust dat de hotelbon voor een champagneontbijt teweegbracht.

Julianne draagt nooit sexy ondergoed. Ze zegt dat het niet lekker zit en niet praktisch is. Telkens als ik haar voorstel om voor Valentijnsdag of haar verjaardag iets niemendallerigs en sexy te kopen zegt ze dat ik me die moeite kan besparen. Ze heeft liever haar Marks & Spencer onderbroeken, hoog gesneden, maatje 40 in zwart of wit. Iets heeft haar van gedachten doen veranderen.

Ze moet de lingerie een week geleden in Rome hebben gekocht.

Ze nam het setje mee naar Moskou. Ik wil haar vragen waarom maar ik weet niet hoe ik de vraag moet inkleden zonder jaloers te klinken of erger.

Het moment gaat voorbij. Julianne loopt weg. Haar bewegingen, haar kleine passen en het lichte afhangen van haar schouders laten zien hoe moe ze is.

Ik geloof niet in de stelling waar rook is is vuur, en ook niet in voortekenen en voorspellingen, maar ik kan het verwarrende gevoel niet van me afschudden dat er tussen Julianne en mij een gat aan het ontstaan is. Ik probeer het toe te schrijven aan haar vermoeidheid. Ik maak mezelf wijs dat ze veel op reis is geweest, dat er van te veel kanten aan haar is getrokken en dat ze te veel hooi op haar vork heeft genomen.

Een maand geleden, op haar verjaardag, was ik van plan extra feestelijk voor haar te koken. Ik reed naar Bristol en kocht bij vishandelaren allerlei lekkers. Even na zessen belde ze dat ze nog in Londen zat. Er was een of andere crisissituatie, een ontbrekende overboeking, zoiets. Ze zou niet thuiskomen.

'Waar slaap je dan?'

'In een hotel, het bedrijf betaalt.'

'Je hebt helemaal niets bij je.'

'Ik red me wel.'

'Je bent jarig.'

'Sorry. Ik maak het nog wel goed.'

Ik at een dozijn oesters en gooide de rest van de maaltijd in de vuilnisbak. Daarna liep ik de heuvel op naar The Fox & Badger en dronk drie pints met Nigel en een Nederlandse toerist die meer van de omgeving wist dan wie ook maar in de bar.

Er zijn andere momenten geweest. (Ik zal het geen voortekenen noemen.) Op een vrijdag zou ze vanuit Madrid terug komen vliegen en probeerde ik haar op haar mobiel te bereiken, maar kreeg ik geen contact. In plaats daarvan belde ik haar kantoor. Een secretaresse vertelde me dat Julianne de hele dag in Londen was geweest en de avond ervoor terug was komen vliegen.

Toen ik haar eindelijk had opgespoord verontschuldigde ze zich en zei dat ze van plan was geweest me te bellen. Ik vroeg haar hoe dat zat met haar reisschema, waarop ze zei dat ik me moest hebben vergist. Ik heb geen reden aan haar te twijfelen. We zijn bijna twintig jaar getrouwd en ik kan me geen enkel moment of gebeurtenis herinneren waarop ik twijfelde aan haar toewijding. Aan de andere kant is ze nog altijd een mysterie voor me. Als mensen me vragen waarom ik psycholoog ben geworden zeg ik: 'Vanwege Julianne. Ik wilde wéten wat ze werkelijk dacht.' Het heeft niet gewerkt. Ik heb nog altijd geen idee.

Ik kijk toe hoe ze haar kleding doorzoekt, driftig laden opentrekt en hangertjes van het rek pakt.

'Waarom ben je zo boos?'

Ze schudt haar hoofd.

'Praat tegen me.'

De koffer wordt dichtgesmeten. 'Besef jij eigenlijk wel wat je aan het doen bent, Joe? Alleen omdat jij die vrouw op de brug niet hebt weten te redden, hebben wij nu de zorg voor haar dochter.'

'Niet waar.'

'Nou, waarom is ze hier dan?'

'Ze kon nergens anders heen. Haar huis is een plaats delict. Haar moeder is dood...'

'Vermoord?'

'Ja.'

'En heeft de politie de moordenaar te pakken?'

'Nog niet.'

'Je weet niets over dat meisje of haar familie. Beseft ze eigenlijk wel dat haar moeder dood is? Ze maakt niet echt een getroffen indruk.'

'Dat is niet eerlijk.'

'Vertel eens, is ze psychologisch gezien stabiel? Jij bent de deskundige. Gaat ze flippen en mijn kleintje iets aandoen?'

'Ze zou Emma nooit pijn doen.'

'En dat baseer je op...?'

'Twintig jaar ervaring als psycholoog.'

De laatste zin komt eruit met mijn eigen versie van koele overtuiging. Julianne zwijgt. Als het gaat om het lezen van iemands persoonlijkheid zit ik er zelden naast en dat weet ze.

Op bed gezeten trekt ze een kussen achter zich om tegen de muur te kunnen leunen en friemelt aan het in kwastjes uitlopende koord van haar badjas. Ik kruip schuin over het bed naar haar toe.

'Af,' zegt ze terwijl ze haar hand omhooghoudt als een agent die het verkeer staat te regelen. 'Daar blijven.'

Ik zit op mijn kant van het bed. In de spiegel kunnen we elkaar aanstaren. Het is alsof ik naar een scène uit een komische serie zit te kijken.

'Ik wil niet dat er dingen veranderen als ik op reis ga, Joe. Ik wil thuiskomen en alles aantreffen zoals ik het heb achtergelaten. Ik weet dat dat egoïstisch klinkt, maar ik wil geen dingen missen.'

'Waar heb je het over?'

'Weet je nog toen je Emma op haar driewielertje leerde fietsen?'

'Natuurlijk.'

'Ze was zo opgewonden. Door het dolle heen. Het was het enige waar ze over wilde praten. Jij hebt dat moment met haar gedeeld. Ik heb het gemist.'

'Dat kan gebeuren.'

'Dat weet ik en ik vind het niet leuk.' Ze leunt opzij en legt haar hoofd op mijn schouder. 'Stel dat ik er niet bij ben als Emma begint te wisselen of Charlie haar eerste afspraakje heeft? Ik wil niet dat de dingen veranderen als ik op reis ga, Joe. Ik weet dat het irrationeel en zelfzuchtig en onmogelijk is. Ik wil dat jij zorgt dat ze exact hetzelfde blijven tot ik thuiskom, zodat ik er ook bij kan zijn.'

Julianne strijkt met een vinger over de zijkant van mijn dij. 'Ik weet dat het je werk is om mensen te helpen. En ik weet dat geestelijk gestoorde mensen vaak worden gestigmatiseerd, maar ik wil niet dat Charlie en Emma blootgesteld worden aan beschadigde mensen en hun beschadigde geest.'

'Ik zou nooit...'

'Weet ik, weet ik, maar denk maar eens aan vorige keer.'

'Vorige keer?'

Ze heeft het over een van mijn vroegere cliënten, die me probeerde kapot te maken door me alles wat mij lief was af te nemen: Julianne, Charlie, mijn carrière, mijn leven…

'Dit is iets totaal anders.'

'Ik waarschuw je alleen. Ik wil jouw werk hier niet in huis.'

'Darcy is geen gevaar. Het is een goed kind.'

'Ze ziet er niet uit als een kind,' zegt ze terwijl ze zich naar me omdraait. Haar mondhoeken wijzen omlaag. Het is geen glimlach en ook geen uitnodiging voor een zoen.

'Vind je haar knap?'

'Tot ik jou uit de trein zag stappen.'

*

Drie uur 's nachts. De meiden slapen. Ik glip mijn bed uit en sluit de deur van de werkkamer voordat ik de lamp aandoe. Ik zou mijn medicatie weer de schuld kunnen geven, maar in mijn hoofd tuimelen te veel gedachten over elkaar heen.

Dit keer denk ik niet aan Christine Wheeler of Darcy en beleef ik ook niet dat moment op de brug opnieuw. Wat me bezighoudt ligt dichter bij huis. Ik blijf maar nadenken over de lingerie en de hotelrekening. De ene gedachte roept de volgende op. De late telefoontjes waarvoor Julianne de deur van de werkkamer dichtdoet. De overnachtingen in Londen. De plotselinge wijzigingen in haar agenda die haar nog langer van huis hebben gehouden…

Ik haat de dooddoeners dat huwelijken hun ups en downs hebben en in de loop der jaren veranderen. Julianne is een beter persoon dan ik. Ze is emotioneel sterker en heeft meer geïnvesteerd in het bij elkaar houden van dit gezin. Nog een cliché: er is een derde persoon in ons huwelijk. Hij heet meneer Parkinson en is vier jaar geleden bij ons ingetrokken.

Het betalingsbewijs van het hotel zit tussen de bladzijden van een boek geperst. Hotel Excelsior. Julianne zei dat het op loopafstand van de Spaanse Trappen en de Trevifontein was. Ik toets het nummer in. Een vrouw neemt op, de nachtreceptioniste. Ze klinkt jong en vermoeid. In Rome is het vier uur in de ochtend.

'Ik heb een vraag over een rekening,' fluister ik, mijn hand om de hoorn gekromd.

'Ja meneer, wanneer verbleef u hier, meneer?'

'Nee, het is niet voor mezelf. Het is voor een medewerker.'

Ik probeer een smoes te bedenken. Ik ben accountant en bel vanuit Londen. Ik ben bezig de boeken te controleren. Ik geef haar Juliannes naam en de datums van haar verblijf.

'Mevrouw O'Loughlin heeft haar rekening in zijn geheel voldaan. Ze betaalde met haar creditcard.'

'Ze was in gezelschap van een collega.'

'De naam?'

Dirk. Wat is zijn achternaam? Ik kan het me niet herinneren.

'Ik wilde alleen iets vragen over het bedrag van de roomservice voor een ontbijt... met champagne.'

'Is mevrouw O'Loughlin het niet eens met haar rekening?'

'Zou er een vergissing in het spel kunnen zijn?'

'Toen ze haar rekening kwam betalen heeft mevrouw O'Loughlin gezien wat de extra kosten waren.'

'Gegeven de omstandigheden lijkt het nogal veel voor één persoon. Ik bedoel, kijk maar naar de bestelling: gebakken eieren met bacon, gerookte zalm, pannenkoekjes, pasteitjes, aardbeien en champagne.'

'Ja meneer, die gegevens heb ik voor me.'

'Het is veel voor één persoon.'

'Ja, meneer.'

Ze lijkt niet te begrijpen waar ik heen wil.

'Wie heeft ervoor getekend?'

'Iemand heeft het reçuutje getekend toen het ontbijt bij de kamer werd bezorgd.'

'Dus u kunt me niet vertellen of mevrouw O'Loughlin ervoor getekend heeft?'

'Is ze het niet met de rekening eens, meneer?'

Ik lieg. 'Ze kan zich niet herinneren een dergelijke hoeveelheid eten te hebben besteld.'

Het blijft even stil. 'Wilt u dat ik u een kopie van de handtekening fax, meneer?'

'Is hij leesbaar?'

'Ik heb geen idee.'

Op de achtergrond gaat een andere telefoon. De nachtreceptioniste zit alleen achter haar balie. Ze stelt voor dat ik later in de ochtend bel en met de hotelmanager spreek.

'Ik weet zeker dat hij mevrouw O'Loughlin met alle plezier schadeloos zal stellen. De kosten zullen worden teruggeboekt naar haar creditcard.'

Ik zie het gevaar op tijd in. Julianne zal de terugboeking op haar periodieke afrekening zien staan.

'Nee, het is goed zo. Doe geen moeite.'

'Maar als mevrouw O'Loughlin het idee heeft dat we haar te veel hebben berekend.'

'Misschien heeft ze zich vergist. Sorry dat ik u lastig heb gevallen.

20

Een tiental vrouwen heeft een hoek van de kroeg in beslag genomen en stoelen en tafels tegen elkaar aan geschoven langs de dansvloer. De teef staat te dansen en wiegt als een paaldanseres met haar heupen, haar gezicht rood van het lachen en te veel wijn. Ik weet wat ze denkt. Ze denkt dat iedere man in de zaak naar haar kijkt, haar begeert, maar haar gezicht is te hard en haar lichaam nog harder.

Gelukkig ben ik niet op jeugdige onschuld uit. Niet op zuiverheid. Ik wil in vuiligheid waden. Ik wil de barstjes in haar make-up zien en de zwangerschapsstriemen op haar buik. Ik wil haar lichaam zien bungelen.

Iemand giert het uit van het lachen. De aanstaande bruid, van middelbare leeftijd, is zo dronken dat ze amper nog op haar benen kan staan. Volgens mij heet ze Cathy en heeft ze ofwel een late roeping of gaat ze voor de tweede keer op. Ze botst tegen een of andere gozer die aan een tafel zit, stoot bier uit zijn glas en maakt met de oprechtheid van een tongzoenende temeier haar excuses. Wee degene die daar zijn pik in laat hangen!

Alice loopt naar de jukebox en bestudeert de titels van de liedjes onder de ruit. Welke moeder neemt nou haar dochter, die nog niet eens de tienerleeftijd heeft, mee naar een vrijgezellenavond? Ze zou thuis in bed moeten liggen. In plaats daarvan zit ze te mokken en, mollig en niet van haar plaats te krijgen, chips te eten en limonade te drinken.

'Hou je niet van dansen?' vraag ik.

Alice schudt haar hoofd.

'Het is vast heel saai als je zelf niet danst.'

Ze haalt haar schouders op.

'Klopt het dat je Alice heet?'

'Hoe weet u dat?'

'Ik hoorde het je moeder zeggen. Het is een leuke naam. "Kun je niet wat harder lopen?" sprak een wijting tot een slak. "Een bruinvis zit ons op de hielen, strakjes zegt mijn staart nog krak! Zie je dat? De schildpadden en kreeften komen gretig dichterbij. Dans je wel, niet, wel, niet, wel niet, dans je wel of niet met mij?"'

'Dat komt uit Alice in Wonderland,' zegt ze.

'Dat klopt.'

'Dat las mijn vader me altijd voor.'

'Vreemderder en vreemderder. Waar is je vader nu?'

'Die is er niet.'

'Weg voor zaken?'

'Hij reist veel.'

Sylvia tolt in iemands armen over de dansvloer. Af en toe fladdert haar jurk zo hoog op dat haar slipje te zien is.

'Je moeder heeft het naar haar zin.'

Alice rolt met haar ogen. 'Ik schaam me dood.' Dan een vraag: 'Waarom draagt u een zonnebril?'

'Om niet te worden herkend.'

'Voor wie houdt u zich schuil?'

'Waarom denk je dat ik me schuilhoud? Misschien ben ik wel beroemd.'

'En, bent u dat?'

'Ik ben incognito.'

'Wat betekent dat?'

'In vermomming.'

'Het is geen erg goede vermomming.'

'Dank je.'

Ze haalt haar schouders op.

'Van wat voor soort muziek hou je, Alice? Wacht! Niet zeggen. Ik denk dat jij een Coldplayfan bent?'

Haar ogen worden groot. 'Hoe weet u dat?'

'Jij bent duidelijk een meisje met een zeer goede smaak.'

Dit keer glimlacht ze.

'Chris Martin is een maat van me,' zeg ik.

'Dat meent u niet.'

'Jawel.'

'De zanger van Coldplay? Kent u die?'

'Jazeker.'

'Hoe is hij in het echt?'

'Een goeie gozer: niet zelfingenomen.'

'Wat betekent dat?'

'Verwaand. Vervuld van zichzelf.'

'Oké, maar zij is een vervelend wijf.'

'Gwyneth is best aardig.'

'Mijn vriendin Shelly zegt dat Gwyneth Paltrow een nagemaakte Madonna is. Shelly zou haar mond moeten houden want zij heeft tegen Danny Green gezegd dat ik hem er afgetraind uit vond zien, alleen heb ik dat nooit gezegd. Wat denkt ze wel! Ik val totaal niet op hem.'

Vlakbij ons steekt iemand een sigaret op. Ze trekt haar neus op. 'Mensen zouden niet moeten roken. Daar krijg je gangreen van. Mijn pa rookt en mijn twee ooms ook. Ik heb het één keer geprobeerd en daarna over mijn ma's leren stoelen gekotst.'

'Ze zal wel onder de indruk zijn geweest.'

'Shelly had me overgehaald.'

'Ik zou maar wat minder vaak naar Shelly luisteren.'

'Ze is mijn beste vriendin. Ze is knapper dan ik.'

'Dat geloof ik niet.'

'Hoe kunt u dat nou weten. U heeft haar nooit gezien.'

'Ik vind het gewoon moeilijk te geloven dat iemand knapper zou kunnen zijn dan jij.'

Alice fronst sceptisch haar wenkbrauwen en verandert van onderwerp.

'Wat is het verschil tussen een vriendje en een echtgenoot?' vraagt ze.

'Hoezo?'

'Het is een mop. Ik heb hem van iemand gehoord.'

'Weet ik niet. Nou, wat is het verschil tussen een vriendje en een echtgenoot?'

'Vijfenveertig minuten.'

Ik glimlach.

'Oké. Leg hem maar eens uit,' zegt ze.

'Zo lang duurt een trouwceremonie. Het verschil tussen een vriendje en een echtgenoot is vijfenveertig minuten.'

'O. Ik dacht dat het een schuine bak was. Vertelt u nu eens een mop.'

'Ik ben niet goed in moppen onthouden.'

Ze is teleurgesteld.

'Kent u Chris Martin echt?'

'Jazeker. Hij heeft een huis in Londen.'

'Bent u daar geweest?'

'Yep.'

'Wat een mazzelaar bent u.'

In haar nek, onder haar rechteroor, heeft ze een kleine, amandelvormige moedervlek. Pal daaronder zwaait een gouden kettinkje met een hoefijzertje heen en weer als ze op haar hakken naar voren en naar achteren wiegt.

'Hou je van paarden?'

'Ik heb er een, een vosmerrie.'

'Hoe groot is ze?'

'Stokhoogte één meter vijftig.'

'Dat is een mooie maat. Hoe vaak rijd je?'

'Elk weekend. Ik heb zaterdagmiddag paardrijlessen.'

'Paardrijlessen. Bij wie?'

'Bij stalhouderij Clack Mill. Ik heb les van mevrouw Lehane.'

'Je vindt haar aardig.'

'Ja.'

Er galmt opnieuw een gierende lach door de bar. Twee mannen hebben zich bij het vrijgezellenfeestje gevoegd. Een van de twee heeft zijn arm om Sylvia's middel en in zijn andere hand een groot bierglas. Hij fluistert iets in haar oor. Ze knikt.

'Ik wou dat ik naar huis kon,' zegt Alice, mistroostig kijkend.

'Ik zou je best naar huis willen brengen,' zeg ik, 'maar dat vindt je ma vast niet goed.'

Alice knikt. 'Ik mag niet eens met vreemden práten.'

'Ik ben geen vreemde. Ik weet alles van je. Ik weet dat je van Coldplay houdt en een paard hebt dat Sally heet en dat je in Bath woont.'

Ze lacht. 'Hoe weet u nou waar ik woon? Dat heb ik u niet verteld.'

'Wel waar.'

Ze schudt stellig haar hoofd.

'Nou, dan heeft je moeder er zeker iets over gezegd.'

'Kent u haar?'

'Misschien.'

Ze heeft haar limonade op. Ik bied haar er nog een aan maar ze slaat het af. De vochtige kou die uit de open deuropening komt doet haar huiveren.

'Ik moet gaan, Alice. Leuk je te hebben ontmoet.'

Ze knikt.

Ik glimlach, maar mijn ogen zijn gericht op de dansvloer waar haar moeder haar beste beentje voorzet. Haar nieuwe vriend laat haar over zijn arm naar achteren hangen en snuffelt in haar hals. Ik wed dat ze naar overrijp fruit ruikt dat te lang in de schaal heeft gelegen. Ze zal gemakkelijk te kneuzen zijn. Ze zal gemakkelijk te breken zijn. Ik kan het sap al proeven.

21

In mijn slaap hoor ik de telefoon overgaan. Julianne reikt over me heen en pakt het toestel uit zijn houder.

'Er is vast wel iemand anders die u kunt bellen,' zegt ze. 'Weet u wel hoe laat het is? Nog niet eens zes uur. U heeft het hele huis wakker gemaakt.'

Ik slaag erin het toestel uit haar vingers los te wurmen. Het is Veronica Cray.

'Uit de veren, professor. Ik stuur een wagen.'

'Wat is er?'

'Er heeft zich een ontwikkeling voorgedaan.'

Julianne is boos naar haar eigen kant toe gerold en heeft het dekbed onder haar kin getrokken. Ze doet alsof ze slaapt. Ik begin me aan te kleden en heb moeite mijn overhemd dicht te knopen en mijn veters te strikken. Na een poos gaat ze rechtop zitten en trekt me aan de voorpanden van mijn overhemd naar zich toe. Ik ruik de zachtzure geur van haar slaperige ademhaling.

'Niet je corduroy broek aantrekken.'

'Wat is er mis met corduroy?'

'Er is niet genoeg tijd om uit te leggen wat er allemaal mis is met corduroy. Geloof me nou maar gewoon.'

Ze schroeft de doppen van de potjes met mijn pillen en pakt een glas water voor me. Ik voel me uitgewoond en dankbaar. Somber.

'Ik had het anders verwacht,' fluistert ze, meer tegen zichzelf dan tegen mij.

'Wat bedoel je?'

'Toen we uit Londen verhuisden – ik dacht dat dingen anders zouden worden. Geen rechercheurs of politieauto's meer en geen gepieker over afschuwelijke misdaden.'

'Ze hebben mijn hulp nodig.'

'Jij wílt ze helpen.'

'We hebben het er nog wel over,' zeg ik terwijl ik me vorooverbuig om haar een kus te geven. Ze keert haar wang af en trekt het dekbed over zich heen.

Buiten staan Monk en Safari Roy op me te wachten. Monk houdt het portier van de auto voor me open. Roy trapt de auto op zijn staart en scheurt met wegspattend grind en modder de voor de kerk gelegen minirotonde af.

Monk is zo lang dat zijn knieën tegen het dashboard gevouwen lijken te zitten. Uit de radio komt gekwebbel. Geen van de twee rechercheurs lijkt bereid me te vertellen waar we heen gaan.

Een halfuur later komen we tot stilstand in de schaduw van het stadion van Bristol City Football Club, waar drie meedogenloos lelijke flatgebouwen boven Victoriaanse rijtjeshuizen, prefabbetonnen fabrieksgebouwen en het terrein van een autohandel uitrijzen. Op de hoek staat een politiebus geparkeerd. Er zit een tiental politieagenten in, sommige van hen met kogel- en steekwerende vesten. Veronica Cray kijkt op van de motorkap van een auto, een kaart uitgespreid op het afkoelende staal.

Oliver Rabb staat naast haar, diep voorovergebogen, alsof hij zich ervoor geneert dat hij langer is dan zij. Hij begroet me met een kort knikje. Ik wacht op de uitleg van de inspecteur.

'Als ik echtelijke tweedracht heb veroorzaakt dan spijt me dat,' zegt ze niet erg overtuigend.

'Maakt niet uit. Wat is er aan de hand?'

'Oliver hier heeft een tien voor vlijt verdiend. Gisteravond om 19.00 uur begon Christine Wheelers mobiele telefoon in een gsm-mast te pingen die zich iets meer dan driehonderdvijftig meter hiervandaan bevindt. Het betreft dezelfde telefoon die ze vrijdagmiddag van huis had meegenomen, maar die sinds in Leigh Woods het signaal wegviel en ze op een ander mobieltje overging geen signaal meer heeft uitgestuurd.'

'Wie heeft haar telefoon nu?'

De inspecteur gebaart naar het dichtstbijzijnde blok flats. 'Iemand heeft hem gebruikt om een pizza te bestellen. Hij werd bezorgd bij het appartement van Patrick Fuller, een oud-militair. Hij werd afgekeurd voor dienst op grond van "mentale ongeschiktheid".'

'Wat betekent dat?'

Ze haalt haar schouders op. 'Dat is uw terrein, niet het mijne. Het schijnt dat hij zwaargewond was geraakt door een bermbom in zuidelijk Afghanistan. Twee mensen van zijn peloton kwamen om. Het schijnt dat hij niet alleen lichamelijk, maar ook geestelijk beschadigd was. Een verpleegster in een legerhospitaal in Duitsland beschuldigde hem ervan dat hij haar had betast. Het leger stuurde hem de laan uit.'

Ik kijk naar de grauwe betonnen blokken die als eilanden afsteken tegen een lichter wordende hemel.

De inspecteur is nog steeds aan het woord.

'Vier maanden geleden raakte Fuller zijn rijbewijs kwijt wegens rijden onder invloed, na positief te zijn getest op cocaïne. Rond die tijd liep zijn vrouw bij hem weg, met medeneming van hun twee kinderen.'

'Hoe oud is hij?'

'Tweeëndertig.'

'Kent hij Christine Wheeler?'

'Onbekend.'

'Wat gaat er nu gebeuren?'

'We gaan hem arresteren.'

Het flatgebouw heeft een inpandig trappenhuis en een lift die alle verdiepingen langs gaat. De achteringang ruikt naar opengereten vuilniszakken, kattenpis en natte kranten. Patrick Fuller woont op de vierde verdieping.

Ik kijk toe terwijl een tiental agenten in kogelvrije vesten de trap opgaan. Vier anderen nemen de lift. Hun bewegingen zijn gedurende maanden van training ingeslepen, maar lijken overdreven en overbodig voor een verdachte zonder gewelddadig verleden.

Misschien is dit wel de toekomst, een erfenis van 11 september en van de aanslagen op metrotreinen in Londen. De politie klopt niet langer aan de deur om verdachten beleefd te verzoeken mee te komen. In plaats daarvan hullen ze zich in beschermende pakken en beuken ze met een stormram deuren in. Privacy en persoonlijke vrijheid doen er minder toe dan openbare veiligheid. Ik begrijp de argumentatie maar heb heimwee naar de goede oude tijd.

De agent die voorop gaat is bij de deur aangekomen. Veronica Cray belt Christine Wheelers mobiele nummer. De agent drukt zijn oor tegen de deur. Hij kijkt om en knikt. Ze knikt terug.

Een stormram beschrijft een korte boog. De deur verdwijnt uit het zicht. De arrestatieploeg blijft abrupt staan. Een grommende pitbullterriër doet een uitval naar de dichtstbijzijnde agent, die achteruit deinst en struikelt. De pitbull, een en al tanden en razernij, schiet op de keel van de man af maar wordt tegengehouden.

Een man in wijde broek en sweater heeft de hond bij zijn halsband vast. Hij lijkt ouder dan tweeëndertig, met fletse ogen en piekerig, recht achterovergekamd haar. Hij schreeuwt aan de politie gerichte beschuldigingen en zegt dat ze moeten oprotten en hem met rust moeten laten. Met zijn achterpoten krabbend probeert de hond zich los te rukken. Pistolen worden getrokken. Iets of iemand gaat neergeschoten worden.

Vanaf de trap kijk ik toe. Agenten hebben zich tot halverwege de gang teruggetrokken. Een andere groep staat een meter of vier aan de andere zijde van de deuropening.

Fuller kan niet wegkomen. Iedereen moet zijn kalmte zien terug te vinden.

'Laat ze niet op hem schieten.'

Veronica Cray kijkt me honend aan. 'Als ik zou willen dat hij werd neergeschoten zou ik dat zelf wel doen.'

'Laat mij met hem praten.'

'Laat dit maar aan ons over.'

Ik negeer haar en wring me tussen schouders door. Fuller staat vier meter verderop nog altijd te schreeuwen, boven het grommen en schuimbekken van zijn hond uit.

'Luister naar me, Patrick,' schreeuw ik. Hij aarzelt en neemt me monsterend op. Zijn gezicht is in niet-aflatende beweging, verwrongen van woede en beschuldiging. 'Mijn naam is Joe.'

'Opzouten, meneer Joe.'

'Wat is het probleem.'

'Er is geen probleem, als ze me maar met rust laten.'

Ik zet nog een stap, de hond doet een uitval.

'Ik laat hem los, hoor.'

'Ik doe geen stap meer.'

Ik leun tegen de muur en kijk naar de betonnen vloer, die be-zaaid is met olieachtige zwarte rondjes geplette kauwgom. Ik haal mijn mobieltje tevoorschijn, schuif hem open en klik de menu-keuzes door, op zoek naar oude sms'jes. De pitbull voelt zich min-der bedreigd nu ik geen oogcontact maak. Er is een korte rust die iedereen de gelegenheid geeft diep adem te halen.

Uit mijn ooghoek zie ik dat de pistolen nog altijd geheven zijn.

'Ze zullen je neerschieten, Patrick, of je hond.'

'Ik heb niets misdaan. Zeg dat ze weg moeten gaan.'

Zijn accent verraadt meer opleiding dan ik had verwacht. 'Dat zullen ze niet doen. Er is al te veel gebeurd.'

'Ze hebben godverdomme mijn deur gemold.'

'Oké, misschien hadden ze eerst moeten kloppen. Daar kunnen we het later over hebben.'

De pitbull valt op nieuw naar me uit. Fuller rukt hem naar ach-teren. Het dier rochelt en hoest.

'Heb je wel eens naar die waargebeurde Amerikaanse misdaad-programma's gekeken, Patrick? Die waarin televisiehelikopters en reporters filmen hoe politiewagens mensen achtervolgen en ar-resteren?'

'Ik kijk bijna geen tv.'

'Goed, maar je weet welke programma's ik bedoel. Herinner je je O.J. Simpson en de Ford Bronco nog? Dat hebben we allemaal gezien: tv-helikopters die beelden de wereld over stuurden terwijl O.J. op de snelweg reed.

'Weet je wat ik altijd zo stupide vond aan die scène? Dat zo-veel mensen die op de vlucht slaan dat doen. Ze volharden in hun vluchtpoging terwijl ze een sliert politiewagens aan hun staart hebben hangen en een heli boven hun hoofd en tv-ploegen die de hele zaak filmen. Zelfs als ze de auto ergens tegenaan zetten sprin-gen ze er nog uit en nemen de benen over afzettingen en hekken en tuinmuren. Belachelijk, omdat ze toch niet zullen ontkomen, niet met al die mensen achter zich aan. En het enige wat ze bereiken is dat ze de indruk geven dat ze zo schuldig zijn als wat.'

'O.J. is niet veroordeeld. Hij kwam weer vrij.'

'Daar heb je gelijk in. De jury verklaarde hem onschuldig, maar voor de publieke opinie maakte dat geen verschil. O.J. leek schuldig en de meeste mensen denken nog steeds dat hij het gedaan heeft.'

Patrick kijkt me nu strak aan. Het stuiptrekken van zijn gezicht is gestopt. De hond houdt zich koest.

'Zo te zien ben je een behoorlijk slimme gast, Patrick. En ik geloof niet dat een slimme figuur zoals jij een dergelijke fout zou maken. Jij zou zeggen: "Hoor eens, agenten, wat is dit allemaal? Natuurlijk wil ik jullie vragen beantwoorden. Maar laat me wel even mijn advocaat bellen."'

Een zweem van een glimlach. 'Ik ken geen advocaten.'

'Ik kan er zo eentje voor je regelen.'

'Kunt u Johnny Cochrane regelen?'

'Nee, maar wel zijn verre neef Frank.'

Hiermee oogst ik een oprechte glimlach. Ik stop mijn telefoon terug in mijn zak.

'Ik heb voor dit land gevochten,' zegt Patrick. 'Ik heb maten zien sterven. Weet u hoe dat voelt?'

'Nee.'

'Vertel me maar waarom ik dit soort shit zou moeten accepteren.'

'Zo zit het systeem in elkaar, Patrick.'

'Het systeem kan de klere krijgen.'

'Het merendeel van de tijd functioneert het.'

'Niet voor mij.'

Ik rek me uit en spreid mijn handen in een gebaar van overgave.

'Het is aan jou. Als ik wegga en de gang afloop zullen ze je hond doodschieten. De andere mogelijkheid is dat jij je flat in loopt, de hond in de slaapkamer opsluit en met je handen in de lucht weer naar buiten komt. Niemand die dan gewond raakt.'

Hij denkt hier heel even over na en rukt dan hard aan de halsband, dwingt de kop van het beest de andere kant op en trekt hem naar binnen. Een minuut later komt hij naar buiten. De agenten sluiten hem in.

Binnen enkele tellen is Patrick op de knieën gedwongen en met zijn handen op zijn rug getrokken en in een buikligging geduwd. Een hondengeleider is naar binnen gegaan met een lange stok met een strop eraan. De pitbull springt woest op en neer terwijl hij met hem naar buiten komt.

'Niet mijn hond,' fluistert Patrick. 'Niet mijn hond pijn doen.'

22

Een politieverhoor is een voorstelling in drie bedrijven. In het eerste bedrijf worden de personages geïntroduceerd, in het tweede het conflict, in het derde bedrijf de oplossing.

Dit verhoor is anders verlopen. Het afgelopen uur heeft Veronica Cray geprobeerd een lijn te ontdekken in Patrick Fullers onsamenhangende antwoorden en bizarre rationalisaties. Hij ontkent in Leigh Woods te zijn geweest. Hij ontkent Christine Wheeler te hebben gezien. Hij ontkent dat hij uit het leger is ontslagen. Hij lijkt bereid zijn eigen geschiedenis te ontkennen. Aan de andere kant kan hij zich ineens, op onverklaarbare wijze, in één enkel feit verliezen en zich daar op concentreren, al het andere negerend.

Ik bekijk hem van achter de doorkijkspiegel en voel me een voyeur. De verhoorkamer is nieuw en in pasteltinten uitgevoerd, met gestoffeerde stoelen en aan de wanden strandgezichten. Patrick loopt van de ene hoek naar de andere met zijn hoofd omlaag en zijn handen langs zijn zij, alsof hij zijn busgeld is verloren. Inspecteur Cray vraagt hem te gaan zitten. Hij voldoet aan haar verzoek, maar slechts voor even. Elke nieuwe vraag brengt hem opnieuw in beweging.

Hij voelt in zijn achterzak, zoekt iets, een kam wellicht die daar niet langer zit. Vervolgens gebruikt hij zijn vingers om zijn haar naar achteren te kammen. Hij heeft een litteken op zijn linkerhand, een 'x' die vanaf de inplant van zijn duim en pink aan weerszijden van zijn polsgewricht eindigt.

Een toegevoegd advocaat is opgeroepen om hem met advies bij te staan. Ze is van middelbare leeftijd en zakelijk, doet haar aktetas tussen haar knieën en legt haar handen ineengevouwen op een groot schrijfblok. Patrick lijkt niet onder de indruk te zijn. Hij had een man gewild.

'Zeg alstublieft tegen uw cliënt dat hij moet gaan zitten,' verordonneert Veronica Cray.

'Ik doe mijn best,' antwoordt ze.

'En zeg hem dat hij moet ophouden met rotzooien.'

'Hij werkt mee.'

'Dat is een interessante interpretatie.'

De twee vrouwen mogen elkaar niet. Misschien is er in het verleden iets voorgevallen. De inspecteur haalt een afgesloten plastic monsterenvelop tevoorschijn.

'Ik stel u de vraag nogmaals, meneer Fuller: heeft u deze telefoon eerder gezien?'

'Nee.'

'Hij is afkomstig uit uw flat.'

'Dan zal hij wel van mij zijn.'

'Waar heeft u hem vandaan?'

'Wie wat vindt mag het houden.'

'Wilt u zeggen dat u hem hebt gevonden?'

'Dat weet ik niet meer.'

'Waar was u vrijdagmiddag?'

'Ik was naar het strand.'

'Toen regende het.'

Hij schudt zijn hoofd.

'Was u samen met iemand?'

'Met mijn kinderen.'

'U had de kinderen.'

'Jessica heeft schelpen lopen verzamelen in haar emmertje en George heeft een zandkasteel gebouwd. George kan niet zwemmen, maar Jessica vordert al aardig. Ze hebben pootje gebaad.'

'Hoe oud zijn uw kinderen?'

'Jessica is zes en George vier, geloof ik.'

'Het lijkt of u het niet zeker weet.'

'Natuurlijk weet ik het zeker.'

De inspecteur probeert hem vast te pinnen op details door te vragen hoe laat hij bij het strand aankwam, hoe laat ze naar huis gingen en wie ze overdag hebben ontmoet. Fuller beschrijft een stereotiep zomers uitstapje: een ijsje kopen, op het kiezelstrand zitten en in de rij staan voor het ezeltjerijden.

De voorstelling is overtuigend, het verhaal onmogelijk om te geloven. In twaalf graafschappen waren vrijdag overstromingswaarschuwingen van kracht. Langs de Atlantische kust was het op de Severn stormachtig.

Veronica Cray begint haar geduld te verliezen. Het zou simpeler zijn als Fuller helemaal niets zei, dan zou ze tenminste het bewijs op een logische manier kunnen ontrafelen en een muur van feiten om hem heen kunnen bouwen. In plaats daarvan veranderen zijn verklaringen voortdurend, wat haar telkens dwingt een stap terug te gaan in haar verhoor.

Het fenomeen is mij niet geheel onbekend. Ik heb het in mijn spreekkamer aanschouwd: cliënten die met ingewikkelde en grillige ideeën en verzinsels komen en nergens op vastgepind willen worden.

Het verhoor wordt even onderbroken. In de wachtkamer hangt een stilte. Monk en Roy kijken elkaar aan met een nauw verholen glimlach en hebben een tegendraads plezier nu ze hun meerdere zien falen. Ik denk niet dat ze dat veel vaker hebben meegemaakt.

Inspecteur Cray smijt een klembord tegen een muur. Papieren dwarrelen op de grond. 'Ik geloof niet dat hij de zaak bewust probeert te flessen,' zeg ik. 'Hij probeert behulpzaam te zijn.'

'Die gozer is zo gek als een deur.'

'Het kan best dat hij zich dingen echt niet kan herinneren.'

'Wat een gelul!'

Ik sta met een opgelaten gevoel tegenover haar. Monk bestudeert de glimmende neuzen van zijn schoenen, Safari Roy inspecteert een duimnagel.

'Hersenletsel zou een mogelijke verklaring kunnen zijn voor zijn gedrag. Wat weten we over zijn verwondingen?'

'Het was een bermbom. Hij heeft drie maanden in het ziekenhuis gelegen.'

'Kan ik met hem spreken? Ik wil hem als cliënt tegemoet treden. Geen geluidsopnamen. Geen video's. Ongenotuleerd.'

Er valt heel even een stilte. De inspecteur kookt van woede.

'Wat kopen wij daarvoor?'

'Dan weten jullie of hij een legitieme verdachte is.'

'Hij ís al verdacht. Hij was in het bezit van Christine Wheelers telefoon.'

Ze denkt na of ze met mijn voorstel zal instemmen, nog altijd zichtbaar overlopend van woede, die onder haar overhemd over haar schouders lijkt te golven. Monk en Roy kijken me meewarig aan, alsof ik een gedoemd man ben.

De inspecteur twijfelt of ze mij in de verhoorkamer moet toelaten. Als Patrick Fuller aangeklaagd wordt voor moord, zou hij het gesprek met mij als vluchtroute kunnen gebruiken en kunnen proberen aan vervolging te ontkomen doordat niet de juiste procedure is gevolgd.

'En als we het nou eens een psychologische evaluatie noemden?'

'Praat met zijn advocaat.'

Patrick is mee naar beneden genomen naar een cel. De toegewezen advocaat hoort mijn argumenten aan en wil precies weten waarvoor de psychologische evaluatie zal worden gebruikt. Ik leg uit dat niets wat Patrick me vertelt tegen hem kan worden gebruikt, tenzij hij instemt met het afleggen van een volledige verklaring. In haar hoedanigheid als advocaat mag ze het gesprek bijwonen, maar moet ze er het zwijgen toe doen, tenzij ze van mening is dat haar cliënt een rustpauze nodig heeft.

We worden het eens over de spelregels. Patrick wordt weer opgehaald. Vanuit het donker van de observatiekamer zie ik hoe hij behoedzaam door de verhoorruimte loopt, zich omkeert en weer terugloopt en probeert zijn voeten steeds op dezelfde vierkanten van de vloerbedekking te zetten. Hij aarzelt. Hij is vergeten hoeveel stappen terug het is naar waar hij was begonnen. Met zijn ogen dicht probeert hij zich zijn stappen voor de geest te halen. Dan zet hij zich weer in beweging.

Ik doe de deur open en maak hem aan het schrikken. Een moment lang ben ik meer dan hij kan doorgronden. Dan weet hij weer wie ik ben. Zijn bezorgdheid maakt plaats voor een reeks verholen glimlachjes, alsof hij zijn gezichtsspieren aan het afstellen is tot hij tevreden is met het gezicht dat hij de wereld laat zien.

De toegewezen advocaat loopt achter me aan de kamer in en pakt een stoel in de hoek.

'Hallo Patrick.'

'Mijn hond.'

'Voor je hond wordt gezorgd. Wat was dat wat je een minuut geleden zag op de grond?'

'Niets.'

'Er was iets waar je niet op wilde trappen.'

'De muizenvallen.'

'Wie heeft de muizenvallen neergezet?'

Hij kijkt me verwachtingsvol aan. 'Kunt u ze zien?'

'Hoeveel zie jij er?'

Hij steekt zijn wijsvinger uit en begint te tellen. 'Twaalf, dertien.'

'Ik ben psycholoog, Patrick. Heb je al eens eerder met iemand zoals ik gesproken?'

Hij knikt.

'Nadat je gewond was geraakt?'

'Ja.'

'Heb je nachtmerries?'

'Soms.'

'Waar gaan die nachtmerries over?'

'Bloed.' Hij gaat zitten en staat vrijwel onmiddellijk weer op.

'Bloed?'

'Eerst zie ik het lichaam van Leon, die bovenop me ligt. Zijn ogen zijn helemaal weggedraaid in zijn hoofd. Overal is bloed. Ik weet dat hij dood is. Ik moet hem van me af duwen. Spike zit gevangen onder het chassis van de pantserwagen, met zijn benen beklemd. We kunnen hem onmogelijk optillen. Kogels ketsen als regendruppels van het metaal en we proberen als een gek dekking te zoeken.

Spike schreeuwt de longen uit zijn lijf omdat zijn benen verbrijzeld zijn en het pantservoertuig in brand staat. En we weten allemaal dat, als de vlammen de munitieruimte bereiken, de hele zaak de lucht in gaat.'

Patrick haalt met snelle, stokkende halen adem en op zijn voorhoofd parelt zweet.

'Is dat wat er in het echt is gebeurd, Patrick?'

Hij geeft geen antwoord.

'Waar is Spike nu?'

'Hij is dood.'

'Kwam hij om het leven bij de aanval?'

Patrick knikt.

'Hoe is hij gestorven?'

'Hij is doodgeschoten.'

'Wie heeft hem doodgeschoten?'

Hij fluistert. 'Ik.'

Zijn advocaat wil tussenbeide komen. Ik maak een ingehouden handgebaar, in de hoop op nog een klein stukje.

'Waarom schoot je Spike dood?'

'Een kogel had hem in zijn borstkas geraakt, maar hij bleef maar gillen. De vlammen hadden zijn benen bereikt. We konden hem niet los krijgen. We zaten klem. We kregen bevel ons terug te trekken. Hij schreeuwde het uit tegen me. Hij smeekte…'

Patricks gezichtsspieren vertrekken en spannen zich van smart. Hij slaat zijn handen voor zijn gezicht en kijkt me tussen de gespreide vingers door aan. Snikkend.

'Het is goed,' zeg ik tegen hem. 'Ontspan je. Neem een slokje water.'

Hij reikt naar voren en heeft twee handen nodig om het plastic bekertje aan zijn lippen te zetten. Over het randje heen houden zijn ogen me in de gaten, mijn reactie peilend. Dan ziet hij mijn linkerhand. Mijn duim en wijsvinger zijn weer aan het geldtellen. Het is een detail dat hij in zijn geheugen op lijkt te bergen.

'Ik ga je een aantal vragen stellen, Patrick. Ik ga niet proberen je erin te luizen. Het is geen test. Ik wil slechts dat je je concentreert.'

Hij knikt.

'Wat voor dag is het vandaag?'

'Vrijdag.'

'De hoeveelste?'

'De zestiende.'

'Het is de twintigste. Van welke maand?'

'Augustus.'

'Waarom zeg je dat?'

'Het is warm buiten.'

'Je bent niet gekleed voor een warme dag.'

Hij kijkt naar zijn kleren, bijna verbaasd. Dan zie ik zijn ogen omhooggaan en zich iets verplaatsen om zich te richten op iets achter mijn rug. Ik blijf met hem doorpraten over het weer en draai mijn hoofd ver genoeg om de muur achter me te kunnen zien. Er hangt een ingelijste afdruk naast de spiegel, een strandtafereel met kinderen die tussen de kiezels spelen en pootjebaden. In de verte staan een reuzenrad en een ijscowagen.

Patrick heeft zijn complete alibi opgebouwd aan de hand van één enkel tafereel. Het hielp hem de details in te vullen die hij zich niet meer herinnerde van afgelopen vrijdag. Daarom was hij er zo zeker van dat het een warme dag was en dat hij zijn kinderen had meegenomen naar het strand.

Patrick heeft een probleem met zijn contextuele geheugen. Hij onthoudt flarden autobiografische informatie, maar kan ze niet aan een specifieke tijd of plaats koppelen. De herinneringen zweven van elkaar weg. Beelden botsen met elkaar. Daarom vertelt hij verhalen die alle kanten op gaan en vermijdt hij oogcontact. Hij ziet muizenvallen op de grond.

In zijn hoofd wordt de werkelijkheid voortdurend herzien. Als er een vraag komt waarvan hij het idee heeft dat hij hem moet beantwoorden zoekt hij naar aanwijzingen en creëert hij er een nieuw script omheen. De foto aan de muur bood hem een raamwerk en hij verzon er een verhaal omheen, voorbijgaand aan ongerijmdheden zoals de regen of de tijd van het jaar.

Als Patrick een cliënt was zou ik een serie afspraken maken en inzage vragen in zijn medisch dossier. Ik zou misschien zelfs een hersenscan kunnen regelen, die waarschijnlijk schade zou laten zien aan de rechterhemisfeer, een of andere bloeding. Hij lijdt op zijn minst aan posttraumatische stress. Dat is waarom hij erop los fantaseert en dingen verzint, fantastische verhalen construeert om dingen te verklaren die hij zich niet kan herinneren. Hij doet het zonder opzet. Automatisch.

'Patrick,' zeg ik vriendelijk, 'als je je niet kan herinneren wat er afgelopen vrijdag is gebeurd, moet je het gewoon zeggen. Ik zal heus niet denken dat je gek bent. Iedereen vergeet wel eens wat. In je huis is een telefoon aangetroffen die toebehoorde aan een vrouw die in Leigh Woods was.'

Hij kijkt me nietszeggend aan. Ik weet dat de herinnering er is. Hij kan alleen niet bij de informatie.

'Ze was naakt,' zeg ik. Zijn ogen dwalen niet langer rond en kijken in de mijne. 'Ze had een gele regenjas aan en hoge hakken.'

'Rood,' zegt hij.

'Pardon?'

'Haar schoenen waren rood.'

'Ja.'

Het is alsof binnenin zijn hoofd de cilinders van een fruitautomaat een rijtje hebben gevormd. De verstrooide fragmenten van herinnering en emotie zijn bezig op hun plek te vallen.

'Je hebt haar gezien?'

Hij aarzelt. Nu komt er een onvervalste leugen. Ik geef hem de kans niet.

'Ze was op het pad.'

Hij knikt.

'Was ze met iemand?'

Hij schudt zijn hoofd.

'Wat was ze aan het doen?'

'Ze wandelde.'

'Heb je haar aangesproken?'

'Nee.'

'Ben je haar gevolgd?'

Hij knikt. 'Meer niet.'

'Hoe kwam je aan haar telefoon?'

'Die heb ik gevonden.'

'Waar?'

'Ze had hem in haar auto laten liggen.'

'En dus heb je hem maar meegenomen?'

'Hij zat niet op slot,' mompelt hij, niet in staat een excuus te bedenken. 'Ik maakte me zorgen over haar. Ik had het idee dat ze misschien in de problemen zat.'

'Waarom heb je dan niet de politie gebeld?'

'Ik-ik-ik had geen telefoon.'

'Je had die van haar.'

Zijn gezicht is een chaos van zenuwtrekkingen en grimassen. Hij is opgestaan en beent heen en weer, ditmaal zonder de muizenvallen te ontwijken. Hij zegt iets. Ik vang niet op wat. Ik vraag hem het te herhalen.

'De accu was leeg. Ik heb een oplader moeten kopen. Kostte me tien pond.'

Hij kijkt me verwachtingsvol aan. 'Denkt u dat ze me mijn geld terug zullen geven?'

'Weet ik niet.'

'Ik heb hem nauwelijks gebruikt.'

'Luister, Patrick. Kijk me aan. Die vrouw in het park, heb je met haar gesproken?'

Zijn gezicht trilt weer.

'Wat zei ze, Patrick? Dat is belangrijk.'

'Niets.'

'Niet met je hoofd schudden, Patrick. Wat heeft ze gezegd?'

Hij haalt zijn schouders op en kijkt de kamer rond, op zoek naar een andere afbeelding die hem kan helpen.

'Ik wil niet dat je maar wat fantaseert, Patrick. Als je het je niet herinnert, zeg het dan gewoon. Maar het is echt belangrijk. Denk eens goed na.'

'Ze vroeg naar haar dochter. Ze wilde weten of ik haar had gezien.'

'Zei ze ook waarom?'

Hij schudt zijn hoofd.

'Was dat alles wat ze zei?'

'Ja.'

'En toen?'

Hij haalt opnieuw zijn schouders op. 'Ze rende weg.'

'Ben je haar achterna gegaan?'

170

'Nee.'

'Had ze een telefoon bij zich, Patrick? Sprak ze met iemand?'

'Misschien wel, ik weet het niet. Ik kon het niet horen.'

Ineens staat Patrick op, begint opnieuw te ijsberen en stopt even om zijn voet over een 'muizenval' te tillen. Ik ben hem weer kwijt. Hij verkeert ergens anders.

'Misschien moeten we hem even laten pauzeren,' zegt de advocaat.

Buiten de verhoorkamer ga ik bij de rechercheurs zitten en leg hun uit waarom ik denk dat Patrick confabuleert en verhalen verzint.

'Dus hij heeft een hersenbeschadiging,' zegt Safari Roy in een poging mijn klinische beschrijving anders te formuleren.

'Dat maakt hem nog niet onschuldig,' doet Monk een duit in het zakje.

'Ik weet het niet. Patrick onthoudt de kern van gebeurtenissen wel, maar kan ze niet aan een specifieke plaats of tijd koppelen. Zijn herinneringen drijven uit elkaar. Als je hem een foto laat zien en hem bewijst dat hij in het bos was, zal hij dat van je aannemen. Wat niet wil zeggen dat hij zich ook herinnert dat hij daar was.'

'Hetgeen betekent dat hij nog altijd degene zou kunnen zijn die we zoeken.'

'Dat is hoogst onwaarschijnlijk. Zijn hoofd zit vol met flarden van gesprekken, beelden, zijn vrouw, zijn kinderen, dingen die gebeurd zijn voordat hij gewond raakte. Deze dingen stuiteren rond in zijn hoofd zonder enige betekenis of samenhang. Hij kan functioneren. Hij kan zich handhaven in een simpel baantje. Maar zodra zijn geheugen hem in de steek laat verzint hij iets.'

'Dat betekent dus dat een verklaring er voor ons niet in zit,' zegt de inspecteur smalend. 'Die hebben we ook niet nodig. Hij heeft toegegeven dat hij daar was. Hij had haar telefoon in zijn bezit.'

'Hij heeft haar er niet toe aangezet te springen.'

Inspecteur Cray valt me in de rede. 'Met alle respect, professor, ik weet dat u goed bent in datgene wat u doet, maar u heeft geen enkel besef van waartoe deze man in staat is.'

'U mag vinden dat ik ernaast zit, maar dat is geen reden om op te houden met denken. Ik geef mijn mening. U begaat een vergissing.'

Op een manier die geen tegenspraak duldt legt de inspecteur een stapel papieren recht en begint opdrachten uit te delen. Ze wil dat de filiaalhouder van de gsm-winkel en zijn assistent worden meegenomen naar het bureau.

'Patrick heeft haar auto op slot gedaan,' begin ik.

Veronica Cray valt me in de rede. 'Waar slaat dat nou weer op?'

'Dat lijkt me gewoon niet iets wat een moordenaar zou doen.'

'Hebt u hem gevraagd naar het waarom?'

'Hij zei dat hij niet wilde dat iemand hem zou stelen.'

23

De kleine Alice zit op haar vosmerrie. Haar haar zit in een staart die op haar rug op en neer danst terwijl ze in het zadel op en neer wipt en in grote, trage cirkels door de bak rijdt.

Drie andere leerlingen hebben zich eveneens in het zadel gehesen en zich bij de les gevoegd, alle drie in rijbroek, rijlaarzen en rijhelm. De instructrice, mevrouw Lehane, heeft brede heupen en warrig blond haar. Ze doet me denken aan een officiersvrouw die ik in Duitsland leerde kennen en die me meer vrees inboezemde dan haar echtgenoot.

Ik kan de paarden ruiken. Vertrouw nooit een dier dat groter is dan jezelf, is mijn devies. Paarden mogen op foto's dan wel intelligent en vreedzaam ogen, maar in het echt, van dichtbij, rillen en snuiven ze. En achter die grote, zachte, vochtige ogen houden ze een geheim verborgen. Als de revolutie uitbreekt zullen vierbenigen over de wereld heersen.

Een paar ouders zijn blijven staan om hun kinderen te zien rijden. Anderen staan op het parkeerterrein te kletsen. Alice heeft niemand die naar haar kijkt, alleen mij. Maak je geen zorgen, Sneeuwvlokje, ik kijk naar je. Rechtop zitten. Stapperdestap…

Op het mobieltje toets ik het nummer in en druk op de groene knop. Een vrouw neemt op.

'Spreek ik met Sylvia Furness?'

'Ja.'

'De moeder van Alice?'

'Ja. Wie is daar?'

'Ik ben de barmhartige Samaritaan die voor je dochter zorgt.'

'Hoe bedoelt u?'

'Ze is van haar paard gevallen. Ze heeft haar knie behoorlijk verdraaid. Maar het gaat alweer. Ik heb er een kusje op gegeven.'

Ik hoor haar abrupt inademen. 'Wie bent u? Waar is mijn dochter?'

'Ze is hier bij me, Sylvia, ze ligt op bed.'

'Hoe bedoelt u?'

'Ze zat onder de modder na haar val. Haar rijbroek was smerig. Ik heb hem in de wasmachine gegooid en Alice in bad gedaan. Wat heeft ze een mooie huid! Wat voor crèmespoeling gebruik je voor haar haar? Het is heel zacht.'

'D-d-dat weet ik niet precies.'

'En wat heeft ze een snoezige moedervlek in haar hals. Amandelvormig. Ik ga er een kusje op geven.'

'Nee! Blijf van haar af!'

Pijn en verwarring smoren haar woorden. Angst. Paniek. Ze maakt het op dit moment allemaal door: totale emotionele overbelasting.

'Waar is mevrouw Lehane?'

'Bij de andere leerlingen.'

'Laat me met Alice spreken.'

'Ze kan niet praten.'

'Waarom niet?'

'Er zit plakband over haar mond. Ze kan je wel horen. Laat me de telefoon naast haar oor leggen. Dan kun je tegen haar zeggen hoeveel je van haar houdt.'

Gekreun. 'Alstublieft, blijf van haar af. Laat haar alstublieft gaan.'

'Maar we hebben lol samen. Het is zo'n lief klein ding. Ik zorg voor haar. Kleine meisjes hebben zorg nodig. Waar is de pappie van Alice?'

'Wat doet dat ertoe?'

'Kleine meisjes hebben een vader nodig.'

'Hij is op zakenreis.'

'Waarom gedraag je je als een hoer als hij van huis is?'

'Dat doe ik niet.'

'Alice vindt van wel.'

'Nee.'

'Ze wordt al groot. Ze is aan het ontluiken.'

'Alstublieft, blijf van haar af.'

'Ze is erg flink. Ze heeft helemaal niet gehuild toen ik haar kleren losknipte. Ze schaamt zich nu wel een tikje dat ze bloot is, maar ik heb gezegd dat ze zich geen zorgen moet maken. Ik kon haar niet die modderkleren weer aan laten trekken. Je zou echt eens moeten investeren in een beha voor haar. Ik denk ze er klaar voor is… Ik bedoel, in mei wordt ze twaalf.'

Ze smeekt nu, snikkend door de telefoon.

'Ik weet alles over Alice. Ze houdt van Coldplay. Haar paard heet Sally. Ze heeft een foto van haar vader in haar nachtkastje. Haar beste vriendin heet Shelly. Ze is gek op een jongen op school die Danny Green heet. Ze is een tikje jong om al een vriendje te hebben, maar nog even en ze ligt te pijpen op de achterste rij van de bioscoop en doet voor iedereen in de stad haar benen van elkaar. Ik ga haar inrijden.'

'Nee, alstublieft. Ze is nog maar een….'

'Maagd, dat weet ik, ik heb gekeken.'

Sylvia is aan het hyperventileren.

'Rustig maar,' zeg ik tegen haar. 'Diep ademhalen. Luister naar me, omwille van Alice.'

'Wat wilt u?'

'Ik wil dat je me helpt een vrouw van haar te maken.'

'Nee. Nee.'

'Luister naar me, Sylvia. Val me niet in de rede.'

'Alstublieft, laat haar gaan.'

'Wat zeg ik je nou?'

'Alstublieft.'

Ik sla met de telefoon tegen mijn vuist. 'Hoor maar, Sylvia. Dat is het geluid van mijn vuist in het gezicht van Alice. En ik ga haar weer slaan, elke keer als jij me onderbreekt.'

'Nee. Alstublieft. Het spijt me.'

Ze valt stil.

'Goed zo, Sylvia. Veel beter. Ik ga je even dag laten zeggen tegen Alice. Ze kan je horen. Wat wil je tegen haar zeggen?'

'Lieverd, hier is mammie,' snikt ze. 'Het komt goed. Niet bang zijn. Ik help je. Ik… Ik…'

'Zeg dat ze zich moet ontspannen.'

'Ontspan je maar.'

'Zeg dat ze moet meewerken.'

'Doe wat die meneer zegt.'

'Dat is heel goed, Sylvia. Ze is veel rustiger. Nu kan ik beginnen. Jij kan me helpen. In welk gaatje zal ik haar het eerst neuken?'

Ze jammert door de telefoon. 'Alstublieft, laat haar met rust. Alstublieft. Neem haar mee naar buiten. Laat haar achter op straat. Ik zal niet de politie bellen.'

'Waarom zou ik daar op ingaan?'

'Ze is nog maar een kind.'

'In sommige landen huwelijken ze meisjes uit als ze zo oud zijn als zij. En ze besnijden ze en naaien hun kutten dicht.'

Van diep uit haar binnenste klinkt een rochelende kreun.

'Neem mij. U mag mij hebben.'

'Waarom zou ik jou willen hebben als ik kleine Alice heb? Zij is jong. Jij bent oud. Zij is onbevlekt. Jij bent een slet.'

'Alstublieft, neem mij.'

'Kun je haar horen ademhalen? Ik heb mijn hoofd tegen haar borst. Haar hart gaat van "tiktak, tiktak, tiktak".'

'Neem mij, alstublieft. Ik zal alles doen wat u wilt.'

'Pas op wat je zegt, Sylvia. Wil je echt haar plaats innemen?'

'Ja.'

'Zou je dat kunnen… en doen?'

'Ja.'

'Hoe weet ik of ik je kan vertrouwen?'

'U kunt me vertrouwen. Alstublieft. Laat haar gaan.'

In mijn hand ligt een tweede mobiele telefoon. Ik kies een nieuw nummer. Op de achtergrond hoor ik een mobieltje overgaan. Sylvia schermt de hoorn af, neemt haar mobieltje op en fluistert indringend: 'Help me! Alstublieft! Bel de politie. Hij heeft mijn dochter.'

Ik spreek elke lettergreep uit: 'Syl-vi-a. Raad eens wie dit is?'

Ze kreunt.

'Alice heeft me je mobiele nummer gegeven. Het was een test. Je bent gezakt. Ik kan je niet meer vertrouwen. Sylvia, ik ga nu ophangen. Je zult Alice niet meer terugzien.'

Ze jammert. 'Nee! Nee! Nee! Het spijt me. Alstublieft. Het was een vergissing. Het zal niet meer gebeuren.'

'Ik houd de telefoon weer bij Alice haar oor. Zeg tegen haar dat het je spijt. Ik was van plan haar te verkrachten en dan naar huis te sturen. En nu zie je haar nooit meer terug.'

'Alstublieft, doe haar geen pijn.'

'Ach, kijk nou toch! Je hebt haar aan het huilen gemaakt.'

'Alles. Ik zal alles doen.'

'Ik lig bovenop haar, Sylvia. Ontspan je maar, kleintje. Niet bang zijn. Het is mammies schuld. Ze was niet te vertrouwen.'

'Nee, nee, nee, alstublieft...'

'Dijtjes van elkaar, kleintje. Dit gaat pijn doen. En als ik klaar ben ga ik je zo diep begraven dat mammie je nooit zal vinden. De wormen wel. Wat zullen die je lichaam lekker vinden.'

'Neem mij! Neem mij!' gilt Sylvia. 'Blijf van haar af. Doe mijn kindje geen pijn.'

'Zeg dat het je spijt, Sylvia. En zeg daarna maar gedag.'

'Nee. Luister. Ik zal alles doen. Doe haar geen pijn. Neem mij in plaats van haar.'

'Ben je het wel waard, Sylvia? Je moet me bewijzen dat je het waard bent haar plaats in te nemen.'

'Hoe?'

'Kleed je uit.'

'Wat?'

'Alice is naakt. Ik wil dat jij ook naakt bent. Trek je kleren uit. O, kijk! Alice knikt met haar hoofd. Ze wil dat je haar helpt.'

'Mag ik nog een keer met haar praten?'

'Oké. Ze hoort je.'

'Liever, kun je me horen? Het komt goed. Niet bang zijn. Mammie zal je komen ophalen. Dat beloof ik. Ik hou van je.'

'Dat was heel ontroerend, Sylvia. Ben je al naakt?'

'Ja.'

'Loop naar het raam en doe de gordijnen open.'

'Waarom?'

'Ik zie alles, Sylvia. Ik kan je alles vertellen over je slaapkamer en je kledingkast, de kleren op de hangertjes, je schoenen...'

'Wie bent u?'

'Ik ben de man die jouw dochter gaat doodneuken als jij niet precies doet wat ik zeg.'

'Ik wil alleen weten hoe u heet.'

'Nee, dat wil je niet. Jij wilt contact maken. Jij wilt dat er tussen ons een verbondenheid ontstaat, omdat je denkt dat ik Alice dan minder snel pijn zal doen. Geen psychologische spelletjes met me spelen, Sylvia. Ik ben een professional. Ik ben een expert in het rotzooien met mensen hun geest. Ik doe het voor mijn brood. Ik doe het voor mijn vaderland.'

'Wat wil dat zeggen?'

'Dat wil zeggen dat ik weet wat jij denkt. Ik weet alles over je. Ik weet waar je woont. Ik weet welke vrienden je hebt. Ik test je nog één keer, Sylvia. Denk aan wat er de laatste keer gebeurde. Ik ken één van je vriendinnen: haar naam is Helen Chambers.'

'Wat is er met Helen?'

'Ik wil dat jij me zegt waar ze is.'

'Dat weet ik niet. Ik heb haar al jaren niet gezien.'

'Je liegt!'

'Nee, het is echt zo. Een paar weken terug heeft ze me een e-mail gestuurd.'

'Wat stond daarin?'

'Ze-ze-ze zei dat ze naar huis kwam. Ze wilde met me afspreken.'

'Syl-vi-a, niet tegen me liegen.'

'Dat doe ik niet.'

'JE BENT EEN LEUGENAAR, GODVERDOMME!'

'Niet waar.'

'Ben je al naakt?'

'Ja,' klinkt het huilerig.

'Je hebt de gordijnen niet opengedaan.'

'Wel waar.'

'Goed zo. Loop nu naar je kledingkast. Ik wil dat je je zwarte laarzen pakt. Die met die puntneuzen en hoge hakken. Je weet welk paar ik bedoel. Ik wil dat je ze aandoet.'

Ik hoor haar zoeken. Ik stel me haar voor op haar knieën, graaiend op de kastvloer.

'Ik kan ze niet vinden.'

'Dat kun je wel.'

'Ik moet de telefoon neerleggen.'

'Nee. Als je de telefoon neerlegt, sterft Alice. Simpel.'

'Ik doe mijn best.'

'Het duurt te lang. Ik ga Alice haar blinddoek afdoen. Weet je wat dat betekent? Dat ze me kan herkennen. En dan zal ik haar moeten doden. Ik ben de knoop aan het losmaken. Zodra ze haar ogen opendoet gaat ze eraan.'

'Ik heb ze gevonden! Hier heb ik ze.'

'Doe ze aan.'

'Ik moet de telefoon neerleggen om de ritsen dicht te trekken.'

'O nee.'

'Het gaat gew...'

'Denk je dat ik gek ben, Sylvia? Denk je dat ik dit niet eerder bij de hand heb gehad? Overal in dit land zijn er meisjes dood. Je leest erover in de kranten en ziet hun foto op tv. Vermiste tieners. Hun lichamen nooit gevonden. Dat heb ik gedaan! Dat was ik! Niet met me lopen kloten, Sylvia.'

'Dat doe ik ook niet. U laat Alice gaan. Ik bedoel, als ik doe wat u zegt, laat u haar dan gaan?'

'Een enkele keer blijft er iemand gespaard, maar alleen als een ander bereid is hun plaats in te nemen. Ben je bereid, Sylvia? Stel me niet teleur. Stel Alice niet teleur. Of jij doet het voor me of zij doet het voor me.'

'Ja.'

Ik laat haar naar de badkamer lopen. In de tweede la van de kaptafel zit een lippenstift. Glanzend. Roze.

'Bekijk jezelf in de spiegel, Sylvia. Wat zie je?'

'Weet ik niet.'

'Kom op. Wat zie je?'

'Mezelf.'

'Een slet. Doe lippenstift voor me op. Maak jezelf mooi.'

'Ik kan het niet.'

'Jij doet het voor me of zij doet het voor me.'

'Goed dan.'

179

'En nu de onderste la, daar zit een roze tas in. Neem die mee.'

'Ik zie geen roze tas. Hij ligt er niet.'

'Wel waar. Niet nog een keer tegen me liegen.'

'Nee.'

'Ben je klaar?'

'Ja.'

Ik zeg dat ze naar de voordeur van de flat moet lopen en haar autosleutels en de roze tas moet meenemen.

'Doe de deur open, Sylvia. Stap voor stap.'

'En dan laat u Alice gaan?'

'Als je doet wat ik zeg.'

'U gaat haar geen pijn doen?'

'Ik zorg dat haar niets overkomt. Moet je nou toch eens kijken, Alice knikt. Ze is blij. Ze wacht op je.'

Ze is beneden aan de trap. Ze opent de buitendeur.

'Niemand aankijken, Sylvia. Naar niemand zwaaien. Loop naar je auto. Doe het telefoontje in de handsfree houder. Je zult moeten praten en rijden tegelijk.'

'Ik heb geen handsfree.'

'Niet tegen me liegen, Sylvia. In het handschoenenvak ligt er een-tje.'

'Waar ga ik heen?'

'Je komt naar mij toe. Ik zal je aanwijzingen geven. Geen ver-keerde afslagen nemen. Niet met je lichten knipperen of op de claxon drukken. Ik kom alles te weten. Stel me niet teleur. Je rijdt rechtdoor, gaat de rotonde op en dan rechtsaf Sydney Road op.'

'Waarom doet u dit? Wat hebben wij u misdaan?'

'Te veel om op te noemen.'

'Ik heb niets misdaan. Alice heeft niets misdaan.'

'Jullie zijn allemaal hetzelfde.'

'Niet waar. Ik ben niet wat u zegt…'

'Ik heb je in de gaten gehouden, Sylvia. Ik heb gezien hoe je bent. Zeg me waar je je nu bevindt.'

'Ik rijd langs het museum.'

'Draai Warminster Road op. Houd die voorlopig aan.'

Sylvia verandert van tactiek en probeert een manier te vinden om *contact met me te maken.* 'Ik kan heel lief voor u zijn,' zegt ze aarzelend. 'Ik ben erg goed in bed. Ik kan dingen doen. Wat u maar wilt.'

'Dat weet ik. Hoe vaak heb je je man al bedrogen?'

'Ik bedrieg mijn man niet.'

'Leugenaar!'

'Ik spreek de waarheid.'

'Ik wil dat je jezelf een klap geeft, Sylvia.'

Ze begrijpt het niet.

'Geef jezelf een klap in je gezicht...voor straf.'

Ik gun haar een moment om te doen wat ik zeg. Ik hoor niets. Ik sla de telefoon tegen mijn vuist. 'Je hoort het, Sylvia. Alice heeft weer straf gekregen, dankzij jou. Ze heeft een bloedlip. Het is niet mijn schuld, kleintje, het komt door mammie.'

Sylvia gilt dat ik moet ophouden, maar ik heb genoeg van haar jankerige, zielige pestuitvluchten. Ik sla de telefoon een paar keer achter elkaar tegen mijn vuist.

Ze snikt. 'Alstublieft, doe haar geen pijn. Alstublieft. Ik kom eraan.'

'Alice is zo'n lief ding. Ik heb haar tranen geproefd. Als suikerwater. Is ze al ongesteld geweest?'

'Ze is pas elf.'

'Ik kan haar laten bloeden. Ik kan haar laten bloeden uit plekken die jij je niet eens kunt voorstellen.'

'Nee. Ik kom eraan. Waar is Alice?'

'Die wacht op jou.'

'Mag ik iets tegen haar zeggen?'

'Ze kan je horen.'

'Ik houd van je, liefje.'

'Hoeveel houd je van haar? Zul je haar plaats innemen?'

'Ja.'

'Kom naar me toe, Sylvia. Ze wacht op je. Kom haar maar ophalen.'

24

De boom is als een reus met uitgestrekte armen. Aan een lage tak hangt een lichaam, bewegingloos en wit. Niet wit. Naakt. Een kap over het hoofd.

Uit de donkerte doemt langzaam een in grijstinten gehuld landschap op. Door heggen gescheiden velden met hier en daar altijdgroen struikgewas. Kronkelende rijen beuken die de loop van beekjes volgen. De zon gaat schuil achter een gevlekte lucht. Kievitsbloemen, sleutelbloemen en trompetnarcissen houden zich nog verborgen. Het is alsof kleuren niet bestaan.

Het brede metalen hek is afgezet met blauw-wit politielint. Even verderop staan schijnwerpers opgesteld rond een schuur. Het verweerde hout lijkt witgekalkt in het felle schijnsel.

Ook het karrenspoor naar de boerderij is met politielint afgezet. Er worden foto's en gipsafgietsels gemaakt van bandensporen. Het karrenspoor komt uit op een smalle weg die in beide richtingen wordt geblokkeerd door politiewagens en busjes.

De politie heeft geïmproviseerde versperringen en een controlepost opgericht. Een agent met een klembord vraagt me om mijn naam. De plassen ontwijkend zoek ik me voorzichtig een weg langs het pad en kom bij de schuur, vanwaar ik over een geploegd veld uitkijk naar de plek waar het lichaam hangt.

De rest van de voettocht voert over een pad van witte plastic stapstenen dat een meter of vijftien verderop aan de voet van de boom eindigt. De ijzers van een ploeg hebben een druppelvorm rond de stam getrokken. De gegroefde aarde is berijpt.

Veronica Cray staat naast het lichaam en ziet eruit als een beul. Een naakte vrouw, hangend aan één arm, is met een stel handboeien aan een tak opgehangen. Haar geschaafde linkerpols bloedt vanonder de gesloten metalen band. Een witte kussensloop omsluit haar hoofd en hangt in plooien op haar schouders neer. Haar tenen raken de aarde amper.

Aan haar voeten ligt een mobiele telefoon op de grond. De accu is leeg. Ze draagt knielange leren laarzen. Een van de hakken is afgebroken, de andere overdekt met modder. Een flitser gaat razendsnel achter elkaar af, wat de illusie geeft dat het lichaam als een kleipoppetje uit een start-stop animatiefilm beweegt.

Dezelfde Noord-Engelse patholoog die in het depot Christine Wheelers auto heeft onderzocht is aan het werk en roept aanwijzingen voor de fotograaf. Zeker voor de komende twee uren is het tafereel het domein van de wetenschappers.

Ruiz is er al en staat met zijn armen de kou van zich af te slaan. Ik heb hem op zijn logeeradres boven de pub wakker gebeld en gezegd dat hij hierheen moest komen.

'Ik zat net in een geweldige droom,' zegt hij. 'Ik lag in bed met je vrouw.'

'Was ik er ook?'

'Mocht ik die droom ooit hebben dan zet ik een punt achter onze vriendschap.'

We luisteren allebei toe hoe de patholoog Veronica Cray op de hoogte brengt. De voorlopige doodsoorzaak is onderkoeling.

'De opgetreden hypostase wijst erop dat ze op deze plek is gestorven. Rechtop. Er zijn geen in het oog springende tekenen van seksueel geweld of afweerwonden. Pas als ik haar op het lab heb weet ik meer.'

'En het tijdstip van overlijden?' vraagt ze.

De patholoog trekt de capuchon van zijn hoofd. 'De lijkstijfheid is ingetreden. Normaliter daalt een lijk per uur een graad in temperatuur, maar het kwik is vannacht tot onder het vriespunt gedoken. Ze is mogelijk al vierentwintig uur dood, misschien langer.'

De patholoog krabbelt zijn handtekening op een klembord en loopt terug naar zijn medewerkers. De inspecteur wenkt me haar te volgen. We lopen behoedzaam over de vlonders naar de boom.

Vandaag heb ik mijn wandelstok bij me, een teken dat mijn medicatie minder goed werkt. Het is een mooie stok, gemaakt van gepolitoerd walnotenhout en met een metalen punt. Ik zit er tegenwoordig niet meer zo mee hem te gebruiken. Het is die stok of me nog meer te sappel maken dat mijn been op slot schiet en ik onderuitga.

De fotograaf is bezig van dichtbij de vingers van de vrouw te fotograferen. Ze heeft smalle, gelakte nagels. Haar naaktheid is dooraderd met lijkvlekken en ik kan de zoete zurigheid van haar parfum en urine ruiken.

'Weet u wie dit is?'

Ik schud mijn hoofd.

De inspecteur doet voorzichtig de kussensloop omhoog, de stof in haar vuisten oprollend. Sylvia Furness staart me aan, haar hoofd hangt voorover en is door het gewicht van haar lichaam naar één kant gedraaid. Haar platinablonde haar zit in platte lokken aaneengekleefd en is bij haar slapen donkerder.

'Haar dochter, Alice, heeft haar maandag aan het eind van de middag als vermist opgegeven. Alice werd na een paardrijles thuis afgezet en zag dat de voordeur openstond. Van haar moeder was geen spoor te bekennen. Op de grond lagen haar kleren.'

Over mijn schouder wijst ze naar een boer die op de voorbank van een platte vrachtwagen zit. 'Hij heeft vanmorgen het lichaam gevonden. Vannacht meende hij vossen te horen. Hij is er vroeg op uitgegaan om een kijkje te nemen. Hij zag dat Sylvia Furness' auto in de schuur geparkeerd stond. Daarna zag hij het lijk.'

De rechercheur laat de kussensloop weer over Sylvia's gezicht vallen. Rond de plaats van overlijden hangt een surrealistische, abstracte, schrijnend theatrale sfeer; een zweem van zaagsel en grime, alsof het tafereel op de een of andere manier is aangekleed om door iemand te worden gevonden.

'Waar is die dochter nu?'

'Onder de hoede van haar grootouders.'

'En haar vader?'

'Die komt uit Zwitserland terugvliegen. Hij is vaak op reis voor zaken.'

Inspecteur Cray duwt haar handen diep in de zakken van haar overjas.

'Heeft u al een idee wat er aan de hand is?'

'Nog niet.'

'Er zijn geen tekenen van een worsteling of afweerwonden. Ze is niet verkracht of gemarteld. Ze is doodgevroren, nondeju.'

Ik weet dat ze aan Christine Wheeler denkt. De overeenkomsten zijn onmogelijk te negeren, maar voor elke overeenkomst zou ik een net zo overtuigend verschil kunnen aanwijzen. In de wiskunde vertoont toevalligheid soms zelf een patroon.

Ze denkt ook na over de vraag of Patrick Fuller erbij betrokken zou kunnen zijn. Hij werd zondagochtend uit hechtenis vrijgelaten na te zijn beschuldigd van het stelen van Christine Wheelers mobieltje.

Agenten in uniform hebben zich naast de boerenschuur verzameld in afwachting van het begin van een minutieuze zoekactie door het veld. Veronica Cray loopt naar hen toe en laat mij bij het lijk achter.

Negen dagen geleden ving ik door een open deur een glimp op van Sylvia Furness terwijl ze zich in haar appartement uitkleedde. Haar spieren waren het gebeeldhouwde resultaat van uren in de sportschool. En nu heeft de dood de sculptuur doen verstenen.

Van vlonder naar vlonder stappend bereik ik de buitenkant van het afgezette gedeelte en begin de helling op te lopen in de richting van het eikenbosje. In de modder is mijn gepolitoerde stok nutteloos. Ik klem hem onder een arm.

De lucht heeft een porseleinen aanzien nu de zon zijn uiterste best doet door de hoge witte wolken heen te breken. Het laatste restantje mist is verdwenen en de vallei is eruit tevoorschijn gekomen met boogbruggetjes en koeien die als vlekken in de weilanden staan.

Bij het hek gekomen probeer ik eroverheen te klauteren. Mijn been blijft staan en ik val in een greppel vol kniehoog gras en modderwater. Het was tenminste wel een zachte landing.

Ik draai me om en neem het tafereel in me op. Ik zie hoe de tpd'ers Sylvia's lichaam uit de boom omlaag tillen en het op een plastic zeil leggen. De natuur is een wrede, harteloze toeschouwer. Hoe wreed een daad of ramp ook is, de bomen, rotsen en wolken blijven onaangedaan. Misschien is dat wel waarom de mensheid gedoemd is de laatste boom te vellen en de laatste vis te vangen en de laatste vogel te schieten. Als de natuur zo emotieloos kan blijven ten aanzien van ons lot, waarom zouden wij dan om de natuur moeten geven?

Sylvia Furness is doodgevroren. Ze had een mobiele telefoon bij zich maar heeft niet om hulp gebeld. Hij heeft haar aan de praat gehouden tot de accu leeg was. Of hij was hier om haar ermee te tergen.

Dit hier was een stuk verwrongen sadistisch theater, maar wat probeerde de kunstenaar ermee te zeggen? Hij ontleende plezier aan haar pijn, hij zwelgde in zijn macht over Sylvia, maar waarom liet hij haar lichaam zo ostentatief voor iedereen zichtbaar achter. Hij stuurt ons ofwel een boodschap ofwel een waarschuwing.

Daar heb je hem weer, de man die Johnny Cochranes verre neef kent, degene die met mijn gevallen engel probeerde te praten. Een echte lijkenjager, niet? De man met de zeis.

Ik zie hoe hij door het veld loopt en zijn schoenen ruïneert. Dan valt hij over het hek in de greppel. Wat een clown!

Ik heb mijn portie zielenknijpers wel gehad, majoor-artsentypes die mentale klisma's zetten in een poging soldaten zover te krijgen dat ze hun nachtmerries er als een dampende hoop stront uitgooien. De meesten van hen waren verwaande kwasten die me het gevoel gaven dat ik hun een dienst bewees door hun dingen te vertellen. In plaats van vragen te stellen bleven ze al die tijd maar luisteren.

Het is als die oude mop over twee zielenknijpers die elkaar op een reünie van de universiteit tegenkomen. De ene ziet er oud en afgetobd uit, terwijl de ander een heldere blik heeft en jeugdig oogt. De ouder uitziende van de twee zegt: 'Hoe doe jij dat toch? Ik luister de hele dag naar andermans problemen, dag in dag uit, jaar in jaar uit, en het heeft een oude man van me gemaakt. Wat is je geheim?'

De jonger ogende man antwoordt: 'Luisteren? Ik kijk wel linker uit.'

Een gast die ik heb gekend die Felini heette, mijn eerste commandant in Afghanistan, had steeds nachtmerries. We noemden hem Fe-

lini omdat hij beweerde dat zijn familie uit Sicilië kwam en hij een
oom had bij de maffia. Zijn echte naam weet ik niet. We werden niet
geacht die te kennen.

Felini zat al twaalf jaar in Afghanistan. Aanvankelijk had hij aan
de zijde van Osama Bin Laden tegen de Sovjets gevochten en daarna
waren ze tegenover elkaar komen te staan. Tussendoor bracht hij
aan de CIA *en drugsbestrijders van de* DEA *verslag uit van zijn waar-*
nemingen van de opiumproductie.

Hij was de eerste westerling die Mazar-e-Sharif binnentrok nadat
de Taliban de stad in 1998 hadden ingenomen. Hij vertelde me wat
hij daar zag. De Taliban waren door de straten getrokken, waarbij
ze alles wat bewoog met machinegeweren onder vuur namen. Ze
gingen van deur tot deur om Hazara's op te pakken en ze daarna
in de verzengende zon in stalen transportcontainers op te sluiten.
Ze werden levend geroosterd of stikten. Anderen werden levend in
bronputten gegooid waarvan de opening met bulldozers werd dicht-
geschoven. Geen wonder dat Felini nachtmerries had.

Vreemd genoeg veranderde niets van dat alles ook maar iets aan
zijn mening over de Taliban. Hij had respect voor ze.

'De Talibs wisten dat ze de lokale bevolking nooit voor zich konden
winnen,' zei hij tegen me. 'En dus leerden ze hun een lesje. Elke keer
dat ze een dorp kwijtraakten en weer heroverden waren ze wreder
dan de keer daarvoor. Vergelding valt niet altijd mee, maar het is wel
de manier,' zei hij. 'Vergeet dat harten en hoofden veroveren maar.
Hun hart uitrukken en hun geest openbreken, dat is wat je doet.'

Felini was de beste ondervrager die ik ooit heb ontmoet. Er was
geen lichaamsdeel dat hij geen pijn wist te doen. Niets waar hij niet
achter wist te komen. Zijn andere theorie betrof de Islam. Hij zei dat
vierduizend jaar lang in het Midden-Oosten degene die de grootste
stok bij zich droeg de baas was geweest en gerespecteerd werd. Het is
de enige taal die Arabieren verstaan. Soennieten, sji-ieten, koerden,
wahhabieten ismaili, koefi, dat maakt allemaal geen reet uit.

Uit de bomen komt met klepperende vleugels een vogel tevoorschijn. Ik schrik ervan. Ik leun met mijn handen op de bovenste
draadstreng en voel de kou van het metaal uitstralen.

Onderaan het veld schuifelen tientallen politieagenten in een lange, ononderbroken lijn naar voren. Wolkjes gecondenseerde damp bollen op uit hun gezichten. Terwijl ik de merkwaardige processie gadesla, word ik overspoeld door een besef, een gevoel dat ik niet alleen ben. Turend naar de bomen zoek ik de dieper liggende schaduwen af. Aan de rand van mijn blikveld bespeur ik een beweging. Er zit een man op zijn hurken naast een omgevallen boom. Hij doet zijn best niet gezien te worden. Hij heeft een wollen muts op en iets donkers bedekt zijn gezicht.

Voordat dat ik het besef beweeg ik me al zijn kant op.

Hij hoort een geluid. Terwijl hij zich omdraait stopt hij iets in een tas, krabbelt overeind en zet het op een lopen. Ik schreeuw dat hij stil moet blijven staan. Hij rent verder en struint door het kreupelhout. Hij is groot en traag, met een glimmend gezicht, en kan zijn voorsprong op mij niet vasthouden. Ik haal hem in en ineens blijft hij staan. Niet in staat nog te remmen knal ik tegen hem aan en breng hem ten val.

Hij gilt en gromt. Ik krabbel op mijn knieën omhoog en hef mijn wandelstok, die ik als een bijl boven mijn hoofd houd.

'Geen beweging!'

'Jezus, vriend, kalm aan.'

'Wie ben jij?'

'Ik ben fotograaf. Ik werk voor een persbureau.'

Hij gaat rechtop zitten. Ik kijk naar zijn tas. De inhoud ligt uitgespreid op de bladeren. Een camera en flitser, lange lenzen, filters, een kladblok…

'Als er iets kapot is, zul je godverdomme betalen,' zegt hij terwijl hij de camera inspecteert.

Mijn geschreeuw heeft Monk gealarmeerd, die veel vaardiger dan ik over het hek springt.

'Kut!' zegt hij, 'Cooper.'

'Goeiemorgen, Monk.'

'Voor jou brigadier.' Monk trekt hem overeind. 'Dit is een plaats delict en particulier terrein. Je bent in overtreding.'

'Rot op.'

'Belediging, nog een strafbaar feit.'

'Laat me met rust.'

'Het filmpje.'

'Ik heb geen filmpje. Het is digitaal.'

'Dan geef je me die godverdommese geheugenkaart.'

'Mensen hebben recht op deze beelden,' zegt Cooper. 'Het is in het algemeen belang.'

'Ja hoor, vrouw hangt aan boom. Verhaal van groot algemeen belang.'

Ik laat de twee aan hun geruzie over. Monk zal aan het langste eind trekken. Hij is één meter negentig. Wederom de natuur die wint.

Ik klim over een klaphek en volg de weg tot waar politieauto's de weg blokkeren. Inspecteur Cray staat naast een kantinewagen suiker door haar thee te roeren. Ze staart naar mijn broek.

'Ik ben gevallen.'

Ze schudt haar hoofd en kijkt zwijgend toe hoe de witte lijkenzak op een brancard langs ons wordt gedragen en in een gereedstaand busje van Binnenlandse Zaken wordt gelegd.

'Wat brengt iemand als Sylvia Furness ertoe haar kleren uit te trekken, haar flat te verlaten en hierheen te komen?'

'Ik denk dat hij de dochter heeft gebruikt.'

'Maar die was op paardrijles.'

'Herinnert u zich nog wat Fuller zei? Toen hij afgelopen vrijdag Christine Wheeler tegenkwam op het pad, vroeg ze naar haar dochter.'

'Darcy was op school.'

'Precies. Maar wat als Christine dat niet wist? Wat als hij haar iets anders wijsmaakte?'

Inspecteur Cray ademt in en strijkt met haar hand over haar schedeldak. Haar korte haar ligt heel even plat en veert dan weer op. Ik betrap haar op een starende blik, alsof ik een merkwaardig artefact ben waarop ze is gestuit en dat ze niet weet te benoemen.

Rechts van me hoor ik de geluiden van een opstootje; mensen die door elkaar heen schreeuwen. Verslaggevers en nieuwsploegen zijn door de omheining gedrongen en stormen het karrenspoor op. Zeker tien rechercheurs in uniform en burger lopen op hen toe en vormen een menselijke versperring.

Eén verslaggever bukt en glipt tussen de linie door. Een rechercheur tackelt hem van achteren en ze belanden beiden in de modder.

Veronica Cray slaakt een zucht van verstandhouding en mikt haar thee weg.

'Het is voedertijd.'

Een paar tellen later verdwijnt ze in de boze menigte. Ik kan met moeite haar kruin nog zien. Ze beveelt ze achteruit te gaan… nog verder. Nu kan ik haar zien. De televisielampen hebben haar gezicht witter gebleekt dan een volle maan.

'Ik ben inspecteur Veronica Cray, recherche. Om 7.55 uur deze morgen is op deze locatie het lichaam van een vrouw gevonden. De eerste aanwijzingen doen vermoeden dat ze onder verdachte omstandigheden is gestorven. We zullen haar naam pas vrijgeven als de naaste familie op de hoogte is gebracht.

Elke keer dat ze pauzeert gaat er een batterij flitslampen af en komen in een bijna even hoog tempo de vragen.

'Wie heeft het lichaam gevonden?'

'Klopt het dat ze naakt was?'

'Is ze seksueel misbruikt?'

Sommige ervan worden beantwoord, van andere maakt ze zich af. De inspecteur kijkt recht in de camera's en weet een kalme, zakelijke houding te handhaven, haar antwoorden zijn beknopt en terzake.

Als ze de geïmproviseerde persconferentie voor beëindigd verklaart, klinken er boze protesten. Ze baant zich een weg tussen hun schouders door en trekt me mee naar een gereedstaande auto.

'Ik maak me geen illusies over mijn werk, professor. Mijn baan is meestentijds vrij rechttoe rechtaan. De gemiddelde moordenaar is dronken, kwaad en dom. Hij is blank, eind twintig en heeft een laag IQ en een gewelddadig verleden. Hij raakt betrokken bij een caféruzie of wordt het gezeur van zijn vrouw zat en plant een klauwhamer in haar achterhoofd. Dat soort moorden kan ik begrijpen.'

Ze impliceert dat deze zaak anders is.

'Ik heb verhalen over u gehoord. Ze zeggen dat u dingen over mensen kunt zeggen, ze begrijpt, ze leest als theeblaadjes in een kopje.'

'Ik vel een klinisch oordeel.'

'Hoe u het ook wilt noemen, het lijkt erop dat u goed bent in dit werk. Voor u zijn details van belang. U vindt het leuk er patronen in te ontdekken. Ik wil dat u voor mij een patroon vindt. Ik wil weten wie dit heeft gedaan. Ik wil weten waarom hij het heeft gedaan en hoe hij het heeft gedaan. En ik wil zeker weten dat dat zieke stuk stront nooit meer zoiets doet.

25

In het huis heerst rust. Flarden klassieke muziek zweven over de gang. De eettafel is tegen de muur aan geschoven. In het midden van de kamer staat alleen nog een stoel.

Darcy heeft een tot laag op haar heupen omlaaggerolde trainingsbroek aan, een groen naveltruitje laat de bleekheid van haar schouders en buik uitkomen. Haar kastanjebruine haar zit met haarspelden in een strak knotje waardoor haar nek er onmogelijk dun uitziet.

Ze heeft één been met gestrekte tenen op de rugleuning van een stoel gelegd en buigt zich voorover tot haar voorhoofd haar knie raakt. De contouren van haar schouderbladen tekenen zich als onvolgroeide vleugels af onder haar huid.

Ze houdt de houding een minuut vast en komt weer omhoog terwijl ze haar arm boven haar hoofd beweegt alsof ze de lucht schildert. Elke beweging is er een van zorgvuldig gedoseerde inspanning, het neigen van een schouder of het strekken van een hand. Niets is geforceerd of verspild. Nog maar amper een vrouw, beweegt ze met een opvallende elegantie en zelfvertrouwen.

Op de grond zittend spreidt ze haar benen wijd uit elkaar en leunt voorover tot haar kin de vloer raakt. Haar tienerlichaam, uitgerekt en open, oogt atletisch en prachtig in plaats van laag-bij-de-gronds.

Ze doet haar ogen open.

'Heb je het niet koud?' vraag ik.

'Nee.'

'Hoe vaak oefen je.'

'Twee keer per dag zou eigenlijk moeten.'

'Je bent erg goed.'

Ze lacht. 'Weet u iets van ballet?'

'Nee.'

'Ze zeggen dat ik het lichaam van een danseres heb,' zegt ze. 'Lange benen en een kort bovenlichaam.' Ze gaat staan en laat me haar van opzij bekijken. 'Als ik mijn benen strek zijn de knieën een tikje naar achteren gebogen, ziet u? Dat zorgt voor een betere lijn als ik *en pointe* sta.' Ze komt op haar tenen omhoog. Ik kan mijn voeten ook zo ver strekken dat mijn been van knie tot teen verticaal staat. Ziet u wel?'

'Ja. Je bent heel gracieus.'

Ze lacht. 'Ik heb kromme benen en platvoeten.'

'Ik heb ooit een balletdanseres als cliënte gehad.'

'Waar kwam ze voor?'

'Ze had anorexia.'

Darcy knikt bedroefd. 'Sommige meisjes moeten zichzelf uithongeren. Ik ben pas op mijn vijftiende begonnen te menstrueren. Ik heb ook een verkromde ruggengraat, gedeeltelijk verschoven wervels en stressfracturen in mijn nek.'

'Waarom doe je het eigenlijk?'

Ze schudt haar hoofd. 'Dat zou u niet begrijpen.'

Ze draait haar voeten naar buiten.

'Dit is de kattensprong. Ik spring vanuit een *plié* vanaf mijn linkerbeen en trek mijn rechterbeen op in een *retiré*. In de lucht trek ik mijn linkerbeen eveneens bij in een retiré, zodat mijn benen in de lucht een ruit vormen. Ziet u? Dat is wat de vier jonge zwanen doen tijdens hun dans in "Het Zwanenmeer". Hun armen zijn ineen gestrengeld en ze maken zestien kattensprongen.'

Een niet-aflatend gevoel van lichtheid doet haar door elke sprong heen zweven.

'Kunt u me helpen mijn *pas de deux* te oefenen?'

'Wat is dat?'

'Kom maar. Ik zal het u laten zien.'

Ze pakt mijn handen en legt ze om haar middel. Ik heb het idee dat mijn vingertoppen haar helemaal zouden kunnen omvatten en elkaar in haar lendenen zouden kunnen raken.

'Ietsje lager,' zegt ze. 'Zo ja.'

'Ik weet niet wat ik doe.'

'Maakt niet uit. In een pas de deux kijkt niemand naar de man. Dan hebben ze alleen oog voor de ballerina.'

'Wat moet ik doen?'

'Me vasthouden terwijl ik spring.'

Zonder inspanning komt ze los van de grond. Als ik al iets doe dan voelt het eerder alsof ik haar tegenhoud dan dat ik haar optil. Haar blote huid glijdt tussen mijn vingers door.

Ze doet het zes keer. 'U kunt me nu wel loslaten,' zegt ze en schenkt me een plagerig glimlachje.

'Misschien houdt u wel niet van ballet. Ik ken ook andere dansen.' Ze reikt omhoog, doet haar haar los en laat het over haar ogen vallen. Vervolgens draait ze in een lange, trage cirkel met haar heupen, hurkt met haar knieën uit elkaar en strijkt met haar handen over haar dijen en haar kruis.

Het is schaamteloos uitdagend. Ik dwing mezelf weg te kijken.

'Zo mag je niet dansen.'

'Waarom niet?'

'Zoiets doe je niet waar een vreemde bij is.'

'Maar u bent geen vreemde.'

Nu steekt ze de draak met me. Pubermeisjes zijn voor zover bekend de ingewikkeldste levensvormen in het heelal. Het is verbijsterend hoe ze je in verlegenheid weten te brengen. Met weinig meer dan een blik of een glimp van hun huid of een laatdunkend lachje kunnen ze een man zich oeroud, bemoeiziek en vagelijk wellustig laten voelen.

'We moeten praten.'

'Waarover?'

'Over je moeder.'

'Ik dacht dat u me alles al gevraagd had.'

'Nog niet, nee.'

'Kan ik doorgaan met strekken?'

'Uiteraard.'

Ze zit weer op de grond en duwt haar benen ver uit elkaar.

'Heb je de afgelopen maand met iemand over je moeder gesproken? Is er iemand geweest die je vragen heeft gesteld over haar of over jezelf?'

Ze haalt haar schouders op. 'Ik geloof van niet. Dat weet ik niet meer. Wat is er? Wat is er gebeurd?'

'Er heeft zich een tweede sterfgeval voorgedaan. De politie zal je opnieuw willen ondervragen.'

Darcy houdt op met rekken en haar ogen ontmoeten de mijne. Ze stralen niet langer van vitaliteit of plezier.

'Wie?'

'Sylvia Furness. Het spijt me.'

Darcy maakt een haperend keelgeluid. Ze houdt haar handen voor haar mond alsof ze het geluid wil tegenhouden.

'Heb je Alice wel eens ontmoet?' vraag ik.

'Ja.'

'Kende je haar goed?'

Ze schudt haar hoofd.

Ik beschik over te weinig informatie om Darcy de misdrijven te kunnen uitleggen. Ik begrijp ze zelf niet. Christine Wheeler en Sylvia Furness waren zakenpartners, maar wat hadden ze nog meer gemeen? De man die hen heeft vermoord wist dingen van ze. Dat de keuze op hen viel was geen toeval.

Dit is een zoektocht die terug in de tijd moet gaan in plaats van vooruit. Adresboekjes. Agenda's. Portefeuilles. E-mails. Brieven. Aantekeningen van telefoongesprekken. Berichten op antwoordapparaten. Van beide slachtoffers moeten de gangen worden nagegaan, waar ze heen gingen, met wie ze spraken, in welke winkels ze kwamen, waar ze hun haar lieten doen. Welke vrienden hebben ze gemeenschappelijk? Waren ze lid van dezelfde sportschool? Hadden ze dezelfde dokter of stomerij of handlijnkundige? En, dit is belangrijk, waar kochten ze hun schoenen?

Er knerpt een sleutel in het slot. Julianne, Charlie en Emma komen de hal binnen rennen met glanzende papieren tassen en rode wangen van de kou. Charlie heeft haar schooluniform aan. Emma draagt nieuwe laarzen die te groot voor haar lijken, maar waar ze nog voor de winter ten einde is groot genoeg voor zal zijn.

Julianne kijkt naar Darcy. 'Heb je je gekleed op dansen of op een dubbele longontsteking?'

'Ik heb geoefend.'

Ze keert zich naar mij. 'En wat heb jij gedaan?'

'Hij heeft me geholpen,' zegt Darcy.

Julianne schenkt me een van haar ondoorgrondelijke blikken, dezelfde blik die onze kinderen wandaden onmiddellijk doet opbiechten en Jehova's getuigen om het hardst naar het tuinhek doet rennen.

Ik zet Emma op tafel en doe de ritsen van haar laarzen los.

'Waar ben je vanochtend geweest?' vraagt Julianne.

'Ik kreeg een telefoontje van de politie.'

Iets in mijn toon maakt dat ze zich omdraait en haar blik op de mijne fixeert. Er wordt niets gezegd, maar ze voelt dat er een tweede sterfgeval is geweest. Darcy kietelt Emma onder haar oksels. Julianne kijkt naar haar en vervolgens weer naar mij. Opnieuw worden er geen woorden uitgewisseld.

Misschien is dit wat er gebeurt als twee mensen bijna twintig jaar getrouwd zijn, dat er een moment komt dat de een weet wat de ander denkt. Het is ook wat er gebeurt als je getrouwd bent met iemand met de intuïtie en het waarnemingsvermogen van Julianne. Ik heb van het bestuderen van menselijk gedrag mijn werk gemaakt, maar zoals de meesten in mijn professie ben ik hopeloos in het analyseren van mezelf. Daar heb ik een vrouw voor. Ze is goed. Beter dan welke therapeut ook. Enger.

'Kunt u me naar de stad brengen?' vraagt Darcy aan mij. 'Ik heb een paar dingen nodig.'

'Had mij maar gevraagd ze mee te brengen,' reageert Julianne.

'Niet aan gedacht.'

Een plotseling zuinig glimlachje maskeert Juliannes ergernis. Darcy gaat naar boven om zich om te kleden.

Julianne begint boodschappen uit te pakken. 'Ze kan hier niet eeuwig blijven, Joe.'

'Ik heb vandaag haar tante in Spanje gebeld en een bericht voor haar achtergelaten. Ik heb ook contact met haar directrice.'

Julianne knikt, maar half tevredengesteld. 'Nou, ik heb morgen gesprekken met een aantal andere kindermeisjes. Als er iemand bij zit hebben we de logeerkamer nodig. Darcy moet vertrekken.'

Ze doet de koelkastdeur open en rangschikt eieren in een rekje.

'Vertel me wat er vanmorgen is gebeurd.'

'Er is weer een vrouw dood.'

'Wie?'

'Christine Wheelers zakenpartner.'

Julianne is sprakeloos. Perplex. Ze staart naar de grapefruit in haar hand en probeert te achterhalen of ze hem in de koelkast aan het leggen was of hem juist wilde pakken. Ze wil niets meer horen. Voor mij doen details ertoe, maar voor haar niet. Ze doet de koelkast dicht, stapt langs me heen en neemt haar zwijgende oordeel met zich mee naar boven.

Ik wou dat ik haar kon laten inzien dat ik er niet voor heb gekozen hierin betrokken te raken. Ik heb er niet voor gekozen Christine Wheeler haar dood tegemoet te zien springen of haar dochter ineens op de stoep te zien staan. Julianne hield altijd van mijn gevoel voor rechtvaardigheid en mijn compassie en hekel aan hypocrisie. En nu behandelt ze me alsof ik geen andere rol heb dan mijn kinderen op te voeden, een handvol colleges te verzorgen en te wachten tot meneer Parkinson datgene komt roven wat hij nog niet heeft meegenomen.

Zelfs toen Ruiz gisteravond kwam eten had ze een hele tijd nodig voordat ze zich kon ontspannen.

'Ik sta verbaasd over jou, Vincent,' zei ze tegen hem. 'Ik dacht dat jij Joe dit toch wel uit zijn hoofd zou hebben gepraat.'

'Dat ik wát uit zijn hoofd zou hebben gepraat?'

'Deze ongein.' Over haar wijnglas heen had ze hem aangekeken. 'Ik dacht dat jij met pensioen was. Waarom golf je niet?'

'Ik zal je dit vertellen: ik heb een huurmoordenaar ingehuurd die me moet omleggen zodra ik in ruitjesbroek het huis verlaat.'

'Je golft dus niet.'

'Nee.'

'En bowling of met een caravan het land door?'

Ruiz had zenuwachtig gelachen en me aangekeken alsof hij me mijn leven niet langer benijdde.

'Ik hoop dat jij nooit met pensioen gaat, professor.'

Van boven klinkt stemverheffing. Julianne schreeuwt tegen Darcy.

'Wat ben jij nou aan het doen? Blijf van mijn spullen af.'

'Au! U doet me pijn.'

Met twee treden tegelijk neem ik de trap en tref ze aan in onze slaapkamer.

Julianne heeft Darcy's onderarm vast en knijpt er hard in om haar te beletten te ontsnappen. De tiener staat voorovergebogen en houdt iets tegen haar buik gedrukt alsof ze het wil verstoppen.'

'Wat is er aan de hand?'

'Ik heb haar betrapt terwijl ze in mijn spullen rommelde,' zegt Julianne. Ik kijk naar de ladekast. De laden staan open.

'Dat is niet waar,' zegt Darcy.

'Wat was je dan aan het doen?'

'Niets.'

'Het ziet er niet uit als niets,' zeg ik. 'Wat zocht je?'

Ze bloost. Ik heb haar niet eerder zien blozen.

Ze komt overeind en beweegt haar armen. In het kruis van haar trainingsbroek is een kleine donkerrode vlek zichtbaar.

'Ik ben ongesteld geworden. Ik heb in de badkamer gekeken maar er lag nergens maandverband.'

Julianne kijkt als versteend. Ze laat Darcy los en probeert zich te verontschuldigen.

'Het spijt me. Had iets gezegd. Je had het me kunnen vragen.'

Mijn besluiteloosheid negerend neemt ze Darcy bij de hand en gaat haar voor naar de badkamer. Als de deur dichtgaat maken Juliannes ogen contact met de mijne. Normaal gesproken de rust en de onverstoorbaarheid zelve, in de buurt van Darcy is ze een andere persoon geworden en dat verwijt ze mij.

26

Ik was eenendertig toen ik erachter kwam wat het is om iemand te zien sterven. Een Pashtun taxichauffeur die aan gewrichtspsoriasis leed stierf onder mijn ogen. We hadden hem vijf dagen rechtop laten staan totdat zijn voeten zo groot waren geworden als voetballen en de enkelboeien in zijn vlees sneden. Al die tijd had hij niet geslapen, niet gegeten.

Het is een toegestane 'stress- en dwanghouding'. Hij staat in het handboek. Zoek maar op. SK 46/34.

Hij heette Hamad Mowhoush en hij was opgepakt bij een controlepost in zuidelijk Afghanistan nadat een bermbom twee mariniers had gedood en drie andere had verwond, waaronder een maat van me.

We deden een slaapzak over Hamads hoofd die we met staaldraad vastbonden. Daarna rolden we hem heen en weer en gingen we op zijn borstkas zitten. Dat was het moment waarop zijn hart het begaf.

Er zijn figuren die beweren dat martelen geen doeltreffende manier is om betrouwbare informatie te verkrijgen, aangezien de sterken de pijn zullen trotseren en de zwakken alles zullen zeggen om de pijn maar te laten stoppen. Ze hebben gelijk. Meestal is het zinloos, maar als je snel handelt en de schok van het gevangengenomen worden weet te combineren met de angst voor marteling zul je verbaasd staan hoe vaak de geest van het slot gaat en er alle soorten geheimen naar buiten komen tuimelen.

We mochten de arrestanten geen krijgsgevangenen noemen. Het waren PUC's (persons under control). Het leger is dol op afkortingen. HCI is er ook zo een, highly coercive interrogation, wat wel een stapje verder gaat dan zachte dwang. Het was de techniek waarin ik was opgeleid.

Toen ik Hamad voor het eerst zag had iemand hem een zandzak over zijn hoofd gedaan en hem met kabelbinders geboeid. Felini had hem aan mij overgedragen. 'Neem jij even een PUC *te grazen,' zei hij met een grijns. '"Roken" kunnen we hem altijd nog.'*

Een PUC *te grazen nemen wilde zeggen dat je hem in elkaar sloeg. Iemand 'roken' betekende dat je een dwanghouding toepaste. Felini liet ze bij een hitte van tegen de veertig graden met hun armen gestrekt in de zon staan en twintiglitervaten omhooghouden.*

Wij voegden er een paar van onze eigen snufjes aan toe. Soms gooiden we water over hen heen, rolden ze door het zand en sloegen ze met chemische lichtstaven tot ze opgloeiden in het donker.

We begroeven Hamads lijk in ongebluste kalk. Tot dagen daarna kon ik de slaap niet vatten. Ik bleef maar zien hoe zijn lichaam langzaam opzwol en het gas uit zijn borstkas ontsnapte, waardoor het leek of hij nog altijd ademhaalde. Ook nu denk ik nog wel eens aan hem terug. Dan word ik 's nachts wakker met een gewicht op mijn borstkas en verbeeld ik me dat ik zelf in de aarde lig en de kalk mijn huid verschroeit.

Er is iets dat erger is dan sterven. Iets dat erger is dan onder de grond liggen, of gerookt te worden of afgetuigd met staaflampen. Het overkwam mij op donderdag 17 mei, even na middernacht. Dat was het moment dat ik Chloë voor het laatst zag. Ze zat voorin in een auto, haar pyjamaatje nog aan, en werd me ontnomen.

Dat was negenentwintig zondagen geleden.

Tien dingen die ik me van mijn dochter herinner:

1. *Het bleke van haar huid.*
2. *Gele korte broek.*
3. *Een zelf geknutselde vaderdagkaart met twee getekende poppetjes, de een groot de ander klein, die elkaars hand vasthouden.*
4. *Dat ik haar vertel over Jack en de bonenstaak, maar het stuk over de reus die Jacks botten wil vermalen om er brood van te bakken oversla.*
5. *De keer dat ze struikelde en een snee boven haar oog had waar tweeënhalve hechtingen voor nodig waren. (Bestaat er wel zoiets als een halve hechting? Misschien verzon ik dat om interessant te doen.)*

6. *Dat ik haar een Indiaanse squaw zag spelen in een lagereschool-uitvoering van Peter Pan.*
7. *Dat ik haar meenam toen Bristol City in de tweede ronde van de Engelse voetbalbeker tegen Chelsea aantrad en ik het enige doelpunt miste doordat ik bezig was de chocoladecaramels op te rapen die ze onder haar stoeltje had laten vallen.*
8. *Hoe we op onze laatste gezamenlijke vakantie in St. Mawes over de boulevard liepen.*
9. *Dat ik haar leerde fietsen op een fietsje zonder zijwieltjes.*
10. *Hoe ik haar lievelingseend uit zijn lijden hielp nadat een vos het hok was binnengedrongen en het dier een vleugel had afgerukt.*

De telefoon gaat. Ik doe mijn ogen open. De zware gordijnen en verduisteringsrolgordijnen zorgen voor een vrijwel volledig donkere kamer. Ik grijp naar de telefoon.
'*Ja.*'
'*Bent u Gideon Tyler?*' *Het accent is honderd procent Belfast.*
'*Wie wil dat weten?*'
'*De posterijen.*'
'*Hoe komt u aan dit nummer?*'
'*Dat zat in een pakketje.*'
'*Wat voor pakketje?*'
'*Zeven weken geleden heeft u een aan Chloë Tyler gericht pakket gepost. We zijn er niet in geslaagd het te bezorgen. Het adres dat u heeft gebruikt is kennelijk verouderd of onjuist.*'
'*Wie bent u?*'
'*Dit is het landelijk verzamelpunt retourzendingen. Wij handelen hier de onbestelbare post af.*'
'*Kunt u niet een ander adres proberen?*'
'*Welk adres, meneer?*'
'*U heeft vast wel lijsten… in de computer. Tik de naam Chloë Tyler in en kijk wat er naar boven kunt. U zou ook Chloë Chambers kunnen proberen.*'
'*Die mogelijkheid hebben wij niet, meneer. Naar welk adres kunnen we het pakket terugsturen?*'

'Ik wil het niet terug hebben, ik wil dat het wordt afgeleverd.'

'Dat is niet gelukt, meneer. Wat wilt u dat we doen?'

'Ik heb godverdomme portokosten betaald. Jullie zorgen maar dat het afgeleverd wordt.'

'U hoeft niet te gaan vloeken, meneer. Wij mogen het gesprek afbreken als klanten grove taal gebruiken.'

'Krijg jij de tering maar!'

Ik smijt de telefoon neer. Hij stuitert even op in zijn houder en komt dan tot rust. De telefoon gaat opnieuw. Ik heb hem tenminste niet gesloopt.

Het is mijn vader. Hij wil weten wanneer ik hem kom opzoeken.

'Ik kom morgen langs.'

'Hoe laat?'

'In de middag.'

'Hoe laat in de middag?'

'Wat maakt dat nou uit, je gaat nooit de deur uit.'

'Misschien ga ik wel naar de bingo.'

'Dan kom ik in de ochtend.'

27

Alice Furness heeft drie tantes, twee ooms, twee grootouders en een overgrootvader die elkaar de loef proberen af te steken in het tonen van medeleven. Alice kan geen stap verzetten zonder dat een van hen haar bespringt en vraagt hoe ze zich voelt, of ze trek heeft en of ze iets voor haar kunnen halen.

Ruiz en ik worden in de woonkamer geparkeerd. Het grote half-vrijstaande huis aan de rand van Bristol is van Sylvia's zus Gloria, die de bindende factor binnen de clan lijkt te zijn. Ze is in de keuken met de andere familieleden aan het overleggen of ze ons toestemming moeten geven om Alice te ondervragen.

De overgrootvader houdt zich afzijdig. Hij zit ons vanuit een leunstoel aan te staren. Hij heet Frank en hij is ouder dan Methusalem (een van mijn moeders zegswijzen).

'Gloria,' buldert Frank in de richting van de keuken.

Zijn kleindochter verschijnt. 'Wat is er, pa?'

'Deze figuren willen onze Alice ondervragen.'

'Dat weten we pa, daar hebben we het juist over.'

'Nou, schiet op dan. Laat ze niet wachten.'

Gloria glimlacht verontschuldigend en loopt terug naar de keuken.

Sylvia Furness moet de jongste dochter zijn geweest. Haar oudere broers en zusters zijn die lange, onduidelijke periode van de middelbare leeftijd binnengegaan waarin jaren geen betrouwbare maat meer zijn voor het leven. Hun echtgenoten zijn minder uitgesproken of geïnteresseerd, door de louvredeuren zie ik ze in de achtertuin staan roken en praten over mannenzaken.

De discussie in de keuken begint verhit te raken. Ik vang brokstukken psychologie van de koude grond en andere dooddoeners op. Dat ze Alice proberen te beschermen begrijp ik, want ze heeft ook al met rechercheurs gesproken.

Er is overeenstemming. Een van de tantes, een dunne vrouw in donkere rok en vest, zal tijdens het gesprek naast Alice zitten. Ze heet Denise en haalt als een goochelaar een eindeloze stroom papieren zakdoekjes uit de mouw van haar vest.

Alice moet bij een televisie worden weggelokt. Ze is een nukkig ogende jonge tiener met een omlaaghangende mond en appelwangen die eerder aan haar dieet te danken zijn dan aan haar bouw. Ze draagt een spijkerbroek en een rugbytrui en heeft haar armen rond een bundeltje wit bont gevouwen, een konijn met lange, roze-gepunte oren die plat langs zijn lichaam liggen.

'Hallo Alice.'

Ze beantwoordt mijn groet niet. In plaats daarvan vraagt ze om een kop thee en een koekje. Denise voldoet zonder dralen aan haar verzoek.

'Wanneer komt je vader terug?' vraag ik.

Ze haalt haar schouders op.

'Je zult hem wel missen. Gaat hij vaak op pad?'

'Ja.'

'Wat doet hij voor werk?'

'Hij is drugsdealer.'

Denise ademt hoorbaar in. 'Dat is niet netjes, lieverd.'

Alice corrigeert zichzelf. 'Hij werkt voor een geneesmiddelenfirma.' Ze gnuift tegen haar tante. 'Het was maar een grapje.'

'Erg grappig,' zegt Ruiz.

Alice knijpt haar ogen toe, niet geheel overtuigd dat ze hem kan vertrouwen.

'Vertel me over maandagmiddag,' zeg ik.

'Ik kwam thuis en mam was er niet. Ze had geen briefje achtergelaten. Ik heb een poosje gewacht, maar toen kreeg ik honger.'

'Wat heb je toen gedaan?'

'Ik heb tante Gloria gebeld.'

'Wie hadden er een sleutel van de flat?'

'Mam en ik.'

'Nog meer mensen?'

'Nee.'

Ruiz wordt onrustig. 'Nodigde je moeder wel eens mannen uit bij haar thuis?'

Ze giechelt. 'U bedoelt vriendjes?'

'Ik bedoel mannelijke vrienden.'

'Nou, ze mocht meneer Pelicos graag, mijn leraar Engels. Omdat hij een grote neus heeft noemen we hem "de pelikaan". En Eddie van de videotheek komt na zijn werk soms langs. Hij neemt dvd's mee. Ik mag ze niet zien. Hij en mam bekijken ze op de tv in haar slaapkamer.'

Denise probeert haar het zwijgen op te leggen. 'Mijn zuster was gelukkig getrouwd. Ik vind niet dat u Alice dergelijke vragen moet stellen.'

Ze tovert een nieuw zakdoekje uit haar mouw.

Het konijn is tegen Alice op gekropen en probeert zich onder haar kin te nestelen. Ze giechelt. De glimlach maakt een ander kind van haar.

'Heeft hij een naam?' vraag ik.

'Nog niet.'

'Dan heb je hem vast pas net.'

Ja. Ik heb hem gevonden.'

'Waar?'

'Buiten, in een doos die voor onze flat stond.'

'Wanneer was dat?'

'Maandag.'

'Toen je thuiskwam van paardrijles?'

Ze knikt.

'Vertel me wat je precies hebt aangetroffen.'

Ze zucht. 'De deur zat niet op slot. Er stond een doos op de deurmat. Mam was niet thuis.'

'Zat er een briefje bij de doos?'

'Op de zijkant stond alleen mijn naam geschreven.'

'Weet je wie hem daar voor je heeft achtergelaten?'

Alice schudt haar hoofd.

'Heb je het er ooit met iemand over gehad dat je een konijn wilde?'

'Nee. Ik dacht dat ik hem van mijn pap had gekregen. Hij heeft het altijd over witte konijnen en *Alice in Wonderland*.'

'Maar het was niet van je pap.'

Hoofdschudden, haar staartje slingert mee.

'Het is echt belangrijk, Alice. Heb je met iemand gepraat over je mam of over konijnen of *Alice in Wonderland*? Het kan iemand zijn die je mam kende of een vreemde. Iemand die een reden bedacht om met je te praten.'

Ze begint afwerend te doen. 'Hoe kan ik me dat nou herinneren? Ik praat de hele tijd met mensen.'

'Dit is iets dat je je zult moeten herinneren. Denk goed na.'

Haar thee wordt koud. Ze aait de oren van het konijn en probeert ze rechtop te laten staan.

'Misschien was er toch wel iemand.'

'Wie?'

'Een man. Hij zei dat hij incognito was. Ik wist niet wat dat betekende.'

Ze herinnert zich de vrijgezellenavond, een gesprek met een man met een zonnebril die in de buurt van de jukebox stond. Ze hadden het over muziek en paarden en hij bood aan nog een glas limonade voor haar te halen. Hij citeerde uit *Alice in Wonderland*.

'Hoe wist hij je naam?'

'Die heb ik hem verteld.'

'Had je hem eerder gezien?'

'Nee.'

'Wist hij hoe je moeder heette?'

'Dat weet ik niet. Hij wist waar we woonden.'

'Hoe?'

'Weet ik niet. Ik heb het hem niet verteld, hij wist het gewoon.'

Terwijl ik haar steeds weer door het verhaal heen laat gaan, bouw ik lagen van details op en voorzie ik de botten van pezen en vlees. Ik wil niet dat ze dingen anders formuleert of stukken overslaat. Ik wil dat ze zich zijn exacte bewoordingen herinnert.

Hij was van mijn lengte, had lichtgekleurd haar, was ouder dan haar moeder, maar jonger dan ik. Alice kan zich niet herinneren wat hij aanhad en heeft, behalve zijn zonnebril, geen tatoeages of ringen of opvallende kenmerken gezien.

Ze geeuwt. Het gesprek begint haar te vervelen.

'Heeft hij met je moeder gesproken?'

'Nee. Dat was die andere.'

'Die andere?'

'De man die ons naar huis heeft gebracht.'

Ruiz weet haar een tweede beschrijving te ontlokken, dit keer van een jongere man, begin dertig, met krullend haar en een oorring. Hij danste met haar moeder en bood aan hen thuis te brengen.

Haar tante komt opnieuw tussenbeide. 'Is dit nu werkelijk nodig? Die arme Alice heeft de politie alles verteld.'

Ineens houdt Alice haar konijn van zich af. Er zit een natte plek op haar spijkerbroek.

'O, hij heeft op me gepiest. Gadverdamme!'

'Je hebt hem te hard geknepen,' zegt haar tante.

'Niet waar.'

'Je moet hem niet zo vaak optillen.'

'Het is míjn konijn.'

Het dier wordt op de keukentafel gedumpt. Alice wil andere kleren aantrekken. Ik ben er niet in geslaagd enig gevoel van urgentie bij haar te wekken en ze is het praten zat. Terwijl ze me verwijtend aankijkt krijg ik de indruk dat het op de een of andere manier mijn schuld is – haar moeders dood, de vlek op haar spijkerbroek, de opschudding in haar leven in het algemeen.

Iedereen gaat weer anders om met verdriet en Alice heeft pijn op plekken die ik me niet eens kan voorstellen. Ik heb meer dan twintig jaar besteed aan het bestuderen van menselijk bedrag, het behandelen van cliënten en het luisteren naar hun twijfels en angsten, maar geen enkele dosis ervaring of psychologische kennis zal ooit voldoende zijn om te kunnen voelen wat iemand anders voelt. Ik kan getuige zijn van dezelfde tragedie of overlevende van dezelfde ramp, maar mijn gevoelens zullen, net als die van haar, uniek blijven en eeuwig voor anderen verborgen.

Het is koud, maar niet koud genoeg om pijn te doen. Kale, rond de hoogspanningskabels met bruut geweld teruggesnoeide bomen tekenen zich af tegen een lavendelkleurige lucht. Ruiz steekt zijn handen diep in zijn zakken en loopt van het huis weg. Hij schommelt lichtjes bij elke stap van zijn rechterbeen, dat nooit helemaal is hersteld van een schotwond.

Ik kom naast hem lopen en heb moeite hem bij te houden. Iemand heeft Darcy na de dood van haar moeder balletschoenen gestuurd, zonder begeleidend briefje of retouradres. Het is waarschijnlijk dezelfde persoon die het konijn voor Alice heeft achtergelaten. Zijn het visitekaartjes of condoleancegeschenken?

'Heb je al een beter beeld van die gast?' vraagt Ruiz.

'Nog niet.'

'Wedden om twintig pond dat het een ex-vriendje of minnaar is?'

'Van beide vrouwen?'

'Misschien verwijt hij een van hen dat ze de relatie met de ander heeft stukgemaakt.'

'En die theorie baseer je op?'

'Mijn onderbuik.'

'Weet je zeker dat het geen gasvorming is?'

'We zouden een wedje kunnen maken.'

'Ik ben geen type dat wedt.'

We zijn bij de auto. Ruiz leunt op het portier. 'Laten we zeggen dat jij gelijk hebt en hij de dochters als doelwit neemt, hoe doet hij dat dan? Darcy was op school. Alice aan het paardrijden. Ze liepen geen gevaar.

Ik heb geen simpele verklaring. Het vereist een sprong van de verbeelding: een duik de wanhoop in.

'Hoe kan hij hen een dergelijke leugen laten geloven?' vraagt Ruiz.

'Hij moet dingen over de dochters weten, niet simpelweg hun namen en leeftijden, maar intieme details. Misschien is hij in hun huizen geweest, heeft hij redenen gevonden om hen te ontmoeten, hen bespied.'

'Een moeder zou toch zeker de school of de manege bellen. Je gelooft iemand die beweert je dochter te hebben toch niet zomaar?'

'Dat is waar jij ernaast zit. Je hangt niet op. Nooit. Natuurlijk wil je nagaan of het klopt. Je wilt de politie bellen. Je wilt om hulp schreeuwen. Maar wat je nooit en te nimmer doet is de telefoon ophangen. Je kunt gewoon het risico niet nemen dat het klopt wat hij zegt. Dat risico wíl je gewoon niet nemen.'

'Dus wat doe je dan?'

'Je blijft praten. Je doet precies wat hij zegt. Je blijft aan de lijn en je blijft om bewijzen vragen en je bidt, onophoudelijk, dat je het mis hebt.'

Ruiz leunt achterover op zijn hakken en kijkt me met een mengeling van weerzin en verwondering aan.

Voorbijgangers stappen op het trottoir langs ons heen met een blik van afkeuring en nieuwsgierigheid.

'En dat is je theorie?'

'Hij past bij wat we weten.'

Ik had verwacht dat hij me zou tegenspreken. Ik dacht dat het een te grote gedachtesprong zou zijn de mogelijkheid te overwegen dat iemand van een brug af springt of zichzelf aan een boom vastketent op basis van welk soort overtuiging of rationele angst dan ook.

In plaats daarvan schraapt hij zijn keel.

'Ik heb ooit een man gekend in Noord-Ierland die met een vrachtwagen vol explosieven een legerbarak binnenreed omdat de IRA zijn vrouw en twee kinderen in gijzeling hield. Ze hadden zijn jongste kind vermoord door haar in zijn bijzijn de keel door te snijden.'

'Hoe liep het af?'

'Bij de ontploffing kwamen twaalf soldaten om...en de echtgenoot zelf ook.'

'En zijn gezin?'

'De IRA liet ze gaan.'

We doen er allebei het zwijgen toe. Sommige gesprekken hebben geen laatste woord nodig.

28

Charlie staat in de voortuin tegen de schutting een balletje te trappen. Ze heeft haar voetbalschoenen aan en haar oude clubtenue van de Camden Tigers.

'Wat ben je aan het doen?'

'Niks.'

De bal komt harder van de muur terug. Baf. Baf. Baf.

'Ben je aan het trainen voor de grote proefwedstrijd?'

'Nee.'

'Waarom niet?'

Ze vangt met twee handen de bal en kijkt me aan met de blik van haar moeder.

'Omdat de proefwedstrijd vandaag was en jij me erheen zou brengen, en ik hem dus gemist heb. Hartelijk bedankt, pa. Geweldig gedaan. Een eervolle vermelding.'

Ze laat de bal los en geeft hem zo'n harde knal dat hij bijna mijn hoofd meeneemt als hij langs me terugketst.

'Ik maak het goed,' zeg ik in een poging tot verontschuldiging. 'Ik ga met de coach praten. Ze zullen je vast een nieuwe kans geven.'

'Laat maar. Ik wil niet worden voorgetrokken,' zegt ze. Zou ze nog meer op haar moeder kunnen lijken?

Julianne is in de keuken. Ze heeft een handdoek als een tulband om haar zojuist gewassen haar gewikkeld. Als ze loopt is ze net een Afrikaanse vrouw met een aarden kruik op haar hoofd.

'Ik heb Charlie van streek gemaakt.'

'Ja.'

'Je had even moeten bellen.'

'Dat heb ik geprobeerd. Je telefoon stond uit.'

'Waarom kon jij haar niet wegbrengen?'

'Omdat ik met kindermeisjes moest spreken, omdat jij er geen een kon vinden,' bitst ze.

'Het spijt me.'

'Dan moet je niet bij mij zijn.' Ze kijkt uit het raam naar Charlie. 'En tussen haakjes, ik geloof niet dat het alleen met die proefwedstrijd te maken heeft.'

'Hoe bedoel je?'

Ze kiest haar woorden. 'Jij en Charlie doen altijd van alles samen: boodschappen, wandelen, maar sinds Darcy hier is heb je het daar te druk voor. Ik denk dat ze misschien wel een tikje jaloers is.'

'Op Darcy?'

'Ze denkt dat je haar bent vergeten.'

'Maar dat is niet zo.'

'Ze heeft ook wat problemen op school. Er is een jongen die de pik op haar heeft.'

'Wordt ze gepest?'

'Ik weet niet of het zo ver gaat.'

'We moeten met de school praten.'

'Ze wil het zelf uitzoeken.'

'Hoe?'

'Op haar eigen manier.'

Ik hoor Charlie nog steeds tegen de voetbal trappen. Ik vind het een afschuwelijk idee dat ze zich verwaarloosd voelt. En nog afschuwelijker vind ik het dat Julianne dit alles heeft opgemerkt en ik het heb gemist. Ik ben de hele tijd thuis. Ik ben de klaarstaouder, de primaire zorgouder en ik heb niet opgelet.

Julianne wikkelt de handdoek los. Natte krullen tuimelen over haar gezicht. Ze dept ze droog tussen haar handpalmen en het zachte weefsel van de handdoek.

'Ik ben gebeld door Darcy's tante,' zegt ze. 'Ze komt uit Spanje overvliegen voor de begrafenis.'

'Dat is mooi.'

'Ze wil Darcy met zich mee terugnemen naar Spanje.'

'Wat zegt Darcy daarvan?'

'Ze weet het nog niet. Haar tante wil het haar zelf vertellen.'

'Ze zal het niet leuk vinden.'

Julianne trekt veelzeggend haar wenkbrauw op. 'Dat is niet onze verantwoordelijkheid.'

'Je behandelt Darcy alsof ze iets misdaan heeft,' zeg ik.

'En jij behandelt haar alsof ze je dochter is.'

'Dat is niet eerlijk.'

'Leg jij maar aan Charlie uit wat eerlijk is.'

'Soms ben jij echt een kreng.'

De uitspraak is geladen met meer woede en gewicht dan we allebei verwachtten. Een gekwetste hulpeloosheid doet Juliannes ogen vochtig worden, maar ze weigert mij getuige te laten zijn van haar verdriet. Ze pakt haar handdoek en haar kwetsbaarheid op en neemt ze allebei mee naar boven. Ik luister naar haar voetstappen op te trap en maak mezelf wijs dat ze onredelijk doet. Als ze tot bedaren komt zal ze het begrijpen.

Ik til een knokkel op en klop zachtjes op de deur van de logeerkamer. 'Wie is daar?' vraagt Darcy.

'Ik. We moeten praten.'

Ik wacht. Na wat een eeuwigheid lijkt gaat de deur open. Ze is blootsvoets en heeft een driekwart legging en een T-shirt aan. Haar haar hangt los over haar schouders.

Zonder me aan te kijken loopt ze terug naar het bed en gaat met haar armen om haar opgetrokken knieën op de verfrommelde lakens zitten. De gordijnen zijn dicht en in de hoeken van de kamer hangen schaduwen.

Voor het eerst merk ik haar voeten op. Haar tenen zijn misvormd en overdekt met eelt, blaren en ontvelde plekken. De kleine teen zit als verscholen onder de andere gekruld en de grote teen is opgezwollen, met een verkleurde nagel.

'Ze zijn lelijk,' zegt ze terwijl ze haar voeten met een kussen bedekt.

'Wat is er met ze gebeurd?'

'Ik ben danseres, weet u nog wel? Een van mijn vroegere balletleraren zei dat spitzen de laatste martelinstrumenten waren die nog toegestaan waren.'

Ik schuif een tijdschrift opzij en neem plaats op een hoek van het bed. Nergens anders is plek om te zitten.

'Ik wilde het hebben over spitzen,' zeg ik.

Ze lacht. 'U bent een beetje oud voor ballet.'

'Het pakketje dat voor jou op school was achtergelaten, vertel daar eens over.'

Ze beschrijft een in bruin papier verpakte schoenendoos zonder begeleidend briefje, met alleen, in hoofdletters, haar naam erop.

'Is er buiten je moeder nog iemand die je een dergelijk cadeau zou hebben kunnen sturen?'

Ze schudt haar hoofd.

'Dit is heel belangrijk, Darcy. Ik wil dat je je de afgelopen paar weken probeert te herinneren. Heb je gesproken met iemand die je nog niet kende, of heb je iemand ontmoet? Heb je met iemand over je moeder gesproken?'

'Ik zat op school.'

'Ja, maar je moet weekenden vrij hebben gehad. Ging je winkelen? Ben je voor iets van school weg geweest?'

'Ik ben naar Londen geweest voor de audities.'

'Heb je met iemand gesproken?'

'Met de leraren en andere dansers.'

'En in de trein?'

Haar mond gaat open en dicht. Haar voorhoofd plooit zich.

'Er was één gast... hij ging tegenover me zitten.'

'En je hebt met hem gepraat?'

'Niet meteen.' Ze doet haar pony achter haar oren. 'Het leek of hij in slaap viel. Ik ging naar de restauratiewagen en toen ik terugkwam vroeg hij of ik danseres was. Hij zei dat hij dat kon zien aan de manier waarop ik liep, met naar buiten gedraaide platvoeten, weet u wel. Het was maf hoeveel hij van ballet wist.'

'Hoe zag hij eruit?'

Ze haalt haar schouders op. 'Gewoon.'

'Hoe oud?'

'Niet zo oud als u. Hij droeg een zonnebril, zoals Bono. Ik denk dat hij een beetje een patsertje was.'

'Een patsertje.'

'Zo'n oudere gast die er cool uit probeert te zien.'

'Flirtte hij met je?'

Ze haalt haar schouders op. 'Misschien wel. Weet ik niet.'

'Zou je hem herkennen?'

'Ik denk het wel.'

Ze beschrijft hem. Het zou dezelfde man kunnen zijn waar Alice mee heeft gesproken, maar die had donkerder en langer haar en droeg andere kleren.'

'Ik wil iets uitproberen,' zeg ik tegen haar. 'Ga liggen en doe je ogen dicht.'

'Hoezo?'

'Maak je geen zorgen, er gebeurt niks, je hoeft alleen maar je ogen dicht te doen en na te denken over die dag. Probeer je hem voor te stellen. Beeld je in dat je weer op die plek bent, in de trein stapt, een plaatsje zoekt, je tas in het bagagerek legt.

Haar ogen sluiten zich.

'Kun je het zien?'

Ze knikt.

'Beschrijf de coupé voor me. Waar zat je ten opzichte van de deuren?'

'Drie rijen van achteren, met mijn gezicht in de rijrichting.'

Ik vraag haar wat ze aanhad. Waar ze haar tas neerzette. Wie er nog meer in de coupé zaten.

'Voor me zat een klein meisje dat tussen de stoelen door gluurde. Ik deed kiekeboe met haar.'

'Wie kun je je nog meer herinneren.'

'Een figuur in een pak. Hij praatte te hard in zijn mobieltje.' Ze stopt even. 'En een rugzaktoerist met het esdoornblad van Canada op zijn rugzak.'

Ik vraag haar zich te concentreren op de man die tegenover haar zat. Wat had hij aan?

'Dat weet ik niet meer. Een overhemd geloof ik.'

'Wat voor kleur?'

'Blauw met een kraag.'

'Stond er iets op geschreven?'

'Nee.'

Ik ga verder naar zijn gezicht. Zijn ogen. Zijn haar. Zijn oren. Kenmerk voor kenmerk begint ze hem aan de hand van kleine dingen te beschrijven. Zijn handen. Zijn vingers. Zijn onderarmen. Hij droeg een zilverkleurig polshorloge, maar geen ringen.

'Wanneer merkte je hem voor het eerst op?'

'Toen hij ging zitten.'

'Weet je het zeker? Ik wil dat je verder teruggaat. Toen je in Cardiff de trein nam, wie stonden er toen op het perron?'

'Een paar mensen. De rugzaktoerist was er. Ik kocht een flesje water. Ik kende het meisje in de kiosk. Ze had haar haar gebleekt sinds de laatste keer dat ik haar zag.'

Ik leid haar nog verder terug. 'Toen je je kaartje kocht, stond er toen een rij?'

'Eh... ja.'

'Wie stonden er nog meer in de rij?'

'Dat weet ik niet meer.'

'Stel je het loket voor. Kijk naar de gezichten. Wie zie je?'

Er verschijnt een frons op haar voorhoofd en haar hoofd rolt heen en weer op het kussen. Ineens slaat ze haar ogen op. 'De man in de trein.'

'Waar?'

'Bovenaan de trap bij de kaartjesautomaat.'

'Dezelfde man?'

'Ja.'

'Weet je dat zeker?'

'Heel zeker.'

Ze gaat rechtop zitten en wrijft met haar handen over haar onderarmen alsof ze het plotseling koud heeft.

'Heb ik iets verkeerds gedaan?' vraagt ze.

'Nee.'

'Waarom wilt u die dingen over hem weten?'

'Misschien is het niets.'

Ze slaat het dekbed om haar schouders en leunt dan weer naar achteren tegen de muur. Haar blik glijdt ongemakkelijk over me heen.

'Heeft u wel eens het gevoel dat er iets verschrikkelijks staat te gebeuren?' vraagt ze. 'Iets afschuwelijks dat je niet kunt veranderen omdat je niet weet wat het is.'

'Dat weet ik niet. Misschien wel. Waarom vraag je dat?'

'Dat is hoe ik me die vrijdag voelde, toen ik mam niet kon bereiken. Ik wist dat er iets niet in de haak was.' Ze laat haar hoofd voorover vallen. 'Die avond heb ik voor haar gebeden, maar ik was te laat, hè? Niemand die me hoorde.'

29

Inspecteur Cray heeft zes dozen bij ons laten bezorgen. Ze moeten tegen de ochtend weer terug zijn in de commandokamer. Een koerier komt ze even na middernacht ophalen.

In de dozen zitten getuigenverklaringen, tijdschema's, gespreksgegevens en foto's van de plaatsen delict van de twee moorden. Het is me gelukt ze het huis binnen te slepen zonder dat Julianne het merkte.

Ik doe de deur dicht, draai de sleutel om en ga zitten voordat ik de eerste doos openmaak. Ik heb een droge mond, maar nu zonder dat ik mijn medicatie de schuld kan geven. Hier, onder mijn vingertoppen, ligt het bewijs van twee levens en twee sterfgevallen. Er is niets wat hen terug zal brengen en niets wat hun gevoelens nog kan kwetsen, en toch voel ik me als een ongenode gast die in hun ondergoed rommelt. Foto's. Verklaringen. Tijdschema's. Video's. Versies van het verleden.

Ze zeggen dat één keer een geval is, twee keer een toevalligheid en drie keer een patroon. Ik heb maar twee misdrijven waar ik over na moet denken. Twee slachtoffers. Christine Wheeler en Sylvia Furness waren even oud. Ze gingen naar dezelfde school. Beide waren moeder van een jonge dochter. Ik probeer me hun levens voor te stellen, de plaatsen waar ze heen gingen, de mensen die ze ontmoetten en de mensen die ze zagen, in de tijd tussen werk en thuis en de scholen waar hun dochters heen gingen.

Nu al, in achtenveertig uur tijd, hebben rechercheurs een biografische geschiedenis opgesteld van Sylvia Furness (geboren Ferguson). Ze werd geboren in 1972, groeide op in Bath en ging naar Oldfield, een meisjesschool. Haar vader werkte als transportondernemer en haar moeder als verpleegkundige. Sylvia ging in Leeds naar de universiteit maar brak haar studie in het tweede jaar af om te gaan reizen. Ze werkte op charterschepen in het Ca-raïbisch gebied, waar ze op St. Lucia in Brits West-Indië haar toe-komstige echtgenoot Richard Furness leerde kennen. Hij had een jaar vrijaf genomen van de universiteit en voer jachten over voor rijke Europeanen. Ze trouwden in 1994. Alice kwam een jaar later. Richard Furness studeerde af aan de universiteit van Bristol en werkte voor twee grote farmaceutische bedrijven.

Sylvia was een feestnummer dat graag in gezelschap verkeerde en van dansen hield. Christine was in alles haar tegenpool. Ze was rustig, weinig avontuurlijk, hardwerkend en betrouwbaar en had geen vriendjes of een actief sociaal leven.

Een interessant punt was dat Sylvia een cursus zelfverdediging volgde. Karate. In haar geval hielp het haar niet terug te vechten. De kussensloop die over haar hoofd zat was afkomstig van een bekende winkelketen. De handboeien waren van de echtgenoot en gekocht bij een sekswinkel in Amsterdam – 'om hun seksleven op te peppen'.

Hoe wist jij van het bestaan van de handboeien? Sylvia hield ze waarschijnlijk verborgen voor Alice. Degene die van hun bestaan wist moet, al dan niet uitgenodigd, in de flat zijn geweest. Syl-via maakte geen melding van een inbraak of insluiping, zodat het mogelijk een minnaar of vriendje is geweest.

Ik vraag me hardop dingen af. 'Je wist zoveel over ze, over hun huizen, hun verplaatsingen, hun dochters… Sylvia droeg dure le-ren laarzen. Heb jij haar verteld wat ze aan moest trekken? Had je haar die laarzen eerder zien dragen?'

Er wordt geklopt op de studeerkamerdeur. Ik draai de sleutel om en open hem op een kier.

Het is Julianne. 'Wat is hier gaande?'

'Niets.'

'Ik hoorde je tegen iemand praten.'

'Tegen mezelf.'

Ze probeert onder mijn arm door naar het bureau te gluren. Ik belemmer haar het zicht. 'Waarom zit de deur op slot?'

'Er zijn dingen waarvan ik niet wil dat de kinderen ze zien.'

Ineens vernauwen haar ogen zich. 'Je bent weer bezig, hè. Je bent weer vergif het huis aan het binnenbrengen.'

'Het is maar voor één avond.'

Ze schudt haar hoofd.

'Je hoeft me niet te geloven, maar het is wel waar.'

Haar stem klinkt vlak. 'Ik haat geheimen. Ik weet dat de meeste mensen ze hebben, maar ik haat ze.'

Ze draait zich om. Ik zie haar blote voeten onder haar kamerjas de gang in verdwijnen. En jouw geheimen dan, heb ik de neiging te zeggen, maar ze is er al vandoor en de vraag blijft onuitgesproken. Ik doe de deur dicht en draai de sleutel weer om.

De tweede doos bevat foto's van de plaatsen delict, te beginnen met foto's van grote afstand en daarna de details van afzonderlijke lichaamsdelen. Halverwege de albums laat mijn gestel me in de steek. Ik sta op, controleer opnieuw de deur, ga bij het raam staan en kijk door de kale takken van de kersenbomen naar het kerkhof.

Ik heb nog twee uur tot de koerier er is. Terwijl ik een schrijfblok pak zet ik een foto van Christine Wheeler en eentje van Sylvia Furness naast elkaar op mijn bureau. Geen foto's waarop ze naakt zijn, maar gewoon portretten vanaf de schouders. Daarna maak ik een heftigere collage, met beeldmateriaal van elk van de twee plaatsen delict.

Die van Sylvia springen er het sterkst uit door de sloop die haar hoofd bedekt. Ze kon amper met haar voeten bij de grond. Ze moest op de punten van haar tenen staan. Binnen enkele minuten zullen haar benen ondraaglijk pijn hebben gedaan. Toen ze uitgeput raakte moeten haar voeten alsnog plat zijn neergekomen, zodat haar gehandboeide pols het volle gewicht van haar lichaam te verduren kreeg. Nog meer pijn.

De kussensloop, de naaktheid en de ongemakkelijke lichaamshouding zijn elementen die rieken naar marteling of een executie. Hoe langer ik naar de foto's staar, des te bekender komen ze me voor. Dit zijn beelden uit een ander soort theater, een theater van oorlog en strijd.

De Abu Ghraib-gevangenis in Irak groeide uit tot een synoniem voor marteling. Er gingen beelden de wereld over van gevangenen met hoofdkappen, naakt en aan een halsband, gesard en vernederd. Sommigen moesten in uiterst ongemakkelijke houdingen blijven staan, op hun tenen staand en met uitgestrekte armen, of met hun armen op pijnlijke wijze op hun rug getrokken. Slaaponthouding, vernedering, extreme hitte of koude, honger en dorst, stuk voor stuk kenmerken van ondervraging en marteling.

Het kostte zes uur om Christine Wheeler te breken. Hoeveel tijd had hij in het geval van Sylvia Furness? Ze verdween maandagmiddag, en werd woensdagochtend gevonden, een tijdsspanne van zesendertig uur. Tweederde van die tijd was ze al dood. Normaliter kost het dagen om iemand te hersenspoelen, om zijn verdedigingsmechanismen uiteen te rafelen. Degene die dit op zijn geweten heeft slaagde er binnen twaalf uur in Sylvia te breken. Ongelooflijk.

Dit was geen bloeddorst. Hij haalde niet uit met zijn vuisten of met zijn voeten. Hij sloeg deze vrouwen niet tot ze zich overgaven. Er waren geen sporen van klappen of geweld of enige vorm van fysieke aanval. Hij gebruikte woorden. Waar doet iemand dat soort vaardigheden op? Hoe? Het vereist oefening. Repeteren. Trainen.

Ik deel een pagina van mijn schrijfblok in, schrijf als kop 'DINGEN DIE IK WEET' en begin punten te noteren.

Dit waren weloverwogen, ontspannen, bijna euforische misdrijven, uitingen van een verdorven lust. Hij bepaalde wat het slachtoffer wel en niet aanhad. Hij wist wat elk van de twee in haar kledingkast had hangen. Welke make-up ze droegen. Wanneer ze alleen thuis zouden zijn. De schoenen waren belangrijk voor hem.

Ik denk opnieuw hardop. 'Waarom deze vrouwen? Wat hebben ze jou misdaan? Hebben ze je genegeerd? Uitgelachen? In de steek gelaten?

Sylvia Furness zou zich niet gemakkelijk gewonnen hebben gegeven. Ze was geen doetje. Je moet haar hebben afgemat. Haar naar de boom hebben afgemarcheerd, met jouw stem in haar oor. Welke woorden gebruikte je? Het kost oefening voordat je iemand in deze mate kunt sturen, om de geest van een vrouw van het slot te krijgen. Jij hebt dit eerder gedaan. Wanneer? Waar?

Ik ben geesten zoals die van jou al eerder tegengekomen. Ik heb gezien waar seksueel sadisten toe in staat zijn. Deze vrouwen vertegenwoordigden iets of iemand waar jij minachting voor voelde. Ze waren zowel een symbolisch als een nauwkeurig omschreven doelwit, daarom waren ze zo verschillend. Ze waren acteurs, uitverkoren voor jouw tragedie omdat ze een bepaald uiterlijk hadden of de juiste leeftijd of vanwege iets anders.

Waaruit bestond jouw fantasie? Publieke vernedering is een element. Je wilde dat ze gevonden werden. Je hebt deze vrouwen zich laten uitkleden en laten rondparaderen. Sylvia's lichaam was opgehangen als een stuk vlees. Christine schreef 'slet' op haar buik.

De eerste plaats delict was niet logisch. Het was er te openbaar en onbeschut. Waarom koos je geen beschutte plek zoals een leegstaand huis of een afgelegen boerderij? Je wilde dat Christine gezien werd. Het was onderdeel van het perverse theater.

Je deed dit uit lustbevrediging. Het was misschien niet je oorspronkelijke motief, maar dat werd het wel. Op een zeker moment is seksueel verlangen in je fantasie vermengd geraakt met woede en de behoefte te overheersen. Je hebt geleerd pijn en marteling te erotiseren. Je hebt erover gefantaseerd, in je dromen vrouwen genomen en ze vernederd, gestraft en gebroken. Onteerd. Gedevalueerd. Vernietigd.

Je bent kieskeurig. Je maakt aantekeningen. Je probeert zoveel mogelijk over hen te weten te komen door hun huizen te bespieden en hun gangen na te gaan. Je weet wanneer ze naar hun werk gaan, wanneer ze thuiskomen en wanneer 's avonds de lichten uitgaan.

De precieze details van je planning ken ik niet, en daarom weet ik niet hoe nauwkeurig je je aan je strategie hield, maar je was bereid risico's te nemen. Wat als Christine Wheeler op de brug was gered of als Sylvia Furness was gevonden voordat de kou haar hart deed stoppen, dan hadden ze je kunnen identificeren, toch?

Het snijdt geen hout… tenzij… tenzij ze je gezicht nooit hebben gezien! Je fluisterde hen in het oor, je zei wat ze moesten doen en ze gehoorzaamden, maar ze hebben je gezicht niet gezien.'

Ik schuif het schrijfblok opzij, leun achterover en doe mijn ogen dicht, leeg, moe, trillend.

Het is laat. In huis is het stil. Boven mijn hoofd heeft de gloeilamp motten de melkglazen bol in gelokt. Ze hebben het niet overleefd. Binnenin zit een gloeilamp, een breekbaar glazen omhulsel met daarin een opgloeiende draad. Mensen gebruiken gloeilampen dikwijls als symbool voor ideeën. Ik niet. Mijn ideeën beginnen als potloodlijnen op een blanco pagina, zachte, abstracte contouren. Langzaam worden de lijnen duidelijker en krijgen ze licht en schaduw, diepte en helderheid.

Ik heb de man die Christine Wheeler en Sylvia Furness heeft vermoord nooit ontmoet, maar plotseling voelt het alsof hij uit mijn geest, mijn vlees en bloed is opgedoken, met een stem die in mijn oren nagalmt. Hij is niet langer een hersenspinsel, een mysterie, niet langer deel van mijn verbeelding. Ik heb zijn geest gezien.

30

*De deur gaat amper open. Zijn grauw geworden gezicht kijkt me
aan.*

   '*Je bent laat.*'

   '*Ik had een klus.*'

   '*Het is zondag.*'

   '*En toch moet ik werken.*'

*Hij draait zich om en schuifelt een paar passen de vestibule door,
gebroken slippers klepperen tegen zijn hielen.*

   '*Wat voor klus?*'

   '*Ik moest een paar sloten vervangen.*'

   '*Schoof het een beetje?*'

   '*Dat is wel de bedoeling.*'

   '*Ik heb geld nodig.*'

   '*En je pensioen dan?*'

   '*Op.*'

   '*Waar heb je het aan uitgegeven?*'

   '*Champagne en kolerekaviaar, nou goed?*'

*Hij heeft een pyjamajasje aan dat sleets is bij de ellebogen en weg-
gestoken zit in een hoog gesneden broek die over zijn maag uitpuilt
en in het kruis geen enkele ruimte laat. Misschien valt je penis eraf
als je op een bepaalde leeftijd komt.*

*We zijn in de woonkamer. Het ruikt er naar oude mannen en
braadvet. De enige twee meubelstukken die ertoe doen zijn een leunstoel en de televisie.*

*Ik haal mijn portefeuille tevoorschijn. Hij probeert over mijn han-
den heen te kijken om te zien hoeveel ik op zak heb. Ik geef hem
veertig pond.*

*Hij hijst zijn broek op en laat zich in de kuilen in de stoel vallen
die zich naar de vorm van zijn kont hebben gezet. Zijn hoofd knikt*

naar voren, kin op de borst, en zijn ogen richten zich op de televisie, zijn levenslijn.

'Heb je de wedstrijd nog gezien, pa?' vraag ik.

'Welke?'

'Everton en Man United.'

Hij schudt zijn hoofd.

'Ik heb je kabel gegeven, dus je had kunnen kijken.'

Hij bromt. 'Een man zou niet moeten hoeven betalen om voetbal te kunnen kijken. Dat is net alsof je moet betalen om water te drinken. Daar begin ik niet aan.'

'Dat betaal ik allemaal.'

'Dat doet er niet toe.'

De enige kleur in de kamer is afkomstig van het scherm, dat als een helder vierkantje in zijn ogen weerspiegeld staat.

'Ga je nog op pad zo meteen?'

'Nee.'

'Ik dacht dat je zei dat je bingo had.'

'Ik speel geen bingo meer. Die vuile kutknoeiers zeiden dat ik niet meer hoefde te komen.'

'Waarom niet?'

'Omdat ik ze heb gesnapt bij het sjoemelen.'

'Hoe doe je dat, sjoemelen bij bingo?'

'Ik kom godverdomme elk klotespelletje een cijfer tekort. Eén cijfer. Vuile kutknoeiers!'

Ik heb nog altijd een tas boodschappen in mijn armen. Ik draag hem naar de keuken en biedt aan iets te eten voor hem in elkaar te flansen. Ik heb een blikje ham, witte bonen in tomatensaus en eieren gekocht.

In de gootsteen staat een stapel vuile vaat. Een kakkerlak kruipt naar de rand van een kopje een kijkt me aan alsof ik hier op verboden terrein ben. Terwijl ik borden afschraap boven een pedaalemmer en de kraan opendraai scharrelt hij weg. De gasgeiser rommelt en kucht terwijl een blauwe vlam zich over de branders verspreidt.

'Je had nooit uit het leger moeten gaan,' schreeuwt hij. 'Het leger behandelt je als familie.'

Mooie familie, ja.

Hij begint een lulverhaal over elkaar niet steunen en kameraad-schap, terwijl de waarheid is dat hij nog nooit in een oorlog heeft meegevochten. De Falklandoorlog ging aan zijn neus voorbij omdat hij niet kon zwemmen.

Ik glimlach in mezelf. Het is niet helemaal waar. Hij was medisch ongeschikt. Hij was met zijn hand klem komen te zitten in de uitlaat van een 155 millimeter kanon en brak daarbij het grootste deel van zijn vingers. De ouwe pik is er nog steeds verbitterd over. Daar snap ik geen ruk van. Wie gaat er nou een oorlog uitvechten om een paar rotsen in de zuidelijke Atlantische Oceaan?

Hij zit nog steeds op luide toon boven het geluid van de tv uit te oreren.

'*Dat is het probleem met die soldaten van tegenwoordig. Watjes zijn het. Ze worden vertroeteld. Veren kussens. Viersterrenvreten…*'

Ik bak wat plakken ham en breek eieren stuk boven de openge-bleven plekken. In de magnetron zijn de bonen in een mum van tijd opgewarmd.

Pa verandert van onderwerp. '*Hoe maakt mijn kleindochter het?*'
'*Goed.*'
'*Hoe komt het dat je haar nooit meer meeneemt?*'
'*Ze woont niet meer bij me, pa.*'
'*Ja, maar die rechter heeft je…*'
'*Doet er niet toe wat de rechter heeft gezegd. Ze woont niet bij me, punt.*'
'*Maar je ziet haar wel, toch? Je praat met haar.*'
'*Jaah. Zeker.*'
'*Waarom neem je haar dan niet eens een keer mee? Ik wil haar zien.*'
Ik kijk de keuken rond.
'*Ze wil niet meekomen.*'
'*Waarom niet?*'
'*Weet ik niet.*'
Hij gromt.
'*Ze zit zeker op school nu?*'
'*Jaah.*'
'*Welke school?*'

Ik geef geen antwoord.

'Zeker zo'n deftige particuliere school als die van haar moeder. Die was altijd al te goed voor jouw soort. Ik kon haar vader niet uitstaan. Die dacht dat zijn eigen keutel nog lekker rook. En elke dag een andere auto onder zijn reet.'

'Die waren van de zaak.'

'Oké, maar hij keek mooi wel op jou neer.'

'Dat deed hij niet.'

'Ja, dat deed hij godverdomme wel. Wij waren zijn type niet. Golfclubs, skivakanties... Hij betaalde die chique bruiloft.' Hij stopt even en raakt opgewonden. 'Misschien moet je alimentatie vragen, weet je wel. Haar voor de rechter slepen. Eruit halen wat erin zit.'

'Ik moet haar geld niet.'

'Dan geef je het toch aan mij?'

'Nee.'

'Waarom niet? Ik heb wel iets verdiend, dacht ik zo.'

'Ik heb je dit huis bezorgd.'

'Nou zeg, wat een kutpaleis.'

Hij komt de keuken binnen schuifelen en gaat zitten. Ik dien het eten op. Hij begraaft alles onder de bruine saus. Zegt geen dankjewel. Wacht niet op mij.

Ik vraag me af of hij als hij in de spiegel kijkt ziet wat andere mensen zien: een nutteloze blaas vol pis en scheten. Dat is wat ik zie. De man heeft het recht niet mij de les te lezen. Hij is een vuilbekkend, jankend remspoor op deze wereld en soms wens ik dat hij gewoon crepeert of dat ik het hem op zijn minst betaald kan zetten.

Ik weet niet waarom ik de moeite neem hem op te zoeken. Als ik bedenk wat hij met me gedaan heeft, moet ik me bedwingen hem niet in zijn gezicht te spugen. Hij zal het zich niet herinneren. Hij zal zeggen dat ik het verzin.

De afranselingen zelf waren altijd minder erg dan het lange, uitgerekte voorspel. Dan werd ik naar het trappenhuis gestuurd, waar ik mijn broek moest laten zakken en mijn armen door de balusters heen moest steken en over elkaar doen en mijn polsen moest vastpakken. Dan stond ik daar te wachten en te wachten, met mijn voorhoofd tegen het hout gedrukt.

Het eerste wat ik dan hoorde was hoe het elektriciteitssnoer een fractie voordat het neerkwam zich door de lucht suizend kromde. Hij gebruikte het snoer van een oud broodrooster, met de stekker er nog aan, die hij in zijn vuist geklemd hield.

Ik zal je vertellen wat zo maf was aan die ranselpartijen. Ze leerden me mijn geest in tweeën te splitsen. Ik ben niet op mijn zestiende het huis uit gegaan. Dat deed ik al jaren daarvoor terwijl ik me vasthield aan die balusters. Ik verliet het huis op het moment dat het snoer door de lucht zwiepte en in mijn huid wegzonk.

Ik fantaseerde altijd over wat ik hem zou aandoen als ik groot en sterk genoeg was. In die tijd hield mijn fantasie nog niet over. Ik bedacht hoe ik hem zou stompen of voor zijn kop schoppen. Het is anders nu. Ik kan wel duizend manieren bedenken om hem pijn te doen. Ik kan me inbeelden dat hij me smeekt om te mogen sterven. Hij zou zelfs kunnen denken dat hij al dood was. Dat is me al eens overkomen. Een Algerijnse terrorist, gevangengenomen terwijl hij in de bergen ten noorden van Gardeyz met de Talibs meevocht, vroeg me of hij zich al in de hel bevond.

'Nog niet,' zei ik. 'Maar hiermee vergeleken zal het daar een vakantieoord lijken.'

Pa duwt zijn bord van zich af, haalt een hand langs zijn kaken en werpt me een steelse blik toe. Uit het gootsteenkastje komt een fles gin tevoorschijn. Hij schenkt een glas in, met het air van een man die de wereld laat zien hoe het hoort.

'Wil jij ook?'

'Nee.'

'Ik kijk om me heen, op zoek naar afleiding, een excuus om te gaan.'

'Moet je ergens naartoe?' vraagt hij.

'Ja.'

'Je bent er net.'

'Ik heb een klus.'

'Zeker weer sloten.'

'Jaah.'

Hij snuift verachtelijk. 'Volgens mij waad jij tot aan je ballen in het geld.'

228

Daarna begint hij zijn volgende tirade, waarin hij klaagt over zijn leven en me vertelt dat ik niks waard ben en zelfzuchtig en een enorme, ellendige teleurstelling.

Ik kijk naar zijn nek. Die zou ik zonder veel moeite kunnen breken. Twee handen, duimen op de juiste plaats en hij stopt met praten... en met ademhalen. Net zoals je een konijn doodmaakt.

Hij gaat maar door, bla, bla, bla, zijn mond open en dan weer dicht, de wereld met ongein overspoelend. Misschien had die Algerijn het bij het rechte eind met zijn hel.

31

Er valt een schaduw over de glaspanelen van de deur. Hij gaat open. Veronica Cray draait zich om en loopt wiegend de gang in.

'Heeft u de zondagskranten al gezien, professor?'

'Nee.'

'Een en al Sylvia Furness wat de klok slaat: voorpagina, pagina drie, vijf... Monk belde net. Voor Trinity Road staan meer dan twintig journalisten.'

Ik volg haar naar de keuken. Ze loopt naar het fornuis en begint op de kookplaten met potten en pannen te rommelen. Een door het raam vallende flard zonlicht doet haar haarinplant hier en daar zilverwit oplichten.

'Dit is voor een hoofdredacteur van een sensatiekrant een natte droom. Twee slachtoffers – blanke, aantrekkelijke vrouwen uit de middenklasse. Moeders. Allebei naakt. Zakenpartners van elkaar. Een van hen springt van een brug en de ander is als een zij spek aan een boom opgehangen. Je zou de theorieën eens moeten lezen waar ze mee op de proppen komen – driehoeksverhoudingen, lesbische relaties, afgewezen minnaars.'

Ze doet de koelkast open en pakt een doos eieren, boter, plakken bacon en een tomaat. Ik sta nog steeds.

'Ga zitten. Ik ga ú ontbijt maken.' Zoals zij het zegt klinkt het alsof ik de pan in ga.

'Dat hoeft echt niet.'

'Voor u misschien niet, maar ik ben al sinds vijf uur op de been. Wilt u koffie of thee?'

'Koffie.'

'Ze breekt eieren boven een kom en begint ze tot een schuimende massa te kloppen, elke beweging geoefend en precies. Ik pak een stoel en luister. Op de tafel liggen een stuk of tien verschillende kranten opengeslagen. Op de pagina's van elk ervan staat een glimlachende Sylvia Furness.

Het onderzoek concentreert zich op het trouwbureau, Blissful, dat inmiddels onder beheer staat van een curator. De onbetaalde rekeningen en laatste aanmaningen hadden zich over een periode van twee jaar opgestapeld, maar Christine Wheeler had de deurwaarders op afstand weten te houden door op gezette tijden geld in de zaak te pompen, grotendeels geleend met haar huis als onderpand. Gerechtelijke stappen naar aanleiding van een voedselvergiftiging bleken de genadeklap. Ze kwam betalingsverplichtingen niet na. De zwarte kraai begon rond te cirkelen.

Politietekenaars gaan met Darcy en Alice rond de tafel zitten. Ze zullen apart van elkaar worden geïnterviewd om te zien of hun herinneringen voldoende zijn voor een compositietekening van de man die ze in de dagen voor de dood van hun moeders hebben gesproken.

De fysieke beschrijvingen die de meisjes hebben gegeven komen grofweg overeen qua lengte en bouw, maar in Darcy's herinnering heeft hij zwart haar, terwijl Alice er zeker van was dat hij blond was. Het komt vaker voor dat iemands uiterlijk verandert, maar ooggetuigenverklaringen zijn hoe dan ook berucht om hun grilligheid. Maar weinig mensen weten zich meer dan een handvol kenmerken te herinneren: geslacht, leeftijd, lengte, haarkleur en ras. Dat is niet genoeg voor een echt nauwkeurige compositietekening en slechte schetsen doen meer kwaad dan goed.

De rechercheur schept de bacon uit de koekenpan, halveert de roereieren en laat ze op dikke sneden geroosterd brood glijden.

'Wilt u tabasco op uw eieren?'

'Ja, lekker.'

Ze schenkt de koffie in en doet er melk bij.

Het onderzoeksteam is een tiental andere aanwijzingen aan het natrekken. Een verkeerscamera op Warminster Road pikte maandag om 16.08 uur beelden op van Sylvia Furness' auto. Een niet geïdentificeerde zilverkleurige bestelwagen reed achter haar aan door de verkeerslichten. Een week eerder, twintig minuten voordat Christine Wheeler over de veiligheidsreling klom, reed een soortgelijke bestelwagen over de Clifton Suspension Bridge. Hetzelfde merk. Hetzelfde model. Geen van de twee camera's legde een volledig nummerbord vast.

Sylvia Furness werd maandagmiddag om kwart over drie thuis gebeld. Het telefoontje was afkomstig van een mobiele telefoon die twee maanden geleden met een twijfelachtig identiteitsbewijs in een filiaal van een winkelketen in Zuid-Londen was aangeschaft. Met een tweede toestel, op dezelfde dag gekocht, werd om 15.42 uur Sylvia's mobieltje gebeld. Het was dezelfde telefoon als bij Christine Wheeler. De telefoongesprekken overlapten elkaar. De beller zette Sylvia van haar vaste lijn over naar haar mobieltje, mogelijk om ervoor te zorgen dat hij het contact met haar niet verbrak.

Inspecteur Cray eet snel en laadt haar bord opnieuw vol. De thee waarmee ze elke hap wegspoelt moet branden in haar keel. Ze veegt haar lippen af met een papieren servet.

'Het gerechtelijk lab is met iets interessants op de proppen gekomen. Er zaten spermavlekken van twee verschillende mannen op haar lakens.'

'Weet de echtgenoot ervan?'

'Het scheen dat ze een onderlinge afspraak hadden, een open huwelijk.'

Steeds als ik die term hoor denk ik aan een klein, rank bootje drijvend op een oceaan van stront. De inspecteur bespeurt mijn ontgoocheling en moet grinniken.

'Ga me nou niet vertellen dat u een romanticus bent, professor.'

'Toch wel, denk ik. En u?'

'De meeste vrouwen zijn het, zelfs een vrouw als ik.'

Het klinkt als een uitdaging in plaats van een uitnodiging om door te vragen.

'Ik zag een foto van een jonge man staan? Is dat uw zoon?'

'Ja.'

'Waar hangt hij uit?'

'Hij is inmiddels volwassen en woont in Londen. Het lijkt of ze uiteindelijk allemaal naar Londen vertrekken, als schildpadden die naar hetzelfde strand terugkeren.'

'Mist u hem?'

'Slaapt Dolly Parton op haar rug?'

Ik wil even pauzeren om dit mentale plaatje beter te kunnen bestuderen, maar ga toch maar door.

'Waar zit zijn vader?'

'Wat is dit? Een quizprogramma?'

'Ik ben geïnteresseerd.'

'U heeft een lange neus.'

'Ik ben gewoon nieuwsgierig.'

'Oké, maar ik behoor niet tot die fijne cliënten van u.' Ze zegt het met een onverwachte boosheid en kijkt vervolgens ietwat verlegen. 'U wilt het weten. Ik ben acht maanden getrouwd geweest. Het waren de langste jaren van mijn leven. En mijn zoon is het enige goede wat eruit is voortgekomen.'

Ze pakt mijn bord van tafel en laat het bestek in de gootsteen vallen. De kraan wordt opengedraaid en ze schrobt de borden alsof ze meer wegpoetst dan alleen restanten roerei.

'Heeft u iets tegen psychologen?' vraag ik.

'Nee.'

'Misschien ligt het aan mij?'

'Ik wil niet beledigend zijn, professor, maar een eeuw geleden hadden mensen geen zielenknijpers nodig om zich te kunnen redden. Ze hadden geen therapie, Prozac, zelfhulpboeken of dat ellendige *The Secret* nodig. Ze leefden gewoon hun leven.'

'Een eeuw geleden werden mensen niet ouder dan vijfenveertig.'

'Wilt u daarmee zeggen dat langer leven ons ongelukkiger maakt?'

'Het geeft ons meer tijd om ongelukkig te zijn. Onze verwachtingen zijn veranderd. Overleven is niet genoeg. We willen vervulling.'

Ze geeft geen antwoord, maar niet als teken van instemming. In plaats daarvan suggereert haar houding een episode in het verleden, een familiegeschiedenis, of een bezoek aan een psycholoog of psychiater.

'Heeft het te maken met uw homoseksualiteit?' vraag ik.

'Heeft u daar moeite mee?'

'Nee.'

'Gertrude Stein zei tegen Hemingway dat de reden voor zijn problemen met homoseksualiteit lag in het feit dat de mannelijke homoseksuele daad afstotend en weerzinwekkend was, terwijl bij een vrouw het tegenovergestelde het geval is.'

'Ik probeer mensen niet te beoordelen op hun geaardheid.'

'Maar u beoordeelt ze wel degelijk, iedere dag in uw spreekkamer.'

'Ik heb mijn praktijk opgedoekt, maar toen ik hem nog wel had probeerde ik mensen te helpen.'

'Heeft u wel eens een cliënt gehad die van zijn of haar homoseksualiteit af wilde?'

'Ja.'

'En heeft u geprobeerd die persoon ervan af te helpen?'

'Er viel niets te verhelpen. Ik kan iemands geaardheid niet veranderen. Ik help hen in het reine te komen met wie ze zijn. Ik leer hen om te gaan met wie ze zijn.'

De inspecteur droogt haar handen, gaat weer zitten en pakt haar sigaretten. Steekt er een aan.

'Klaar met het psychologisch profiel?'

Ik knik. Geknerp van banden op grind geeft aan dat er iemand is gearriveerd.

'Ik heb een ochtendbriefing. Ik wil dat u meegaat.'

Roy klopt op de deur en stapt naar binnen. Hij knikt bij wijze van groet.

'Klaar, chef?'

'Yep. De prof gaat met ons mee.'

Roy kijkt me aan. 'Plek zat.'

De commandokamer is drukker en rumoeriger dan daarvoor. Er zijn meer rechercheurs en burgerpersoneel aanwezig, bezig met het invoeren van data en het vergelijken van de details van de twee misdrijven. Het is inmiddels een officieel moordonderzoek met een eigen onderzoeksteam.

Sylvia Furness heeft haar eigen whiteboard, naast dat van Christine Wheeler. Tussen familieleden, collega's en gemeenschappelijke vrienden zijn dikke zwarte lijnen getrokken.

Het onderzoeksteam is in twee groepen gesplitst. De eerste groep heeft al honderden uren besteed aan het achterhalen van iedere persoon die in Leigh Woods was, aan het traceren van voertuigen, het natrekken van alibi's en het bestuderen van camerabeelden.

De groep heeft zich ook gestort op Christine Wheelers schulden en haar contacten met een Tony Naughton genaamde lokale woekeraar wiens naam opdook in haar gespreksgegevens. Naughton is ondervraagd, maar heeft voor vrijdag 5 oktober een alibi. Een handvol innemers zegt dat hij van vroeg in de middag tot sluitingstijd in een pub was. Hetzelfde handjevol mensen dat hem steeds als hij door de politie wordt aangehouden een alibi verschaft.

Ik luister mee terwijl Veronica Cray iedereen bijpraat over de laatste vierentwintig uur.

'Degene die Sylvia Furness heeft vermoord wist van het bestaan van de handboeien, wat inhoudt dat we te maken kunnen hebben met een ex-vriendje, een minnaar of iemand die toegang had tot het huis. Een leverancier, een schoonmaker, een vriend...'

'En de echtgenoot?' vraagt Monk.

'Hij zat in Genève, lekker knus met zijn vierentwintigjarige secretaresse.'

'Hij zou iemand kunnen hebben ingehuurd.'

Ze knikt. 'We zijn bezig zijn telefoongegevens en e-mails na te pluizen.'

Ze deelt taken uit en werpt dan een vluchtige blik op mij. 'Professor O'Loughlin heeft een psychologisch profiel opgesteld. Ik geef hem het woord.'

Mijn aantekeningen staan op een vel papier dat in mijn jaszak zit weggestopt. Ik blijf maar graaien en ernaar kijken, alsof ik zit te spieken bij een toets. Op weg naar mijn plek voor de groep til ik bewust mijn voeten op om te voorkomen dat ik ga schuifelen.

Het is een van de trucs die ik mezelf sinds de komst van meneer Parkinson heb moeten aanleren. Ik sta niet langer met mijn voeten dicht bij elkaar en probeer niet om mijn as te draaien als ik me snel omdraai.

'De man die jullie zoeken is een volbloed seksueel sadist,' verklaar ik, een moment nemend om hun gezichten te bekijken. Het maakt ze nerveus. 'Hij wilde deze vrouwen niet zomaar vermoorden, hij wilde ze lichamelijk en geestelijk vernietigen. Levendige, levenslustige en intelligente vrouwen nemen en hun het laatste sprankje hoop en vertrouwen en menselijkheid ontnemen.

De man die jullie zoeken valt in dezelfde leeftijdscategorie als zijn slachtoffers of ouder. Zijn planning, zelfvertrouwen en mate van beheersing wijzen op gerijptheid en ervaring.

Hij heeft een bovengemiddeld hoog IQ, een grote verbale intelligentie en goede sociale vaardigheden. Hij zal overkomen als vriendelijk en zelfverzekerd, bedrieglijk charmant bijna. Dat is de reden dat zijn vrienden, collega's of drinkmaatjes waarschijnlijk geen idee zullen hebben van zijn sadistische karakter.

Zijn formele opleiding zal niet in overeenstemming zijn met zijn intelligentie. Hij is snel verveeld en heeft zijn school of universiteit waarschijnlijk vroegtijdig achter zich gelaten.

Zijn organisatievermogen en aanpak suggereren een militaire opleiding, maar hij is op een punt aangekomen waarop hij geen bevelen meer opvolgt, tenzij hij respect heeft voor de persoon die ze geeft. Vanwege dit feit is hij waarschijnlijk kleine zelfstandige of werkt hij in zijn eentje. Het tijdstip van de moorden suggereert dat hij flexibele werktijden heeft, avonden of weekenden.

Waarschijnlijk komt hij uit de omgeving en is hij iemand die de wegen, afstanden en straatnamen kent. Hij heeft beide slachtoffers via de telefoon aanwijzingen gegeven. Hij wist waar ze woonden, kende hun telefoonnummers en wist wanneer ze alleen waren. Dit vereiste planning en onderzoek.

Waarschijnlijk woont hij op zichzelf of bij een oudere vader of moeder. Hij wil kunnen komen en gaan zonder vragen van een echtgenote of partner hoeven te beantwoorden. In het verleden is hij mogelijk getrouwd geweest en zijn haat jegens vrouwen zou kunnen voortkomen uit deze of een andere mislukte relatie of een probleem met zijn moeder in zijn jeugdjaren.

Deze man weet waar forensisch onderzoek zich op richt. Buiten de mobiele telefoon die hij aan Christine Wheeler gaf heeft hij niets achtergelaten. Daarnaast gebruikte hij verhullend gedrag: verschillende toestellen aanschaffen onder valse namen, verschillende telefooncellen gebruiken en in beweging blijven.

Zijn slachtoffers zijn bewust gekozen. De vraag die wij dienen te beantwoorden is waarom en hoe dat gebeurde. Ze waren vriendinnen en zakenpartners. Ze gingen naar dezelfde school. Ze hadden tientallen vrienden gemeenschappelijk en misschien een honderdtal bekenden. Ze woonden in dezelfde stad, gingen naar dezelfde kapper en dezelfde stomerij. Zoek uit waarom hij hen uitkoos en we zijn een stap dichter bij zijn opsporing.'

Ik pauzeer even en bekijk mijn aantekeningen om me ervan te vergewissen dat ik niets ben vergeten. Mijn linkerwijsvinger is begonnen te trillen, maar mijn stem is krachtig. Ik wip voorzichtig op mijn tenen omhoog en begin al pratend heen en weer te lopen. Hun ogen bewegen met me mee.

'Ik denk dat onze dader beide vrouwen ervan wist te overtuigen dat ze geen andere keuze hadden dan mee te werken omdat anders hun dochters iets zou overkomen. Dit suggereert dat hij een buitengewoon verbaal zelfvertrouwen heeft, maar ik denk dat we bij zijn fysieke moed een vraagteken moeten zetten. Hij heeft deze vrouwen niet met brute kracht overmeesterd. Hij gebruikte zijn stem om te intimideren en te sturen. Dit suggereert dat het hem voor een rechtstreekse confrontatie aan moed ontbreekt.'

'Het is een lafaard,' zegt Monk.

'Of hij is fysiek niet sterk.'

Inspecteur Cray wil praktischere informatie. 'Hoe groot is de kans dat het een ex-vriendje of afgewezen minnaar betreft?'

'Dat geloof ik niet.'

'Waarom niet?'

'Voor elk van de twee slachtoffers geldt dat, als ze was ontkomen of was gered, ze een ex-vriendje of minnaar had kunnen identificeren. Ik betwijfel of hij dat risico zou nemen. Er is nog iets. Zouden deze vrouwen zijn bevelen zo volledig hebben opgevolgd als ze hem kenden? Een onbekende stem is angstwekkender, intimiderender.'

Er kucht iemand. Ik stop even, me afvragend of dit een signaal is. Er klinkt gedempt commentaar.

'Dat brengt me op een volgend punt,' zeg ik. 'Hij heeft ze mogelijk niet fysiek aangeraakt.'

Niemand reageert. Monk neemt als eerste het woord. 'Wat bedoelt u?'

'Mogelijk hebben de slachtoffers hem niet gezien.'

'Maar Sylvia Furness zat met handboeien vast aan een boom.'

'Dat zou ze zelf gedaan kunnen hebben.'

'En die sloop dan?'

'Ook dat zou ze zelf gedaan kunnen hebben.'

Ze kijken me ongelovig aan. Zo'n grote sprong van de verbeelding is het niet. Als een man een vrouw ertoe kan brengen van een brug te springen moet hij een andere vrouw er zeker toe kunnen overhalen zich met handboeien aan een boom vast te maken.

Ik licht het bewijsmateriaal toe. Het veld was modderig. Onder de boom werd maar één stel voetafdrukken aangetroffen. Er waren geen tekenen van seksueel geweld of afweerwonden. Er waren geen andere bandensporen die naar het veld liepen.

'Ik zeg niet dat hij de plek niet van tevoren heeft bezocht; hij heeft hem zorgvuldig uitgekozen. Ik denk ook dat hij in de buurt was, de mobieletelefoonsignalen wijzen daarop, maar ik denk niet dat ze hem heeft gezien. Ik geloof niet dat hij haar heeft aangeraakt, althans niet fysiek.'

'Hij heeft met haar geest lopen kloten,' zegt Safari Roy.

Ik knik.

Er klinkt fluitend gezucht en sceptisch gegrom. Dit gaat hun begrip te boven. Zelfs de inspecteur staart me vol ongeloof aan.

'Waarom? Wat is het motief?' vraagt ze.

'Wraak. Woede. Seksuele bevrediging.'

'Wat, mogen we kiezen?'

'Alle drie. Deze man is een seksueel sadist. Het gaat niet om het vermoorden van vrouwen. Het is persoonlijker. Hij vernedert ze. Hij vernietigt ze psychologisch, omdat hij datgene haat waar ze voor staan. Hij heeft misschien problemen gehad met zijn eigen moeder of met een ex-vrouw of vriendin. Mogelijk ontdekken jullie zelfs dat zijn eerste slachtoffer zijn haat heeft doen ontvlammen.'

'U bedoelt Christine Wheeler?' zegt Monk.

'Nee. Zij was niet de eerste.'

Stilte. Ontzetting.

'Waar zijn de anderen?' fluistert iemand.

'Dat weet ik niet.'

Veronica Cray begint te twijfelen of het wel zo verstandig was mij hier neer te zetten, en mij te laten praten. Ik moet zorgen dat ze het begrijpen. Het kost jarenlange oefening om iemand in deze mate te kunnen sturen, om iemands geest open te kunnen breken, een ander menselijk wezen zo sterk onder controle te kunnen krijgen.

'Degene die hierachter zit heeft naar dit moment toegewerkt, zijn technieken geoefend en aangescherpt. Hij is een expert.'

'Wanneer? Waar?'

'Precies. Beantwoordt die vragen en we zullen hem vinden.'

De inspecteur heeft haar blik afgewend en staart zwijgend uit het raam, met een blik die zo intens is dat het is alsof ze naar buiten wil ontsnappen om in iemand anders' leven te verdwijnen. Ik wist van tevoren dat dit het lastigste punt zou zijn om over het voetlicht te krijgen. Zelfs ervaren politiemensen en werkers in de geestelijke gezondheidszorg hebben moeite met het gegeven dat iemand intens plezier en opwinding kan halen uit het martelen en doden van een ander menselijk wezen.

Ineens begint iedereen door elkaar heen te praten. Ik word gebombardeerd met vragen, meningen en argumenten. Sommige rechercheurs lijken bijna gretig, opgewonden door de jacht. Misschien heb ik niet de juiste instelling, maar er is niets aan moord dat mij opvrolijkt of energie geeft.

Misdaden oplossen is voor deze mannen en vrouwen een roeping. Het is een verlangen de morele orde van een versplinterde wereld te herstellen: een manier om vraagstukken rond onschuld en schuld, gerechtigheid en straf te onderzoeken. Voor mij is de enige belangrijke persoon het slachtoffer dat alles in gang zet. Zonder hem of haar zou geen van ons hier zitten.

De briefing is voorbij. Inspecteur Cray loopt met me mee naar beneden.

'Als u gelijk hebt wat betreft deze man zal hij opnieuw gaan moorden, toch?'

'Op een gegeven moment wel.'

'Kunnen we hem afremmen?'

'Misschien door contact met hem te maken.'

'Hoe dan?'

'Hij is er niet op uit om de politie in een of ander kat-en-muis-spel te betrekken, maar hij zal wel kranten lezen, naar de radio luisteren en televisie kijken. Hij heeft zijn antennes uitstaan, wat betekent dat je hem een boodschap kunt sturen.'

'Wat zou onze boodschap zijn?'

'Zeg dat je hem wilt begrijpen. De media plakken hem etiketten op die niet bepaald vleiend zijn. Laat hem de misverstanden rechtzetten. Niet vernederen. Niet tot vijand maken. Hij wil respect.'

'En waarheen voert dat ons?'

'Als je hem zover weet te krijgen dat hij belt betekent dat dat je hem iets hebt weten op te leggen. Dat is een kleine stap. De eerste.'

'Wie gaat de boodschap overbrengen?'

'Het moet één iemand zijn. Eén gezicht. Het kan geen vrouw zijn. Het moet een man zijn.'

De inspecteur tilt haar kin iets op, alsof iets aan de horizon haar aandacht heeft getrokken.

'Wat dacht u van uzelf?'

'Ik niet, nee.'

'Waarom niet?'

'Ik ben geen rechercheur.'

'Maakt niet uit. U ként deze man. U weet hoe hij denkt.'

Ik sta in de hal terwijl ze alle argumenten opsomt zonder me een kans op een weerwoord te gunnen. Een politiewagen snelt de achterhekken door. Het gierende gegil van de sirene overstemt mijn tegenwerpingen.

'Aldus besloten. U stelt een verklaring op. Ik regel een persconferentie.'

De elektronische deuren klikken open. Ik stap naar buiten. Het geluid van de sirene is weggestorven en heeft een gevoel van verandering en verlies achtergelaten. Met voorovergebogen hoofd zet ik me met armen en benen zwaaiend in beweging, me ervan bewust dat ze me nakijkt.

Overal liggen bloemen: opgetast tegen het hek en tegen de stammen van bomen. In het midden van de grootste rouwkrans zit
een in een doorzichtig plastic hoesje gestoken foto van Christine
Wheeler.

Darcy heeft een van Juliannes jurken aan en een zwarte win-
terjas die als ze loopt bijna de grond raakt. Ze staat in een kring
mensen aan de overkant van het graf, naast haar vanochtend uit
Spanje overgekomen tante en haar grootvader, die met een Schot-
se ruitjesdeken over zijn knieën in een rolstoel zit.

Haar tante is een rijzige vrouw die er hoekig bij staat alsof ze
zich met een golfbal onderhoudt in plaats van met een persoon.
De wind helpt haar kapsel de vernieling in en blaast het plat naar
één kant.

Ik ben op meer begrafenissen geweest, maar deze klopt niet. De
rouwenden zijn te jong. De meesten zijn maar op weinig begrafenissen geweest. Het zijn oude schoolvriendinnen of buurtgenoten
of kameraden van Christines universiteit. Sommigen hadden in
hun kledingkast niets geschikts hangen en hebben gedempt grijs
gekozen in plaats van zwart. Ze weten niet wat ze moeten zeggen
en staan in plaats daarvan in groepjes te fluisteren en werpen be-
droefde blikken in de richting van Darcy.

Alice Furness staat vanaf haar plek naast haar tante Gloria te
kijken. Haar vader, terug uit Genève, heeft een zwart pak aan en
staat in een mobieltje te praten. Zijn ogen ontmoeten de mijne,
waarna zijn blik naar rechts dwaalt en hij van opzij een hand op
Alice' schouder legt. Als dit voorbij is gaat hij zijn eigen vrouw
begraven. Ik kan me niet voorstellen hoe het zou zijn om Julianne
te verliezen. Ik wil het me niet voorstellen.

Aan de andere kant van de begraafplaats, samengedromd op

een richel, hebben televisieploegen en fotografen stelling genomen achter een versperring van verkeerskegels en afzettingstape. Geüniformeerde agenten houden hen bij de rouwenden vandaan.

Safari Roy en Monk staan schouder aan schouder en zien eruit alsof ze bij de dragers horen. Inspecteur Cray staat apart. Ze heeft een bloemenkrans meegebracht die ze op de berg donkerbruine aarde legt, die afgedekt is met een kunstgrastapijt.

Een lijkwagen komt het hek door zoeven. Het gebogen pad ligt lager dan het omringende gras en ik kan de banden niet zien draaien. Het is alsof het voertuig naar ons toe komt zweven.

Juliannes schouder raakt heel even de mijne en met haar rechterhand pakt ze mijn linker, de hand die trilt. Ze houdt hem stil, alsof ze mijn geheim bewaart.

Ruiz komt bij ons staan. Ik heb hem sinds gisteren niet meer gezien.

'Waar heb je gezeten?'

'Een boodschap.'

'Kan dat iets specifieker?'

Hij werpt een blik op Darcy. 'Ik ben op zoek gegaan naar haar vader.'

'Serieus?'

'Ja.'

'Heeft zij je dat gevraagd?'

'Nee.'

'Ze heeft hem nooit ontmoet!'

'Ik de mijne ook niet,' zegt hij schouderophalend. 'Ik dacht dat hij het misschien toch wel zou willen weten. Als hij een bijlmoordenaar blijkt te zijn zal ik Darcy niet zijn adres geven.'

De kist is op een over het graf geplaatste stellage gelegd. Bloemen liggen hoog opgetast op het gepolitoerde hout. Darcy laat haar tranen de vrije loop. Haar tante lijkt niet erg geïnteresseerd. Een andere vrouw slaat een arm om Darcy's schouder. Ze ziet er deerniswekkend uit, met rooddoorlopen ogen, en draagt een zwarte jas over een lange grijze rok.

Ineens herken ik de man naast haar, Bruno Kaufmann. De

vrouw naast hem moet zijn ex-vrouw zijn, Maureen. Bruno vertelde dat ze op dezelfde school had gezeten als Christine, wat inhoudt dat ze ook bij Sylvia op school zat. Mijn god, ze is in iets meer dan een week twee vriendinnen kwijtgeraakt. Geen wonder dat ze er zo desolaat uitziet.

Bruno steekt een vinger naar me op in een terloopse groet.

De predikant is klaar om te beginnen. Zijn stem, schor van verkoudheid, is te hees om ver te kunnen dragen. Ik merk dat mijn geest over de grafstenen en de grasperken nog verder afdwaalt, voorbij de bomen en de gereedschapsschuur tot de plek waar een grafdelver zit toe te kijken. Hij is een ei aan het pellen en laat de stukjes eierschaal in een bruine papieren zak vallen.

Stof zijt gij en tot stof zult u wederkeren... als God je niet haalt, doet de duivel het wel. Is het je ooit opgevallen dat begraafplaatsen als composthopen ruiken? Ze hebben een mengsel van bloed en beendermeel op de rozen gestrooid. Het dringt tot bovenin mijn neus door.

'*Degene die je zoekt zit er niet tussen.*'
'*Nee.*'
'*Je zei dat ze zou komen.*'
'*Ik zei dat ze misschien zou komen.*'
'*Wat doen we nu?*'
'*Blijven zoeken.*'

De begrafenisgangers zijn in het zwart, als kraaien rond een platgereden dier. Ik kan hun droefenis voelen, maar het voelt niet droef genoeg. Ik weet wat echte droefheid is. Het is het geluid van een kind dat verjaardagscadeautjes openmaakt zonder dat ik erbij ben, in kleren die ik heb betaald. Dat is droefheid.

De zielenknijper is er. Hij is als een van die bijna-beroemdheden die zelfs bij de opening van een envelop nog hun gezicht laten zien. Dit keer heeft hij zijn vrouw meegebracht die veel te geil is voor zijn soort. Misschien maakt zijn tremor het voorspel wel interessanter.

Wie is er nog meer? Die pot van de recherche en haar slapstickagenten. Darcy, de ballerina, doet haar best onaangedaan en flink te zijn. We passeerden elkaar heel even bij het hek en ze gaf mij een

minieme blik van herkenning, alsof ze niet zeker wist of ze me ergens
van kende. Daarna zag ze de kruiwagen en mijn overall en verwierp
ze die mogelijkheid.

De predikant vertelt de rouwenden dat de dood slechts het begin is
van een reis. Het is een sprookje dat door de eeuwen heen heeft ge-
klonken. Borstkassen gaan schokkerig op en neer. Er vallen tranen. De
grond is al drassig genoeg. Waarom komt de dood toch als zo'n schok
voor mensen? Het is toch zeker de meest fundamentele waarheid? We
leven. We sterven. Neem dit ei. Als het bevrucht was geraakt en warm
was gehouden had het een kuikentje kunnen worden. In plaats daarvan
werd het in kokend water gegooid en werd het een smakelijk hapje.

Hoofden buigen zich in stil gebed. Jassen flapperen rond knieën
door een opstekende bries. Boven mijn hoofd kreunen de takken als
de magen van dode zielen.

Ik moet gaan. Er zijn plaatsen waar ik heen moet… sloten die ik
moet openmaken… geesten die ik moet openbreken.

De dienst is voorbij. We lopen over het gras en komen weer bij
het pad. Uit de bloembedden stijgt een natte, warme geur op en
boven onze hoofden, als geëtst in een parelgrijze lucht, vliegen
trekvogels in formatie, op weg naar het zuiden.

Bruno Kaufmann pakt mijn arm. Ik stel hem voor aan Julianne.
Hij buigt theatraal.

'Waar heeft Joseph u verborgen gehouden?'

'Overal en nergens,' antwoordt ze, meer dan genegen Bruno
met haar te laten flirten.

Begrafenisgangers stappen langs ons heen. Darcy is in gezelschap van een aantal vriendinnen van haar moeder, die kennelijk
in haar hand willen knijpen en haar haar strelen. Haar tante duwt
haar grootvader voort over het pad, klagend over de helling.

'Overal politie, ouwe jongen,' zegt Bruno met een blik op Monk
en Safari Roy. 'Ze vallen uit de toon als paarse koeien.'

'Ik heb nog nooit een paarse koe gezien.'

'In Madison, Wisconsin, hebben ze massa's kleurige koeien,'
zegt hij. 'Geen echte, maar beelden. Ze zijn daar een toeristische
attractie.'

245

Hij begint een verhaal te vertellen over zijn periode aan de universiteit van Wisconsin. Een windvlaag doet zijn pony opzweven, de zwaartekracht trotserend. Bruno richt zijn verhaal tot Julianne. Ik kijk langs hem heen en zie Maureen.

'Wij hebben elkaar niet eerder ontmoet, zeg ik tegen haar. 'Het spijt me heel erg van Christine en Sylvia. Ik weet dat ze vriendinnen van vroeger waren.'

'Mijn beste vriendinnen,' zegt ze terwijl haar adem condenseert bij het uitademen.

'Hoe gaat het?'

'Goed.' Ze snuit haar neus in een zakdoekje. 'Ik ben bang.'

'Waar bent u bang voor?'

'Mijn twee beste vriendinnen zijn dood. Dat maakt me bang. De politie is bij me thuis geweest, heeft me ondervraagd. Dat maakt me bang. Ik schrik op van harde geluiden, ik houd de deuren op het nachtslot, ik kijk tijdens het rijden in mijn achteruitkijkspiegel... ook dat maakt me bang.'

Het doorweekte zakdoekje gaat terug in haar jaszak. Uit een plastic pakje komt een vers exemplaar. Haar handen trillen.

'Wanneer hebt u ze voor het laatst gezien?'

'Twee weken geleden. We hadden een reünie.'

'Wat voor reünie?'

'Alleen wij vieren, de oude hap van Oldfield. We zaten bij elkaar op school.'

'Dat zei Bruno, ja.'

'We hadden afgesproken elkaar in onze favoriete pub te treffen. Helen had het georganiseerd.'

'Helen?'

'Een andere vriendin, Helen Chambers.' Ze laat haar blik over de begraafplaats dwalen. 'Ik had verwacht dat ze hier zou zijn. Het is vreemd. Helen had de reünie georganiseerd, zij was de reden dat we bij elkaar kwamen. We hadden haar in jaren niet gezien, maar ze kwam niet opdagen.'

'Waarom niet?'

'Dat weet ik nog steeds niet. Ze heeft niet gebeld of een mailtje gestuurd.'

'Jullie hebben helemaal niets van haar vernomen?'

Ze schudt lichtjes haar hoofd en snottert. 'Echt iets voor Helen. Ze staat erom bekend dat ze altijd te laat komt en zelfs in haar eigen achtertuin nog verdwaalt.' Ze kijkt langs me heen. 'Dat meen ik serieus. Ze moesten haar in groepen gaan zoeken.'

'Waar woonde ze?'

'Haar vader heeft een landgoed. Met een nogal grote achtertuin, dus misschien moet ik haar er maar niet mee plagen.'

'En u hebt haar hoe lang al niet gezien?'

'Zeven jaar. Bijna acht.'

'Waar zat ze al die tijd?'

'Ze trouwde en verhuisde naar Noord-Ierland en daarna naar Duitsland. Chris en Sylvia waren haar bruidsmeisjes en ik had haar ceremoniemeester zullen zijn, maar Bruno en ik woonden in die tijd in Amerika en konden niet overkomen voor de trouwerij. Ik heb toen een felicitatievideo gemaakt.'

Maureens ogen lijken te glinsteren. 'We hebben elkaar beloofd dat we contact zouden houden, maar Helen leek zomaar ineens verdwenen. Ik stuurde haar elke verjaardag en met kerst een kaartje, maar kreeg in feite taal noch teken, op een sporadische brief na die uit het niets kwam en me weinig zei. Weken werden maanden, maanden jaren. We dreven gewoon uit elkaar. Het was triest.'

'En toen nam ze contact met u op?'

'Zes maanden geleden stuurde ze ons – Christine, Sylvia en mij – een e-mail waarin stond dat ze bij haar man weg was. Ze ging op vakantie met haar dochter – "om haar hoofd te klaren" – en daarna zou ze naar huis teruggaan.

Ongeveer een maand geleden stuurde ze nog een e-mail, waarin stond dat ze thuis was en dat we elkaar moesten treffen. Ze noemde de datum. Koos de plek: de Garrick's Head in Bath. Kent u die?'

Ik knik.

'Daar gingen we altijd heen, voordat we allemaal trouwden en kinderen kregen. Dan dronken we een paar drankjes en hadden we lol. En soms gingen we door naar een nachtclub. Sylvia was gek op dansen.'

Maureens handen zijn opgehouden met trillen, maar tot bedaren komt ze niet meer. Ze praat alsof een afgeworpen leven is teruggekeerd om haar op te komen eisen. Een verloren vriendin. Een stem uit het verleden.

'Toen ik hoorde dat Christine zelfmoord had gepleegd kon ik het niet geloven, geen seconde. Ze zou zichzelf nooit op die manier ombrengen. Nooit Darcy in de steek laten.'

'Vertel me eens over Sylvia.'

Maureen schenkt me een trieste glimlach en slaat haar natte ogen op. 'Het was een wildebras, maar niet op een nare manier. Ik maakte me wel eens zorgen. Ze was een de-dood-of-de-gladiolen-type, iemand die ontzettend veel risico's nam. Gelukkig trouwde ze iemand als Richard, die heel vergevingsgezind was.'

Er zitten haarscheurtjes in de make-up rond haar ogen, maar haar mascara zit nog op zijn plaats.

'Weet u wat ik het leukst vond aan Sylvia?'

Ik schud mijn hoofd.

'Haar stem. Ik mis haar lach.' Ze kijkt uit over de begraafplaats. 'Ik mis ze allebei. Ik mis ze nu ik weet dat ik ze nooit meer zal zien. Ik denk steeds dat ze zullen bellen of een sms'je zullen sturen of langs zullen wippen voor een kopje koffie.'

Opnieuw een stilte, langer dit keer. Ze kijkt op en fronst. 'Wie zou zoiets doen?'

'Weet ik niet.'

'Bruno zegt dat u de politie assisteert.'

'Ik doe wat ik kan.'

Ze kijkt naar Bruno, die Julianne uitlegt dat de eerste fossiele vondsten van de roos vijfendertig miljoen jaar oud zijn en dat Sappho haar 'Ode aan een roos' in 600 vóór Christus schreef en hem de koningin der bloemen noemde.

'Hoe weet hij dat soort dingen?' vraag ik. 'Dat heb ik hem ook over u horen zeggen.'

Ze kijkt teder zijn kant op. 'Ik heb ooit van hem gehouden, hem vervolgens gehaat en nu zit ik klem tussen die twee gevoelens. Het is geen slechte man, weet u.'

'Dat weet ik.'

33

Op de oprit en het voetpad voor het huis van de Wheelers staan auto's geparkeerd. Darcy begroet de begrafenisgangers en neemt hun jassen en tassen aan. Ze kijkt naar me alsof ik op het punt sta haar te redden.

'Ik geloof niet dat ik dit nog veel langer trek,' fluistert ze.

'Je doet het geweldig.'

'Wanneer kunnen we weg?'

Ik schud woordloos mijn hoofd en doe een stap opzij. Er arriveren nog meer gasten. De zitkamer en de eetkamer zitten vol. Julianne heeft mijn linkerhand vast terwijl we groepjes rouwenden ontwijken en langs uitgestoken kopjes thee en borden met sandwiches en koekjes zigzaggen.

Ruiz heeft een biertje weten te bemachtigen.

'Ik begrijp dat je meer wilt weten over Darcy's vader?' vraagt hij.

'Heb je hem gevonden?'

'Ik ben hem op het spoor. Zijn naam stond niet op de geboorteakte, maar ik heb wel een bevestiging van het huwelijk. Parochieboeken. Schitterende dingen.'

Julianne omhelst hem. 'Kunnen we het over iets anders hebben?'

'Zeg het maar, pensioenen?' zegt Ruiz speels. 'Of liever fusies en overnames?'

'Grappig hoor.'

Ze geeft hem een speelse stomp. Ruiz neemt nog een teug bier en heeft het naar zijn zin. Ik laat hen aan elkaar over en ga op zoek naar Darcy's tante. Ze staat in de keuken het verkeer te regelen, borden met sandwiches de ene deur door gebarend en lege borden verzamelend die door de andere deur binnenkomen. De werktafels staan vol met eten en de lucht is zwanger van de geur van koffie en thee en scones met dikke room.

Kerry Wheeler is een grote vrouw met een door de Spaanse zon gebruinde teint en zware sieraden. De huid onder haar kin is gevlekt en rond haar mondhoeken is de lippenstift uitgelopen.

'Zeg maar Kerry,' zegt ze terwijl ze water in een theepot giet. De damp heeft haar gepermanente kapsel doen inzakken, dat ze met een snelle beweging van haar vingers weer overeind probeert te krijgen.

'Kunnen we even praten?' vraag ik.

'Natuurlijk. Ik snak naar een sigaret.'

Uit haar handtas haalt ze een pakje sigaretten en van achter een rijtje stolpflessen met koekjes een glas witte wijn. Ze neemt beide mee naar buiten, drie treden omlaag de tuin in.

'Wilt u er ook een?'

'Ik rook niet.'

Ze steekt er een op.

'Ik heb gehoord dat u een beroemdheid bent.'

'Dat is niet zo.'

Ze blaast uit en kijkt hoe de rook vervliegt. Ik zie de paarse aderen achterop haar enkels en de rauwe huid op plekken waar haar hoge hakken hebben geschuurd.

'Ik kon niet wachten tot de begrafenis voorbij was,' zegt ze. 'Het voelde koud genoeg voor sneeuw. Idioot weer. Daar ben ik niet meer aan gewend. Ik ben te lang in de zon geweest.'

'Wat betreft Darcy.'

'Ja. Wat ik wilde zeggen: bedankt voor de goede zorgen. Dat zal niet meer hoeven.'

'U gaat terug naar Spanje.'

'Overmorgen.'

'Heeft u het Darcy al verteld?'

'Ga ik nog doen.'

'Wanneer?'

'Ik heb net mijn zuster begraven. Dat was mijn eerste prioriteit.'

Ze trekt haar jasje dichter rond haar borst en neemt een haal van de sigaret.

'Ik heb hier niet om gevraagd.'

'Wat bedoelt u?'

'Kinderen zijn altijd lastig. Zelfzuchtig. Daarom heb ik ze ook niet. Ik ben ook zelfzuchtig, ziet u.'

Het wijnglas tinkelt tegen haar tanden.

'Heeft u kinderen?'

'Ja.'

'Dan weet u waar ik het over heb.'

'Niet echt.' Ik praat zacht. 'Darcy wil naar de balletacademie in Londen.'

'En wie gaat dat betalen?'

'Volgens mij is ze van plan dit huis te verkopen.'

'Dit huis?' De grote vrouw lacht. Haar tanden en kiezen zijn zichtbaar, geel en doorspekt met vullingen. 'Dit huis is van de bank. Net als de auto. Het meubilair is van de bank. De hele dekselse santenkraam is van de bank.' Ze laat een boer achter haar hand en schiet de sigarettenpeuk de tuin in, waar hij opspringt en vonkt.

'Mijn zuster de grote zakenvrouw schrijft haar testament terwijl er geen klote te vergeven valt. En zelfs als er iets over is als ik dit huis heb verkocht is het kleine juffie te jong om te erven. Ik ben juridisch gezien haar voogdes. Zo staat het in het testament.'

'Ik vind dat u met Darcy moet praten over Spanje. Ze zal niet mee willen.'

'Dat is niet haar beslissing.'

Ze wrijft haar hakken tegen elkaar alsof ze de bloedtoevoer naar haar voeten weer op gang probeert te krijgen.

'Ook dan vind ik dat u met haar moet praten.'

Een ongemakkelijke stilte en een zucht. 'Ik waardeer uw bezorgdheid, meneer O'Loughlin.'

'Zeg maar Joe.'

'Zie je Joe, we moeten allemaal compromissen sluiten. Darcy heeft iemand nodig die voor haar zorgt. Ik ben haar enige familie.'

Ik voel dat ik geïrriteerd raak. Boos. Ik schud mijn hoofd en duw mijn handen steviger in de zakken van mijn jasje.

'Je vindt dat ik het bij het verkeerde eind heb.'

'Inderdaad.'

'Ook dat is een voordeel als je zo oud bent als ik: ik hoef me nergens ene reet van aan te trekken.'

Ik ben het huis nog niet binnen of Julianne voelt dat er iets aan de hand is. Ze kijkt me vragend aan. Mijn linkerarm beeft.

'Ben je klaar om te gaan?' vraagt ze.

'Laat me nog even met Darcy praten.'

'Om gedag te zeggen.'

Het is een vaststelling in plaats van een vraag.

Ik kijk in de zitkamer en de eetkamer, de hal en vervolgens boven. Darcy zit op haar oude slaapkamer bij het raam over de tuin uit te staren.

'Je hebt je verstopt.'

'Yep,' zegt ze.

De kamer is bezaaid met affiches en knuffeldieren. Het is een tijdcapsule uit Darcy's kindertijd, een periode die ook al is ze nog maar zestien ongelooflijk ver weg lijkt. Ik zie snippers verscheurd papier op de grond liggen en op bed een stapel door elkaar liggende condoleancekaarten. Iemand heeft ze in grote haast geopend, zonder plichtplegingen.

'Je hebt kaarten zitten bekijken.'

'Nee hoor. Zo heb ik ze gevonden.'

'Wanneer?'

'Net, toen ik thuiskwam.'

'Iemand moet ze hebben opengemaakt.'

'Maar ze waren wel aan mij gericht.'

Ze bespeurt de bijklank in mijn stem. Ik vraag of het huis op slot was, wie er sleutels hadden, waar ze de kaarten en enveloppen aantrof.

'Ze lagen op bed.'

'Ontbreken er kaarten?'

'Dat kan ik niet zien.'

Ik kijk uit het raam naar een rij jonge populieren, die tot aan de hoek doorloopt. Ik zie een zilverkleurige bestelwagen langzaam de straat door rijden, op zoek naar een huisnummer.

'Kunnen we nu gaan?'

'Deze keer niet.'

'Hoe bedoelt u?'

'Je blijft hier met je tante.'

'Maar die gaat terug naar Spanje.'

'Ze wil dat je met haar meegaat.'

'Nee! Nee!'

Darcy kijkt me verwijtend aan. Ik voel ineens een zwaarte rond mijn hart.

'Dat kan ik niet. Ik wil niet weg. En mijn balletbeurs dan? Ik ben toegelaten.'

'Spanje kan als een vakantie voor je zijn.'

'Vakantie? Ik kan niet zomaar ineens stoppen met dansen en het dan weer oppakken. En ik ben nog nooit in Spanje geweest. Ik ken daar niemand.'

'Je hebt je tante.'

'Die de pest aan me heeft.'

'Dat is niet waar.'

'Praat met haar.'

'Dat heb ik gedaan.'

'Heb ik iets verkeerds gedaan?'

'Natuurlijk niet.'

Haar onderlip trilt. Ineens werpt ze zich aan mijn borst en slaat haar armen om me heen.

'Laat me met u mee naar huis gaan.'

'Dat zal niet gaan, Darcy.'

'Alstublieft. Alstublieft.'

'Dat kan niet, het spijt me.'

Wat er dan gebeurt is niet zozeer ongepland als wel ongedacht. Er zijn sprongen die alleen ergens tussen hoofd en hart kunnen worden gemaakt. Darcy kijkt omhoog en drukt haar lippen op de mijne. Haar adem. Haar tong. Onervaren, explorerend, haar tong die smaakt naar chips en cola. Ik probeer mijn hoofd terug te trekken. Ze grijpt me bij mijn haar. Ze drukt haar heupen tegen de mijne, biedt me haar lichaam aan.

Zeven visioenen van waanzin overspoelen me. Terwijl ik haar

handen vastpak duw ik haar zachtjes van me af en houd haar op afstand. Wanhopig met haar ogen knipperend kijkt ze me aan.

De knopen van haar jas zijn los. Eén kant van haar blouse is van haar schouder gegleden en heeft een behabandje blootgelegd.

'Ik houd van u.'

'Zeg dat niet.'

'Maar het is zo. Ik houd meer van u dan zíj.'

Ze doet een stap achteruit, trekt haar handen terug, laat haar jas van haar schouders glijden en trekt haar topje omlaag zodat haar beha bloot komt.

'Wilt u me niet? Ik ben geen kind meer!' Haar stem klinkt anders.

'Darcy, alsjeblieft.'

'Laat me bij u blijven.'

'Dat gaat niet.'

Ze schudt haar hoofd en bijt op haar lip in een poging om niet te huilen. Ze begrijpt alles. De inzet is compleet veranderd. Ik zal haar nooit in huis kunnen opnemen, niet na wat ze me net heeft aangeboden. Haar tranen zijn niet bedoeld om me emotioneel klem te zetten of me te laten capituleren of op andere gedachten te brengen. Het zijn gewoon tranen.

'Ga alstublieft weg,' zegt ze. 'Ik wil alleen zijn.'

Ik doe de deur dicht, leun ertegen. Ik kan haar nog proeven in mijn mond en voelen hoe ze trilde. Het gevoel is er een van angst: angst ontdekt te worden, angst voor wat ze heeft gedaan en voor de rol die ik erin heb gespeeld.

Menselijk gedrag is het onderwerp waarvan ik geacht word verstand te hebben, maar soms ben ik verbijsterd over mijn diepgravende gebrek aan kennis. Hoe kan iemand psycholoog zijn en toch zo weinig over het onderwerp weten? De geest is te complex, te onvoorspelbaar, een oceaan van ongewisheid. En ik heb geen andere keuze dan te watertrappelen of naar een verre kust te zwemmen.

Julianne staat onderaan de trap. Zal ze iets in mijn ogen kunnen lezen?

'Ga maar naar huis. Ik moet hier blijven.'

'Waarom?'

'Ik moet de politie bellen. Er is iemand in huis geweest.'

'Hoe kom je dan thuis?'

'Ruiz is er nog.'

Ze staat op haar tenen en kust zachtjes mijn lippen.

'Weet je zeker dat het gaat?'

'Ik voel me prima.'

Een uur later heeft de politie de plaats ingenomen van de rouwenden. De kaarten en enveloppen zijn in een zak gedaan en meegenomen naar het laboratorium. De deuren en ramen zijn nagekeken op sporen van braak. Er is niets ontvreemd.

Er is voor mij geen reden meer om nog langer te blijven en alle reden om te gaan. Ik moet voortdurend denken aan Darcy's kus en haar ongemakkelijkheid. Het heeft ons allebei in verwarring gebracht, maar zij is op een leeftijd waarop afwijzing iemand kan verpletteren. Ik leef elke dag met verlegenheid, om het trillen van een hand of een plotselinge verstijfde val.

Ik moet voortdurend denken aan wat Maureen zei over de reünie en het verlies van twee van haar beste vriendinnen. Misschien hadden de moorden niets te maken met een zaak die over de kop ging of het feit dat Christine Wheeler een woekeraar geld schuldig was. Het was persoonlijker dan dat. Waarom zou iemand condoleancekaarten openmaken? Waar was hij naar op zoek?

Darcy is nog steeds boven. Haar tante is in de keuken in gesprek met de politie.

Buiten laat ik mijn ogen wennen aan het donker. Ruiz zit in zijn auto te wachten. De blower blaast warme lucht tegen de voorruit.

'Ik wil je nog een gunst vragen.'

'Kun je er nog meer bedenken dan?'

'Eentje.'

'Ik denk dat ik de tel ben kwijtgeraakt.'

'Ik wil dat je naar iemand op zoek gaat. Ze heet Helen Chambers.'

'Heb je niet genoeg vrouwen in je leven?'

'Ze zat op school bij Christine Wheeler en Sylvia Furness. Ze zouden elkaar twee weken terug ontmoeten. Ze kwam niet opdagen.'

'Laatste bekende adres?'

'Haar ouwelui wonen ergens in de buurt van Frome. Een soort landgoed.'

'Moet niet moeilijk zijn.'

De auto draait de parkeerplaats af en het schijnsel van tegemoetkomende koplampen prikt in mijn ogen. Ruiz zet de muziek harder. Sinatra zingt over een dame die nooit met vreemden flirt en nooit over de dobbelstenen van een ander blaast.

*

Het is na middernacht als ik thuiskom. Het huis is donker. Erachter en er bovenuit stekend tekent een kerktoren zich zwart af tegen een purperen hemel. Ik doe de deur zachtjes op slot en doe mijn schoenen uit. Klim de trap op.

Emma ligt met haar armen en benen wijd bovenop haar dekbed. Ik doe haar benen er weer onder en stop haar in. Ze verroert zich niet. Charlies deur staat op een kier. Haar lavalamp werpt een roze gloed over de kamer. Ik zie haar op haar zij liggen met haar hand vlak bij haar mond.

Julianne slaapt. Ik kleed me uit in de badkamer en poets mijn tanden voordat ik naast haar in bed glijd. Ze draait zich om, slaat haar armen en benen om me heen en drukt haar borsten tegen mijn rug.

'Het is laat.'

'Sorry.'

'Hoe gaat het met Darcy?'

'Haar tante is bij haar.'

Haar hand tast naar me met onwrikbare vastbeslotenheid, haar duim en wijsvinger tot een ring gekromd. Ze buigt zich en neemt me in haar mond. Als ik zover ben rolt ze zich bovenop me en houdt me schrijlings op mijn middel zittend onder zich geklemd.

Ze heeft haar dijen gespreid. Ze glijdt naar achteren, mij in zich opnemend en scherp inademend. Ze duwt mijn handen naar haar borsten. Haar tepels zijn hard. Ik hoef niet te bewegen. Ik kijk hoe ze omhoog komt en zich weer laat zakken, stapje voor stapje, mijn overgave accepterend, zoekend naar haar eigen verlossing en de mijne afdwingend.

Het voelt niet als goedmaakseks of opnieuw-beginnenseks. Het is als een stille zucht die kleur ontlokt aan de smeulende sintels. Na afloop legt Julianne haar hoofd op mijn borst en hoor ik hoe ze in slaap valt.

Een uur verstrijkt. Ik laat haar hoofd op haar kussen glijden, glip uit bed en sluip naar de studeerkamer. Ik doe de deur dicht voordat ik het licht aan knip en ga op zoek naar de hotelrekening uit Rome. Ik haal hem tussen de blaadjes van een schrijfblok vandaan en scheur hem in kleine stukken die dwarrelend in de prullenbak verdwijnen.

34

Ik kan me voorstellen dat een man zich verliest in een machine in plaats van in een menselijk wezen. Machines zijn betrouwbaarder. Draai de sleutel om, haal een schakelaar over, trap het gaspedaal in en ze doen hun werk als het erop aankomt.

Ik ben nooit in het bezit geweest van een sportwagen, maar nu heb ik er toch een. Hij is van een termijnhandelaar die in een van de luxeappartementen woont die uitkijken op Queen Square. Een Ferrari F430 Spider kun je niet zomaar van de straat plukken, niet zonder het alarm onklaar te maken, de ingewanden uit het stuurslot te rukken en de motorblokkering te omzeilen. Het is veel simpeler om de sleutels te jatten van de klootzak van wie hij is. Hij had ze op de dekplaat van de verwarmingsradiator laten liggen, vlak achter zijn voordeur en naast de sleutel van de bewaakte stalling en zijn leren autohandschoenen.

Het enige waar ik niet omheen kan is het voertuigvolgsysteem. Zodra hij de auto als vermist opgeeft zal ik mijn natte droom op wielen vaarwel moeten zeggen.

Terwijl ik op deze maandagmorgen de Spider door de straten loods neem ik de reacties in me op die hij teweegbrengt, de blikken van bewondering, ontzag en afgunst. Hij hoeft niet eens te rijden om het oog te trekken.

Veel gasten die ik in het leger heb gekend, vooral de tankbestuurders, waren geobsedeerd door auto's. De arme sukkels brachten hun loopbaan door met het op zestig kilometer per uur voortrollen in een pantserwagen of een Challenger, met zes versnellingen in zijn vooruit en twee in zijn achteruit.

In hun vrije tijd kozen ze daarom voor iets verfijnders en snellers. Sportwagens. Sommigen van hen zaten tot hun nek in de schulden, maar hadden daar lak aan. Het ging erom dat je je droom waarmaakte.

Auto's doen me weinig. Ik zit niet boven glimmende tijdschriften te kwijlen en ga ook niet naar autobeurzen, maar de schoonheid van een machine als de Ferrari Spider kan ik wel waarderen. Moeder natuur is in staat een boom te laten groeien, maar alleen iemand in een snelle sportwagen kan die boom met een snelheid van meer dan driehonderd kilometer per uur voorbijrijden.

De met dauw beslijmde straten beginnen op te drogen en er filtert zonlicht door de takken van de platanen, die rond de elektriciteits-kabels grof zijn teruggesnoeid.

Ik haal een kaart tevoorschijn en spreid hem uit op de motorkap van de Spider. De motor maakt een tikgeluid terwijl hij afkoelt. Ik wacht. Hij zal snel genoeg komen opdagen. Daar heb je hem, schuife-lend door de bladeren, gekleed in een blazer en donkergrijze broek.

Hij heeft de Ferrari opgemerkt. Hij blijft staan en bestudeert de lijnen van de auto. Zijn hand wordt erheen getrokken, vol verlangen om het glimmende lakwerk aan te kunnen raken en met een vinger over zijn welvingen te gaan.

'Mooie wielen,' zegt hij.

'Moet wel.'

'Van u?'

'Ik heb de sleutels.'

Hij loopt langzaam een rondje rond de Spider. Zijn schooltas bun-gelt aan één schouder.

'Hoeveel loopt hij?'

Ik vouw de kaart dubbel. 'Laat ik volstaan met te zeggen dat ze in twaalf seconden vierhonderd meter verderop is.'

'Tenzij u onderweg verdwaalt, natuurlijk.' Hij grijnst.

'Inderdaad, wijsneus, maar misschien kun jij me een handje hel-pen.'

Hij bukt en gluurt door de getinte zijruit aan de bestuurderskant.

'Waar moet u heen?'

'Beacon Hill. Seymour Road.'

'Beacon Hill is niet ver hiervandaan. Ik moet zelf die kant op.'

'Lopend?'

'Ik pak de bus.'

Ik laat hem de kaart zien. Hij wijst zijn school aan en laat me de route zien. Ik ruik tandpasta in zijn adem en vang een glimp op van een jongere versie van mezelf, barstend van de mogelijkheden, klaar om de wereld aan te kunnen.

'Mag ik binnenin kijken?'

'Natuurlijk.'

Hij doet het portier open.

'Ga maar achter het stuur zitten.'

Hij laat zijn schooltas op het trottoir vallen en laat zich in de stoel glijden, met beide handen het stuur omklemmend en de goede houding zoekend. Nog even en hij gaat geluiden maken alsof hij gas geeft.

'Dit is echt vet.'

'Hij heeft een 483 pk 4,3 liter V8 motor met een draaimoment van 465 Nm.'

'Hoe hard gaat-ie?'

'Driehonderdtien.'

'Zo, hé!'

'Ze spon als een klein poesje. Maar het wordt pas echt kicken als hij optrekt. Van nul tot honderd in iets meer dan vier seconden. In een poep en een scheet.'

Ik heb beet. Het is meer dan nieuwsgierigheid. Het is onverdund verlangen. Als de seksdromen die een jongen heeft voordat hij een vrouw heeft geproefd. Het gaat over snelheid. Om een motor. Om een geheime mannenaangelegenheid.

'Hoeveel heeft hij gekost?' fluistert hij.

'Dat wil je niet weten.'

'Jawel.'

'Heeft je moeder je nooit verteld dat het onbeleefd is om zoiets te vragen?'

'Ja, maar die rijdt in een Ford Astra.'

Ik glimlach. 'Geen echte autogek zeker?'

'Nee.'

'Wanneer kun jij je proefrijbewijs ophalen?'

'Over negen maanden.'

'Ga je een auto kopen?'

'Ik denk niet dat ma zich dat kan veroorloven. Misschien kan mijn vader bijspringen.'

Zijn vingers omsluiten de versnellingspook. Met zijn andere hand nog op het stuur tuurt hij door de voorruit en beeldt hij zich in hoe hij de bochten neemt.

'Hoe laat gaat je bus?' vraag ik.

Hij kijkt op zijn horloge. 'Shit!'

'Maak je geen zorgen. Ik geef je een lift.'

'Echt?'

'Ja. Doe je gordel om.'

35

Het is na negenen. Ik lig in bed naar het plafond te staren. Beneden hoor ik voetstappen, gelach en het geluid van kinderversjes. Het is alsof ik heb afgestemd op mijn favoriete hoorspel en een nieuwe aflevering van het leven in het gezin O'Loughlin beluister.

Ik stommel naar beneden, met gepoetste tanden, gewassen gezicht en ingenomen medicijnen. Uit de zitkamer klinkt gelach. Ik blijf bij de deur staan luisteren. Julianne voert gesprekken met kindermeisjes. Zo te horen stelt Emma het merendeel van de vragen.

Ruiz zit in de keuken toast te eten en mijn ochtendkant te lezen.

'Morgen,' zeg ik.

'Morgen.'

'Krijg je in de pub niks te eten?'

'Het heeft niet de sfeer van hier.'

Ik schenk mezelf een kop koffie in en ga tegenover hem zitten.

'Ik heb Helen Chambers' familie getraceerd. Ze wonen op het landgoed Daubeney, even buiten Westbury. Het is een kilometer of vijftig hiervandaan. Toen ik probeerde te bellen kreeg ik een antwoordapparaat. Helen Chambers staat niet als kiezer geregistreerd en staat ook niet in het telefoonboek.'

Hij merkt dat ik maar half luister.

'Wat is er?'

'Niets.'

Hij duikt weer in de krant. Ik neem een slokje koffie.

'Heb jij wel eens nachtmerries?' vraag ik. 'Ik bedoel, jij hebt met een aantal behoorlijk akelige dingen te maken gehad, moorden, verkrachtingen, vermiste kinderen. Heb je daar nooit last van, van die herinneringen?'

'Nee.'

'En Catherine Bride dan?'

Ze was een oud-cliënte van me. Door haar heb ik Ruiz voor het eerst ontmoet, bezig met een onderzoek naar de moord op haar.

'Nou?'

'Ze duikt af en toe nog op in mijn dromen. En nu is dat Christine Wheeler.'

Ruiz vouwt de krant dubbel en nog een keer dubbel. 'En zegt ze dan iets?'

'Nee, zo gaat het niet.'

'Maar je ziet wel dode mensen?'

'Zoals jij het zegt klinkt het alsof dat iets geks is.'

Van opzij geeft hij me met de krant een harde tik tegen mijn hoofd.

'Waarom doe je dat?'

'Om je wakker te schudden.'

'Hoezo?'

'Je hebt me ooit verteld dat een arts niets waard is voor een patiënt als hij aan de ziekte sterft. Laat je niet gek maken. Jij wordt geacht je verstand erbij te houden.'

*

Landgoed Daubeney ligt iets meer dan drie kilometer ten noorden van Westbury, op de grens van Somerset en Wiltshire. Het glooiende landschap is doorspekt met kleine boerderijen en meren en stuwmeren, die door de recente regenval gezwollen zijn.

Ruiz zit achter het stuur van zijn Mercedes. De vering is zo slap dat het aanvoelt als een waterbed op wielen.

'Wat weten we over de familie?' vraag ik.

'Bryan en Claudia Chambers. Hij is eigenaar van een aannemersbedrijf dat veel grote contracten heeft met bedrijven in de Golfstaten. Totdat het in de jaren tachtig werd opgesplitst, was landgoed Daubeney een van de grootste grondbezittingen in het land. De Chambers hebben het landhuis en vierenhalve hectare grond in eigendom.'

'En Helen?'

'Ze is enig kind. Ze deed in 1988 eindexamen aan Oldfield Girls School in Bath, in hetzelfde jaar als Christine Wheeler en Sylvia Furness. Ze ging naar de universiteit van Bristol, studeerde economie en trouwde acht jaar geleden. Sinds die tijd heeft ze in het buitenland gewoond.'

Hij tilt een wijsvinger op van het stuurwiel. 'Hier is het.'

We stoppen voor een ingang die is afgesloten door een drie meter hoog ijzeren toegangshek dat aan stenen pilaren scharniert. Aan weerszijden ervan loopt een ringmuur tussen de bomen door. Bovenop is hij voorzien van gebroken flessen die als rafelige bloemen uit het beton steken.

Het hek is voorzien van een intercom. Ik druk op een knop en wacht. Een stem geeft antwoord.

'Wie is daar?'

'Bent u meneer Chambers?'

'Nee.'

'Is hij thuis?'

'Hij kan niemand ontvangen.'

'Dat is geen antwoord op de vraag,' mompelt Ruiz.

'Is Helen Chambers thuis?'

'Probeer je leuk te zijn, maat?' Hij heeft een Welsh accent.

Ik kijk Ruiz aan, die zijn schouders ophaalt.

'Ik ben Joseph O'Loughlin. Ik moet iemand van de familie spreken.'

'Dan heb ik meer informatie nodig dan dat.'

'Het betreft een politieaangelegenheid. Het gaat over hun dochter.'

Er valt een stilte. Misschien vraagt hij wat hij moet doen.

'Met wie bent u?' keert de stem terug.

Ik buig mijn hoofd en tuur door de voorruit. Op een metalen paal boven het hek zit een beveiligingscamera. Hij houdt ons in de gaten.

Ruiz leunt langs me heen. 'Ik ben gepensioneerd inspecteur van de recherche. London Metropolitan Police.'

'Gepensioneerd.'

'Dat zei ik, ja.'

'Het spijt me, maar noch meneer noch mevrouw Chambers kan u te woord staan.'

'Wat is de beste tijd om ze te spreken?' vraag ik.

'Stuur maar een brief.'

'Ik geef er de voorkeur aan een briefje achter te laten.'

Het hek blijft hermetisch gesloten. Ruiz loopt om de Mercedes heen en rekt zich uit. De camera zwenkt mee met elke beweging. Hij hijst zichzelf op een omgevallen boom en gluurt over de muur.

'Kun je het huis zien?'

Nee. Hij tuurt naar links en naar rechts. 'Hé, dat is interessant.'

'Wat?'

'Bewegingssensoren.'

'Voor wat?'

'Ze worden geactiveerd zodra iemand door de straal heen loopt. Ik weet dat rijken nerveus kunnen raken, de nakende revolutie en zo, maar dit gaat wel erg ver.'

Het geluid van laarzen op grind. Aan de andere kant van het hek duikt een man op die op ons afkomt. Hij is gekleed als een tuinman, in spijkerbroek, ruitjeshemd en waxcoat, en heeft een hond bij zich. Een enorme Duitse herder met een zwartbruine vacht.

'Wegwezen, ga weg van die muur,' beveelt hij.

Ruiz zwaait omlaag en maakt oogcontact met mij.

'Schitterende dag,' zeg ik.

'Dat is het zeker,' zegt de man met de hond. We weten allebei dat we staan te liegen.

Ruiz is naar mijn kant van de auto gelopen. Hij doet zijn hand omlaag achter zijn rug, houdt de knop van de intercom ingedrukt en blijft zo staan.

De Duitse herder kijkt me aan alsof hij nadenkt over welk been hij het eerst zal verorberen. Zijn begeleider maakt zich meer zorgen over Ruiz en het soort fysieke bedreiging dat hij mogelijk vormt.

Ruiz haalt zijn vinger van de intercom.

Een vrouwenstem geeft antwoord. 'Ja, wie is daar?'

'Mevrouw Chambers?' reageert Ruiz.

'Ja.'

'Sorry, maar uw tuinman zei dat u niet thuis was. Hij had het duidelijk mis. Mijn naam is Vincent Ruiz. Ik ben voormalig inspecteur van de recherchedienst van de London Metropolitan Police. Zouden we een paar ogenblikken van uw tijd in beslag mogen nemen?'

'Waar gaat het over?'

'Het betreft twee vriendinnen van uw dochter, Christine Wheeler en Sylvia Furness. Kunt u zich die nog herinneren?'

'Jazeker.'

'Hebt u de kranten gezien?'

'Nee. Wat dan? Wat is er gebeurd?'

Ruiz kijkt me aan. Ze weet het niet.

'Ik vrees dat ze dood zijn, mevrouw Chambers.'

Stilte. Gekraak.

'U kunt beter met Skipper praten,' zegt ze moeizaam.

Heeft ze het over de tuinman of over de hond?

'Ik sta juist met Skipper te praten,' zegt Ruiz. 'Hij is naar het hek gekomen om ons te begroeten. Een reuze charmante kerel. Hij is vast een kei met de rozen.'

Daar had ze niet op gerekend. 'Hij kan nog geen narcis van een kornoelje onderscheiden.'

'Ik ook niet,' zegt Ruiz. 'Mogen we binnenkomen? Het is belangrijk.'

Het hek geeft een hol klikgeluid en zwaait naar binnen open. Skipper moet een stap achteruit doen. Hij is niet blij.

Ruiz laat zich achter het stuur glijden en rijdt hem voorbij met zijn hand in een halve groet geheven, om vervolgens zijn banden in het grind te laten tollen.

'Hij ziet er niet echt uit als een tuinman.'

'Hij is oud-militair,' zegt Ruiz.

'Waar zie je dat aan?'

'Kijk maar hoe hij staat. Hij loopt niet te koop met zijn sterke punten. Die houdt hij verborgen totdat hij ze nodig heeft.'

Door de bomen heen worden de geveltoppen en daklijsten

zichtbaar. Ruiz remt af als we over een wildrooster rijden en houdt stil voor het hoofdgebouw. De grote dubbele deur moet wel tien centimeter dik zijn. Eén kant ervan gaat open. Claudia Chambers gluurt naar buiten. Ze is een slanke, nog altijd aantrekkelijke vrouw van eind vijftig en draagt een kasjmieren vest en kaki sportpantalon.

'Bedankt dat u ons wilt ontvangen,' zeg ik bij wijze van introductie.

Ze biedt ons geen hand aan. In plaats daarvan gaat ze ons door een marmeren hal voor naar een grote salon vol oosterse tapijten en bijpassende chesterfieldbanken. De alkoven aan weerszijden van een grote open haard, die gereed is gemaakt maar niet brandt, zijn gevuld met boekenplanken. Op de schoorsteenmantel en een wandtafel staan foto's die de levensloop laten zien van een kind van de geboorte tot peuter tot meisje. De eerste verloren melktand, eerste dag op school, eerste sneeuwpop, eerste fietsje, een leven vol primeurs.

'Uw dochter?' vraag ik.

'Onze kleindochter,' antwoordt ze.

Ze gebaart naar de sofa, als uitnodiging voor ons om te gaan zitten.

'Kan ik iets voor u laten komen? Thee wellicht?'

'Thee zou lekker zijn.'

'Voor mij niks,' zegt Ruiz.

Als bij toverslag verschijnt er een mollige vrouw in de deuropening. Ergens aan Claudia's voeten, onder het kleed of weggestopt aan de zijkant van de bank, moet een verborgen bel zitten.

Claudia geeft instructies en de dienstbode verdwijnt weer. Ze keert zich weer naar ons toe en neemt plaats op de bank tegenover ons, met haar handen weggestopt op haar schoot.

'Arme Christine en Sylvia. Was het een ongeluk?'

'Volgens ons niet, nee.'

'Wat is er gebeurd?'

'Ze zijn vermoord.'

Ze knippert met haar ogen. Verdriet ligt als een vochtige glans over haar pupillen. Dit is alle emotie die ze verder zal tonen.

'Wie doet nou zoiets? Weten ze al…?'

'Christine is van de Clifton Suspension Bridge gesprongen,' zeg ik. 'We vermoeden dat ze daartoe gedwongen is.'

'Gedwongen?'

'Ze werd gedwongen te springen,' legt Ruiz uit.

Claudia schudt heftig haar hoofd, alsof ze de informatie uit haar oren wil slingeren.

'Sylvia stierf door onderkoeling. Toen ze haar vonden zat ze met handboeien aan een boom vast.'

'Wie zou zoiets nou doen?' vraagt Claudia. 'Ik wist nergens van.'

'Heeft u geen tv gekeken of de krant gelezen?'

'Ik volg het nieuws niet. Het deprimeert me.'

'Wanneer heeft u Christine en Sylvia voor het laatst gezien?'

'Niet meer sinds Helens trouwen; ze waren bruidsmeisje.' Het is alsof ze op haar vingertoppen iets natelt. 'Acht jaar. Hemeltje, is het echt al zo lang geleden?'

'Hield uw dochter contact met ze?'

'Dat weet ik niet. Helen is met haar man mee naar het buitenland gegaan. Hij was in Noord-Ierland en Duitsland gestationeerd.'

'Gestationeerd?'

'Hij zit in het leger.'

'Juist.'

De dienstbode is teruggekeerd met een dienblad. De theepot en porseleinen kopjes lijken te delicaat om kokend water te kunnen bevatten. Claudia schenkt in en moet haar best doen haar handen niet te laten trillen.

'Gebruikt u melk of suiker, professor?'

'Melk.'

Ze roert zonder dat het theelepeltje de rand van haar kopje raakt. Haar gedachten lijken heel even weg te zweven, om vervolgens in de kamer terug te keren.

Buiten hoor ik een auto, het geluid van banden op grind. Enkele tellen later slaat de voordeur open en klinken er gehaaste voetstappen door de hal. Bryan Chambers maakt het soort entree dat past bij een man van zijn afmetingen. Hij komt de kamer binnenstormen, vastbesloten om iemand een klap te verkopen.

'Wie zijn jullie godverdomme?' buldert hij. 'Wat doen jullie in mijn huis?'

Hij is kalend, heeft grote handen en een dikke nek en zijn hoofd is als een helm, glimmend van het zweet.

Ruiz is opgestaan. Ik heb meer tijd nodig.

'Het is goed, schat,' zegt Claudia. 'Er is iets verschrikkelijks gebeurd met Christine en Sylvia.'

Bryan Chambers neemt hier geen genoegen mee.

'Wie heeft jullie gestuurd?'

'Pardon?'

'Wie heeft jullie hierheen gestuurd. Die vrouwen gaan ons niets aan.'

Het is duidelijk dat hij het weet van Christine en Sylvia. Waarom heeft hij het zijn vrouw niet verteld?

'Rustig maar lieverd,' zegt ze.

'Hou je mond, Claudia. Laat mij dit varkentje maar wassen.'

Hij verliest ons geen moment uit het oog. Skipper is achter hem aan de kamer binnengekomen en heeft zich achter onze ruggen opgesteld. Hij heeft iets in zijn rechterhand, weggestopt in zijn jack.

Ruiz draait zich naar hem om. 'We willen niemand van streek maken.'

'Jullie hebben je wederrechtelijk toegang verschaft tot mijn terrein,' verklaart meneer Chambers.

'We willen alleen weten of Helen het goed maakt,' zeg ik.

'Geen spelletjes! Hij heeft jullie gestuurd, of heb ik het mis?'

'Ik weet niet waar u het over heeft. Ik ben psycholoog. Ik assisteer de politie bij hun onderzoek naar twee moorden. De beide slachtoffers waren bevriend met uw dochter.'

Zijn ogen vernauwen zich en hij kijkt Ruiz aan. 'Bent u van de politie?'

'Geweest.'

'Wat wil dat zeggen?'

'Met pensioen.'

'Dus u bent privédetective?'

'Nee.'

'Dan is dus godverdomme niets van dit alles officieel.'

'We willen alleen uw dochter spreken, Helen.'

Hij klapt in zijn handen en lacht verontwaardigd. 'Nou breekt toch echt mijn klomp!'

Ruiz begint geïrriteerd te raken. 'Misschien moet u het advies van uw vrouw maar opvolgen en tot bedaren komen, meneer Chambers.'

'Probeert u mij te intimideren?'

'Nee, meneer, we proberen alleen antwoord te krijgen op wat vragen.'

'Wat heeft mijn Helen daarmee te maken?'

'Vier weken geleden heeft ze Christine Wheeler, Sylvia Furness en een andere schoolvriendin, Maureen Bracken, e-mails gestuurd. Ze regelde dat ze elkaar op 28 september, een vrijdagavond, in een pub in Bath zouden ontmoeten. De anderen kwamen opdagen, maar Helen niet. Ze hebben niets meer van haar vernomen. Wij hoopten erachter te komen waarom niet.'

Brian Chambers gaapt me ongelovig aan. De manische glans in zijn blik heeft plaatsgemaakt voor koortsachtige onzekerheid.

'Wat jullie suggereren kan niet,' zegt hij. 'Mijn dochter zou geen e-mails hebben kunnen versturen.'

'Waarom niet?'

'Ze is drie maanden geleden gestorven. Zij en mijn kleindochter zijn in Griekenland verdronken.'

Ineens is de kamer niet groot genoeg om de ongemakkelijkheid van het moment te verbergen. De lucht is weerzinwekkend en wrang geworden. Ruiz kijkt me aan, niet in staat te reageren.

'Het spijt me ontzettend,' zeg ik tegen hen. Ik weet niets anders te zeggen. 'Daar wisten we niets van.'

Bryan Chambers is niet geïnteresseerd in verontschuldigingen of verklaringen.

'Ze zijn omgekomen bij een ongeluk met een veerboot,' zegt mevrouw Chambers, die nog altijd rechtop op de rand van de bank zit. 'Gezonken tijdens een storm.'

Ik herinner me het verhaal. Het was tegen het eind van de zomer, een hevige storm in het Egeïsch gebied. Schepen liepen averij op en jachten raakten vernield. Een aantal vakantieparken moest worden ontruimd. En er is inderdaad een veerboot gezonken. Het was voor de kust van een van de eilanden. Tientallen toeristen werden gered. Andere passagiers kwamen om.

Ruiz heeft zijn stem hervonden. 'Ik begrijp het niet,' zegt hij. 'Als uw dochter dood was, wie heeft dan die e-mails verstuurd?'

De vraag heeft het effect van een stuk rots dat het wateroppervlak van een vijver raakt. Het is alsof de rimpelingen van de muren terugkaatsen en de foto's in hun lijsten schudden. Ik kijk nog eens de kamer rond. Hij is als een schrijn voor hun dode kleindochter. Bryan Chambers gaat achter zijn vrouw staan en legt zijn handen om haar schouders.

'Gaat u nu alstublieft,' zegt hij.

Skipper onderstreept het dwingende verzoek door de deur open te houden. Ik kijk nog altijd naar de foto's van een blonde kleindochter met een gave huid, met ontbrekende voortand, met een ballon in haar hand, terwijl ze de verjaardagskaarsjes uitblaast...

'Het spijt ons zeer dat we u hebben lastiggevallen,' zeg ik. 'En ook het verlies dat u heeft geleden.'

Ruiz buigt het hoofd. 'Bedankt voor de thee, mevrouw.'

Bryan noch Claudia reageert.

Skipper begeleidt ons naar buiten en gaat bij de deuropening op wacht staan, zijn rechterhand nog altijd in zijn waxjack. Naast hem verschijnt Bryan Chambers.

Ruiz heeft de Mercedes gestart. Mijn portier staat open. Ik draai me om.

'Meneer Chambers, door wie denkt u dat we zijn gestuurd?'

'Tot ziens,' zegt hij.

'Wordt u door iemand bedreigd?'

'Rijd voorzichtig.'

36

We komen de door bomen omzoomde oprijlaan uit en gaan rechtsaf de landweg naar Trowbridge op. De Mercedes zweeft over de kuilen. Sinatra is zachter gezet.

'Man, wat een gestoorde familie daarnet,' mompelt Ruiz. 'Daar zit een aardig steekje aan los. Zag je Chambers' gezicht? Ik dacht dat hij een hartaanval zou krijgen.'

'Hij is bang voor iets.'

'Of voor iemand.'

Ruiz begint de beveiligingsmaatregelen op te sommen – de camera's, de bewegingssensoren en de alarminstallatie. Skipper leek zo uit de kaartenbakken van de commando's te zijn gesprongen.

'In Bagdad beurt zo'n type als hij als lijfwacht vijf ruggen in de week, dus wat doet hij dan hier?'

'Wiltshire is veiliger.'

'Misschien heeft Chambers zaken gedaan met de verkeerde soort mensen. Dat heb je met die grote ondernemers. Het is net als vrijdagavond in de bioscoop: er is altijd wel iemand die in een tiet probeert te knijpen of een greep doet in de koektrommel.'

'Kleurrijke vergelijking.'

'Vind je?'

'Mijn dochters gaan nooit naar de bioscoop.'

'Wacht maar af.'

We nemen de A363 door Bradford-on-Avon en rijden bovenlangs Bathampton Down. We bereiken de top van een heuvel. Voor ons ligt Bath Spa, vredig genesteld in een vallei. 'Vóór u ligt de droomplek voor na uw pensioen,' meldt een aanplakbord. Volgens Ruiz is het Bath ten voeten uit. Het heeft de zwavelige stank van ouderdom en geld.

Eén vraag kan ik niet uit mijn hoofd zetten: hoe kan een dode

vrouw e-mails hebben verstuurd om een avondje uit met vriendinnen te regelen? Het moet iemand zijn geweest die toegang
had tot Helen Chambers' computer of haar gebruikersnaam en
wachtwoord. Of ze hebben haar identiteit gestolen en een nieuwe
gebruiker aangemaakt. Als dat inderdaad zo is, welk doel had dat
dan? Het is niet logisch. Wat voor belang zou iemand erbij kunnen hebben om vier oude vriendinnen bij elkaar te brengen?

Het kan de moordenaar zijn geweest. Hij kan ze bij elkaar hebben laten komen om ze daarna naar huis te volgen. Het zou in
ieder geval de manier verklaren waarop hij zijn slachtoffers heeft
bespied om uit te vinden waar ze woonden en wat hun daginde-
ling was. Maar het verklaart nog altijd niet hoe Helen Chambers
hiermee in verband staat.

'We moeten met Maureen Bracken praten,' zeg ik. 'Van degenen
die op die reünie kwamen opdagen is zij de enige die nog leeft.'

Ruiz zegt geen woord, maar ik weet dat hij hetzelfde denkt als
ik. Iemand moet haar waarschuwen.

Oldfield Girls School ligt te midden van bomen en modderige
sportvelden en kijkt uit op Avon Valley. Een bord op de parkeerplaats geeft aan dat alle bezoekers zich bij het kantoor moeten
melden.

Bij de receptie zit een eenzame scholiere op een plastic stoel
met haar onderbenen te bungelen. Ze draagt een blauwe rok, witte blouse en donkerblauwe trui met een embleem in de vorm van
een zwaan. Ze kijkt heel even op en gaat dan verder met wachten.

Achter een horizontaal schuifraam duikt een schoolsecretaresse
op. Achter haar bedekt een met kleuren gecodeerd lesrooster de
muur, een staaltje logica en organisatievermogen dat achthon-
derdvijftig studenten, vierendertig leslokalen en vijftien vakken
omvat. Wie een school draaiende moet houden, is als een lucht-
verkeersleider zonder radarscherm.

De secretaresse laat haar vinger langs het planbord glijden en
tikt twee keer tegen het bord. 'Mevrouw Bracken geeft Engels in
het bijgebouw. Lokaal 2b.'

Ze werpt een blik op de klok. 'Het is bijna middagpauze. U kunt op de gang of in de docentenkamer op haar wachten. Die is de trap op en dan rechts. Jacquie loopt wel even met u mee.'

Het schoolmeisje kijkt op en oogt opgelucht. Wat ze ook op haar kerfstok heeft, het vonnis is voor even opgeschort.

'Deze kant op,' zegt ze, waarna ze de deuren voor ons openduwt en vlug de trap op gaat en op het bordes stilstaat en op ons wacht. Op een prikbord staan een ontwerpwedstrijd, een fotografiecursus en Oldfields antitreitercampagne aangekondigd.

'Wat heb je uitgespookt?' vraagt Ruiz.

Jacquie kijkt hem schaapachtig aan. 'Eruit gestuurd.'

'Voor wat?'

'U bent toch niet van de leiding, hè?'

'Zie ik er zo uit?'

'Nee,' geeft ze toe. 'Ik heb mijn dramadocent van grenzeloze middelmatigheid beschuldigd.'

Ruiz lacht. 'Dus niet van zomaar middelmatigheid?'

'Nee.'

Er gaat een bel. Lichamen vullen de gangen en drommen langs ons heen. Er klinken lachsalvo's en kreten als: 'Niet rennen! Niet rennen!'

Jacquie is bij het leslokaal aangekomen. Ze klopt op de deur. 'Er is bezoek voor u, juf.'

'Dank je.'

Maureen Bracken draagt een tot op haar knieën vallende donkergroene jurk met een bruine leren riem en pumps die haar stevige kuiten goed doen uitkomen. Haar haar zit naar achteren gespeld en haar lippen en oogleden zijn spaarzaam van make-up voorzien.

'Wat is er aan de hand?' vraagt ze direct. Haar vingers zitten onder de viltstiftvlekken.

'Mogelijk niets,' zeg ik in een poging haar gerust te stellen.

Ruiz heeft een stuk speelgoed van haar lessenaar gepakt, een op het uiteinde van een pen gestoken knuffeldiertje.

'In beslag genomen,' legt ze uit. 'U zou mijn verzameling eens moeten zien.'

Ze schikt een stapel opstellen recht en doet ze in een map.

Ik kijk om me heen. 'U geeft les op uw oude school.'

'Ja, wie had dat ooit kunnen denken,' zegt ze. 'Ik was absoluut onhandelbaar op school. Let wel, niet zo erg als Sylvia. Dat is waarom ze ons altijd apart probeerden te zetten.'

Ze is nerveus. Het maakt dat ze wil praten. Ik laat haar haar gang gaan, in de wetenschap dat ze vanzelf stil zal vallen.

'Mijn beroepskeuzeadviseur zei me dat ik zou eindigen als werkeloos actrice met een baantje als serveerster. Ik had één leraar, meneer Halliday, die Engels gaf, die zei dat ik lesgeven zou moeten overwegen. Mijn ouders zijn nog altijd niet uitgelachen.'

Ze kijkt naar Ruiz en weer naar mij, steeds bezorgder.

'U zei dat Helen Chambers u een e-mail had gestuurd om de reünie te regelen.'

Ze knikt.

'Die moet van iemand anders afkomstig zijn geweest.'

'Waarom?'

'Helen is drie maanden terug overleden.'

De map glijdt uit Maureens vingers en de opstellen dwarrelen op de grond. Ze vervloekt zichzelf en probeert ze bijeen te rapen. Haar handen trillen. Ze ademt moeizaam.

'Hoe?' fluistert ze, bijna te bang om de vraag te stellen.

'Ze is verdronken. Een ongeluk met een veerboot in Griekenland. Haar dochter was bij haar. We hebben vanochtend haar ouders gesproken.'

'O, die arme, arme mensen… arme Helen.'

Naast haar gehurkt pak ik de weggedwarrelde blaadjes van de grond en doe ze op goed geluk terug in de map. Er is iets veranderd in Maureen, een holheid die nagalmt in haar hartslag. Ze bevindt zich ineens op een donkere plek, luisterend naar een dof, herhaald ritme in haar hoofd.

'Maar als Helen drie maanden geleden is gestorven, hoe kon ze… Ik bedoel… ze…'

'Iemand anders moet de e-mail hebben verstuurd.'

'Wie?'

'We hoopten dat u dat zou weten.'

Ze schudt haar hoofd, met omfloerste ogen en weifelend, alsof ze ineens haar omgeving niet meer herkent of zich niet meer herinnert wat ze hierna geacht wordt te doen.

'Het is lunchtijd,' zeg ik tegen haar.

'O ja.'

'Kan ik de e-mail zien?'

Ze knikt. 'Kom maar mee naar de lerarenkamer. Daar staat een computer.'

We lopen achter haar aan de gang door en een andere trap op. Door de ramen klinkt van buiten gepraat en gelach dat zelfs de stilste hoekjes vult.

Voor de docentenkamer staan twee scholieren te wachten. Ze willen uitstel voor een opdracht. Maureen is te zeer in gedachten verzonken om hun verklaringen te kunnen aanhoren. Ze geeft hun tot maandag de tijd en stuurt ze weg.

De lerarenkamer is vrijwel volledig verlaten, op een fossiel van een man na die met zijn ogen dicht bewegingloos op zijn stoel zit. Ik heb het idee dat hij slaapt, totdat ik het koptelefoontje zie. Hij verroert zich niet als Maureen achter een computer gaat zitten en met haar gebruikersnaam en wachtwoord inlogt. Ze opent haar e-mail en bladert terug op datum.

'Drie maal raden wie er weer in het land is…' luidt de kopregel van het bericht van Helen Chambers. Het is op 23 september verstuurd en cc: aan Christine Wheeler en Sylvia Furness verzonden.

Hallo lui,

Ik ben het. Ik ben weer in het land en zie er naar uit jullie allemaal weer te zien. Wat dachten jullie van komende vrijdag, in The Garrick's Head? Champagne en patat voor iedereen, net als in de goeie ouwe tijd.

Ik kan er maar niet bij dat het alweer acht jaar geleden is. Ik hoop dat jullie allemaal dikker en truttiger zijn geworden dan ik (en dan bedoel ik ook jou, Sylvia.) Misschien laat ik voor de gelegenheid mijn benen wel harsen.

*Kom of je bent stom. The Garrick's Head, 19.30 uur. Vrijdag. Ik
kan bijna niet wachten.*

Liefs, Helen

'Klinkt dat als Helen?' vraag ik.

'Ja.'

'Is er iets vreemds aan?'

Maureen schudt haar hoofd. 'We gingen altijd naar The Garrick's Head. In ons laatste jaar op Oldfield was Helen de enige van ons die een auto had. Zij bracht ons altijd thuis.'

Het bericht kwam via een webserver. Het is heel simpel om een account te openen en een wachtwoord en gebruikersnaam te krijgen.

'U zei dat ze u eerder had gemaild.'

Ze zoekt opnieuw op Helens naam. Het voorgaande bericht kwam op 29 mei binnen.

'Beste Mo,' luidt de aanhef. Het moet Maureens bijnaam zijn.

Lang niet meer gezien… of gehoord. Sorry dat ik zo'n luie schrijver ben, maar ik heb zo mijn redenen. De afgelopen paar jaar zijn pittig geweest, met een hoop veranderingen en uitdagingen. Het grote nieuws is dat ik bij mijn man weg ben. Het is een lang en triest verhaal, waar ik nu liever niet op inga. Laat ik volstaan met te zeggen dat het gewoon niet ging tussen ons. Lange tijd heb ik me verschrikkelijk verloren gevoeld, maar inmiddels ben ik bijna uit de gevarenzone.

De komende paar maanden heb ik uitgetrokken voor een lange vakantie met mijn dochter Chloë. We gaan eens lekker uitwaaien en avonturen beleven, wat hoog tijd werd.

Houd contact. Ik laat je weten wanneer ik terug naar huis kom. Dan komen we bij elkaar in The Garrick's Head voor een avondje met de ouwe hap. Serveren ze nog steeds champagne en patat?

Ik mis jou en Sylvia en Christine. Het spijt me dat jullie zo lang niets van me hebben vernomen. Dat leg ik allemaal nog wel uit.

Veel liefs voor iedereen,

Helen

Ik lees beide berichten nog een keer. Qua taal en zorgvuldige opbouw ontlopen ze elkaar weinig, wat ook geldt voor de luchtige toon en het gebruik van korte zinnen. Er is niets wat opvalt als geforceerd of gekunsteld en toch was Helen Chambers niet meer in leven toen de tweede e-mail werd opgesteld.

Ze meldde dat ze 'uit de gevarenzone' was, naar ik aanneem een verwijzing naar haar huwelijk.

'Waren er nog meer dingen?' vraag ik. 'Brieven, ansichtkaarten, telefoontjes...'

Maureen schudt haar hoofd.

'Wat was Helen voor iemand?'

Ze glimlacht. 'Een schat.'

'Daar heb ik niet genoeg aan.'

'Natuurlijk, sorry.' De kleur is terug op haar wangen. Ze werpt een blik op haar collega, die zich in zijn stoel nog altijd niet heeft verroerd.

'Helen was de verstandige. Ze was de laatste van ons die een vriendje kreeg. Sylvia deed jaren haar best haar aan verschillende gasten te koppelen, maar Helen voelde geen enkele druk. Ik had wel eens medelijden met haar.'

'Waarom?'

'Ze zei altijd dat haar vader een zoon had gewild en ze nooit helemaal aan zijn verwachtingen had kunnen voldoen. Ze had wel een broer, maar die stierf toen Helen nog jong was. Een of ander ongeluk met een trekker.'

Maureen draait zich om in de sleetse draaistoel en slaat haar benen over elkaar. Ik vraag haar nog eens hoe zij en Helen elkaar uit het oog zijn verloren. Haar lippen verstrakken en trillen bij haar mondhoeken.

'Het leek zomaar te gebeuren. Ik geloof niet dat haar echtgenoot erg veel met ons ophad. Sylvia dacht dat hij jaloers was op hoe close we met elkaar waren.'

'Weet u nog hoe hij heette?'

'Gideon.'

'Hebt u hem ooit ontmoet?'

'Eén keer. Helen en Gideon kwamen voor haar vaders zestigste verjaardag over uit Noord-Ierland. De mensen waren voor het hele weekend uitgenodigd, maar Helen en Gideon gingen zaterdag rond lunchtijd al weer weg. Er was iets voorgevallen. Wat weet ik niet.

Gideon was een rare. Heel gesloten. Het schijnt dat hij maar één persoon op hun huwelijk had uitgenodigd, zijn vader, die afgrijselijk dronken werd en hem voor schut zette.

'Mevrouw Chambers zei dat hij in het leger zat.'

'Dat klopt, maar geen van ons heeft hem ooit in uniform gezien. Bij wijze van grap zeiden we altijd dat hij een of andere spion was, zoals in *Spooks*, u weet wel, die tv-serie. Helen stuurde Christine ooit een brief in een envelop waarop met rode inkt de melding stond dat hij door de scanner was gehaald en om veiligheidsredenen was opengemaakt.'

'Stelletje prutsers,' zegt Ruiz, die uit het raam naar het schoolplein staart.

Er is nog een lerares de docentenkamer binnengekomen. Ze knikt ons toe, nieuwsgierig wat we hier komen doen, pakt een mobiele telefoon uit een bureaula en loopt naar buiten om een telefoontje te plegen.

Maureen haalt haar vingers door haar haar en schudt alsof ze iets probeert af te schudden met haar hoofd. 'Arme meneer en mevrouw Chambers.'

'Kende u ze goed?'

'Niet echt. Meneer Chambers was groot en luidruchtig. Ik herinner me die dag dat hij zich in een kniebroek en laarzen probeerde te wringen om te gaan jagen. God, wat zag die man eruit. Ik vond het zieliger voor het paard dan voor de vos.' Ze glimlacht. 'Hoe maken ze het?'

'Ze zijn verdrietig.'

'Ze leken ook bang te zijn,' vult Ruiz aan. 'Heeft u enig idee waarom?'

Ze schudt haar hoofd en haar bruine ogen kijken me indringend aan. Er brandt nog een vraag op haar lippen.

'Weet u waarom? Ik bedoel, degene die Chris en Sylvia dit heeft aangedaan, wat wilde die persoon?'

'Dat weet ik niet.'

'Denkt u dat hij het hierbij zal laten?'

Ruiz draait zich weg van het raam. 'Heeft u kinderen, mevrouw Bracken?'

'Een zoon.'

'Hoe oud is hij?'

'Zestien. Hoezo?'

Ze weet wat het antwoord zal zijn, maar in haar ongerustheid stelt ze de vraag toch.

'Is er een plek waar u een paar dagen zou kunnen verblijven?' vraag ik.

Haar kin gaat omhoog en in haar ogen ontvlamt angst.

'Ik zou Bruno kunnen vragen of we bij hem terecht kunnen.'

'Dat is misschien wel een goed idee.'

*

In mijn zak trilt mijn mobieltje. Het is Veronica Cray.

'Ik heb het bij u thuis geprobeerd, professor. Uw vrouw wist niet waar u was.'

'Waarmee kan ik u van dienst zijn, inspecteur?'

'Ik ben op zoek naar Darcy Wheeler.'

'Die is bij haar tante.'

'Niet meer, ze is gisteravond weggelopen. Ze heeft een tas ingepakt en enkele van haar moeders sieraden meegenomen. Heeft ze misschien geprobeerd u te bereiken?'

In mijn mond verandert speeksel in stof.

'Ik denk niet dat ze dat zou doen.'

Veronica Cray vraagt niet naar het waarom. Ik ga het haar niet vertellen. Niemand hoeft van die kus af te weten. Niemand zal er ooit iets van af weten.

'U heeft gisteren na de begrafenis met haar gesproken. Wat voor indruk maakte ze?'

'Ze was van streek. Haar tante wil dat ze in Spanje komt wonen.'

'Er zijn ergere dingen in het leven.'

'Niet voor Darcy.'

Voor inspecteur Cray is dit een extra complicatie, eentje waar ze niet op zit te wachten. Darcy is niet ontvoerd en geen gevaar voor zichzelf of voor de samenleving.

'Wat gaat u doen?' vraag ik.

'Ik dacht het een dag of twee op zijn beloop te laten. Kijken wat er gebeurt.'

'Ze is pas zestien.'

'Oud genoeg om de weg terug naar huis te vinden.'

Ik sta op het punt haar tegen te spreken. Ze zal niet luisteren. De afdeling vermiste personen zal geen records gaan breken met zoeken naar Darcy. Ze heeft een lage prioriteit. Ondertussen staat er voor drie uur vanmiddag een persbriefing op het programma. Ik word geacht een uiteenzetting te geven en rechtstreeks een beroep te doen op de moordenaar.

Het gesprek wordt beëindigd en ik breng Ruiz van het nieuws op de hoogte.

'Die duikt wel weer op,' zegt hij op een toon alsof hij dit al tientallen malen heeft meegemaakt. Hij heeft misschien gelijk, maar het maakt niet dat ik me beter of minder verantwoordelijk voel. Ik bel Darcy's mobieltje en krijg een ingesproken boodschap:

'*Hallo, met mij. Ik ben er niet. Laat een berichtje achter na de piep. Klein en lief, net zoals ik ben…*'

De piep.

'Hoi, met Joe. Bel me…' Wat moet ik anders zeggen. 'Ik wil alleen weten of het goed met je gaat. Mensen maken zich zorgen. Ik maak me zorgen. Bel me dus even, oké? Alsjeblieft.'

Ruiz luistert mee.

Ik toets een ander nummer in. Julianne neemt op.

'De politie is naar je op zoek,' zegt ze.

'Weet ik. Darcy is weggelopen.'

De stilte is neutraal bedoeld, maar ze zit klem tussen bezorgdheid en kwaadheid.

'Weten ze waar ze heen is gegaan?'

'Nee.'

'Kan ik iets doen?'

'Darcy kan bellen of naar ons huis komen. Blijf naar haar uitkijken.'

'Ik zal de mensen in het dorp gaan vragen.'

'Goed idee.'

'Wanneer kom je naar huis?'

'Binnenkort. Ik moet naar een persbriefing.'

'Is het dan voorbij?'

'Binnenkort.'

Julianne had ja willen horen. 'Ik heb een kindermeisje gevonden. Een Australische.'

'Dat zal ik haar niet kwalijk nemen.'

'Ze begint morgen.'

'Da's mooi.'

Ze houdt vol, verwacht dat ik nog iets ga zeggen. De stilte geeft
aan van niet.

'Heb je je pillen ingenomen?'

'Ja.'

'Ik moet ervandoor.'

'Oké.'

Ze hangt op.

37

De conferentiezaal op politiebureau Trinity Road is een kale ruimte met plastic stoelen en tl-verlichting. Alle stoelen zijn bezet en tegen de meeste wanden leunen schouders.

De landelijke kranten hebben hun vaste misdaadverslaggevers gestuurd in plaats van te vertrouwen op lokale freelancers. Een aantal van hen herken ik: Luckett van de *Telegraph*, Montgomery van *The Times* en Pearson van de *Daily Mail*. Sommigen kennen me.

Ik kijk toe vanuit een zijingang. Monk is bezig de cameraploegen een plek te wijzen en geruzie de kop in te drukken. Hij geeft me een knikje. Inspecteur Cray, gekleed in een gitzwart jasje en wit overhemd, gaat voorop. Ik loop achter haar aan naar een iets verhoogd platform waarop in het zicht van de media een lange tafel staat opgesteld. Aan de voorkant zitten met plakband microfoons en opnameapparaten bevestigd waarop golflengtes en logo's staan.

De televisielampen worden aangezet en flitslampen flitsen erop los. De inspecteur schenkt zichzelf een glas water in, wat de verslaggevers tijd geeft om zich op hun plek te nestelen.

'Dames en heren, dank u voor uw komst,' zegt ze, zich meer tot het publiek richtend dan tot de camera's. 'Dit is een briefing en geen persconferentie. Ik zal een uiteenzetting van de feiten geven en daarna het woord geven aan professor Joseph O'Loughlin. Aan het eind van de briefing zal er een beperkte mogelijkheid zijn tot het stellen van vragen.

Zoals u weet is er een speciale eenheid in het leven geroepen voor het onderzoek naar de moord op Sylvia Furness. Aan dit onderzoek is een tweede verdacht sterfgeval toegevoegd, de dood van Christine Wheeler, die vrijdag een week geleden van de Clifton Suspension Bridge sprong.'

Op een scherm achter haar wordt een foto van Christine Wheeler geprojecteerd, een vakantiefoto, genomen in een waterrecreatiepark. Haar haar is nat en ze poseert in een sarong en T-shirt.

Er klinkt verbaasd gemompel vanuit de rijen. Christine Wheelers dood was een overduidelijk geval van zelfmoord. Veel van de aanwezigen hebben haar zien sterven. Hoe kan het dat ze ineens tot slachtoffer van een moord is gebombardeerd?

Ondertussen worden de feiten gepresenteerd: leeftijd, lengte, kleur ogen, ongehuwde status en haar loopbaan als organisatrice van trouwerijen. Algauw verschuiven de details zich naar de dag van haar dood. Christines laatste tocht wordt beschreven, de telefoontjes en haar gang door Leigh Woods, met niet meer dan een regenjas en hoge hakken aan. Vanaf de brug gemaakte beelden van beveiligingscamera's flitsen over het scherm. Ondanks de door de regenval wazige lens springt Christines naaktheid op een ongemakkelijk makende manier in het oog.

De verslaggevers beginnen onrustig te worden. Ze begrijpen niet waarom ook dit een moordonderzoek is. Ze willen een verklaring, maar inspecteur Cray laat zich niet opjagen. Ze verstrekt gedetailleerde informatie over de vriendschap en de gemeenschappelijke zakelijke belangen van Christine en Sylvia. Bepaalde feiten worden achtergehouden. De spitzen die bij Darcy's school werden afgeleverd en het konijn dat bij Alice Furness op de stoep werd gezet worden niet genoemd. Het zijn dingen die alleen de moordenaar zou kunnen weten, wat inhoudt dat ze kunnen worden gebruikt om de serieuze bellers van de grappenmakers te scheiden.

Inspecteur Cray is klaar. Ze introduceert me bij de toehoorders. Ik blader snel door mijn aantekeningen en schraap mijn keel.

'In mijn werk kom ik soms mensen tegen die me net zozeer fascineren als ze me met ontzetting vervullen. De man die deze misdaden heeft begaan fascineert me en vervult me met ontzetting. Hij is intelligent, welbespraakt, manipulatief, sadistisch, wreed en meedogenloos. Hij haalde niet uit met zijn vuisten. Hij vernietigde deze vrouwen door op hun grootste angsten neer te strijken. Ik wil begrijpen waarom. Ik wil zijn motieven begrijpen en begrijpen waarom hij deze vrouwen haatte. Ik wil dat hij me helpt te begrijpen…

Als hij op dit moment luistert of naar de tv kijkt of hierover in de kranten leest, zou ik echt willen dat hij me belt.'

Er klinkt geroezemoes achterin de zaal. Ik stop even. Veronica Cray verstijft van schrik. Hoofden draaien zich om. Ik volg haar blik. Fowler baant zich een weg door de volle deuropening. Zijn verschijnen is een gebeurtenis geworden.

Er zijn geen stoelen meer vrij in de zaal, behalve aan de grote tafel. Een vluchtig moment lang overweegt de commissaris zijn opties en loopt dan verder door het middenpad tot hij voorin de ruimte staat. Hij legt zijn hoed op de tafel, zijn handschoenen erin weggestopt, en neemt een stoel.

'Ga verder,' zegt hij nors.

Ik aarzel…kijk naar Cray… en vervolgens weer naar mijn aantekeningen.

Iemand roept een vraag. Er volgen er nog twee. Ik probeer ze te negeren. Montgomery, de man van *The Times*, is opgestaan.

'U zei dat hij neerstreek op hun ergste angsten. Wat bedoelt u daar precies mee? Ik heb videobeelden gezien van Christine Wheeler op de Clifton Suspension Bridge. Ze sprong. Er was niemand die haar duwde.'

'Ze werd bedreigd.'

'Hoe werd ze bedreigd?'

'Laat me mijn verhaal afmaken, daarna beantwoord ik vragen.'

Er zijn meer verslaggevers gaan staan, niet bereid te wachten. Inspecteur Cray probeert tussenbeide te komen, maar Fowler is eerder bij de microfoon dan zij en roept om stilte.

'Dit is een formele briefing, geen robbertje straatvechten,' buldert hij. 'U stelt uw vragen één voor één of u krijgt helemaal niets te horen.'

De verslaggevers nemen hun plaatsen weer in. 'Dat is beter,' zegt Fowler, die de bijeenkomst aankijkt als een teleurgestelde schoolmeester wiens handen jeuken om het rottinkje te hanteren.

Er gaat een hand de lucht in. Hij is van Montgomery. 'Hoe heeft hij haar bedreigd, meneer?'

De vraag is gericht aan Fowler, die de dichtstbijzijnde microfoon nog dichter naar zich toe haalt.

'We onderzoeken de mogelijkheid dat deze man vrouwen intimideert en manipuleert door hun dochters als doelwit te nemen. De mogelijkheid is geopperd dat hij de dochters bedreigt om de moeders te dwingen mee te werken.'

Hiermee wordt een dieptebom de zaal in gegooid waarvan de schokgolven dertig handen de lucht in doen schieten. Fowler wijst naar een andere verslaggever. De briefing is in een vraag- en antwoordsessie veranderd.

'Zijn de dochters gewond?'

'Nee, de dochters is niets overkomen, maar bij deze vrouwen werd een andere indruk gewekt.'

'Hoe?'

'Dat weten we in dit stadium nog niet.'

Inspecteur Cray is laaiend. De spanning aan tafel is tastbaar. Pearson van de *Daily Mail* ruikt een kans.

'Commissaris, we hebben professor O'Loughlin horen zeggen dat hij de moordenaar wil "begrijpen". Deelt u die wens?'

Fowler buigt zich voorover. 'Nee.'

Hij gaat weer achterover zitten.

'Bent u het eens met de inschatting van de professor?'

Hij leunt naar voren. 'Nee.'

'Hoe komt dat, meneer?'

'Professor O'Loughlins diensten zijn niet van wezenlijk belang voor de zaak.'

'Dus u ziet geen heil in het door hem opgestelde daderprofiel?'

'Geen enkel.'

'Waarom is hij dan hier?'

'Dat is niet een vraag die ik ga beantwoorden.'

Opgestoken handen worden langzaam teruggetrokken. De verslaggevers laten Pearson met genoegen de commissaris opjutten, in de hoop dat hij een zenuw raakt. Veronica Cray probeert ertussen te komen, maar Fowler wil de microfoon niet uit handen geven.

Pearson laat niet los. 'Professor O'Loughlin heeft gezegd dat hij gefascineerd wordt door de moordenaar. Bent u ook gefascineerd, commissaris?'

'Nee.'

'Hij zei dat hij de moordenaar wil begrijpen, vindt u niet dat dat belangrijk is?'

Fowler hapt. 'Het kan me geen ruk schelen wat de professor denkt. Jullie van de media kijken te veel televisie. Jullie denken dat moorden worden opgelost door zielenknijpers en wetenschappers en helderzienden. Gelul! Moorden worden opgelost door goed, solide, ouderwets rechercheurswerk, door bij mensen aan te bellen, met getuigen te praten en verklaringen op te nemen.'

Terwijl Fowler met priemende vinger elk punt benadrukt landen er draden speeksel op de microfoon.

'Ik zal jullie vertellen waar de politie geen behoefte aan heeft. Wij hebben geen behoefte aan de een of andere professor van een universiteit die nog nooit een arrestatie heeft verricht of in een politiewagen heeft meegereden of tegenover een gewelddadige crimineel heeft gestaan en die ons komt vertellen hoe we ons werk moeten doen. Je hebt echt geen graad in de psychologie nodig om te weten dat we te maken hebben met een geperverteerde en een lafaard die de zwakken en kwetsbaren als doelwit neemt omdat hij geen vrouw kan krijgen, of geen vrouw aan zich kan binden, of omdat hij als baby niet de borst heeft gehad…

Naar mijn mening komt het profiel dat professor O'Loughlin heeft opgesteld niet door de nou-en-test. Inderdaad, we zijn op zoek naar een man uit de omgeving, tussen de dertig en vijftig, die ploegendiensten draait en vrouwen haat. Nogal wiedes, zou ik denken. Daar komt geen wetenschap aan te pas.

De professor wil dat we deze man respect betonen. Hij wil hem de hand van compassie en begrip reiken. Nou, niet waar ik bij ben. Deze dader is een stuk tuig en hij zal al het respect waar hij om vraagt krijgen. In de gevangenis, wel te verstaan, want dat is waar hij heen gaat.'

Alle ogen in de zaal zijn op mij gericht. Ik word aangevallen, maar wat kan ik doen? De inspecteur pakt me bij mijn onderarm.

Ze wil niet dat ik reageer. Ik word overspoeld door woede en gêne, niet bij machte mijn moedeloosheid te keren.

Er worden nog steeds vragen geschreeuwd.

'Hoe heeft hij de dochters bedreigd?'

'Zijn de vrouwen verkracht?'

'Klopt het dat hij ze heeft gemarteld?'

'Op wat voor manier zijn ze gemarteld?'

Fowler negeert hen. Hij zet zijn hoed op en strijkt met een handpalm langs de rand om hem recht te zetten. Dan kletst hij zijn handschoenen van de ene in de andere hand en marcheert het middenpad af alsof hij het exercitieterrein verlaat.

Flitslampen gaan af. De vragen blijven komen.

'Zal hij een nieuwe moord begaan?'

'Waarom koos hij deze vrouwen uit?'

'Denkt u dat hij hen kende?'

Veronica Cray legt haar hand over de microfoon en fluistert iets in mijn oor. Ik knik en sta op om te gaan. Er klinken joelende protesten. Het is een drijfjacht geworden in plaats van een briefing.

Inspecteur Cray draait zich langzaam om en stuurt een vinnige blik de zaal in. Hij laat niets te raden over. De persbriefing is ten einde.

38

In de commandokamer gaan telefoons over. Ik heb geen idee wat voor telefoontjes het gaat opleveren en wat voor filters men hanteert om de serieuze informatie eruit te vissen. Wat als hij belt? Zullen ze hem herkennen?

Veronica Cray schommelt tussen de bureaus door als een scheepskapitein die de brug van een zinkend schip verlaat en zich terugtrekt in zijn vertrekken terwijl anderen de reddingsboten al laten zakken.

'Dat was een absolute kolerezooi.'

Nog confuus van het venijn van Fowlers aanval kost het me moeite om te reageren. 'Het had erger gekund. We hebben mensen tenminste gewaarschuwd,' mompel ik na een poos.

Terwijl ik door de commandokamer loop merk ik hoe de rechercheurs hun best doen me niet aan te staren. Het nieuws van mijn publieke vernedering heeft hen al bereikt. Het begint al laat te worden. De meesten lijken al afstand te hebben genomen van hun werk en zitten te wachten op het moment waarop ze hun jas kunnen aantrekken om naar huis te gaan.

Inspecteur Cray sluit de deur van haar werkkamer. Ik zit tegenover haar. Ze steekt een sigaret op en zet het raam op een kier. Met een afstandsbediening zet ze een klein tv-toestel aan dat in een hoek weggestopt op een archiefkast staat. Ze kiest een ander kanaal en zet het geluid af.

Ik weet wat ze gaat doen. Ze gaat zichzelf straffen door naar de uitzending van de persbriefing te kijken.

'Iets drinken?'

'Nee dank u.'

Ze doet een greep in een paraplubak en haalt een fles whisky tevoorschijn. Een koffiemok doet dienst als glas. Ik kijk hoe ze zichzelf inschenkt en de fles terugzet in zijn bergplaats.

'Ik heb een ethische vraag, professor,' zegt ze terwijl ze de whisky als mondwater door haar mond laat gaan. 'Een journalist van een sensatieblad en een commissaris zitten gevangen in een brandende auto en u kunt maar een van de twee redden. Wie haalt u eruit?'

'Weet ik niet.'

'Er is maar één echt dilemma: ga je lunchen of toch maar naar de film.'

Ze lacht niet. Ze meent het.

Op haar bureau ligt een van een geel Post-it briefje voorziene hangmap. Er zitten uitdraaien in van het landelijke politiecomputersysteem. De database is doorzocht op soortgelijke misdrijven. Ze overhandigt me het voorblad.

In Bristol martelden twee drugsdealers een prostituee die ze ervan beschuldigden dat ze een politie-informante was. Ze spijkerden haar aan een boom vast en mishandelden haar seksueel met een fles.

Een stuwadoor in Felixtowe kwam thuis en trof zijn vrouw in bed aan met de buurman. Hij bond de buurman vast aan een stoel en martelde hem met de krultang van zijn vrouw.

Twee Duitse zakenpartners kregen ruzie over de verdeling van de winst en een van hen vluchtte naar Manchester. Hij werd dood aangetroffen in een hotelkamer met zijn armen uitgestrekt op een tafelblad en afgesneden vingers.

'Dat was het,' zegt ze terwijl ze de ene sigaret met de andere aansteekt. 'Geen mobiele telefoons, geen dochters, geen bedreigingen. K-u-t met peren, kortom.'

Voor het eerst vallen de wallen onder haar ogen en de groeven in de voorheen gladde gelaatstrekken me op. Hoeveel slaap heeft ze de afgelopen tien dagen gekregen?

'Waar jullie naar zoeken is het voor de hand liggende antwoord,' zeg ik.

'Wat bedoelt u daarmee?'

'Als je op straat een man ziet in een witte jas en met een stethoscoop om zijn nek, denk je meteen dat hij dokter is. En daarna ga je extrapoleren. Hij heeft waarschijnlijk een dure auto, een vrouw als een fotomodel, hij gaat het liefst naar Frankrijk op vakantie, zij geeft de voorkeur aan Italië. Ze gaan elk jaar skiën.'

'Wat wilt u daarmee zeggen?'

'Hoe groot is de kans dat je hem verkeerd beoordeelt – één op twintig, één op vijftig? Hij kan ook géén dokter zijn. Hij zou inspecteur van de warenwet kunnen zijn of een laborant die een stethoscoop heeft opgeraapt die iemand heeft laten vallen. Hij kan op weg zijn naar een gekostumeerd bal. We doen aannames en meestal kloppen ze, maar soms hebben we het mis. Dat is het moment waarop we lateraal moeten denken, buiten de gebaande paden. De voor de hand liggende oplossing, de simpelste oplossing, is normaliter de beste, maar niet altijd. Dit keer niet.'

Veronica Cray kijkt me onbeweeglijk aan, met een vormeloze glimlach, afwachtend. Uit haar uitgedrukte sigaret stijgt een laatste scherpe rookpluim op.

'Ik geloof niet dat de moorden iets te maken hebben met het trouwbureau,' zeg ik. 'Ik denk dat jullie een andere invalshoek moeten zoeken.'

Ik vertel haar over de reünie van de voormalige schoolvriendinnen in The Garrick's Head, een week voordat Christine Wheeler stierf. Sylvia Furness was daar ook. De bijeenkomst werd via de e-mail georganiseerd, maar de persoon die verondersteld werd de uitnodigingen te hebben verstuurd, verdronk drie maanden daarvoor bij een ongeluk met een Griekse veerboot. Degene die de e-mail verstuurde creëerde een account op haar naam of wist haar wachtwoord en gebruikersnaam.

'We hebben het dus over familie, vrienden, haar echtgenoot...'

'Ik zou eerst haar echtgenoot bekijken. Ze waren gescheiden. Zijn naam is Gideon Tyler.'

Ik vertel haar over ons bezoek aan het landgoed Daubeney. Bryan en Claudia Chambers leven er als gevangenen achter beveiligingscamera's, bewegingssensoren en glasscherven. Bryan Chambers bleef vragen door wie we waren gestuurd. Ik vermoed dat hij bang is voor iemand.

'Hij kende beide slachtoffers.'

'Ze waren bruidsmeisje op Helens bruiloft.'

'Wat weet u over dat veerbootongeluk?'

'Niet meer dan wat ik er indertijd over heb gelezen.'

Ze knippert traag met haar ogen alsof ze te lang naar één bepaald voorwerp heeft gekeken en moeite heeft met scherpstellen.

'Goed, dus we hebben te maken met één dader. Hij werd ofwel bij hen thuis uitgenodigd of hij brak in. Hij wist dingen over hun garderobe, hun make-up, Sylvia's handboeien. Hij kende hun telefoonnummers en wist in wat voor auto ze reden. Hij kleedde het zo in dat hij vooraf hun dochters ontmoette om hen informatie te ontfutselen. Zijn we het daarover eens?'

'Tot zover wel, ja.'

'En dezelfde man brak in in het huis van de Wheelers en opende de condoleancekaarten.'

'Een redelijke aanname.'

'Hij was naar iets op zoek.'

'Of naar iemand.'

'Zijn volgende slachtoffer?'

'Ik zou niet automatisch tot die conclusie komen.'

Het gezicht van de rechercheur verraadt niets. Emotie zou er misplaatst zijn als een moedervlek of een zenuwtic.

'De enige andere aanwezige op de reünie was Maureen Bracken.'

'Loopt ze gevaar?'

'Dat weet ik niet.'

'Nou, ik kan haar niet onder bewaking stellen zonder dat er een specifieke bedreiging voor haar bestaat of solide bewijs dat de kans groot is dat ze een doelwit vormt.'

Het is niet meer dan een veronderstelling. Een theorie. Ik heb geen harde bewijzen of welk soort van bewijs dan ook.

De inspecteur kijkt naar haar tv-toestel en richt de afstandsbediening erop. Een nieuwsbulletin staat op het punt te beginnen. Beelden van de persbriefing flitsen over het scherm. Ik ga niet kijken. Erbij zijn was al gênant genoeg.

Buiten heeft de dag zich uit de voeten gemaakt. Aan al mijn kleding en al mijn gedachten kleeft het gevoel van een vies snoeppapiertje. Ik ben moe. Moe van het praten. Moe van mensen. Moe van het wensen dat de dingen hout snijden.

Christine Wheeler en Sylvia Furness raakten vermoeid. Het was alsof hun moordenaar een vooruitspoelknop indrukte en hen jaren van hun leven ontnam, decennia aan ervaringen, goede en slechte. Hij putte hun energie uit, hun strijdlust, hun wil om te leven. Daarna keek hij toe hoe ze stierven.

Julianne had gelijk. De doden blijven doden, wat er ook gebeurt. Intellectueel begrijp ik dat, maar in de holle ruimte die in mijn borst weergalmt niet. Het hart heeft redenen waar de rede niet bij kan.

39

Het jaarboek van de school ligt opengeslagen onder mijn vingers en laat haar klassenfoto zien. Achter en naast haar staan vriendinnen. Sommigen van hen zijn totaal niet veranderd sinds 1988. Anderen zijn dik geworden en hebben hun haar geverfd. En niet meer dan één of twee van hen zijn opgebloeid, als late rozen tussen het onkruid.

Ik heb de namen en gezichten omcirkeld. Verrassend genoeg zijn velen van hen in de buurt blijven wonen. Getrouwd. Kinderen gekregen. Gescheiden. Uit elkaar. Eentje is gestorven aan borstkanker. Eentje woont in Nieuw-Zeeland. Twee zijn bij elkaar ingetrokken.

De tv staat aan. Ik loop de kanalen langs maar er is niets wat het kijken waard is. Een bewegende tekstbalk trekt mijn aandacht. Hij meldt iets over de jacht op een dubbelmoordenaar.

Een knappe, steriel ogende vrouw leest het nieuws met haar ogen iets naar links gericht, waar vermoedelijk een autocue meeloopt. Ze schakelt over naar een verslaggever die in de camera spreekt en ernstig kijkt met alle oprechtheid van een arts die achter zijn rug een injectienaald verborgen houdt.

Dan verplaatst het tafereel zich naar een conferentiezaal. De potteuze rechercheur en de zielenknijper staan als Laurel en Hardy naast elkaar. Jut en Jul. Torvill en Dean. Hier wordt een van de allergrootste showbusinesskoppels geboren. Ze staan verslaggevers te woord. De meeste vragen worden beantwoord door een hoger geplaatste politieman die een keutel dwarszit. Ik zet het geluid harder.

'... we te maken hebben met een geperverteerde en een lafaard die de zwakken en kwetsbaren als doelwit neemt omdat hij geen vrouw kan krijgen, of geen vrouw aan zich kan binden, of omdat hij als baby niet de borst heeft gehad... Daar heb ik geen psychologisch profiel voor nodig.

Naar mijn mening komt het profiel dat professor O'Loughlin heeft opgesteld niet door de nou-en-test. Inderdaad, we zijn op zoek naar een man uit de omgeving, tussen de dertig en vijftig, die ploegen-diensten draait en vrouwen haat. Nogal wiedes, zou ik denken. Daar komt geen wetenschap aan te pas.

De professor wil dat we deze man respect betonen. Hij wil hem de hand van compassie en begrip reiken. Nou, niet waar ik bij ben. Deze dader is een stuk tuig en hij zal al het respect waar hij om vraagt krijgen. In de gevangenis, wel te verstaan, want dat is waar hij heen gaat.'

Wat zijn dit voor mensen? Ze hebben geen idee met wie ze te maken hebben en waartoe ik in staat ben. Ze denken dat het een spel-letje is. Ze denken godverdomme dat ik een amateur ben.

Ik kan door muren heen lopen.

Ik kan mensen hun geest openbreken.

Ik kan horen hoe de palletjes op hun plaats vallen en de cilinders draaien.

Klik… klik… klik…

40

Ik word wakker in de plooien van een dekbed met een kussen in mijn armen. Ik heb Julianne niet wakker zien worden en zich zien aankleden. Ik mag haar graag bekijken als ze in het bijna-licht en de kou uit bed glipt en haar nachtpon over haar hoofd trekt. Mijn ogen worden naar haar kleine bruine tepels en het kuiltje in haar onderrug getrokken, net boven het elastiek van haar slipje.

Deze morgen is ze al beneden, ontbijt aan het maken voor de meiden. Van buiten komen andere geluiden binnenzweven: een trekker op het laantje, een blaffende hond, mevrouw Nuttall die haar katten roept. Ik doe de gordijnen open en kijk wat voor dag het wordt. Blauwe lucht. In de verte wolken.

Op het kerkhof staat een man de grafstenen te bekijken. Door de takken heen kan ik hem net onderscheiden. Hij veegt zijn tranen af en heeft een kleine vaas met bloemen in zijn hand. Misschien is hij zijn vrouw verloren of zijn vader. Misschien is het de sterfdag of verjaardag van een dierbare. Hij buigt zich voorover en graaft een kuiltje, zet de vaas erin en drukt de aarde eromheen aan.

Soms vraag ik me af of ik de meiden een keer mee zal nemen naar een kerkdienst. Ik ben niet bepaald religieus, maar ik zou hen het gevoel van het onbekende willen bijbrengen. Ik wil niet dat ze al te geobsedeerd raken door waarheid en zekerheid.

Ik kleed me aan en ga naar beneden. Charlie is in de keuken en heeft haar schooluniform aan. Zachte strengen haar zijn losgekomen uit haar paardenstaart en omlijnen haar gezicht.

'Is deze bacon voor mij?' vraag ik terwijl ik een plakje pak.

'In elk geval niet voor mij, ik eet geen bacon,' zegt Charlie.

'Sinds wanneer niet?'

'Al eeuwen niet.'

Het begrip eeuwen schijnt te zijn veranderd sinds ik op school zat.

'Waarom niet?'

'Ik ben vegetariër. Mijn vriendin Ashley zegt dat we geen weerloze dieren zouden moeten doden om onze begeerte naar leren schoenen of boterhammen met bacon te bevredigen.'

'Hoe oud is Ashley?'

'Dertien.'

'En wat doet haar vader?'

'Hij is kapitalist.'

'Weet jij wat dat is?'

'Niet echt.'

'Als je geen vlees eet, hoe kom je dan aan je ijzer?'

'Spinazie.'

'Je haat spinazie.'

'Broccoli.'

'Idem dito.'

'Vier dingen uit de schijf van vijf is genoeg.'

'O ja, joh?'

'Doe niet zo sarcastisch, pap.'

Julianne is met Emma de ochtendkranten aan het halen. Ik maak koffie voor mezelf en stop sneetjes brood in de broodrooster. De telefoon gaat.

'Hallo?'

Er komt geen antwoord. Ik hoor het zachte suizen van verkeer. Er wordt geremd, voertuigen remmen af en komen tot stilstand. Het moet vlak bij een kruising zijn of bij verkeerslichten.

'Hallo, hoort u mij?'

Niets.

'Ben jij het, Darcy?'

Nog steeds geen antwoord. Ik verbeeld me dat ik haar kan horen ademhalen. De verkeerslichten zijn weer versprongen. Voertuigen rijden weg.

'Zeg even iets, Darcy, zeg dat je het goed maakt.'

De verbinding wordt verbroken. Ik druk mijn vinger op de knop van het toestel en laat weer los. Ik bel Darcy's mobieltje. Ik krijg dezelfde ingesproken boodschap als eerder. Ik wacht op de piep.

'Darcy? Zeg volgende keer iets.'

Ik hang op. Charlie heeft meegeluisterd.

'Waarom is ze weggelopen?'

'Wie heeft je dat verteld?'

'Mam.'

'Darcy wil niet bij haar tante in Spanje wonen.'

'Waar moet ze dán wonen?'

Ik geef geen antwoord. Ik maak een dubbele boterham met bacon voor mezelf klaar.

'Ze zou bij ons kunnen komen wonen,' zegt Charlie.

'Ik dacht dat je haar niet mocht.'

Ze haalt haar schouders op en schenkt zichzelf een glas jus d'orange in. 'Ze ging best wel, eigenlijk. Sommige kleren van haar waren super.'

'Is dat alles?'

'Nee. Ik heb een soort medelijden met haar, om wat er met haar mam is gebeurd.'

Julianne komt door de achterdeur binnen met Emma. 'Met wie heb jij medelijden?'

'Darcy.'

Julianne kijkt me aan. 'Heb je iets van haar gehoord?'

Ik schud mijn hoofd.

In de simpele jurk en het vest dat ze draagt ziet ze er blijer, jonger, en meer ontspannen uit. Emma kruipt telkens tussen haar benen door. Als kuise voorzorgsmaatregel houdt Julianne haar zoom omlaag.

'Kun jij Charlie bij school afzetten? Ze heeft de bus gemist.'

'Maar natuurlijk.'

'Het nieuwe kindermeisje komt over een kwartier.'

'De Australische.'

'Dat klinkt alsof ze een veroordeelde is.'

'Ik heb niets tegen Australiërs, maar als ze over cricket begint vliegt ze eruit.'

Ze rolt met haar ogen. 'Ik dacht dat we misschien, nu Imogen er is, vanavond uit eten konden gaan. Een wij-tweeënafspraakje.'

'Een wij-tweeënafspraakje. Mmm.' Ik pak Emma vast en hijs haar op mijn schoot. 'Nou, misschien kan ik wel. Ik zal mijn volle agenda moeten raadplegen. Maar als ik ja zeg wil ik niet dat je je rare ideeën in je hoofd haalt.'

'Ik? Nooit. Hoewel ik misschien wel mijn zwarte ondergoed aantrek.'

Charlie bedekt haar oren. 'Ik weet waar jullie het over hebben en het is zó góór.'

'Wat is goor?' vraagt Emma.

'Laat maar,' zeggen we in koor.

Julianne en ik hadden altijd onze vaste wij-tweeënafspraakjes, gereserveerde avonden waarvoor we een oppas regelden. De eerste keer dat ik er een had geregeld stond ik erop met bloemen aan te komen en bij de voordeur aan te kloppen. Julianne vond dat zo lief dat ze me rechtstreeks mee naar de slaapkamer wilde slepen en het etentje wilde laten voor wat het was.

Opnieuw gaat de telefoon. Ik ben verbaasd over de snelheid waarmee ik hem oppak. Iedereen staart me aan.

'Hallo?'

Opnieuw geen antwoord.

'Ben jij dat, Darcy?'

Het is een mannenstem die antwoordt. 'Is Julianne thuis?'

'Met wie spreek ik?'

'Met Dirk.'

Teleurstelling gaat over in ergernis. 'Heeft u net ook al gebeld?'

'Pardon?'

'Heeft u tien minuten geleden ook gebeld?'

Hij beantwoordt de vraag niet. 'Is Julianne thuis of niet?'

Ze rukt de telefoon uit mijn hand en neemt hem mee naar boven naar de studeerkamer. Door de balusters heen zie ik haar de deur dichtdoen.

*

299

Het kindermeisje is er. Ze is in alle opzichten wat ik me had voorgesteld: ze heeft sproeten, is fotogeniek en gaat gebukt onder een
zangerig Australisch accent dat alles wat ze zegt als een vraag doet
klinken. Haar naam is Imogen en midscheeps is ze nogal fors uit-
gevallen. Ik weet dat dat een ongelooflijk seksistische omschrij-
ving is, maar ik heb het niet simpelweg over maatje Emmenthaler,
maar over echt gigantisch.

Volgens Julianne was Imogen absoluut de meest gekwalificeer-
de kandidaat voor de baan. Ze heeft een massa ervaring, kwam
goed over in het gesprek en wil ook buiten werktijd oppassen als
dat nodig mocht zijn. Geen van deze factoren is de hoofdreden
dat Julianne haar heeft aangenomen. Imogen is geen concurrente.
Ze is niet in het minst bedreigend, zolang ze tenminste niet per
ongeluk op iemand gaat zitten.

Ik draag haar twee koffers naar boven. Ze zegt dat ze de kamer
geweldig vindt. Het huis is ook geweldig, ook de tv en mijn oude
Escort eveneens. Alles bij elkaar genomen is alles 'helemaal geweldig'.

Op de studeerkamer zit Julianne nog altijd te bellen. Er moet
iets aan de hand zijn. Of anders hebben ze telefoonseks samen.

Ik heb Dirk nooit ontmoet. Ik kan me zelfs zijn achternaam
niet herinneren. Desondanks haat ik hem met een irrationele gre-
tigheid. Ik haat zijn stemgeluid. Ik haat het feit dat hij cadeautjes voor mijn vrouw koopt, dat hij met haar op reis gaat, dat hij
haar op haar vrije dag thuis opbelt. Maar vooral haat ik de manier
waarop ze zo gemakkelijk tegen hem lacht.

Toen Julianne in verwachting was van Charlie en in het ver-
moeide, huilerige 'ik voel me zo dik'-stadium zat, probeerde ik
manieren te bedenken om haar op te beuren. Ik boekte een vakantie op Jamaica voor ons. Ze gaf de hele reis over. Een mini-
busje haalde ons op van het vliegveld en reed ons naar het resort,
dat lieflijk en tropisch was en wemelde van de bougainvillea en
hibiscus. We kleedden ons om en gingen op weg naar het strand.
Een naakte zwarte man passeerde ons. Piemelnaakt. Bungelend.
Daar achteraan kwam een naakte vrouw, textielvrij, met een bloe-

sem in haar haar. Julianne keek me vreemd aan, haar dikke buik uit haar sarong puilend.

Uiteindelijk wees een glimlachende Jamaicaanse man in witte bedrijfskleding naar mijn zwembroek.

'Kleren uit, mon.'

'Pardon?'

'Dis is a nekkid beach.'

'Hè?'

Ineens schoot de slagzin uit de brochure me weer te binnen: 'Doe eens een weekje wild'. En het kwartje viel. Ik had voor mijn hoogzwangere echtgenote een georganiseerde reis van een week geboekt in een nudistenpark waar 'sex on the beach' meer was dan de naam van een cocktail.

Julianne had me moeten vermoorden. In plaats daarvan lachte ze. Ze lachte zo hard dat ik dacht dat haar vliezen zouden breken en ons eerste kind ter wereld zou worden gebracht door een Jamaicaan die 'Derde Beentje' werd genoemd en buiten zijn zonnebrandcrème niets aan het lijf had. Zo had ze al in tijden niet meer gelachen.

Ik zeg Charlie dat ze haar spullen moet pakken. Als ik haar zo meteen bij school heb afgezet ga ik een bezoekje brengen aan de bibliotheek, om daarna Ruiz te ontmoeten voor de lunch.

Op de oprit begint ze opnieuw over Darcy. Ze zegt dat ik geen antwoord heb gegeven op haar vraag.

'Welke vraag?'

'Waarom Darcy niet bij ons kan komen wonen.'

'We vormen al een gezin. We hebben geen ruimte voor nog iemand.'

'Waar is haar vader?'

'Weet ik niet. Hij is verdwenen.'

'Waarom?'

'Ik denk dat hij geen vader wilde zijn.'

Ik zet haar af bij het schoolhek. Ze ziet een paar van haar vriendinnen staan en leunt niet opzij voor een afscheidskus op mijn wang.

'Tot later.'

'Dag.'

De bibliotheek van Bath bevindt zich op de eerste verdieping van het Podium Centre aan de Northgate Street, met de lift omhoog en twee symmetrische glazen deuren door. De bibliotheekmedewerkers zitten opgesloten achter een balie aan de rechterkant.

'Van de zomer is er in Griekenland een ramp met een veerboot geweest,' zeg ik tegen een van hen. Ze heeft het inktpatroon van een printer verwisseld en haar vingertoppen zitten onder de zwarte vlekken.

'Dat herinner ik me nog,' zegt ze. 'Ik was op vakantie in Turkije. Het stormde. Onze camping stond onder water.'

Ze vertelt me het hele verhaal, waarin natte slaapzakken, bijnalongontstekingen en twee in een wasgebouwtje doorgebrachte nachten figureren. Dat ze nog weet wanneer het was verbaast me niet. De laatste week van juli.

Ik vraag of ik de krantenleggers kan inzien en kies *The Guardian* en een plaatselijke krant, de *Western Daily Press*. Ze zal ze me komen brengen, zegt ze.

Ik ga in een rustig hoekje aan een tafel zitten en wacht tot de ingebonden banden worden gebracht. Ze moet ze op een wagentje voortduwen. Ik help haar de eerste band op de tafel te tillen.

'Wat zoekt u precies,' vraagt ze, afwezig glimlachend.

'Dat weet ik nog niet.'

'Nou, veel succes dan.'

Terwijl ik de koppen snel, sla ik behoedzaam de pagina's om. Haar geheugen blijkt het bij het juiste eind te hebben. De datum is 25 juli.

VEERTIEN DODEN BIJ RAMP MET GRIEKSE VEERBOOT

Op de Egeïsche Zee zoeken reddingswerkers naar overlevenden van een Griekse veerboot die bij hevige stormwinden voor de kust van het eiland Patmos is gezonken.

De Griekse kustwacht meldt dat er veertien doden en acht vermisten zijn geteld nadat de Argo Hellas elf mijl ten noordoosten van de haven van Patmos zonk. Meer dan veertig passagiers, de meeste van hen vakantiegangers van buiten Griekenland, zijn uit het water opgepikt door plaatselijke vissersboten en pleziervaar-

tuigen. Overlevenden zijn naar een ziekenhuis op Patmos over-
gebracht, velen van hen met snijwonden, kneuzingen en de ge-
volgen van onderkoeling. Acht ernstig gewonde passagiers zijn
per helikopter naar ziekenhuizen in Athene vervoerd.

Een Engelse hotelhouder die meehielp bij de reddingsoperatie,
Nick Barton, zei dat zich onder de opvarenden van de veerboot
Britse, Duitse, Italiaanse en Australische staatsburgers en leden
van de plaatselijke bevolking bevonden.

De 18 jaar oude veerboot zonk kort na 21.30 uur (19.30 uur GMT),
niet meer dan vijftien minuten na de haven van Patmos te hebben verlaten. Volgens overlevenden werd het schip overspoeld
door de extreem hoge zeeën en zonk het zo snel dat velen geen
tijd hadden hun reddingsvesten om te doen voordat ze over de
reling sprongen.

De zware zeegang en sterke winden hebben de speurtocht naar
nog vermiste passagiers van de Argo Hellas bemoeilijkt. Gedurende de hele nacht zijn Griekse luchtvaartuigen bezig geweest
lichtbakens in zee te werpen. Een van de HMS Invincible afkom-
stige helikopters van de Britse marine heeft bij de zoektocht assistentie verleend.

Ik sla de bladzijden om en volg het verhaal zoals het zich ontrolt.
De veerboot zonk tijdens een storm die op grote schaal overal in
het Egeïsch gebied schade aanrichtte. Op het eiland Skiros liep
een 38-tons containerschip aan de grond, terwijl verder naar het
zuiden in de Zee van Kreta een Malteser tanker in tweeën brak
en zonk en een olievlek veroorzaakte die het Griekse vasteland
bedreigde.

Ondertussen vertelden overlevenden van de tragedie met de
veerboot over de laatste ogenblikken voordat de Argo Hellas zonk.
Mensen hingen aan de verschansing en sprongen overboord.
Sommigen kwamen binnen in het schip vast te zitten doordat de
veerboot binnen enkele minuten zonk.

Eenenveertig mensen overleefden de tragedie en er werden ze-
ventien doden geteld. Na twee dagen stelde een weersverbetering
Griekse duikers in staat om nog drie lichamen uit het wrak te

bergen, maar zes mensen werden nog altijd vermist, waaronder een Amerikaan, een bejaarde Franse vrouw, twee Grieken en een Britse moeder en dochter. Dat moeten Helen en Chloë zijn geweest, maar hun namen worden pas een paar dagen daarna genoemd.

Een later verhaal in de *Western Daily Press* meldde dat Bryan Chambers het vliegtuig naar Griekenland nam om zijn dochter en kleindochter te gaan zoeken.

De vader van de vermiste Britse Helen Tyler vloog gisteravond naar Griekenland in het ongebroken vertrouwen dat zijn dochter en kleindochter na de veerbootramp van woensdag levend zouden worden teruggevonden.

Bryan Chambers, een zakenman uit Wiltshire, zei dat hij 'bad om een wonder' en bereid was zijn eigen zoekactie op touw te zetten.

Een ander verhaal, op dinsdag 31 juli, meldde dat de heer Chambers een klein vliegtuig had gehuurd en de stranden en rotsbaaien van de eilanden en de Turkse kust aan het uitkammen was. Bij het verhaal stond een foto van moeder en dochter, die onder Helens trouwnaam hadden gereisd. Op het vakantiekiekje zitten ze op een rotsmuur met een Grieks café op de achtergrond. Helen draagt een sarong en een Jackie O-zonnebril, terwijl Chloë een witte korte broek en sandalen aanheeft en een roze topje met veterbandjes.

De zoektocht naar overlevenden werd een week na het zinken van de veerboot, op woensdag 1 augustus, gestaakt. Er is geen verdere melding van Helen en Chloë, behalve over een bidwake op een NAVO-basis in Duitsland, waar ze woonden. Het maritiem onderzoek, waarin overlevenden als getuigen werden opgeroepen, werd in het voorbijgaan genoemd, maar de bevindingen werden niet eerder dan zes maanden later verwacht.

Mijn mobieltje trilt geluidloos. In de bibliotheek zijn mobiele telefoons niet toegestaan. Ik loop door de hoofdingang naar buiten. Druk op groen.

Bruno Kaufmann tettert in mijn oor. 'Luister, ouwe jongen, ik weet dat je gelukkig getrouwd bent en het instituut een warm hart toedraagt, maar moest je nu echt tegen mijn vrouw zeggen dat ze bij mij moest intrekken?'

'Het is maar voor een paar dagen, Bruno.'

'Jawel, maar het zal veel langer lijken.'

'Maureen is een schat. Waarom heb je haar laten gaan?'

'Ze heeft mij de bons gegeven. Of liever gezegd: ze is op me ingereden. Ik moest opzij springen. Ze zat achter het stuur van een Range Rover.'

'Waarom deed ze dat?'

'Ze had me betrapt met een van mijn onderzoeksters.'

'Een studente?'

'Een promovenda,' verbetert hij me, alsof hij gepikeerd is door de suggestie dat hij zijn vrouw met minder zou bedriegen.

'Ik wist niet dat jij een zoon had.'

'Ja. Jackson. Zijn moeder verpest hem. Ik koop hem om. We zijn een doodgewoon gebroken gezin.'

Ik begin me net af te vragen of er iets is waar Bruno serieus over kan zijn als hij ineens op zijn hoede lijkt.

'Denk je dat ze echt gevaar loopt?'

'Het is een voorzorgsmaatregel.'

'Ik heb haar nog nooit zo bang gezien.'

'Zorg voor haar.'

'Maak je geen zorgen, ouwe jongen. Bij mij is ze veilig.'

Het gesprek is ten einde. Het mobieltje trilt opnieuw. Ditmaal is het Ruiz. Hij heeft iets dat hij me wil laten zien. We spreken af in de Fox and Badger. Ik moet zijn lunch betalen, aangezien het mijn beurt is. Ik weet niet of het 'mijn beurt' was, maar ik ben blij dat hij er is.

Ik zet de auto thuis neer en beklim de heuvel naar de pub. Ruiz heeft een tafel in de hoek genomen, waar het plafond lijkt door te zakken. Aan de kale balken hangt paardrijtuigage.

'Jouw rondje,' zegt hij terwijl hij me een lege pint aanreikt.

Ik loop naar de bar. Stamgasten met rood aangelopen en bultige gezichten houden de krukken bezet, waaronder ook Nigel de dwerg, wiens voeten een halve meter boven de grond heen en weer zwaaien.

Ik knik. Ze knikken terug. In dit deel van Somerset geldt dat als een lang gesprek.

Hector, de uitbater, tapt een pint Guinness en laat het bier tot rust komen terwijl hij voor mij een citroenkwast pakt. Ik zet de verse pint voor Ruiz neer. Hij kijkt hoe de belletjes omhoogborrelen, ondertussen misschien wel een gebedje opzeggend voor de god van de gisting.

'Op het drinken met vrouwen met o-benen.' Hij tilt zijn glas op en maakt een halve pint soldaat.

'Is bij jou wel eens de mogelijkheid opgekomen dat je alcoholist bent?'

'Ben je gek. Alcoholisten gaan naar bijeenkomsten,' antwoordt hij. 'Ik ga niet naar bijeenkomsten.' Hij zet zijn glas neer en kijkt naar mijn kwast. 'Je bent gewoon jaloers omdat jij dat lollywater moet drinken.'

Hij slaat zijn notitieboek open. Het is dezelfde gehavende gemarmerde verzameling gekrulde pagina's die hij altijd meesleept, bij elkaar gehouden met een postelastiek.

'Ik dacht ik doe een stukje onderzoek naar Bryan Chambers. Een maatje bij Economische Zaken heeft zijn naam door de computer gehaald. Chambers kwam er brandschoon uit: geen boetes, geen rechtszaken, geen dubieuze contracten: de man is vrij van smetten...'

Hij klinkt teleurgesteld.

'En dus besloot ik zijn naam door het nationale politiecomputersysteem te halen via een vriend van een vriend...'

'Die verder naamloos zal blijven.'

'Precies. Zo heet hij namelijk. Naamloos. Goed, deze Naamloos meldde zich vanochtend weer bij me. Zes maanden geleden heeft Chambers een straatverbod laten uitvaardigen tegen Gideon Tyler.'

'Zijn schoonzoon?'

'Yep.'

'Tyler mag zich niet binnen achthonderd meter van het huis

of Chambers' kantoor begeven. Hij mag niet bellen, e-mailen, sms'en of langs het hek rijden.'

'Waarom niet?'

'Dat is het volgende punt.' Hij trekt een ander vel los. 'Ik heb Gideon Tyler nagetrokken. Ik bedoel, we weten niets van die gast behalve zijn naam, die hem tussen haakjes waarschijnlijk van de ene naar de andere kant van het schoolplein getrapt heeft doen worden.'

'We weten dat hij militair is.'

'Klopt. En dus heb ik Mindef gebeld. Ik kreeg personeelszaken aan de lijn, maar zodra ik de naam Gideon Tyler noemde, gingen de lippen steviger op elkaar dan die van een maagd op gevangenisbezoek.'

'Vanwege wat?'

'Dat weet ik niet. Of ze beschermen hem of ze zijn door hem in verlegenheid gebracht.'

'Of beide.'

Ruiz leunt achterover in zijn stoel, rekt zijn rug en strekt zijn armen achter zijn hoofd. Ik hoor zijn wervels uit elkaar gaan.

'Daarna heb ik Gideon Tyler door Naamloos laten natrekken.' Op de stoel naast hem heeft hij een manilla map liggen. Hij doet hem open en haalt er verschillende papieren uit. Het bovenste vel herken ik als een procesverbaal van de politie. Het is gedateerd op 22 mei 2007. Een samenvatting van de feiten is bijgevoegd.

Ik lees vluchtig de details door. Gideon Tyler wordt genoemd in een aanklacht, beschuldigd van bedreiging en het plegen van dreigtelefoontjes in de richting van Bryan en Claudia Chambers. Onderdeel van de lijst met aantijgingen is dat Tyler heeft ingebroken op Daubeney en het huis heeft doorzocht terwijl zij sliepen. Hij haalde hangmappenkasten en bureaus overhoop en maakte kopieën van gesprekgegevens, bankafschriften en e-mails. Hij werd er ook van beschuldigd dat hij op de een of andere manier een geweerkluis open had weten te krijgen en er een geweer uit had gepakt. Toen de heer en mevrouw Chambers de volgende ochtend wakker werden, troffen ze het geladen wapen tussen hen in liggend aan.

Ik sla de bladzijde om, op zoek naar een conclusie. Die is er niet.

'Wat gebeurde er toen?'

'Niets.'

'Hoe bedoel je?'

'Tyler is nooit in staat van beschuldiging gesteld. Gebrek aan bewijs.'

'En vingerafdrukken dan, vezels, wat dan ook?'

'Ook niet.'

'Hier staat dat hij bedreigende telefoontjes pleegde.'

'Niet te achterhalen.'

Geen wonder dat de Chambers zo paranoïde deden toen we langskwamen.

Ik kijk naar de datum van het politierapport. Helen Tyler en Chloë waren nog in leven toen Tyler haar familie zou hebben bedreigd. Hij moet naar hen op zoek zijn geweest.

'Wat weten we over de scheiding?' vraagt Ruiz.

'Niets, behalve uit de e-mail die Helen haar vriendinnen stuurde. Ze is waarschijnlijk weggelopen bij Tyler... en daar was hij niet blij mee.'

'Acht jij hem hiertoe in staat?'

'Misschien.'

'Waarom zou hij de vriendinnen van zijn vrouw willen ombrengen?'

'Om haar te straffen.'

'Maar ze is dood!'

'Misschien doet dat er niet toe. Hij is kwaad. Hij voelt zich bedrogen. Helen nam hem zijn dochter af. Ze verborg zich voor hem. En nu wil hij uithalen en iedereen in haar buurt straffen.'

Ik bekijk opnieuw het politierapport. Rechercheurs hebben Gideon Tyler ondervraagd. Hij moet een alibi hebben gehad. Volgens Maureen was hij in Duitsland gestationeerd, maar waarschijnlijk is hij naar Engeland teruggekomen.

'Hebben we een adres van Tyler?' vraag ik.

'Ik heb een laatste bekend adres en de naam van zijn advocaat. Wil je hem een bezoekje brengen?'

Ik schud mijn hoofd. 'Dit is iets voor de politie. Ik zal met Veronica Cray praten.'

41

Het raam heeft vier ruiten, die het zicht op de slaapkamer in kwarten verdelen. Ze is naakt, net onder de douche vandaan, met haar haar in een roze tulband en rood aangelopen wangen.

Lekkere benen, lekkere tieten, lekker lichaam, een echte stoot met alles erop en eraan. Een man zou een hoop lol kunnen hebben als hij met een vrouw als zij mocht spelen.

Ze wikkelt de handdoek af, buigt voorover en laat haar haar over haar gezicht vallen en haar borsten heen en weer slingeren. Ze wrijft de vochtige lokken droog en gooit haar hoofd in haar nek.

Ze tilt haar ene en dan haar andere voet op om tussen haar tenen droog te maken. Dan de vochtinbrengende crème, die ze in haar huid masseert, te beginnen bij de enkels en dan omhoog. Dit is beter dan porno. Toe maar schatje, ietsje hoger nog... laat zien wat je in huis hebt...

Iets doet haar naar het raam keren. Haar ogen staren rechtstreeks in de mijne, maar ze kan me niet zien. In plaats daarvan bestudeert ze haar spiegelbeeld, nu eens hierheen draaiend, dan weer daarheen, en strijkt ze met haar handen over haar buik, haar billen en haar dijen, op zoek naar striae en andere tekenen van ouderdom.

Met haar rug naar me toe aan een kaptafel met spiegel zittend brengt ze met een föhn en een ander apparaatje haar haar in model. Ik kan haar spiegelbeeld zien. Ze trekt gezichten en bestudeert elk lijntje en rimpeltje in haar gezicht, rekkend, plukkend en prikkend. Er worden nog meer crèmes en lotions aangebracht.

Toekijken terwijl een vrouw zich aankleedt is veel opwindender dan kijken hoe ze zich uitkleedt. Het is een dans zonder muziek, een slaapkamerballet waarvan elke beweging doorgeoefend en gemakkelijk is. Dit hier is niet de een of andere pokkenhoer in een ranzige bar of seksclub. Ze is een echte vrouw met een echt figuur. Een slipje *schuift omhoog langs haar benen, langs haar dijen. Wit. Misschien heeft het een blauw randje. Vanaf hier valt het niet te zeggen. Haar armen glippen door de bandjes van een bijpassende beha die haar borsten optilt en uit elkaar duwt. Ze doet de onderste versteviging goed om hem lekkerder te laten zitten.*

Wat zal ze aantrekken? Ze houdt een jurk tegen haar lichaam… een tweede… een derde. Het besluit is gevallen. Ze gaat op bed zitten en rolt kousen over haar rechtervoet en enkel omhoog langs haar been. Ze leunt achterover op het bed en trekt de ondoorzichtige zwarte stof over haar dijen en billen.

Weer opgestaan hijst ze zich wiegend in de jurk en laat ze de stof tot net onder haar knieën vallen. Ze is bijna klaar. Een draai naar links om haar spiegelbeeld in het raam te bekijken, dan een draai naar rechts.

Haar horloge ligt op de vensterbank. Ze pakt het op, laat het om haar pols glijden en kijkt hoe laat het is. Dan kijkt ze uit het raam naar het vervagende licht. De eerste ster is tevoorschijn gekomen. Doe een wens, engel van me. Vertel aan niemand wat je wens is.

Het restaurant ligt aan de rivier. Over het water kijk je uit op fabrieken en pakhuizen, van de sloop gered en verbouwd tot appartementen. Julianne heeft wijn besteld.

'Wil je proeven?' vraagt ze, wetend hoezeer ik het mis. Ik neem een slokje uit haar glas. De sauvignon komt zachtjes tot ontploffing tegen mijn verhemelte, koud en scherp, en doet me naar meer verlangen. Ik schuif het glas terug naar haar, raak haar vingers aan en denk aan degene die als laatste een fles wijn met haar heeft gedeeld. Was het Dirk? Ik vraag me af of hij op het geluid van haar stem viel, die zoveel talen prachtig kan laten klinken.

Julianne slaat heel even schuins haar ogen naar me op.

'Zou je opnieuw met me trouwen als je alles over mocht doen?'

'Uiteraard, ik houd van je.'

Ze kijkt weg in de richting van de rivier, die in de kleuren van navigatielichten geschilderd lijkt. Ik zie haar gezicht in het glas weerspiegeld.

'Waar kwam die vraag vandaan?'

'Eigenlijk nergens vandaan,' antwoordt ze. 'Ik vroeg me alleen af of je geen spijt had dat je niet ietsje langer had gewacht. Je was pas vijfentwintig.'

'En jij was tweeëntwintig. Het maakte niet uit.'

Ze neemt nog een slokje wijn en wordt zich bewust van mijn bezorgdheid. Glimlachend reikt ze over tafel en knijpt in mijn hand. 'Kijk niet zo bezorgd. Ik voel me oud, dat is alles. Soms kijk ik in de spiegel en zou ik jonger willen zijn. Daarna voel ik me schuldig omdat ik zoveel heb om dankbaar voor te zijn.'

'Je bent niet oud. Je bent prachtig.'

'Dat zeg je altijd.'

'Omdat het waar is.'

Ze schudt hulpeloos haar hoofd. 'Ik weet dat ik niet zo ijdel en van mezelf bezeten zou moeten zijn. Jij bent degene die alle recht heeft om over jezelf na te denken en wrok te koesteren.'

'Ik koester nergens wrok over. Ik heb jou. Ik heb de meiden. Dat is voor mij voldoende.'

Ze kijkt me veelzeggend aan. 'Als dat voldoende is, waarom ben je dan in dit moordonderzoek gedoken?'

'Ik werd gevraagd.'

'Je had ook nee kunnen zeggen.'

'Ik zag een kans om te helpen.'

'Kom nou toch, Joe, je had behoefte aan een uitdaging. Je verveelde je. Je vond het niet leuk om thuis te zitten met Emma. Wees er dan tenminste eerlijk over.'

Ik grijp naar mijn glas water. Mijn hand trilt.

Juliannes stem wordt milder. 'Ik weet hoe jij bent, Joe. In je hoofd probeer je keer op keer Darcy's moeder te redden, maar dat gaat niet. Ze is niet meer onder ons.'

'Ik kan voorkomen dat het nog iemand overkomt.'

'Misschien, ja. Je bent een goed mens. Je geeft om mensen. Je geeft om Darcy. Dat waardeer ik in je. Maar je moet begrijpen waarom ik bang ben. Ik wil niet dat je erin betrokken raakt, niet na de laatste keer. Je hebt je steentje bijgedragen. Je hebt je tijd eraan gegeven. Laat vanaf nu iemand anders de politie helpen.'

Ik zie haar ogen zich vullen met tranen en voel een wanhopig verlangen haar gelukkig te maken.

'Ik heb er niet om gevraagd erin betrokken te raken. Het gebeurde gewoon,' zeg ik.

'Per ongeluk.'

'Precies. En soms kunnen we ongelukken niet negeren. We kunnen er niet voorbij rijden zonder te stoppen en doen alsof we ze niet gezien hebben. We moeten wel stilhouden. We bellen een ziekenwagen. We proberen te helpen...'

'En daarna laten we het aan de deskundigen over.'

'En als ik nou een van die deskundigen ben?'

Julianne fronst en haar lippen verstrakken. 'Het kan zijn dat ik volgende week naar Italië moet,' kondigt ze plompverloren aan.

'Waarvoor?'

'De overeenkomst met het radiostation is op een tegenvaller gestuit. Een van de institutionele beleggers weigert mee te werken. Als we niet negentig procent goedkeuring krijgen gaat de transactie niet door.'

'Wanneer vertrek je?'

'Maandag.'

'Met Dirk.'

'Ja.' Ze slaat de menukaart open. 'We hebben Imogen nu. Ze zal je helpen voor Emma te zorgen.'

'Wat voor type is die Dirk?'

Ze kijkt niet op van de menukaart. 'Een natuurkracht.'

'Wat wil dat zeggen?'

'Hij is iemand die er heel erg voor gaat. Sommige mensen vinden hem agressief en vooringenomen. Ik denk dat hij iemand is die je moet leren kennen.'

'En heb je hem leren kennen?'

'Ik begrijp hem beter dan de meeste mensen. Hij is erg goed in zijn werk.'

'Is hij getrouwd?'

Ze lacht. 'Nee.'

'Wat is daar zo grappig aan?'

'Het idee dat Dirk getrouwd zou zijn.'

Ik hoor haar panty schuren terwijl ze haar benen over elkaar doet. Haar ogen zijn niet langer op het menu geconcentreerd. Ze zit met haar gedachten ergens anders. Het valt me op hoe anders ze is geworden sinds ze is gaan werken, hoe afstandelijk. Midden in een gesprek kan ze ineens mijlenver weg lijken.

'Ik zou je collega's wel eens willen ontmoeten,' zeg ik.

Haar ogen keren zich weer naar mij. 'Meen je dat nou?'

'Je klinkt verbaasd.'

'Ik ben ook verbaasd. Je hebt nog nooit enige belangstelling voor ze getoond.'

'Sorry.'

'Nou, komende zaterdag hebben we een feestje op kantoor, ons tienjarig bestaan. Ik dacht dat je er niet heen wilde.'

'Hoezo?'

'Ik heb het je al weken geleden verteld.'

'Kan ik me niet herinneren.'

'Zie je wel.'

'Ik wil er wél heen. Het wordt vast leuk.'

'Weet je het zeker?'

'Ja. We kunnen een hotelletje nemen. Er een weekendje uit van maken.'

Onder tafel vindt mijn voet de hare, minder zachtzinnig dan ik had gehoopt. Ze schrikt op alsof ik heb geprobeerd haar te schoppen. Ik verontschuldig me en voel mijn hart trillen. Het is alleen niet mijn hart. Het is mijn telefoon.

Ik houd mijn hand tegen de binnenzak, ik had hem uit moeten zetten.

Julianne neemt een slokje wijn en bestudeert mijn dilemma. 'Neem je niet op?'

'Sorry.'

Haar schoudergebaar is niet voor meerdere uitleg of interpretatie vatbaar. Ik weet wat ze denkt. Ik klap het toestel open. Inspecteur Crays nummer staat op het schermpje.

'Ja.'

'Waar zit je?'

'In een restaurant.'

'Wat is het adres? Ik stuur een wagen.'

'Wat is er dan?'

'Maureen Bracken wordt sinds vanavond zes uur vermist. Haar ex-man trof de voordeur wagenwijd open aan. Haar auto is verdwenen. Haar mobieltje is in gesprek.'

Mijn hart zwelt op en wringt zich mijn keel in.

'Waar is haar zoon?'

'Thuis. Hij was laat terug van zijn voetbaltraining. Iemand heeft zijn mobiele telefoon gestolen. Toen hij terugging om te kijken, werd hij opgesloten in de kleedkamers.'

Mijn grote ogen gaan dwars door Julianne heen. Inspecteur Cray heeft nog steeds het woord.

'Maureens mobieltje is in gesprek. Oliver Rabb probeert hem te peilen.'

'Waar is Bruno?'

'Ik heb hem gezegd dat hij thuis moet blijven voor het geval zijn ex-vrouw belt. Een agent is bij hem. Tien minuten, professor. Zorg dat u voor de deur klaarstaat.'

Het gesprek is ten einde. Ik kijk naar Julianne. Haar gezicht vertoont niet het miniemste spoortje van wat ze denkt.

Ik zeg haar dat ik moet gaan. Ik leg haar uit waarom. Zonder een woord te zeggen staat ze op en pakt haar jas. We hebben nog niet besteld. We hebben niets gegeten. Ze wenkt om de rekening en rekent de wijn af.

Ik loop achter haar aan het restaurant door. Haar heupen wiegen soepel onder haar jurk en drukken in een paar passen meer uit dan de meeste mensen in een gesprek van een uur. Ik loop met haar mee naar de auto. Ze stapt in. Er is geen afscheidskus. Haar gezicht is een ondoorgrondelijke combinatie van teleurstelling en onbetrokkenheid. Ik wil haar achternagaan, om het moment terug te veroveren, maar het is te laat.

43

Angsten en ingebeelde dingen. Ze beginnen als een minuscule, niet-aflatende tremor in mijn binnenste, een zoemend lemmet dat aan het zachte, vochtige weefsel knaagt en grote holtes openlegt die desondanks mijn longen niet genoeg ruimte bieden om uit te kunnen zetten.

Ik heb met Bruno gesproken. Hij is in een andere man veranderd. Nietiger. Het is na middernacht. Maureen wordt nog steeds vermist. Haar mobiele telefoon is gestopt met zenden. Oliver Rabb heeft het wegstervende signaal weten te herleiden tot een telefoonmast aan de zuidrand van Victoria Park in Bath. Politiemensen zoeken de omliggende straten af.

Toevalligheden en kleine gebeurtenissen blijven zich bij dit verhaal voegen en maken het beeld ingewikkelder in plaats van helderder. De e-mails. De reünie. Gideon Tyler. Ik heb geen duidelijk bewijs dat hij hier achter zit. Ruiz is bij zijn laatst bekende adres langsgegaan. Daar is niemand.

Veronica Cray heeft twee officiële verzoeken om informatie gericht aan Defensie. Tot dusverre stilte. We hebben geen idee of Tyler nog steeds in het leger dient of dat hij zijn ontslag heeft genomen. Wanneer is hij uit Duitsland weggegaan. Hoe lang is hij al terug? Waar heeft hij zich mee beziggehouden?

Maureens auto wordt even na vijf uur 's ochtends teruggevonden op een parkeerplaats in Queen Street, vlak bij de toegangshekken van Victoria Park. De koplampen branden. Het portier aan de bestuurderskant staat open. Maureens mobieltje ligt op de stoel. De accu is leeg.

Victoria Park beslaat zo'n 2,3 hectare en heeft zeven ingangen. Ik tuur door de omheining de donkerte in. De lucht is paarszwart; het is een uur voor zonsopgang en de lucht is ijskoud. We zouden duizend agenten elk boomblaadje kunnen laten omkeren en Maureen nog altijd niet vinden.

Een twintigtal agenten krijgt instructies. De meesten van hen dragen reflecterende hessen en hebben staaflantaarns bij zich. Het hondenteam zal tegen zevenen hier zijn. Een helikopter scheert over ons heen, met zijn lichtbundel over de grond slepend.

We gaan in tweetallen op weg. Ik heb Monk bij me. Zijn lange benen zijn ervoor gemaakt om in het donker door open terrein te gaan en zijn stem is als een misthoorn. In mijn ene hand heb ik een zaklantaarn, in de andere een wandelstok. Ik zie de lichtstraal terugkaatsen van het natte gras en de bomen, die stuk voor stuk als zilver ogen.

We houden het grindpad aan tot we langs de tennisbanen en het oefenveldje voor golfers komen, buigen naar rechts af en gaan de helling op. Aan de hoger gelegen kant van het park tekenen de in Palladiostijl gebouwde huizen van de Royal Crescent zich af tegen een puimstenen hemel. Lichten gaan aan. Mensen hebben de helikopter gehoord.

Tientallen staaflampen dansen tussen de bomen door, als opgezwollen vuurvliegjes die er maar niet in slagen het luchtruim te kiezen. Tegelijkertijd zijn de parklampen als zwevende gele ballen, wazig in de nevel van de naderende dag.

Monk heeft een radio bij zich. Ineens staat hij stil en brengt hem naar zijn oor. Het bericht is doorsneden met ruis. Ik vang slechts een paar woorden op. Ze is nog in leven. Maureens naam valt en er is sprake van een pistool.

'Kom, professor,' zegt Monk terwijl hij me bij mijn arm pakt.

'Wat is er?'

'Ze is nog in leven.'

Half rennend en half voorthobbelend heb ik moeite hem bij te houden. We gaan in westelijke richting over Royal Avenue op de visvijver en de avonturenspeelplaats af. Ik ken dit deel van Victoria Park. Ik ben hier geweest met Charlie en Emma, om de heteluchtballonnen te zien opstijgen op hun vluchten in de avondschemering.

De oude Victoriaanse muziektent doemt als een reusachtige gehalveerde, bij de vijver neergesmeten tulbandvorm uit de duisternis op. Laaghangende takken overspannen de openingen tussen het geboomte.

Dan zie ik haar. Maureen. Naakt. Geknield voor het podium van de muziektent met haar armen gespreid in een klassieke dwanghouding. Haar armen moeten haar pijn doen en van minuut tot minuut zwaarder aanvoelen. Stevig in haar linkervuist geklemd zit een pistool, wat het gewicht nog groter maakt. Ze draagt een zwart oogmasker, van het type dat ze op langeafstandsvluchten uitdelen.

De lichtbundel van een zaklantaarn valt op mijn gezicht. Ik til mijn hand op om mijn ogen te beschutten. Safari Roy laat de lamp zakken.

'Ik heb het BBT gebeld.'

Ik kijk niet-begrijpend naar Monk.

'Het Bijzonder Bijstandsteam,' zegt hij.

'Ik geloof niet dat ze iemand zal neerschieten.'

'Zo is het protocol nu eenmaal. Ze heeft een vuurwapen.'

'Heeft ze enig dreigement geuit?'

Roy kijkt me ongelovig aan. 'Nou, dat pistool ziet er allejezus bedreigend uit. Telkens als we dichtbij komen zwaait ze ermee.'

Ik kijk het open terrein over. Maureen zit op haar knieën met haar hoofd voorover. Naast het masker over haar ogen zit er nog iets op haar hoofd. Ze heeft een koptelefoon op. In mijn borst loopt een zwart vacuüm vol met angst en leegt zich weer.

'Ze kan jullie niet horen,' zeg ik.

'Hoe bedoel je?'

'Ze heeft een koptelefoon op. Hij is waarschijnlijk verbonden met een mobieltje. Ze praat met iemand.'

Door zijn tanden heen zuigt Roy lucht naar binnen. 'Net als Christine Wheeler.'

Inspecteur Cray arriveert, hijgend. De zomen van haar broek zijn nat en ze draagt een wollen skimuts die haar gezicht volmaakt rond doet lijken.

'Hoe heeft ze in jezusnaam een pistool te pakken gekregen?'

Niemand geeft antwoord. Een dikke eend, gealarmeerd door

het geluid, schiet tevoorschijn tussen de planten die de vijver omzomen. Heel even lijkt het of hij op het water loopt, maar dan wint hij hoogte en trekt zijn onderstel in.

Ik kijk weer naar de muziektent die lijkt op te lichten in het donker. Hij is met lottogelden gerestaureerd en wordt gebruikt voor zomerconcerten en kindertoneel. Ik ben hier een keer met de kinderen naar 'De wind in de wilgen' geweest. De vijver en de tuinen waren onderdeel van de voorstelling. Dit keer zijn er tussen de bomen donkere vormen te zien. Politieagenten.

Maureen moet tot op het bot verkleumd zijn. Hoe lang zit ze daar al? De motor van haar auto was koud en de koplampen hadden de accu bijna leeggetrokken.

In mijn maag borrelt een golf van misselijkheid. Het is weer zover. Hij is bezig de geest van een moeder met verschrikkelijke gedachten te bevolken en gif haar oor binnen te laten druppelen.

Waar zit hij? Hij kijkt toe. De politie zou het park hermetisch moeten afzetten en wegblokkades moeten inrichten. Nee. Als hij eenmaal ziet dat agenten zich verspreiden om naar hem te zoeken zal hij Maureen waarschijnlijk opdracht geven iets met het pistool te doen. We moeten in stilte opereren, van buiten naar binnen.

Als eerste moeten we een eind zien te maken aan het telefoongesprek. Het afkappen. Er moet een manier zijn om de dichtstbijzijnde telefoonmast te isoleren en hem uit de lucht te halen. Terroristen gebruiken mobiele telefoons om bommen tot ontploffing te brengen. Er is vast een manier om de communicatie stil te leggen als er een bommelding is.

Maureen heeft zich niet verroerd. Het masker doet haar ogen er als zwarte holtes uitzien. Haar armen trillen oncontroleerbaar. Het pistool is te zwaar om het omhoog te kunnen blijven houden. Op het beton aan haar voeten vormt zich een donker poeltje. Eerst denk ik dat het bloed is. Het is waarschijnlijk urine.

Ik moet een manier vinden om de ban te verbreken waarin hij haar gevangen houdt. In Maureens hoofd gaan de gedachten in een doorlopende lus heen en weer. Het lijkt op wat dwangneurotici doormaken die hun handen een bepaald aantal malen moeten wassen of de sloten moeten controleren of de lichten in een bepaalde volgorde aandoen. Hij heeft deze gedachten in haar geest geplant en ze kan ze niet meer loslaten. Ik moet die lus doorbreken, maar hoe? Ze kan me niet zien of horen.

De duisternis is op de terugtocht. De wind is gaan liggen. In de verte hoor ik sirenes. Het Bijzonder Bijstandsteam. Ze hebben geweren bij zich.

Maureens armen beginnen te zakken. Ze zijn te zwaar. Met een verrassingsaanval zou de politie haar misschien kunnen ontwapenen voordat ze kans ziet om te schieten.

Veronica Cray gebaart naar agenten dat ze op hun plaats moeten blijven. Ze wil geen gewonden. Ik weet haar aandacht te trekken. 'Laat mij met haar praten.'

'Ze kan je niet horen.'

'Laat me het proberen.'

'Wacht op het BBT.'

'Ze kan dat pistool niet lang meer omhooghouden.'

'Dat is mooi.'

'Nee. Voor het zo ver is zal hij haar dwingen iets te doen.'

Ze kijkt Monk aan. 'Geef hem een kogelvrij vest.'

'Ja, chef.'

Het vest wordt uit een van de auto's gehaald. De gespen worden losgemaakt en daarna vastgemaakt rond mijn borst. Monk omarmt me als een tangodanser. Het vest is lichter dan ik had verwacht, maar wel volumineus. Ik blijf heel even staan. De hemel is in turkoois en waterig zachtpaars veranderd. Ik pak mijn wandelstok en een nooddeken en loop naar Maureen toe, mijn blik gericht op het pistool in haar rechterhand.

Een meter of vijftien bij haar vandaan blijf ik staan en spreek ik haar naam uit. Ze reageert niet. De koptelefoon heeft haar van de buitenwereld afgesloten. Ik kan net de draad zien die langs haar borst omlaaghangt en aan een tussen haar knieën geklemde mobiele telefoon vastzit.

Ik noem opnieuw haar naam, dit keer harder. Het pistool zwaait mijn kant op, schiet door naar links en zwaait terug naar rechts. Hij zegt haar naar welke kant ze moet richten.

Ik verplaats me naar links. Het pistool volgt me. Als ik me plotseling op haar zou werpen zou ze misschien onvoldoende tijd hebben om te reageren. Misschien zou ik haar het pistool kunnen ontfutselen.

Dit is waanzin. Dwaasheid. Ik kan Juliannes stem horen. Op een ruzietoon. 'Waarom ben jij degene die het gevaar tegemoet rent?' zegt ze. 'Waarom kan jij niet degene zijn die de andere kant op loopt en om hulp roept?'

Ik ben bij de trap. Ik hef mijn wandelstok en laat hem hard op de reling neerkomen. De klap weergalmt door het park, versterkt door de zich terugtrekkende duisternis. Maureen krimpt ineen. Ze heeft het geluid gehoord.

Ik geef nog een klap op de reling, en nog één, drie keer, om haar aandacht af te leiden van de stem in haar oren. Ze schudt haar hoofd. Haar linkerarm buigt zich en haar vingers doen het masker van haar ogen. Ze knippert met haar ogen in een poging me scherp in beeld te krijgen. Bij haar ogen staan strepen van tranen. De loop van het pistool heeft zich niet bewogen. Ze wil me niet neerschieten.

Ik gebaar tegen Maureen dat ze haar koptelefoon moet afzetten. Ze schudt haar hoofd. Ik steek een vinger op en vorm met mijn lippen de woorden: 'Eén minuut'.

Ik doe een stap in haar richting. Het pistool komt tot stilstand. Ik vraag me af hoe doeltreffend dit soort vesten is. Houden ze een van zo dichtbij afgevuurde kogel tegen?

Maureen knikt naar niemand in het bijzonder, reikt naar de koptelefoon en doet de schelp van haar linkeroor opzij. Dat heeft hij haar gezegd. Hij wíl dat ze me hoort.

'Ken je me nog, Maureen?'

Een vluchtig hoofdknikje

'Weet je waar je je bevindt?'

Opnieuw een knik.

'Ik weet wat er gaande is, Maureen. Er is iemand die tegen je praat. Je kunt hem op dit moment horen.' Haar haar is voor haar ogen gevallen.

'Hij zegt dat hij iemand bij zich heeft… iemand die jou lief is. Je zoon.'

Hartverscheurende instemming.

'Het is niet waar, Maureen. Hij heeft Jackson niet. Hij liegt tegen je.'

Ze schudt haar hoofd.

'Luister. Jackson is thuis bij Bruno. Hij is in veiligheid. Weet je nog wat er bij Christine en Sylvia gebeurde? Precies hetzelfde. Hij zei tegen Christine dat hij Darcy had en tegen Sylvia dat hij Alice had, maar het was niet waar. Darcy en Alice maakten het prima. Ze waren geen moment in gevaar.'

Ze wil me geloven.

'Ik weet dat hij heel overtuigend overkomt, Maureen. Hij weet dingen van je, klopt dat?'

Ze knikt.

'En hij weet dingen over Jackson. Naar welke school hij gaat. Hoe hij eruitziet.'

'Hij kwam maar niet thuis… ik heb gewacht… ik heb Jackson op zijn mobieltje gebeld,' snikt ze.

'Die heeft iemand gestolen.'

'Ik heb hem horen schreeuwen.'

'Dat was een truc. Jackson zat opgesloten in de kleedkamers na de voetbaltraining. Maar hij is weer vrij. Hij is in veiligheid.'

Ik probeer niet naar de loop van het pistool te kijken. De puzzelstukjes zijn in elkaar gevallen. Hij moet Jacksons mobieltje hebben gestolen en hem in de kleedkamers hebben ingesloten. Zijn geschreeuw om hulp werd opgenomen en over de telefoon voor Maureen afgespeeld.

Ze heeft hem horen schreeuwen. Het was voldoende om haar te overtuigen. Het zou de meeste mensen hebben overtuigd. Mij ook.

De loop van het pistool gaat alle kanten op, maakt een tekening in de lucht. Maureens rechter wijsvinger heeft zich om de trekker gekromd. Haar handen zijn ijskoud. Al zou ze haar vinger willen strekken, het zou haar waarschijnlijk niet lukken.

Aan de randen van mijn gezichtsveld zie ik donkere schimmen gehurkt tussen de bomen en struiken zitten. Het Bijzonder Bijstandsteam. Ze hebben geweren bij zich.

Alsjeblieft, schiet haar niet neer.

'Luister naar me, Maureen. Je kunt met Jackson praten. Leg het pistool neer en we bellen hem hier en nu.' Ik haal mijn mobieltje tevoorschijn. 'Ik ga Bruno bellen. Hij zal Jackson aan de lijn roepen.'

Ik voel de verandering die zich in haar voltrekt. Ze luistert. Ze wil me geloven... wil hopen. Dan worden, net zo plotseling, in een halve ademteug, haar ogen groter en laat ze de oorschelp van de koptelefoon weer over haar oor vallen.

'LUISTER NIET NAAR HEM!' schreeuw ik tegen haar.

Haar ogen schieten heen en weer. De loop van het pistool beschrijft achtjes. Even grote kans dat ze me mist als dat ze me raakt.

'JACKSON IS IN VEILIGHEID! GELOOF ME!'

In haar hoofd is een schakelaar omgezet. Ze luistert niet langer naar me. Ook haar andere hand houdt nu het pistool omklemd en helpt het stil te houden. Alsjeblieft, niet schieten Maureen.

Ik doe een uitval in haar richting. Mijn linkerbeen blijft staan en trekt me omlaag. Op hetzelfde moment ontploft de lucht en maakt Maureens lichaam een schokbeweging. Er sproeit een rode mist in mijn ogen. Ik knipper hem weg. Ze zakt voorover in elkaar, over haar knieën ineenzijgend, gezicht vooruit, heupen in de lucht, alsof ze zichzelf aan de nieuwe dag onderwerpt.

De mobiele telefoon klettert op het beton. Daarna volgt het pistool, dat over de kop buitelt en al glijdend beneden mijn kin tot stilstand komt.

In mijn binnenste heeft zich iets geopend: een zwart vacuüm dat volloopt met razernij. Ik pak het toestel op en schreeuw: 'ZIEKE TYFUSHOND DIE JE BENT!'

Er komen mensen op me af rennen. Een politieagent in kogelwerende kleding hurkt een meter of vier van me neer, met zijn geweer op me gericht.

'Leg het pistool neer, meneer.'

Mijn oren tuiten nog. Ik kijk naar het pistool in mijn hand.

'Meneer, leg dat pistool neer.'

44

De zon is opgekomen en gaat schuil achter grijze wolken die zo laag hangen dat ze met de hand lijken te zijn geschilderd. Tussen pilaren gespannen zeilen van wit plastic schermen de plek af waar Maureen Bracken viel.

Ze leeft nog. De kogel drong onder haar rechtersleutelbeen haar lichaam binnen en trad vijftien centimeter onder haar rechterschouder, iets buiten het midden van haar rug, weer naar buiten. De scherpschutter van de politie mikte om te verwonden, niet om te doden.

In het Koninklijk Hospitaal van Bristol staan chirurgen klaar voor de operatie. Maureen is onderweg in een door twee politiewagens begeleide ambulance. Ondertussen kammen agenten Victoria Park uit. De ingangen zijn afgegrendeld en langs de omheining wordt gesurveilleerd.

Twee kordons, een binnen- en een buitenkordon, hebben concentrische cirkels gevormd rond het muziekpaviljoen om de toegang te belemmeren en de forensische teams te helpen de plaats delict intact te houden. Met een zilveren traumadeken om mijn schouders op de trap zittend kijk ik toe hoe ze hun werk doen. Het bloed op mijn gezicht is opgedroogd tot brosse korstjes die onder mijn vingertoppen verschilferen.

Veronica Cray komt bij me zitten. Ik bal mijn linkervuist en open hem weer. Het stopt het trillen niet.

'Hoe gaat het?'

'Prima.'

'Zo ziet het er niet uit. Ik kan u door iemand thuis laten afzetten.'

'Ik blijf nog even.'

De inspecteur denkt even na en staart naar de plek langs de

eendenvijver waar de takken van een wilg in het met schuim bedekte water hangen. Men wil een huiszoekingbevel laten uitgaan voor Gideon Tylers laatst bekende adres, ditmaal met hernieuwde urgentie. Rechercheurs zijn bezig buren te ondervragen en naar familiebanden te zoeken. Elk aspect van zijn leven zal worden gecontroleerd en nagetrokken.

'Acht u hem hiertoe in staat?'

'Weet ik niet.'

'Wat zou hij hopen te bereiken door de vriendinnen van zijn vrouw te vermoorden?'

'Hij is een seksueel sadist. Hij heeft geen andere reden nodig.'

'Maar die is er wel volgens u?'

'Ja.'

'De inbraak in het huis van de Chambers, de telefoontjes en dreigementen, dat alles begon toen Helen bij hem wegging en met Chloë onderdook. Gideon was naar hen op zoek.'

'Oké, daar kan ik inkomen, maar die blijken dood te zijn.'

'Misschien is Gideon zo kwaad en verbitterd dat hij iedereen waarmee Helen een nauwe band had kapot gaat maken. Zoals ik al zei hoeven seksueel sadisten geen andere redenen te zoeken. Ze worden voortgedreven door een volstrekt eigen reeks impulsen.'

Ik druk mijn gezicht in mijn handen. Ik ben moe. Mijn geest is moe. Maar hij kan niet stoppen. Iemand heeft ingebroken in Christine Wheelers huis en de condoleancekaarten geopend. Uit op een naam of adres.

'Er is nog een verklaring,' zeg ik. 'Het kan zijn dat Gideon niet gelooft dat ze dood zijn. Mogelijk denkt hij dat haar familie en vrienden haar verborgen houden of informatie hebben over haar verblijfplaats.'

'En dus martelt hij hen?'

'En als dat niet werkt vermoordt hij ze, in de hoop dat hij Helen op die manier kan dwingen tevoorschijn te komen.'

Veronica Cray lijkt niet geschokt of verbaasd te zijn. Gescheiden en van elkaar vervreemde stellen doen elkaar vaak verschrikkelijke dingen aan. Ze vechten om hun kinderen, ontvoeren ze en gaan soms nog verder. Helen Chambers was acht jaar met Gideon

Tyler getrouwd. Zelfs nu ze dood is kan ze niet aan hem ontkomen.

'Ik laat u door Monk naar huis brengen.'

'Ik wil Tylers huis zien.'

'Waarom?'

'Ik moet hem zien te doorgronden.'

*

De lucht in de auto voelt muf en opgebruikt aan en ruikt naar
zweet en kunstmatige warmte. Over Bath Road rijden we Bristol
binnen, tussen de verkeerslichten door zoevend.

Ik leun achterover in de vettige stof van de zitting en staar uit
het raam. Niets aan de straten is me vertrouwd. De in staal gevatte
gashouders niet, evenmin als de onderkant van spoorbruggen of
de grijze betonnen torenflats die de deprimerende lucht in prie-
men.

We slaan af en dalen scherp omlaag in een woestenij vol vervallen huizenblokken, fabrieken, drugsholen, vuilnisbakken, ge-
barricadeerde winkels, zwerfkatten en vrouwen die kerels in hun
auto pijpen.

Gideon Tyler woont net achter Fishponds Road in de schaduw
van de M32. Het onderkomen is een oude plaatwerkerij met een
geasfalteerd voorterrein en een met prikkeldraad afgezet hek.
Plastic zakken zijn vast komen te zitten tegen het gaashek en duiven cirkelen boven het voorterrein, als gevangenen op een lucht-
plaats.

De eigenaar, meneer Swingler, is gearriveerd met de sleutels. In
zijn plompe Doc Martens-kisten, spijkerbroek en lichte T-shirt
ziet hij eruit als een overjarige skinhead. Er zijn vier sloten. Meneer Swingler heeft maar één sleutel. De politie zegt hem achteruit te gaan.

Een stompneuzige stormram gaat één… twee… drie keer heen
en weer. Scharnieren versplinteren en de voordeur geeft mee. De
politie gaat als eerste naar binnen, in hurkzit en met een snelle
draai van kamer naar kamer trekkend.

'Veilig.'
'Veilig.'
'Veilig.'

Ik moet buiten blijven wachten met meneer Swingler. De huiseigenaar kijkt me aan. 'Hoeveel krijgt u omhoog?'

'Pardon?'

'Op de drukbank.'

'Geen idee.'

'Ik kom tot honderdnegen kilo. Hoe oud schat u me?'

'Geen idee.'

'Tachtig.' Hij spant een spierbal aan. 'Niet slecht, hè?'

Nog even en hij daagt me uit voor een potje armworstelen.

De begane grond is vrijgegeven. Monk zegt dat ik binnen kan komen. Het ruikt er naar hond en natte kranten. In de open haard heeft iemand papieren verbrand.

De werkbladen in de keuken zijn schoon en de kasten opgeruimd. Op een plank staan borden en kopjes op gelijke afstanden van elkaar gerangschikt. De provisiekast biedt dezelfde aanblik. Artikelen als rijst en linzen worden in luchtdichte blikken bewaard en geflankeerd door blikgroenten en houdbare melk. Dit zijn voorraden voor een belegering of een kamp.

Boven is het bed afgehaald. Het beddengoed is gewassen en ligt opgevouwen op het matras, klaar voor inspectie. De badkamer is geboend, gepoetst en met bleekwater behandeld. Ik zie beelden voor me van Gideon die met zijn tandenborstel de voegen schoonpoetst.

Een incontinente kraan drupt in de wasbak en er zit een vochtplek op het plafond. Een krabbertje en een tube scheercrème liggen zij aan zij op de rand.

Elk huis, elke kledingkast, elk boodschappenmandje zegt iets over een persoon. Dit hier is geen uitzondering. Het is het woonadres van een soldaat, een man voor wie vaste routines en leefregels een intrinsiek onderdeel zijn van het leven. Zijn kledingkast bevat vijf groene overhemden, zes paar sokken, een paar zwarte laarzen, een uniformjasje, een paar handschoenen met groene inzetstukken, een poncho... Zijn sokken zijn opgerold tot een wollen glimlach. Zijn overhemden hebben vouwen, gelijkelijk verdeeld aan de voor- en achterkant. Ze zijn opgevouwen in plaats van opgehangen.

Ik kan deze details in ogenschouw nemen en aannames doen. Psychologie gaat over waarschijnlijkheden en verwachtingen, de klokvormige statistische verdelingen die menselijk gedrag kunnen helpen voorspellen.

Mensen zijn bang voor Gideon of willen niet over hem praten of willen doen alsof hij niet bestaat. Hij is als een van de monsters die ik, omdat ik haar geen nachtmerries wil bezorgen, 'wegredigeer' uit de verhaaltjes die ik Emma voor het slapengaan voorlees.

Pas op voor de krakelwok... de kaken die bijten, de klauwen die grijpen!

Van buiten klinkt een kreet op het voorterrein. Ze vragen om een hondenbegeleider. Ik loop de trappen af en ga een achterdeur en zijhek door naar het werkplaatsgedeelte. Achter een metalen roldeur gaat een hond als een razende tekeer.

'Ik wil hem zien.'

'We kunnen beter op de hondenman wachten,' zegt Monk.

'Doe alleen even de deur op een kier.'

Ik kniel neer en houd mijn hoofd tegen de grond. Monk forceert het slot van de roldeur en tilt hem een paar centimeter omhoog en nog iets verder. Het dier werpt zich woest grommend tegen de metalen deur.

In een spiegel boven een wasbak vang ik een glimp van het beest op, een vluchtig beeld van bruine vacht en kaken.

Mijn ingewanden jeuken. Ik herken de hond. Ik heb hem eerder gezien. Hij kwam opduiken uit de deuropening van Patrick Fullers flat, grommend en uitvallend naar het politiearrestatieteam, erop gebrand hun de strot af te bijten. Wat doet de hond hier?

45

De sirene gilt voorbijgangers verwensingen toe terwijl de politieauto met koplampen als door verdriet gek geworden ogen flitsend
door het verkeer zwenkt. Oudere mensen en kinderen blijven
staan kijken. Anderen lopen verder alsof ze zich niet bewust zijn
van het lawaai.

Ander verkeer opzij dwingend doorkruisen we Bristol, over
Temple Way, langs Temple Meade Station, York op en daarna
Coronation Road. Mijn hart bonst. We hadden Patrick Fuller in
verzekerde bewaring. Ik overtuigde Veronica Cray ervan dat ze de
ex-soldaat vrij moest laten.

Twintig minuten schieten voorbij in een waas van snelheid en
stilte. We staan op de stoep voor het gebouw van Fullers flat. Ik
herken het grijze beton en de roeststrepen onder de raamkozijnen.

Om ons heen komen andere politiewagens tot stilstand, met
hun neus vooruit in de goot. Inspecteur Cray geeft haar team aanwijzingen. Niemand kijkt naar mij. Ik ben het vijfde wiel aan de
wagen. Overcompleet.

Het bloed van Maureen Bracken op mijn jasje is opgedroogd.
Van een afstand lijkt het of ik ben begonnen te roesten, als een
ijzeren poppetje op zoek naar een hart. Ik blijf kalm. Mijn duim
en wijsvinger zijn aan het geldtellen. Ik houd mijn wandelstok in
mijn linkerhand om hem stil te houden.

Ik loop achter hen aan naar boven. De politie staat bij de deur.
Ze hebben geen huiszoekingsbevel. Veronica Cray heft haar vuist
en klopt aan.

De deur gaat open. Een jonge vrouw wordt omkaderd door het
donker achter haar. Ze draagt een helblauw naveltruitje, een spijkerbroek en sandalen met open tenen. Boven de broeksband van
haar spijkerbroek puilt een vetrol uit.

Vlees. Oud vlees in een jeugdige verpakking. Tien jaar terug had je haar misschien aantrekkelijk kunnen noemen. Nu kleedt ze zich nog steeds als een tienermeisje, in een poging haar jonge jaren opnieuw te beleven.

Het is Fullers jongere zus. Ze heeft in zijn flat gelogeerd. Ik vang flarden op van haar antwoorden, maar niet genoeg om uit te kunnen maken wat er is voorgevallen. Veronica Cray neemt haar mee naar binnen en laat mij op de gang achter. Ik probeer langs de agent bij de deur te glippen. Hij zet een stap naar links en belet me de doorgang.

De deur staat open. Ik zie hoe inspecteur Cray vanuit een leunstoel met Fullers zus zit te praten. Vanuit de keuken kijkt Roy door een doorgeefluik toe, terwijl Monk zo te zien de slaapkamerdeur bewaakt.

De inspecteur ziet me staan. Ze knikt en de agent laat me door.

'Dit is Cheryl,' legt ze uit. 'Haar broer Patrick is kennelijk patiënt van de Fernwoodkliniek.'

Ik ken die plek. Het is een particulier psychiatrisch ziekenhuis in Bristol.

'Wanneer werd hij opgenomen?'

'Drie weken geleden.'

'Is hij daar intern?'

'Kennelijk, ja.'

Cheryl haalt een sigaret uit een verfrommeld pakje en buigt hem tussen haar vingertoppen recht. Ze zit met haar knieën tegen elkaar op de rand van de bank. Nerveus.

'Waarom zit Patrick in Fernwood?' vraag ik.

'Omdat het leger hem de vernieling in heeft geholpen. Hij kwam ernstig gewond terug uit Irak. Hij ging bijna dood. Ze moesten zijn triceps reconstrueren met ander spiermateriaal. Het duurde maanden voordat hij zelfs maar zijn arm kon optillen. Sindsdien is hij anders, niet meer de oude, weet je wel. Hij heeft nachtmerries.'

Ze steekt de sigaret aan. Blaast projectielen van rook uit.

'Het leger interesseerde het allemaal geen flikker. Ze hebben hem eruit getrapt. Ze zeiden dat hij "karakterologisch ongeschikt" was – wat mag dat in jezusnaam betekenen?'

'Wat zeggen de artsen in Fernwood?'

'Ze zeggen dat Patrick aan posttraumatische stress lijdt. Niet zo gek na wat er is gebeurd. Het leger heeft hem verneukt.'

'Zegt de naam Gideon Tyler u iets?'

Cheryl aarzelt. 'Hij is bevriend met Pat. Het was Gideon die ervoor heeft gezorgd dat Pat in Fernwood is opgenomen.'

'Waar kennen ze elkaar van?'

'Ze zaten samen in het leger.'

Ze drukt de sigaret uit en haalt een andere tevoorschijn.

'Negen dagen geleden. Op een vrijdag. Die dag heeft de politie iemand in deze flat gearresteerd.'

'Nou, dat was dan niet Patrick,' zegt ze.

'Wie kan het dan zijn geweest?'

Cheryl haalt haar tong langs haar tanden en besmeurt het glazuur met lippenstift. 'Misschien Gideon.' Ze trekt hard aan haar sigaret en knippert tegen de rook. 'Hij heeft hier een oogje in het zeil gehouden sinds Patrick in Fernwood werd opgenomen. Je kunt maar het beste iemand hebben die een oogje in het zeil houdt. Die kleine zwarte etters uit de wijk zouden je naam nog jatten als ze de kans kregen.'

'Waar woon jij?' vraag ik.

'In Cardiff. Ik heb een flat, samen met mijn vriend Gerry. Ik kom elke paar weken hierheen om Pat op te zoeken.'

Veronica Cray kijkt verbeten en staart gekweld naar de grond. 'Er was hier een hond, een pitbull.'

'Ja, Capo,' reageert Cheryl. 'Hij is van Pat. Gideon zorgt voor hem.'

'Heb je een foto van Patrick?' vraag ik.

'Jazeker. Die moet ik ergens hebben.'

Ze staat op en veegt langs haar dijen op de plekken waar de strakke spijkerstof gekreukeld is. Haar hoge hakken doen haar heupen wiegen als ze door de kamer loopt, zich langs Monk wringt en hem een flauwe glimlach schenkt.

Ze begint laden en kastdeuren open te trekken.

'Wanneer was je hier voor het laatst?' vraag ik.

'Tien, twaalf dagen terug.' Van de sigaret in haar mond valt as via haar spijkerbroek op de grond. 'Ik kwam om Pat op te zoeken. Gideon was er en deed alsof dit hier van hem was.'

'Sindsdien heb je hem niet meer gezien?'

'Nee. Ik wil hem ook nooit meer zien.'

'Waarom niet?'

'Hij is een echte mafketel, hoor. Volgens mij is dat wat het leger met ze doet. Ze naar de kloten helpen. Die Gideon is ongelooflijk lichtgeraakt. Hij kan zomaar, zonder reden, ontploffen.'

'Wat is er gebeurd?'

'Het enige wat ik had gedaan was dat pokkenmobieltje van hem gebruiken. Eén lullig telefoontje. En hij ging helemaal over de rooie. Eén miezerig telefoontje.'

'Je bestelde een pizza,' zeg ik.

Cheryl kijkt me aan alsof ik haar laatste sigaret heb gepikt. 'Hoe weet u dat?'

'Gewoon mazzel.'

Inspecteur Cray kijkt me schuins aan.

Cheryl heeft een groot fotoalbum gevonden dat op een van de bovenste planken lag.

'Ik zei tegen Gideon dat hij in Fernwood bij Patrick zou moeten zijn. Ik ben niet gebleven. Ik heb Gerry gebeld en hij heeft me opgepikt. Hij wilde Gideon helemaal in elkaar slaan en was daar waarschijnlijk ook best toe in staat, maar ik heb hem gezegd het te laten.'

Ze draait het album onze kant op en houdt het opengeslagen tegen haar borst.

'Dit is Pat. Dat was bij zijn beëdigingsparade. Hij zag er echt superknap uit.'

Patrick Fuller gaat gekleed in een gala-uniform en heeft donkerbruine, aan de zijkant opgeschoren haar. Met de scheve grijns waarmee hij naar de camera glimlacht ziet hij eruit of hij amper de middelbare school heeft verlaten. Belangrijker is echter dat hij niet de man is die de politie negen dagen geleden arresteerde, degene die ik op politiebureau Trinity Road heb gesproken.

Ze wijst met een afgekloven vingernagel naar een andere foto. 'Dat is hem ook.'

Een groep soldaten staat en hurkt langs een basketbalveldje, net na een partijtje. Patrick draagt een camouflagebroek en geen bovenkleding. Hij hurkt ontspannen, een onderarm op zijn knie, zijn gespierde bovenlijf glimmend van het zweet.

Cheryl slaat nog meer bladzijden om. 'Er moet er ook nog eentje zijn van Gideon.'

Ze kan hem niet vinden. Ze gaat terug naar het begin en probeert het nog eens. 'Dat is raar. Hij is weg.'

Ze wijst naar een open plek op een bladzijde. De fotohoekjes zijn leeg en waar de foto zat is het papier minder sterk verbleekt. 'Ik weet zeker dat hij hier zat,' zegt ze.

Soms zegt een open plek in een album meer dan welke foto ook. Gideon heeft hem weggehaald. Hij wil niet dat men zijn gezicht kent, maar ik kan me zijn kleine donkere ogen nog herinneren, zijn vlezige wangen en dunne rode lippen. En ik herinner me hoe hij over de grond beende, over onzichtbare muizenvallen heen stappend, zijn gezicht een zee van tics en grimassen. Hij kletste maar wat. Hij verzon fantastische verhalen. Het was een volleerde performance.

Ik heb een carrière opgebouwd op basis van mijn vermogen om te kunnen vaststellen wanneer iemand liegt, bewust vaag blijft of misleidt, maar Gideon Tyler heeft me bij mijn taas gehad. Zijn leugens waren bijna volmaakt, doordat hij erin slaagde het gesprek over te nemen, af te leiden en een andere richting te geven. Er vielen geen tijdelijke stiltes waarin hij iets nieuws verzon en net dat ene detail te veel toevoegde. Zelfs zijn onwillekeurige fysiologische reacties boden geen aanknopingspunten: pupilverwijding, poriegrootte, spierspanning, doorbloeding van de huid en ademhaling bleven binnen normale waarden.

Ik overtuigde Veronica Cray ervan hem te laten gaan. Ik zei dat hij onmogelijk Christine Wheeler kon hebben gedwongen van de Clifton Suspension Bridge af te springen. Ik had het bij het verkeerde eind.

*

Veronica Cray deelt instructies uit. Safari Roy, die aantekeningen neerkrabbelt, doet zijn best haar bij te houden. Ze wil een lijst van Tylers vrienden, legermaatjes en ex-vriendinnen.

'Ga bij ze langs. Zet ze onder druk. Iemand van hen moet weten waar hij zit.'

Ze heeft geen woord tegen me gezegd sinds we Fullers flat achter ons lieten. Eerverlies is een merkwaardig gevoel, een gefladder in mijn maag. De publieke beschuldigingen komen later, maar de particuliere verwijten meteen. Het toeschrijven. De veroordeling. Tuchtiging.

De Fernwoodkliniek is een onder monumentenzorg geplaatst gebouw aan de rand van Durdham Down en wordt omgeven door twee hectare bos en parklandschap. Het hoofdgebouw was ooit een landhuis en de toegangsweg is een particuliere oprijlaan.

De medisch directeur is bereid ons in zijn kantoor te ontvangen. Hij heet dr. Caplin en hij verwelkomt ons alsof we zijn gearriveerd voor een weekendje jagen op zijn particuliere landgoed.

'Is het niet schitterend?' zegt hij terwijl hij door de grote erkerramen van zijn kantoor over de tuinen uitkijkt. Het heeft inderdaad niet het uiterlijk of de sfeer van een ziekenhuis.

'Ik heb over u gehoord, professor,' zegt hij. 'Iemand heeft me verteld dat u in de buurt bent komen wonen. Ik had verwacht dat ik op enig moment misschien wel uw cv voorbij zou zien komen.'

'Ik heb geen praktijk meer als klinisch psycholoog.'

'Jammer. We zouden iemand met uw ervaring goed kunnen gebruiken.'

'Wat voor soort problemen behandelt u hier?'

'Hoofdzakelijk eetstoornissen en verslavingen, maar we doen ook een deel algemene psychiatrie.'

Ik kijk de werkkamer rond. De aankleding is een combinatie van Laura Ashley en Ikea, met een snufje nieuwe technologie. Dr. Caplins stropdas past bijna volmaakt bij de gordijnen.

Ik weet het een en ander over de Fernwoodkliniek. Hij is eigendom van een particuliere onderneming en gespecialiseerd in de zorg voor mensen die kapitaalkrachtig genoeg zijn om zich de dagtarieven te kunnen permitteren, die niet kinderachtig zijn.

Dr. Caplin kan niet langer dan een paar tellen van zijn haar afblijven, een weelderige wijd uitstaande bos die glanst in het lamplicht en een stellingname lijkt te zijn tegen haarverlies bij mannen.

'Wij zijn geïnteresseerd in een van uw patiënten, een oud-militair.'

Dr. Caplin tuit zijn lippen. 'Wij behandelen veel militair personeel, zowel mensen in actieve dienst als veteranen,' zegt hij. 'Het ministerie van Defensie is een van onze grootste doorverwijzers.'

'Wat is oorlog toch een prachtig iets,' mompelt Veronica Cray.

Dr. Caplin verstrakt en zijn hazelnootbruine irissen lijken van woede in stukken te breken.

'Wij doen hier belangrijk werk, rechercheur. Wij helpen mensen. Ik zit hier niet om commentaar te geven op de buitenlandse politiek van onze regering of de manier waarop zij haar oorlogen voert.'

'Uiteraard,' zeg ik. 'Ik ben ervan overtuigd dat u onmisbaar werk doet.' Ik kijk fronsend naar de inspecteur. 'We zijn slechts geïnteresseerd in Patrick Fuller.'

'Door de telefoon liet u doorschemeren dat Patrick het slachtoffer is van identiteitsdiefstal.'

'Klopt.'

'U zult ongetwijfeld begrijpen, professor, dat ik de details van zijn behandeling niet met u kan bespreken.'

'Dat begrijp ik.'

'Dus u zult niet vragen zijn dossier te mogen inzien?'

'Nee, tenzij hij bekent een moord te hebben gepleegd,' zegt de inspecteur.

De glimlach van de dokter is reeds lang vervlogen. 'Ik begrijp het niet. Wat zou hij gedaan hebben?'

'Dat is wat wij proberen uit te vinden,' zegt de inspecteur. 'We willen Patrick Fuller spreken en ik reken daarbij op uw volledige medewerking.'

Dr. Caplin tikt tegen zijn haar alsof hij nog eens voelt hoe ver het uitsteekt.

'Ik verzeker u, inspecteur, dat dit ziekenhuis een vriend is van het politiekorps Avon & Somerset. Sterker nog, ik onderhoud zeer goede betrekkingen met uw commissaris de heer Fowler.

Van alle namen die hij had kunnen laten vallen kiest hij juist deze. Veronica Cray vertrekt geen spier.

'Nou dokter, ik zal niet vergeten de commissaris uw hartelijke groeten over te brengen. Ik ben ervan overtuigd dat hij uw mede-werking net zo op prijs zal stellen als ik.'

Dr. Caplin knikt tevreden.

Hij pakt een map van zijn bureau. Slaat hem open.

'Patrick Fuller lijdt aan een posttraumatisch stresssyndroom en aspecifieke angsten. Hij wordt gekweld door gedachten aan zelfmoord en schuldgevoelens over het verlies van vrienden in Irak. Patrick is soms gedesoriënteerd en verward. Hij lijdt aan stemmingswisselingen die bij tijd en wijle zeer heftig kunnen zijn.'

'Hoe heftig?' vraagt de inspecteur.

'Hij vormt geen ernstig risico voor de staf en zijn gedrag is voorbeeldig geweest. We boeken echte vooruitgang.'

Dat mag ook wel, voor drieduizend pond per week.

'Waarom hebben legerpsychiaters zich niet over hem gebogen?' vraag ik.

'Patrick is niet door het leger hierheen verwezen.'

'Maar zijn problemen hebben te maken met zijn diensttijd?'

'Ja.'

'Wie betaalt zijn behandeling?'

'Dat is vertrouwelijke informatie.'

'Wie heeft hem hier afgeleverd?'

'Een vriend.'

'Gideon Tyler?'

De dokter geeft geen antwoord. Veronica Cray begint haar ge-duld te verliezen.

'U weet heel goed wie hem hier heeft afgeleverd en u weet ook wie de rekening betaalt.'

'Ik zie niet in op wat voor manier dat de politie aan zou kunnen gaan.'

Ze heeft genoeg gehoord. Ze is opgestaan, buigt zich voorover boven het bureau en priemt dr. Caplin vast met een blik die hem zijn ogen wijd doet opensperren.

'Ik heb niet het gevoel dat u de ernst van deze situatie volledig doorhebt, dokter. Gideon Tyler is verdachte in een moordzaak. Patrick Fuller is mogelijk medeplichtig. Tenzij u me medisch bewijs kunt overleggen dat de heer Fuller risico loopt op psychologische schade door een politieverhoor, ga ik u nog een laatste keer vragen hem tot onze beschikking te stellen. Anders kom ik terug met een arrestatiebevel voor hem en eentje voor u, op beschuldiging van belemmering van mijn onderzoek. En dan kan zelfs meneer Fowler niets meer voor u uitrichten.'

Dr. Caplin stamelt een antwoord dat totaal onbegrijpelijk is. Elk spoor van arrogantie is verdwenen. Veronica Cray is nog niet uitgepraat.

'Professor O'Loughlin is een professional uit de geestelijke gezondheidszorg. Hij zal gedurende het gesprek aanwezig zijn. Als Patrick Fuller op enig moment geagiteerd raakt of zijn toestand verergert, ben ik er zeker van dat de professor zijn welzijn zal beschermen.'

Er valt een stilte. Dr. Caplin pakt zijn telefoon.

'Wil je Patrick Fuller laten weten dat er bezoek voor hem is?'

De kamer is eenvoudig gemeubileerd met een eenpersoonsbed, een stoel, een kleine televisie op een sokkel en een ladekast. Patrick is veel kleiner dan ik me op basis van zijn foto's had voorgesteld. De knappe, donkerharige soldaat in gala-uniform heeft plaatsgemaakt voor een bleke, verkreukelde imitatie in een witte singlet die onder zijn oksels aan het vergelen is en een joggingbroek die omlaag is gerold tot over zijn heupen, die als deurknoppen onder zijn huid uitsteken.

Onder zijn rechteroksel zit samengetrokken en verhard littekenweefsel van zijn operatie. Patrick is afgevallen. Zijn spieren zijn verdwenen en zijn nek is zo dun dat zijn adamsappel als hij slikt oogt als een op en neer wippend kankergezwel.

Ik pak een stoel en ga tegenover hem zitten, zijn blikveld volledig in beslag nemend. Inspecteur Cray lijkt zich tevreden te stellen met een plek bij de deur. Fernwood brengt haar van haar stuk. Dat effect heeft geestesziekte op mensen.

'Hallo Patrick, ik ben Joe.'

'Alles goed?'

'Prima. En met jou?'

'Beter.'

'Dat is mooi. Heb je het hier naar je zin?'

'Gaat wel.'

'Heb je Gideon Tyler nog gesproken?'

De vraag verrast hem niet. Hij zit zo zwaar onder de medicijnen dat zijn stemmingen en bewegingen zijn afgevlakt tot een lichamelijke monotonie.

'Afgelopen vrijdag voor het laatst.'

'Hoe vaak komt hij je opzoeken?'

'Woensdag en vrijdag.'

'Het is vandaag woensdag.'

'Dan zal hij zo wel komen.'

Zijn lange, rusteloze vingers knijpen in de huid van zijn pols. Ik zie de rode druksporen die achterblijven.

'Hoe lang ken je Gideon al?'

'Vanaf dat ik bij de para's ging. Hij was een echte harde. Hij gaf me voortdurend op mijn kloten, maar dat was omdat ik gewoon lui was.'

'Hij was officier?'

'Een éénsterrenmirakel: tweede luitenant.'

'Gideon bleef niet bij de para's.'

'Nee, hij ging bij de groene griezels.'

'Wie zijn dat?'

'Militaire inlichtingendienst. Over hen maakten we altijd grappen.'

'Wat voor grappen?'

'Dat het geen echte soldaten waren, weet u wel. Ze vulden hun tijd met het aan elkaar plakken van kaarten en met kleurpotloden spelen.'

'Is dat wat Gideon deed?'

'Dat heeft hij me nooit verteld.'

'Hij heeft toch vast wel eens iets losgelaten?'

'Hij zij dat hij me zou moeten doden als hij dat deed.' Een glimlach. Hij kijkt naar de verpleger. 'Wanneer kan ik iets te drinken krijgen? Iets heets en nats.'

'Straks,' zegt de verpleger.

Patrick krabt aan het littekenweefsel onder zijn oksel.

'Heeft Gideon verteld waarom hij naar Engeland terugkwam?' vraag ik.

'Nee. Het is niet zo'n prater.'

'Zijn vrouw heeft hem verlaten.'

'Dat heb ik gehoord, ja.'

'Kende je haar?'

'Gideon zei dat ze een smerige hoer was.'

'Ze is dood.'

'Mooi zo.'

'Zijn dochter is ook dood.'

Patricks lichaam krimpt ineen en hij duwt zijn tong tegen zijn wang.

'Hoe komt het dat Gideon de rekeningen van een plek als deze kan betalen?'

Patrick haalt zijn schouders op. 'Hij heeft een rijke vrouw getrouwd.'

'Maar die is dood.'

Hij kijkt me schaapachtig aan. 'Hebben we het daar al niet over gehad?'

'Is Gideon afgelopen maandag bij je op bezoek geweest?'

'Wanneer was het maandag?'

'Twee dagen geleden.'

'Ja.'

'En de maandag daarvoor?'

'Zo ver gaat mijn herinnering niet. Het kan de keer zijn geweest dat hij me mee uit eten nam. We gingen naar de pub. Ik weet niet meer welke. U zou in de bezoekerslijst moeten kijken. Tijdstip van binnenkomst. Tijdstip van vertrek.'

Patrick knijpt opnieuw in de huid van zijn polsen. Het is een triggermechanisme dat het afdwalen van zijn gedachten moet stoppen, hem bij de les moet houden. Psychologen geven het soms als suggestie aan patiënten met obsessief-compulsieve stoornissen, als manier om de negatieve gedachtespiraal te doorbreken die hen hun handelingen keer op keer doet herhalen.

'Waarom bent u zo in Gideon geïnteresseerd?' vraagt hij.

'We zouden hem graag spreken.'

'Waarom heeft u dat niet meteen gezegd,' reageert hij terwijl hij een mobiele telefoon uit de zak van zijn trainingsbroek haalt. 'Ik bel hem wel even.'

'Dat hoeft niet. Geef me zijn nummer maar.'

Patrick drukt de toetsen al in. 'U heeft al die vragen, stel ze maar gewoon aan hem.'

Ik kijk naar Veronica Cray. Ze schudt haar hoofd.

'Ophangen,' zeg ik op dwingende toon tegen Patrick.

Het is al te laat. Hij overhandigt me het mobieltje.

Er neemt iemand op. 'Hé hallo, hoe maakt mijn favoriete gek het?'

Er valt een stilte. Ik zou het gesprek moeten afbreken. Ik doe het niet.

'Ik ben Patrick niet,' zeg ik.

Opnieuw een stilte. 'Hoe kom jij aan die telefoon?'

'Hij heeft hem aan me gegeven.'

Nog een pauze. Stilte. Gideons geest maakt overuren. Dan hoor ik hem lachen. In gedachten zie ik hem glimlachen.

'Hallo professor! U heeft me gevonden.'

Inspecteur Cray haalt een vinger langs haar hals. Ze wil dat ik ophang. Tyler weet dat hij herkend is. Er is op dit moment niemand die het signaal natrekt.

'Hoe maakt Patrick het?' vraagt Gideon.

'Aan de beterende hand, zegt hij. Het moet een dure grap zijn hem hier te houden.'

'Vrienden zorgen voor elkaar. Het is een erekwestie.'

'Waarom deed jij alsof je hem was?'

'De politie kwam de deur binnenstormen. Niemand die even stopte om te vragen wie ik was. Jullie dachten allemaal dat ik Patrick was.'

'En jij hield die leugen in stand.'

'Ik heb me geamuseerd.'

Patrick zit op bed mee te luisteren en stiekem te glimlachen. Ik sta op en loop langs de verpleger de gang op. Veronica Cray loopt achter me aan en fluistert krassend in mijn oor.

Het was meer dan amusement. Hij was briljant. Hij confabuleerde. Hij struikelde over zijn woorden. Zijn gezicht was een zee van tics en grimassen. Het was een volleerde voorstelling. Waar heeft hij zich dat soort gedrag aangeleerd?

'Waarom ben je nog steeds op zoek naar je vrouw, Gideon?'

'Omdat ze me iets heeft afgepakt dat mij toebehoort.'

'Wat heeft ze je afgepakt?'

'Vraag dat maar aan haar.'

'Dat zou ik wel willen, maar ze is dood. Ze is verdronken.'

'Dat zegt u.'

'Jij gelooft het niet.'

'Ik ken haar beter dan u.'

Hij zegt het met krakende stem, vol afgrijzen.

'Wat deed jij met Christine Wheelers mobiele telefoon?'

'Die had ik gevonden.'

'Dat is ook toevallig: de telefoon vinden van je vrouws oudste vriendin.'

'De werkelijkheid gaat verder dan onze fantasie.'

'Heb jij haar opgedragen van de brug te springen?'

'Ik weet niet waar u het over heeft.'

'En Sylvia Furness?'

'De naam klinkt bekend. Is dat niet een weervrouw?'

'Je hebt haar gedwongen zich met handboeien aan een boom vast te maken en ze is aan onderkoeling overleden.'

'Veel succes met de bewijsvoering.'

'Maureen Bracken is nog in leven. Ze gaat ons jouw naam noemen. De politie zal je weten te vinden, Gideon.'

Hij giechelt. 'U lult maar wat, professor. Tot dusverre heeft u het over een zelfmoord gehad, een dood door onderkoeling en een schietpartij met de politie. Dat heeft allemaal niets met mij te maken. U heeft geen enkel stuk hard, uit de eerste hand afkomstig bewijs dat mij met deze zaken in verband brengt.'

'Wij hebben Maureen Bracken.'

'Ik heb de vrouw nooit ontmoet. Vraag het haar maar.'

'Dat heb ik al gedaan. Ze zegt dat ze je één keer heeft ontmoet.'

'Ze liegt.'

De woorden komen zuigend tussen zijn tanden vandaan, alsof hij op een minuscuul zaadje knabbelt.

'Help me één ding te begrijpen, Gideon. Haat jij vrouwen?'

'Hebben we het over intellectueel gezien, fysiek of als ondersoort?'

'Je bent een misogyn.'

'Zie je wel, ik wíst dat er een woord voor was.'

Nu zit hij me te sarren. Hij denkt dat hij slimmer is dan ik. Tot nu toe heeft hij gelijk. Op de achtergrond hoor ik een schoolbel. Kinderen verdringen zich en schreeuwen.

'Misschien kunnen we elkaar ontmoeten,' zeg ik.

'Geen probleem. We kunnen een keer gaan lunchen.'

'Wat dacht je van nu?'

'Sorry, ik heb het druk.'

'Wat ben je aan het doen?'

'Ik sta op de bus te wachten.'

Het geluid van pneumatische remmen doorbreekt de stilt. Een tikkende en trillende dieselmotor.

'Ik moet gaan, professor. Leuk u te hebben gesproken. Doe de groeten aan Patrick.'

Hij hangt op. Ik druk de herhaalknop in. Het mobieltje is uitgeschakeld.

Ik kijk naar inspecteur Cray en schud mijn hoofd. Met haar rechterschoen haalt ze uit naar een prullenbak, die tegen de andere muur botst en weer terugspringt. De grote deuk in de zijkant doet de prullenbak op de met tapijt bedekte vloer ongelijkmatig heen en weer wiebelen.

46

De deur van de bus gaat sissend open. Scholieren drommen naar binnen en wringen zich tussen schouders door. Sommige van hen hebben maskers van papier-maché bij zich en uitgeholde pompoenen. Over een week is het Halloween.

Daar is ze. Gekleed in een Schots geruite rok, zwarte kousen en een flessengroene trui. Ze vindt een plaatsje halverwege de bus en laat haar schooltas naast zich neerploffen. Strengen haar zijn uit haar staart ontsnapt en verzachten haar gelaatstrekken.

Ik slinger me op mijn krukken langs haar heen. Ze kijkt niet op. Alle plaatsen zijn bezet. Op mijn krukken heen en weer schommelend staar ik een van de schooljongens aan. Hij geeft zijn plaats op. Ik ga zitten.

De oudere jongens hebben de achterste rij plaatsen opgeëist en schreeuwen door de ramen naar hun vrienden. De aanvoerder heeft een flinke beugel in zijn mond en donshaar op zijn kin. Hij observeert het meisje. Ze zit aan haar vingernagels te plukken.

De bus heeft zich in beweging gezet. Stoppen, afzetten en oppikken. De jongen met de beugel baant zich een weg naar voren en loopt langs me. Hij buigt zich naar voren over haar zitplaats en grist haar schooltas weg. Als ze hem terug probeert te pakken schopt hij hem weg over de vloer. Ze vraagt het lief. Hij lacht. Ze zegt dat hij eindelijk eens volwassen moet worden.

Ik ga achter hem staan. Mijn hand lijkt hem een zacht tikje in de nek te geven. Het is een gebaar dat vriendelijk oogt, vaderlijk, maar mijn vingers hebben zich aan weerszijden van zijn nekwervels ingegraven. Zijn ogen puilen uit en zijn dikgezoolde schoenen balanceren op hun tenen.

Zijn maatjes zijn naar voren komen lopen. Een van hen zegt dat ik hem los moet laten. Ik kijk hem strak aan. Ze vallen stil. De bus-chauffeur, een modderkleurige Sikh met een tulband, kijkt in de achteruitkijkspiegel.

'Zijn er problemen?' schreeuwt hij.

'Ik geloof dat dit jongetje misselijk is,' zeg ik. 'Hij heeft frisse lucht nodig.'

'Wilt u dat ik stop?'

'Hij kan een bus later nemen.' Ik kijk de jongen aan. 'Toch?' Ik beweeg mijn hand. Zijn hoofd gaat knikkend op en neer.

De bus houdt stil. Ik begeleid de jongen naar de achteruitgang.

'Waar is zijn tas?'

Iemand geeft hem door.

Ik laat hem gaan. Hij valt neer op een bankje in het bushokje. De deur gaat met een sisgeluid dicht. We trekken op.

Het meisje kijkt me onzeker aan. Haar schooltas ligt nu op haar schoot, onder haar over elkaar geslagen armen.

'Weet jij of deze bus langs Bradford Road gaat?' vraag ik.

Ze schudt haar hoofd.

Ik maak een fles water open. 'Ik kan die kaarten die ze in de bus-hokjes hebben hangen nooit lezen.'

Ze geeft nog steeds geen antwoord.

'Raar hè, dat we water in plastic flessen kopen. Toen ik klein was zou je van dorst zijn omgekomen als je naar gebotteld water zocht of ervoor moest betalen.'

Geen reactie.

'Je mag zeker niet met vreemden praten?'

'Inderdaad.'

'Prima. Dat is een wijze raad. Het is koud vandaag, vind je niet? Zeker voor een vrijdag.'

Ze hapt. 'Het is vandaag geen vrijdag. Het is woensdag.'

'Weet je dat zeker?'

'Ja.'

Ik neem weer een slok water.

'Maakt het uit wat voor dag het is?' vraagt ze.

'Nou kijk, de dagen van de week hebben elk een eigen karakter. Zo zijn zaterdagen druk. Zondagen zijn traag. Vrijdagen worden geacht vol beloften te zijn. Maandagen... aan maandagen hebben we allemaal het land.'

Ze glimlacht en kijkt weg. Heel even spelen we onder één hoedje. Ik dring haar geest binnen. Zij de mijne.

'Die knaap met die beugel, is dat een vriend van je?'

'Nee.'

'Valt hij je lastig?'

'Een beetje.'

'Je probeert hem te ontlopen, maar hij moet je steeds weer hebben?'

Ze begint te voelen waar het gesprek heen gaat.

'Heb je broers?'

'Nee.'

'Weet je hoe je iemand een knietje geeft? Dat moet je doen – een knietje in zijn je-weet-wel.'

Ze bloost. Lief.

'Zal ik een mop vertellen?'

Ze geeft geen sjoege.

'Een vrouw stapt met haar baby een bus in en de buschauffeur zegt: "Dat is de lelijkste baby die ik ooit heb gezien." De vrouw is woest maar betaalt haar kaartje en gaat zitten. Zegt een andere passagier: "Dat moet je niet pikken, dat hij dat zegt. Ga terug en zet hem op zijn nummer. Kom maar, ik houd het aapje wel even vast."'

Dit keer krijg ik een echte lach. Het is het liefste wat ik ooit heb gehoord. Ze is een dotje, een heerlijk, heerlijk dotje.

'Hoe heet je?'

Ze geeft geen antwoord.

'O ja, dat was ik even vergeten, je mag niet met vreemden praten. Dan moet ik je maar Sneeuwvlokje noemen.'

Ze staart uit het raam.

'Nou, hier moet ik eruit,' zeg ik terwijl ik mezelf omhooghijs. Een van mijn krukken tuimelt het gangpad in. Ze buigt zich voorover en pakt hem voor me op.

'Wat is er met uw been gebeurd?'

'Niets.'

'Waarom loopt u dan op krukken?'

346

'Dan heb ik tenminste een plaatsje in de bus.'
Ook nu lacht ze.
'Leuk je gesproken te hebben, Sneeuwvlokje.'

47

Maureen Bracken ligt temidden van infusen en drains. Er zijn twee dagen verstreken sinds de schietpartij en gisteren is ze bij kennis gekomen, bleek en opgelucht en met niet meer dan een vage notie van wat er zich heeft afgespeeld. Iedere paar uur geeft een verpleegster haar een pijnstiller en glijdt ze weer in slaap.

Ze verblijft onder politiebewaking in het Koninklijk Ziekenhuis van Bristol, een monumentaal gebouw in een stad waar monumenten een schaars goed zijn. In de hal zitten vrijwilligers met blauwwitte sjerpen achter een welkomstbalie. Ze zien eruit als bejaarde schoonheidskoninginnen die veertig jaar geleden aan een missverkiezing hadden zullen deelnemen.

Ik laat Maureen Brackens naam vallen. Hun glimlach verdwijnt. Van boven wordt een politieagent opgeroepen. Ruiz en ik wachten in de foyer en bladeren in het ziekenhuiswinkeltje door tijdschriften.

Vanuit een opengaande lift buldert Bruno's stem.

'Godzijdank, een bekend gezicht. Komen jullie het meisje opvrolijken?'

'Hoe gaat het met haar?'

'Ze ziet er al beter uit. Ik had geen idee dat een kogel zo'n ravage kon aanrichten. Afgrijselijk. Maar hij heeft alle belangrijke onderdelen gemist, dat is de hoofdzaak.'

Hij lijkt oprecht opgelucht. De volgende paar minuten wisselen we dooddoeners uit over waar het met de wereld heen gaat.

'Ik ga net op een beetje behoorlijk eten uit,' zegt hij. 'Ik kan haar niet die ziekenhuisderrie laten eten. Die zit vol met resistente bacteriën.'

'Het is niet zo erg als je denkt,' zeg ik.

'Nee, erger,' zegt Ruiz.

'Denk je dat ze bezwaar zullen maken?' vraagt Bruno.

'Vast niet.'

Hij zwaait gedag en verdwijnt door de automatische deuren.

Er stapt een rechercheur uit de lift. Italiaans uiterlijk, stekeltjeshaar en een pistool dat in een laaghangende holster onder zijn jasje weggestoken zit. Ik herken hem van de briefing op Trinity Road.

Hij begeleidt ons naar boven, waar een tweede agent in een afgesloten vleugel van het ziekenhuis de gang voor Maureen Brackens kamer bewaakt. De rechercheurs hebben metalen detectiestaven waarmee ze bezoekers en medisch personeel screenen.

De deur gaat open. Maureen kijkt op uit een tijdschrift en glimlacht nerveus. Haar schouder is ingezwachteld en haar arm hangt in een mitella op haar borst. Onder de zwachtels en het beddengoed gaan slangen in en uit.

Ze is opgemaakt. Voor Bruno, heb ik zo'n donkerbruin vermoeden. Tientallen kaarten, tekeningen en schilderijen geven de normaal gesproken kleurloze kamer een totaal ander aanzien. Boven haar bed hangt een vaandel met gouden en zilveren franje. Er staat 'WORD MAAR SNEL BETER' op en hij is gesigneerd door honderden van haar leerlingen.

'Je bent een heel geliefde docent,' zeg ik.

'Ze willen me allemaal komen opzoeken,' lacht ze. 'Uiteraard alleen onder schooltijd, zodat ze lessen kunnen overslaan.'

'Hoe voel je je?'

'Beter.' Ze gaat wat meer rechtop zitten. Ik schik een kussen in haar rug. Ruiz is buiten op de gang blijven staan en staat schuine verpleegstersmoppen uit te wisselen met de rechercheurs.

'Je bent Bruno net misgelopen,' zegt Maureen.

'Ik heb hem beneden ontmoet.'

'Hij is lunch voor me halen bij Mario's. Ik had zo'n ontzettende trek in pasta en een rucola salade met parmezaan. Het is alsof ik weer zwanger ben en me door Bruno laat verwennen, maar dat moet je niet aan hem doorvertellen.'

'Begrepen.'

Ze kijkt naar haar handen. 'Het spijt me dat ik op je probeerde te schieten.'

'Maakt niet uit.'

Heel even breekt haar stem. 'Het was afschuwelijk... de dingen die hij zei over Jackson. Ik geloofde hem echt, weet je. Ik dacht echt dat hij het zou doen.'

Maureen doet opnieuw haar relaas van het gebeurde. Elke ouder weet wat het is om in een supermarkt, op een speelterrein of een drukke straat een kind uit het oog te verliezen. Twee uur en je bent tot bijna alles in staat. Voor Maureen was het erger. Ze hoorde haar zoon gillen en stelde zich zijn pijn en zijn sterven voor. De beller zei haar dat ze Jackson nooit meer zou zien, nooit zijn lichaam zou vinden, nooit achter de waarheid zou komen.

Ik zeg dat ik het begrijp.

'Echt?' vraagt ze.

'Ik denk van wel.'

Ze schudt haar hoofd en kijkt omlaag naar haar gewonde schouder. 'Ik geloof niet dat iemand het kan begrijpen. Ik zou dat pistool in mijn eigen mond hebben gestopt. Ik zou de trekker hebben overgehaald. Ik zou alles hebben gedaan om Jackson te redden.'

Ik neem plaats naast het bed.

'Heb je zijn stem herkend?'

Ze schudt haar hoofd. 'Maar ik weet dat het Gideon was.'

'Hoe dan?'

'Hij vroeg naar Helen. Hij eiste dat ik vertelde of ze had geschreven of gebeld of me een e-mail had gestuurd. Ik zei van niet. Ik zei dat Helen dood was en dat ik het erg vond, maar hij lachte alleen maar.'

'Zei hij ook waarom hij denkt dat ze nog leeft?'

'Nee, maar hij wist me wel te overtuigen dat het zo is.'

'Hoe?'

Ze hakkelt, zoekt naar woorden. 'Hij klonk zo zeker.'

Maureen kijkt weg, op zoek naar iets wat haar afleidt, niet langer bereid om aan Gideon Tyler te denken. Ik bekijk de wenskaarten die op de wandtafel en in de vensterbanken staan.

'Helens moeder heeft me een kaart gestuurd,' zegt ze terwijl ze naar de betreffende kaart wijst, waarop in pasteltinten een handgeschilderde orchidee te zien is.

Claudia Chambers heeft het volgende geschreven:

Soms stelt God de beste mensen op de proef, omdat hij weet dat ze zullen slagen. In onze gedachten en onze gebeden zijn we bij je. Word maar snel weer beter.

Maureen heeft haar ogen dichtgedaan en haar gezicht vertrekt van pijn. De pijnstiller begint uitgewerkt te raken. Er komt een herinnering bij haar boven en ze opent haar mond.

'Moeders zouden altijd moeten weten waar hun kinderen zich bevinden.'

'Waarom vertel je me dat?'

'Dat is iets wat hij tegen me zei.'

'Gideon?'

'Ik dacht dat hij me op zat te stoken, maar daar ben ik niet meer zo zeker van. Misschien was het van wat hij zei wel het enige dat waar was.'

48

Advocatenkantoor Spencer, Rose & Davis is gevestigd in een modern kantoorgebouw tegenover de Guildhall en naast de hogere gerechtshoven. De hal is als een hedendaagse citadel, vijf verdiepingen onder een door witte buizen doorsneden bol glasdak.

De hal heeft een waterval en een vijver en een wachtgedeelte met zwartleren banken. Ruiz en ik zien een man in een krijtstreeppak in een van de twee identieke liften omlaag komen zweven.

'Moet je dat pak van die gast zien,' fluistert Ruiz. 'Dat heeft meer gekost dan mijn complete garderobe.'

'Alleen mijn schoenen hebben al meer gekost dan jouw complete garderobe,' kaats ik.

'Dat is gemeen.'

De krijtstreepman overlegt even met de receptioniste en komt op ons af lopen terwijl hij onderweg zijn jasje losknoopt. Hij stelt zich niet voor. Of we hem maar willen volgen. De lift brengt ons omhoog. De potplanten worden kleiner en de koikarpers veranderen in goudvissen.

Bryan Chambers heeft erin toegestemd ons te ontmoeten, maar alleen in bijzijn van een advocaat. Het zal een van de naamgevers van het kantoor zijn. Wordt het de heer Spencer, de heer Rose of de heer Davis?

Bij onze eerste ontmoeting dacht ik dat zijn geheimzinnigdoenerij, de bewakingscamera's en bewakers tekenen van paranoia waren. Inmiddels denk ik daar iets genuanceerder over.

We worden een kantoor binnen geloodst waarin een advocaat van in de zeventig aan een groot bureau zit dat hem nog ineengekrompener en gerimpelder doet lijken dan hij al is. De oude jurist komt een paar centimeter omhoog uit zijn leren stoel en gaat weer zitten. Het is ofwel een teken van ouderdom of een voorbode van het respect dat hij aan de dag gaat leggen.

'Mijn naam is Julian Spencer,' zegt hij. 'Ik treed op namens bouwbedrijf Chambers en ben een oude vriend van Bryans familie. Volgens mij heeft u de heer Chambers al eerder ontmoet.'

Bryan Chambers neemt niet de moeite ons de hand te schudden. Hij gaat gekleed in een pak dat geen kleermaker er ooit comfortabel uit zou kunnen laten zien. Sommige mensen zijn gebouwd om overalls te dragen in plaats van Paul Smith-pakken.

'Ik denk dat we een valse start hebben gemaakt,' zeg ik.

'U heeft zich onder valse voorwendselen toegang verschaft tot mijn bezit en mijn vrouw van streek gemaakt.'

'Mijn verontschuldigingen als dat inderdaad het geval is geweest.'

De heer Spencer probeert de spanning uit de lucht te halen en legt de heer Chambers als een schoolmeester het zwijgen op. Een oude vriend van de familie, zei hij. Wat me verbaast. Op mij komt het niet over als een vanzelfsprekende verbintenis: iemand met zijn wortels in het arbeidersmilieu die zich heeft opgewerkt tot een miljonair en een in oud geld gewortelde advocaat.

De krijtstreepman is in de kamer gebleven. Hij staat met zijn armen over elkaar bij het raam.

'De politie zit achter Gideon Tyler aan,' zeg ik.

'Dat werd godverdomme wel eens een keer tijd ook,' zegt Bryan Chambers.

'Weet u waar hij is?'

'Nee.'

'Wanneer hebt u hem voor het laatst gesproken?'

'Ik spreek hem voortdurend. Ik schreeuw tegen hem door de telefoon als hij midden in de nacht opbelt en niets zegt, maar wel aan de lijn blijft en ik hem hoor ademen.'

'U weet zeker dat hij dat is.'

Chambers kijkt me minachtend aan, alsof ik zijn intelligentie in twijfel trek. Ik beantwoord zijn blik en houd hem vast, bestudeer zijn gezicht. Grote mannen hebben vaak grote persoonlijkheden, maar over zijn leven is een schaduw gevallen en ik voel dat hij bezig is onder het gewicht ervan ineen te schrompelen.

Hij staat op en begint te ijsberen, kromt zijn vingers tot vuisten en ontspant ze weer. Hij verkeert op de rand van de waanzin. Ik moet hem zien te kalmeren.

'Hij heeft bij ons ingebroken, meer dan eens, ik weet niet hoeveel keer. Ik heb nieuwe sloten op de deuren gezet, camera's geïnstalleerd, alarminstallaties, maar het maakt geen verschil.'

'Hoe kwam hij binnen?' vraagt Ruiz.

Bryan Chambers neemt de vraag in ontvangst en schudt hem vervolgens van zich af. 'Ik heb een kapitaal uitgegeven aan beveiliging en nog kwam hij binnen. Hij liet berichten achter. Waarschuwingen. Dode vogels in de magnetron, een geweer op ons bed, de kat van mijn vrouw in een stortbak gepropt.'

'En van dit alles heeft u aangifte gedaan bij de politie.'

'Ik had ze onder de snelkiestoets. Ze hebben een pad uitgesleten naar mijn voordeur, maar het heeft geen moer geholpen.' Hij kijkt even naar Ruiz. 'Ze hebben hem niet gearresteerd. Niet in staat van beschuldiging gesteld. Ze zeiden dat er geen bewijs was. De telefoontjes kwamen van verschillende mobiele telefoons die niet tot Tyler te herleiden waren. Er waren geen vingerafdrukken of vezelsporen, geen camerabeelden. Hoe kan dat?'

'Hij is behoedzaam,' zegt Ruiz

'Of ze houden hem de hand boven het hoofd.'

'Wie?'

Bryan Chambers haalt zijn schouders op. 'Weet ik niet. Ik snap het niet. Ik heb inmiddels zes gasten rondlopen die het huis bewaken, de klok rond. En nog is het niet genoeg.'

'Hoe bedoelt u?'

'Afgelopen nacht heeft iemand het meer op Daubeney vergiftigd,' legt hij uit. 'Er zijn naar schatting zo'n vierduizend vissen verloren gegaan: zeelt, voorn en brasem.'

'Tyler?'

'Wie anders.'

De grote man is opgehouden met ijsberen. Het vuur is bij hem gedoofd, althans voor het moment.

'Wat wil Gideon?' vraag ik.

'Aanvankelijk wilde hij mijn dochter en Chloë vinden.'

'Dat was vóór het veerbootongeluk.'

'Inderdaad.'

Julian Spencer neemt het van hem over.

'De heer Tyler kon niet verkroppen dat het huwelijk voorbij was. Hij kwam Helen en Chloë zoeken. Hij beschuldigde Bryan en Claudia ervan dat zij hen verborgen hielden.'

Om zijn geheugen op te frissen haalt de advocaat een brief uit de la van zijn bureau.

'De heer Tyler ondernam in Duitsland juridische stappen en kreeg van de rechter een omgangsregeling toegewezen voor zijn dochter. Hij wilde dat er een internationaal opsporingsbevel uitging voor zijn vrouw.'

'Ze hielden zich schuil in Griekenland,' zegt Ruiz.

'Inderdaad.'

'Na de ramp moet Tyler zijn pesterijen toch hebben gestaakt.'

De sarcastische lach van Bryan Chambers gaat over in een hoestbui die zijn hele gestalte doet schudden. De oude advocaat schenkt een glas water voor hem in.

'Ik begrijp het niet. Helen en Chloë zijn dood. Waarom zou Tyler u lastig blijven vallen?'

Bryan Chambers staart naar zijn handen en zakt in een verslagen houding voorover in zijn stoel, zijn ruggengraat gebogen en zijn schouders boven zijn borstkas gekromd.

'Ik had het idee dat het hem om geld te doen was,' zegt hij. 'Op een dag zou Helen een fortuin erven. Ik dacht dat Tyler een of andere financiële genoegdoening wilde. Ik bood hem tweehonderdduizend pond, op voorwaarde dat hij ons met rust zou laten. Hij wilde er niet op ingaan.'

Julian Spencer mompelt afkeurend.

'En hij heeft niet om andere zaken gevraagd?'

Chambers schudt zijn hoofd. 'De man is een psychopaat. Ik heb mijn pogingen hem te begrijpen opgegeven. Ik wil die klootzak vermorzelen. Ik wil het hem betaald zetten…'

Julian Spencer maant hem voorzichtig te zijn met dreigementen.

'Voorzichtig mijn kloten! Ik ga hem te grazen nemen zoals hij

355

mij te grazen heeft genomen. Mijn vrouw zit aan de antidepressiva. Ze slaapt niet meer.' Hij steekt een hand uit, de handpalm omlaag. 'Ziet u mijn hand? Wilt u weten waarom hij zo stil blijft? Pillen. Deze man maakt mijn leven tot een lijdensweg.'

Bryan Chambers is op de rand van een zenuwinzinking. Hij heeft een dochter en kleindochter verloren en nu wordt zijn geestelijke gezondheid bedreigd. Hij ademt diep in, ademt hortend uit en duikt nog verder ineen.

'Vertel me over Gideon,' zeg ik. 'Wanneer was de eerste keer dat u hem ontmoette?'

'Helen kwam met hem thuis.'

'Wat vond u van hem?'

'Hij was een koude kikker.'

'Hoezo?'

'Hij keek alsof hij de geheimen van iedereen in de kamer kende, maar niemand die van hem. Het was overduidelijk dat hij in het leger zat, maar over het leger of over zijn werk wilde hij niet praten, zelfs niet met Helen.'

'Waar was hij gestationeerd?'

'In Chicksands in Bedfordshire. Een of ander opleidingskamp van het leger.'

'En daarna?'

'Noord-Ierland en Duitsland. Hij was vaak weg. Hij wilde Helen niet vertellen waar hij heen ging, maar er waren bepaalde aanwijzingen, zei ze. Afghanistan. Egypte. Marokko. Polen. Irak...'

'Enig idee wat hij daar deed?'

'Nee.'

Ruiz is naar het raam gelopen en neemt het uitzicht in zich op. Ondertussen kijkt hij zijdelings naar de krijtstreepman en neemt hem monsterend op. Ruiz is intuïtiever dan ik. Voor mijn oordeel over mensen kijk ik naar veelbetekenende signalen, hij voelt het vanbinnen.

Ik vraag de heer Chambers naar het huwelijk van zijn dochter. Ik wil weten of het stuklopen plotseling ging of geleidelijk. Sommige stellen klampen zich vast aan iets dat nog slechts vertrouwdheid en routine is, terwijl de echte genegenheid al lang is verdwenen.

'Ik houd van mijn dochter, professor, maar ik pretendeer niet dat ik vrouwen erg goed begrijp, zelfs mijn eigen vrouw niet,' zegt hij terwijl hij zijn neus snuit. 'Ze houdt van me. Leg dat maar eens uit.'

Hij vouwt zijn zakdoek in vieren en stopt hem weer in zijn broekzak.

'Ik was niet blij met de manier waarop Gideon Helen manipuleerde. In zijn bijzijn was ze een ander meisje. Voor hun trouwen wilde Gideon dat ze haar haar liet blonderen. Ze ging naar de kapper, maar het resultaat was een drama. Het eindigde ermee dat ze een rossig kapsel had. Dat vond ze al gênant genoeg, maar Gideon maakte het nog erger. Op hun trouwerij maakte hij grappen ten koste van haar, vernederde haar ten overstaan van haar vrienden. Ik haatte hem erom.'

Er flitst iets over zijn gelaat, een onvrijwillig spasme.

'Op de trouwreceptie wilde ik met haar dansen. Dat is traditie: de vader danst met de bruid. Gideon eiste van Helen dat ze hem om toestemming vroeg. Jezus, het was haar trouwdag! Welke bruid moet op haar trouwdag om toestemming vragen om met haar vader te kunnen dansen?'

De schaduwen onder zijn ogen worden donkerder. Hij verwacht geen antwoord.

'Toen ze naar Noord-Ierland waren verhuisd belde Helen minstens twee keer per week en schreef ze ons lange brieven. Daarna werden de telefoontjes en brieven minder en minder. Gideon wilde niet dat ze contact met ons onderhield.

We hebben haar één of twee keer gezien toen ze bij ons op bezoek kwamen, maar het duurde nooit langer dan één of twee nachten voordat Gideon de auto weer begon in te pakken. Helen glimlachte zelden en fluisterde als ze sprak, maar ze was loyaal aan Gideon en zou nooit iets negatiefs over hem zeggen.

Toen ze in verwachting raakte van Chloë, zei ze tegen haar moeder dat ze niet op bezoek mocht komen. Later kwamen we erachter dat Gideon de baby niet wilde. Hij was woedend en eiste dat ze abortus zou laten plegen. Helen weigerde.

Ik weet het niet zeker, maar ik denk dat hij jaloers was op zijn eigen kind. Kunt u daar met uw verstand bij? Het gekke is, toen Chloë eenmaal was geboren sloeg zijn houding volledig om. Hij was helemaal in de wolken. Betoverd. Er kwam rust in de tent. Ze waren gelukkiger.

Kort nadat Chloë was geboren werd Gideon overgeplaatst naar Osnabrück, in Duitsland, de Britse legerbasis. Ze betrokken een flat die het leger voor hen had geregeld. In de buurt woonden andere echtgenotes en gezinnen. Het lukte Helen om pakweg één keer per maand te schrijven, maar de brieven hielden al snel op en ze kon zonder zijn toestemming geen contact met ons opnemen.

Elke avond hoorde Gideon haar uit over waar ze was geweest, wie ze had ontmoet en wat er was besproken. Helen moest hele gesprekken woordelijk zien te onthouden, want anders beschuldigde Gideon haar ervan dat ze loog of dingen voor hem verborgen hield. Ze moest het huis uit glippen om haar moeder vanuit een telefooncel te bellen, omdat ze wist dat elk telefoontje vanuit huis of vanaf haar mobieltje op de telefoonrekening zou opduiken.

Zelfs als Gideon op missie was moest Helen oppassen. Ze was ervan overtuigd dat er mensen waren die haar in de gaten hielden en dingen aan hem overbriefden.

Zijn jaloezie was als een ziekte. Als ze uitgingen moest Helen van Gideon alleen in een hoekje zitten. Als een andere man haar aansprak werd hij kwaad. Als ze niet precies kon vertellen wat er was gezegd, woord voor woord, zei hij dat ze loog of dingen voor hem verborgen hield.

Na zijn laatste missie werd Gideons gedrag nog grilliger. Ik weet niet wat er was gebeurd. Volgens Helen werd hij afstandelijk, humeurig, gewelddadig...'

'Sloeg hij haar?' vraagt Ruiz.

'Eén keer, ja, met de rug van zijn hand vol in haar gezicht. Haar lip scheurde. Ze dreigde met weglopen. Hij maakte zijn excuses. Hij huilde. Hij smeekte haar te blijven. Dat was het moment waarop ze hem had moeten laten zitten. Ze had weg moeten lopen. Maar elke keer dat ze erover dacht weg te gaan verdween haar vastberadenheid.'

'Wat was er gebeurd op zijn laatste missie?'

Chambers haalt zijn schouders op. 'Dat weet ik niet. Hij zat in Afghanistan. Helen zei iets over een vriend die stierf en een andere die zwaargewond raakte.'

'Heeft u ooit de naam Patrick Fuller horen vallen?'

Hij schudt zijn hoofd.

'Gideon kwam thuis en eiste ineens dat Helen nog een kind zou krijgen, een jongen. Hij wilde een jongen die hij kon vernoemen naar zijn dode vriend. Hij spoelde haar anticonceptiepillen door het toilet, maar Helen slaagde er op de een of andere manier in om toch niet zwanger te raken.

Kort daarop kreeg Gideon toestemming om de garnizoenshuisvesting voor getrouwde stellen te verlaten. Hij huurde een boerenwoning op zo'n vijftien kilometer van de legerplaats, ver van alles vandaan. Helen had geen telefoon en ook geen auto. Zij en Chloë waren compleet geïsoleerd. Hij deed hun wereld inkrimpen tot er net genoeg ruimte voor hen drieën was.

Helen wilde Chloë naar een kostschool in Engeland sturen, maar hij weigerde dat. In plaats daarvan ging ze naar de garnizoensschool. Gideon bracht haar elke ochtend weg. Vanaf het moment dat ze hen uitzwaaide zag Helen niemand meer. En toch ondervroeg Gideon haar dan elke avond over wat ze had gedaan en wie ze had ontmoet. Als ze hakkelde of aarzelde werden zijn vragen indringender.'

Bryan Chambers is weer opgestaan, nog altijd pratend en zijn vuisten ballend.

'Die ene dag kwam hij thuis en zag hij bandensporen op de oprit. Hij beschuldigde haar ervan dat ze bezoek had gehad. Helen ontkende. Hij beweerde dat het haar minnaar was geweest. Ze bezwoer hem dat het niet waar was.

Hij duwde haar met haar hoofd op de keukentafel en pakte een mes waarmee hij een x in zijn handpalm kerfde. Daarna kneep hij zijn vuist samen, zodat het bloed in haar ogen druppelde.'

Ik herinner me het litteken op Tylers linkerhand toen ik hem op Trinity Road ondervroeg.

'Weet u wat nou zo ironisch is?' zegt Chambers terwijl hij zijn ogen toeknijpt. 'De bandensporen waren helemaal niet van een bezoeker of minnaar. Gideon was vergeten dat hij de dag ervoor met een ander voertuig thuis was gekomen van de legerplaats. De sporen waren van hemzelf.'

De grote man verslikt zich in zijn woorden. Ruiz krimpt ongemakkelijk ineen.

'Die avond wachtte Helen tot Gideon sliep. Ze haalde een koffer van onder de trap vandaan en maakte Chloë wakker. Ze deden de autoportieren niet dicht omdat ze geen geluid wilde maken. De auto wilde niet meteen starten, de startmotor sloeg keer op keer aan en weer af. Helen wist dat Gideon wakker zou worden van het geluid.

Hij kwam met één been in de pijp van zijn broek het huis uit stormen, blootsvoets de trap af huppend. De motor sloeg aan. Helen trapte het gaspedaal in. Gideon rende achter hen aan de oprit af, maar ze minderde geen vaart. Ze ging de hoek om de weg op en Chloës portier vloog open. Mijn kleindochter schoot uit haar veiligheidsgordel. Helen greep haar in haar val beet en trok haar weer naar binnen. Ze brak Chloë's arm, maar stopte niet. Ze bleef doorrijden. En bleef denken dat Gideon haar achtervolgde.'

Bryan Chambers zuigt lucht naar binnen. Houdt zijn adem vast. Iets in hem zegt dat hij moet stoppen met praten. Hij zou willen dat hij tien minuten geleden al was gestopt, maar het verhaal heeft een vaart ontwikkeld die zich niet gemakkelijk laat stuiten.

In plaats van naar Calais te rijden, nam Helen de tegenovergestelde richting. Ze reed Oostenrijk binnen en van daaruit naar Italië, onderweg alleen stoppend om te tanken. Ze belde haar ouders vanuit een benzinestation langs de snelweg. Bryan Chambers bood aan haar terug te laten vliegen, maar ze wilde er een tijdje tussenuit om na te denken.

In een ziekenhuis in Milaan werd Chloë's arm gezet. Bryan Chambers maakte telegrafisch geld over, voldoende om alle ziekenhuisrekeningen te betalen, nieuwe kleren te kopen en hen een paar maanden te kunnen laten reizen.

'Heeft u Helen daarna eigenlijk nog gezien?'

Hij schudt zijn hoofd. 'Ik heb aan de telefoon met haar gesproken… en met Chloë. Ze stuurden ons ansichtkaarten uit Turkije en vanaf Kreta.'

Hij ziet er gekweld uit. Dit zijn herinneringen waar hij zich aan vast moet klampen: haar laatste woorden, haar laatste brief, een foto… Elke snipper zal worden gekoesterd en als een schat bewaard.

'Waarom wist niemand van Helens vriendinnen dat ze was verdronken?' vraagt Ruiz.

Bryan Chambers kijkt onaangedaan. 'De kranten gebruikten haar trouwnaam.'

'Waren er geen overlijdensberichten of uitvaartberichten?'

'Er is geen uitvaart geweest.'

'Waarom niet?'

Zijn hoofd komt met een ruk omhoog, zijn ogen schieten vuur. 'U wilt weten waarom? Vanwege hem! Ik was bang dat Gideon zou komen opdagen en iets zou doen om de begrafenis te verstoren. We hebben geen normaal afscheid kunnen nemen van onze dochter en kleindochter omdat die psychotische klootzak er een circusvertoning van zou hebben gemaakt.'

Zijn borstkas gaat heftig op en neer. De plotselinge uitbarsting lijkt hem zijn laatste restje vechtlust te hebben ontnomen.

'We hadden een besloten dienst,' mompelt hij.

'Waar?'

'In Griekenland.'

'Waarom in Griekenland?'

'Dat is waar ze ons zijn ontvallen. Waar ze gelukkig waren. We hebben een gedenkteken laten neerzetten op een rotskaap die uitkijkt over een baai waar Chloë vaak ging pootjebaden.'

'Een gedenkteken,' zegt Ruiz. 'Waar liggen hun graven?'

'Hun lichamen zijn nooit gevonden. In dat deel van de Egeische Zee staat een sterke stroming. Een duiker van de marine vond Chloë. Haar reddingsvest was aan de metalen sporten van een ladder in de buurt van de achtersteven van de veerboot vast komen te zitten. Hij sneed haar zwemvest los, maar de stroming rukte haar weg. Hij had niet genoeg lucht meer in zijn flessen om haar achterna te zwemmen.'

'En hij wist zeker dat zij het was?'

'Ze had het gips nog om haar arm. Het was Chloë.'

De telefoon gaat. De oude advocaat werpt een blik op zijn horloge. De tijd wordt hier in porties van vijftien minuten gemeten, in declarabele brokken. Ik vraag me af hoeveel hij zijn 'oude vriend' in rekening gaat brengen voor dit consult.

Ik bedank meneer Chambers voor zijn tijd en sta langzaam uit mijn stoel op. De in het leer achtergebleven holtes beginnen zich langzaam weer te vullen.

'Weet u dat ik erover gedacht heb hem te vermoorden?' zegt Bryan Chambers. De oude jurist probeert hem tegen te houden maar wordt weggewuifd. 'Ik heb Skipper gevraagd wat ervoor nodig zou zijn. Wie ik zou moeten betalen. Ik bedoel, je leest voortdurend over dat soort dingen.'

'Ik ben ervan overtuigd dat Skipper vrienden heeft,' zegt Ruiz.

'Ja,' zegt Chambers met een knik. 'Maar ik weet niet of ik het iemand van hen zou toevertrouwen. Ze zouden waarschijnlijk een half gebouw wegvagen.'

'U moet dat soort dingen niet zeggen,' zegt Julian Spencer.

'Het zijn maar woorden. Claudia zou het me nooit toestaan. Zij heeft een God tegenover wie ze rekenschap moet afleggen.' Hij doet heel even zijn ogen dicht en opent ze weer, hopend dat de wereld misschien wel veranderd is.

'Heeft u kinderen, professor?'

'Ja. Twee.'

Hij kijkt naar Ruiz, die twee vingers omhooghoudt.

'Je bezorgdheid houdt nooit op. Je bent bezorgd tijdens de zwangerschap, de geboorte, het eerste jaar en elk jaar dat daarop volgt. Je maakt je zorgen als ze de bus nemen, de weg oversteken, fietsen, in een boom klimmen... Je leest verhalen in de krant over verschrikkelijke dingen die kinderen overkomen. Het maakt je bang. Het gaat nooit meer weg.'

'Ik ken het.'

'En dan realiseer je je hoe ongelooflijk snel ze volwassen zijn geworden en heb je ineens niks meer te vertellen. Je wilt dat ze met het perfecte vriendje thuiskomen en de perfecte echtgenoot.

362

Je wilt dat ze hun droombaan krijgen. Je wilt ze behoeden voor elke teleurstelling, elk gebroken hart, maar dat gaat niet. Ouder zijn houdt nooit op. Je houdt nooit op je zorgen te maken. Als je geluk hebt ben je in de buurt om de scherven op te rapen.'

Hij draait zich om, maar ik zie zijn ellende weerspiegeld in het raam.

'Heeft u een foto van Tyler?' vraag ik.

'Misschien thuis. Hij hield niet van camera's, zelfs niet op de trouwerij.'

'En een foto van Helen? Ik heb geen goede foto van haar gezien. Die in de krant was een kiekje van haar in Griekenland, genomen voordat het schip zonk.'

'Dat was de meest recente die we hadden,' legt hij uit.

'Heeft u nog andere?'

Hij aarzelt en kijkt Julian Spencer aan. Dan doet hij zijn portefeuille open en haalt er een foto ter grootte van een pasfoto uit.

'Wanneer is die genomen?' vraag ik.

Een paar maanden geleden. Helen stuurde hem op vanuit Griekenland. We moesten een nieuw pasoort voor haar regelen. Op haar meisjesnaam.'

'Zou u er bezwaar tegen hebben als ik hem leende?'

'Waarom?'

'Soms helpt het me een misdaad te doorgronden als ik een foto van het slachtoffer heb.'

'Is dat wat u denkt dat ze is?'

'Ja. Zij was de eerste.'

*

Ruiz heeft geen woord gezegd sinds we het kantoor van de advocaat achter ons hebben gelaten. Ik weet zeker dat hij een mening heeft, maar dan wel een die hij pas met me zal delen als hij er klaar voor is. Misschien is het een erfenis uit zijn vroegere loopbaan, maar er hangt een aura van 'hier niet, nu niet' om hem heen dat hem helpt aan de normale regels van een gesprek te ontsnappen. Daar moet ik wel bij zeggen dat hij merkbaar milder is geworden sinds zijn pensioen. De krachten in zijn binnenste hebben een evenwicht gevonden en hij heeft vrede gesloten met de beschermheilige der atheïsten, wie dat ook moge zijn. Er is een schutspatroon voor van alles en nog wat, dus waarom niet voor de nietgelovige?

Alles aan deze zaak is door elkaar geschud door emotie en verdriet. Ik heb moeite gehad me op specifieke details te concentreren doordat ik zoveel tijd heb moeten besteden aan prangende problemen zoals Darcy, aan tobben over wat er met haar staat te gebeuren. Nu wil ik een stap achteruit zetten in de hoop dat ik de dingen in de een of andere context kan plaatsen, maar loslaten is niet eenvoudig als je aan een bergwand hangt.

Ik kan begrijpen waarom Bryan en Claudia Chambers zo boos en ongastvrij waren bij ons bezoek aan hun landgoed. Gideon Tyler heeft hen niet met rust gelaten. Hij is hen in de auto gevolgd, heeft hun post opengemaakt en obscene souvenirs achtergelaten. Volgens de politieverslagen zijn er tot wel dertig telefoontjes per nacht geweest, met een vast patroon. Ademhaling. Luisteren. Niet-traceerbaar.

De politie kon de pesterijen niet stoppen en dus gaven de Chambers de samenwerking eraan, namen ze hun eigen beveiligingsmaatregelen en regelden ze permanente bewaking met alarminstallaties, bewegingsmelders, versperringen en lijfwachten.

Hun redenering kan ik volgen, maar niet die van Gideon. Waarom is hij, gesteld dat dat inderdaad is waar hij mee bezig is, nog altijd op zoek naar Helen en Chloë?

Er is niets ongekunstelds en spontaans aan Gideon. Hij is een dwingeland, een sadist en een controlfreak die aan het werk is gegaan om de familie van zijn vrouw te vernietigen en al haar vriendinnen te vermoorden.

Het was niet puur om het plezier, althans niet in het begin. Hij was op zoek naar Helen en Chloë. Nu is het anders. Mijn gedachten gaan terug naar Christine Wheelers mobiele telefoon. Waarom heeft Gideon hem gehouden? Hij nam hem mee naar Patrick Fullers flat. Patricks zus gebruikte hem per ongeluk om een pizza te bestellen. Het deed zijn plannen bijna in duigen vallen.

Waarom heeft hij haar mobieltje niet weggegooid of in Christines auto achtergelaten? Toen de man waarvan ik dacht dat hij Patrick was me vertelde dat hij een oplader had gekocht, sprak hij de waarheid. De politie heeft het bonnetje gevonden.

Gideon laadde de batterij op zodat hij het geheugen van de telefoon kon bekijken, in de veronderstelling dat dat hem naar Helen en Chloë kon leiden. Om diezelfde reden brak hij tijdens haar begrafenis in Christine Wheelers huis in en maakte hij de condoleancekaarten open. Hij moet hebben gehoopt dat Helen op de begrafenis zou verschijnen of op zijn minst een kaart zou sturen.

Wat weet hij dat wij niet weten? Lijdt hij aan waandenkbeelden of aan ontkenning of weet hij iets? Wat heb je aan een geheim als niemand anders van het bestaan ervan weet?

Ruiz heeft zijn Mercedes in een parkeergarage achter de gerechtshoven geparkeerd. Hij doet de deuren van het slot, gaat achter het stuur zitten en staart over de daken, waar meeuwen als door een stijgwind meegevoerde kranten rondcirkelen.

'Tyler denkt dat zijn vrouw nog in leven is. Is er een kans dat hij gelijk heeft?'

'Vrijwel geen,' antwoordt hij. Er is een onderzoek van de gerechtelijk lijkschouwer geweest en een zitting van de scheepvaartinspectie. Dan hebben we het over getuigen en getuigenverklaringen.'

'Heb jij contacten bij de Griekse politie?'

'Nada.'

Ruiz zit nog steeds bewegingloos en met zijn ogen dicht achter het stuur, alsof hij naar het gestage pulseren van zijn eigen bloed luistert. We weten allebei wat ons te doen staat. We moeten het zinken van de veerboot onder de loep nemen. Er moeten getuigenverklaringen zijn, een passagierslijst en foto's... iemand moet met Helen en Chloë hebben gesproken.

'Jij twijfelt aan het verhaal van Chambers.'

'Het was maar één helft van een triest verhaal.'

'En wie heeft de andere helft?'

'Gideon Tyler.'

49

Emma is wakker en ligt, gevangen in een droom, te dreinen en te snotteren. Half in slaap glip ik uit bed en loop naar haar bedje, de koude vloer en de stijfheid in mijn benen vervloekend.

Haar ogen zitten stijf dicht en haar hoofd rolt heen en weer. Ik leg mijn hand op haar borst. Hij lijkt haar hele ribbenkast te bedekken. Haar ogen gaan open. Ik pak haar op en houd haar tegen me aan. Haar hart gaat als een bezetene tekeer.

'Het is al over, liefje. Het was maar een droom.'

'Ik zag een monster.'

'Monsters bestaan niet.'

'Hij wilde jou opeten. Hij eette je arm en hij eette een van je benen.'

'Er is niets aan de hand. Kijk maar. Twee armen. Twee benen. Weet je nog wat ik zei? Monsters bestaan niet.'

'Ze zijn gewoon net alsof.'

'Ja.'

'Maar als hij nou terugkomt?'

'Droom maar over iets anders. Wat dacht je hiervan: jij gaat dromen over verjaardagspartijtjes, boterhammen met muisjes en snoepjes.'

'Marshmallows.'

'Ja.'

'Ik vind marshmallows lekker. De roze, niet de witte.'

'Ze smaken hetzelfde.'

'Nietes.'

Ik laat haar weer zakken, stop haar in en geef haar een kus op haar wang.

Julianne zit in Rome. Ze is woensdag vertrokken. Ik kreeg niet de kans haar nog te zien. Tegen de tijd dat ik terug was van de Fernwoodkliniek was zij al vertrokken.

Ik heb haar gisteravond door de telefoon gesproken. Toen ik belde nam Dirk haar mobieltje op. Hij zei dat Julianne bezig was en terug zou bellen. Ik wachtte meer dan een uur en belde nog eens. Ze zei dat ze mijn bericht niet had doorgekregen. Ik vroeg of alles in orde was. Ze zei van wel, maar klonk vermoeid. Uit niets van wat ze zei kon ik opmaken dat ze het nieuws over Maureen Bracken en de schietpartij had gehoord. Ik had niet gedacht dat ik ooit nog eens op deze manier dingen voor haar verborgen zou houden.

Ze vertelde dat de Italianen met nieuwe voorwaarden waren gekomen. Zij en Dirk waren bezig de hele overeenkomst te herschrijven en de grootste investeerders opnieuw te benaderen, waaronder de vermogensbeheerders. Het fijne ervan ontging me, maar het klonk belangrijk.

'Dus jullie zijn aan het overwerken.'

'We zijn er bijna uit.'

'Kom je morgen wel gewoon naar huis?'

'Ja.'

'Wil je nog steeds dat ik meega naar dat feestje?'

'Als je zin hebt.' Het klonk niet bijster enthousiast. 'Hoe gaat het met de meisjes?'

'Goed.'

'Heeft Imogen haar draai al gevonden?'

'Ja.'

'Is Vincent er nog?'

'Hij is weer terug naar Londen. Ik zie hem morgen.'

'Luister. Ik moet ervandoor. Zeg de meisjes dat ik van ze houd.'

'Doe ik.'

'Dag.'

Zij hing als eerste op. Ik bleef aan de lijn, luisterend, alsof iets in de stilte me zou geruststellen dat alles in orde was en ze bij het aanbreken van de dag thuis zou zijn en we een fantastisch weekend in Londen zouden hebben. Maar zo voelde het niet. Ik kon het beeld van Dirk in Juliannes hotelkamer niet kwijtraken, hoe

367

hij haar mobieltje opnam en een op de kamer gebracht ontbijt met haar deelde. Ik heb deze gedachten nog niet eerder gehad, heb nooit getwijfeld, me nooit zorgen gemaakt. En nu weet ik niet of ik paranoïde ben, want dat is iets wat meneer Parkinson je keer op keer flikt, of dat mijn vermoedens gerechtvaardigd zijn.

Julianne is veranderd, maar dat geldt ook voor mij. Toen we elkaar net leerden kennen vroeg ze me wel eens of er iets tussen haar tanden zat of er iets met haar kleding mis was omdat mensen haar aanstaarden. Ze had zo weinig besef van haar eigen schoonheid dat ze de aandacht die hij veroorzaakte niet herkende. Zich niet bewust van zichzelf was zij de eerste om interesse in anderen te tonen. Ze glimlachte tegen vreemden, gaf bedelaars geld en wees mensen die verdwaald waren de weg. Dat gebeurt niet meer zo vaak. Ze is voorzichtiger en terughoudender geworden tegenover vreemden. Dat is te wijten aan wat er drie jaar geleden gebeurde.

Emma is weer in slaap gevallen. Ik zet haar olifant tegen de spijlen van het ledikantje en doe zachtjes de deur dicht.

Aan de andere kant van de overloop hoor ik Charlies stem.

'Gaat het weer met haar?'

'Prima. Ze had een nachtmerrie. Ga maar weer lekker slapen.'

'Ik moet naar de wc.'

Ze draagt een wijde pyjamabroek die laag op haar heupen hangt. Ik had nooit gedacht dat ze nog eens heupen zou krijgen en een heuse taille. Ze was altijd zo recht als een plank.

'Mag ik iets vragen?' zegt ze terwijl ze voor de badkamerdeur staat.

'Tuurlijk.'

'Darcy is weggelopen.'

'Inderdaad.'

'Denk je dat ze terugkomt?'

'Ik hoop van wel.'

'Oké.'

'Wat oké?'

'Niets. Gewoon oké.' En daarna: 'Waarom wil Darcy niet bij haar tante wonen?'

'Ze vindt dat ze oud genoeg is om voor zichzelf te zorgen.'

Ze knikt terwijl ze tegen de deurpost geleund staat. Haar haar valt in een boog over één oog. 'Ik weet niet wat ik zou doen als mam doodging.'

'Er gaat niemand dood. Doe niet zo somber.'

Ze is weg. Ik sluip terug naar bed. Lig wakker. Het plafond lijkt ver weg. Het kussen naast me is koud.

Gisteren belde Veronica Cray. Nog altijd niets nieuws over Gideon Tyler. Hij komt niet voor in het kiesregister of in het telefoonboek. Hij heeft geen baan of een Britse bankrekening of een creditcard. Hij heeft geen dokter of ziekenhuis bezocht. Hij heeft geen huurcontract getekend of een schuldbrief afgelost. Meneer Dwingler heeft zes maanden huur vooruit ontvangen, in contanten. Sommige mensen gaan in een sluipgang door het leven. Gideon heeft amper een voetafdruk achtergelaten.

Het enige wat we zeker lijken te weten is dat hij in 1968 in Liverpool is geboren. Zijn vader, Eric Tyler, is een gepensioneerde plaatwerker die in Bristol woont. Hij is een onverteerbaar stuk vreten vol krijg-de-klere-vijandigheid, slingerde de politie door de brievenbus verwensingen toe en weigerde open te doen als ze hem geen huiszoekingsbevel konden laten zien. Toen hij uiteindelijk werd ondervraagd bleef hij maar dooremmeren dat zijn kinderen hem aan zijn lot overlieten.

Er is nog een zoon, ouder dan Gideon, die in Leicester een groothandel in kantoorbenodigdheden leidt. Hij beweert dat hij Gideon in geen tien jaar heeft gesproken.

Gideon ging op zijn achttiende bij het leger. Hij diende tijdens de eerste Golfoorlog en na het conflict in Kosovo bij de daar gestationeerde vredestroepen. Volgens Patrick Fuller stapte hij halverwege de jaren negentig over naar de legerinlichtingendienst en van Bryan Chambers weten we dat hij een opleiding volgde aan het inlichtingendienstencentrum in Chicksands, Bedfordshire.

Na aanvankelijk in Noord-Ierland gestationeerd te zijn geweest werd hij overgeplaatst naar het Duitse Osnabrück, waar hij deel uitmaakte van de snelle interventiemacht van de NAVO. Normaal gesproken dienen Britse militairen niet langer dan vier jaar, maar om de een of andere reden bleef Gideon in dienst. Wat was die reden?

Elke keer als ik overdenk wat hij heeft gedaan en waartoe hij in staat is voel ik een gevoel van paniek opkomen. Gideon zal zich niet koest houden. Hij zal niet verdwijnen. Zijn zucht naar wraak en zijn verdorven lustgevoelens zullen nooit bevredigd worden.

Al zijn handelingen zijn weloverwogen, onbewogen en bijna eufoor geweest. Hij is ervan overtuigd dat hij slimmer is dan de politie, dan het leger, dan de rest van de mensheid. Elke misdaad die hij pleegde was een stapje perverser en theatraler dan die daarvoor. Hij is een kunstenaar en geen kiloslager, dat is wat hij duidelijk probeert te maken.

De volgende gaat in gruwelijkheid alles overtreffen. Gideon slaagde er niet in Maureen Bracken te doden, wat betekent dat zijn volgende slachtoffer de volle laag krijgt. Veronica Cray en haar medewerkers zijn bezig om al Helen Chambers' oude schoolvriendinnen, maatjes op de universiteit en collega's na te trekken, in het bijzonder degenen met kinderen. Het is een gigantische klus. Ze beschikt niet over de mankracht om ze stuk voor stuk te laten bewaken. Het enige wat ze kan doen is hun een politieportret van Gideon Tyler geven en uitleggen hoe hij te werk gaat.

Dit zijn de gedachten die me tot in mijn slaap achternazitten, tussen de schaduwen door glijden en me als een echo te achtervolgen.

Zaterdagochtend. Ik heb nog wat klusjes te doen voordat ik naar Londen afreis. Er is een dorpsfeest. Plaatselijke winkeliers hebben schraagtafels op de stoep staan en verkopen spullen die sinds Kerstmis niet meer van de plank zijn geweest.

Plaatselijke clubs, verenigingen en de lagere school hebben stuk voor stuk een kraam, hun tafels uitgedost met vlaggetjes en grappig bedoelde spandoeken. Er zijn tweedehands boeken te krijgen, zelfgebakken taarten en handwerkjes en er ligt een stapel goedkope woordenboeken van de rijdende bibliotheek.

Penny Havers, die in een schoenenwinkel in Bath werkt, heeft stapels dozen met schoenen meegebracht, de meeste in maar één maat, veel te groot of juist belachelijk klein, maar allemaal erg goedkoop. Ik zie agenda's en kalenders van het afgelopen jaar, gebruikte computerspelletjes en dubieuze dvd's die iemand uit Spanje of Portugal heeft meegenomen.

Charlie loopt met mij het dorp door. Ik weet hoe dit verdergaat. Zodra ze een jongen in het vizier heeft gaat ze een paar passen achter me lopen en doen alsof ze in haar eentje is. Als er geen jongens in zicht zijn wil ze dat ik blijf staan en we nepsieraden bekijken en kleren die ze niet nodig heeft.

Iedereen is opgewonden over de jaarlijkse rugbyontmoeting tussen Wellow en onze naaste buren, Phillip St. Norton, een kilometer of zes verderop. Hij staat voor vanmiddag op het programma, op het recreatieterrein naast het dorpshuis.

Wellow is een van die dorpjes in Somerset waarvan tot halverwege de jaren tachtig, toen forensen en mensen die hun leven wilden omgooien de populatie deden aanzwellen, nog bijna niemand had gehoord. De instroom is minder geworden, zeggen de mensen in het dorp. De huizenprijzen zijn inmiddels buiten het bereik van de weekendrecreanten die in de etalage van de dorpsmakelaar staan te turen en dromen van een stenen huisje met klimrozen boven de deur. De droom houdt stand tot ze zich bij de file terug naar Londen voegen en is tegen de tijd dat het maandagochtend is alweer vergeten.

Charlie wil een halloweenmasker, een rubberen monster met reflecterende verf in het donkere haar. Ik zeg haar dat daar niets van inkomt. Emma heeft toch al nachtmerries.

Voor het postkantoor staat een politieman auto's naar verderop gelegen weilanden te dirigeren. Ik heb donderdag voor het laatst iets van Veronica Cray vernomen.

Veronica Cray is sinds donderdag in Londen bezig bij Defensie en Buitenlandse Zaken aan te kloppen om uit te vinden waarom niemand het over Tyler wil hebben, wiens conduitestaat in het leger geheim is. Tot dusverre is het enige wat ze eruit heeft weten te slepen een éénregelige verklaring geweest van de chef defensiestaven: 'Majoor Gideon Tyler is zonder verlof weggebleven bij zijn eenheid.'

Tien woorden. Het is een klassiek voorbeeld van Britse beknoptheid. Het zou een dekmantel kunnen zijn. Het zou ontkenning kunnen zijn. Wat de reden ook moge zijn, het resultaat is hetzelfde: een galmende, ongemakkelijke, onpeilbare stilte.

Op de tien dagen geleden van Gideon gemaakte politiefoto na, volgens het bijschrift van Patrick Fullers is er geen foto van hem beschikbaar die minder dan tien jaar oud is. Op videobeelden van zijn aankomst in het Verenigd Koninkrijk op 19 mei staat hij met een honkbalpet over zijn ogen getrokken.

Het bewijs tegen hem is sterk, maar indirect. Hij had Christine Wheelers mobiele telefoon. Alice Furness herkende hem als de man met wie ze vier dagen voor haar moeders verdwijning in de pub had gesproken. Darcy zou hem mogelijk herkennen als de man waarmee ze in de trein naar Londen heeft gesproken. Maureen Bracken heeft Gideon maar één keer ontmoet, zeven jaar terug, maar is er redelijk zeker van dat ze zijn stem herkende. Hij vroeg naar Helen en wilde weten waar ze was.

De politie is er niet in geslaagd Gideon in verband te brengen met een van de andere bij de aanvallen gebruikte mobieltjes, die ofwel gestolen waren of met een vals identiteitsbewijs waren aangeschaft.

Charlie zegt iets tegen me. 'Hallo pap, hier aarde, hier aarde, pap. Kun je me horen, over?'

Het is haar moeders zinnetje. Ze snuffelt in een rek met kleren, op zoek naar iets onvrouwelijks, gothic en donker.

'Heb je iets gehoord van wat ik zei?'

'Nee, sorry.'

'Af en toe ben je echt hopeloos.'

Ze klinkt opnieuw als Julianne.

'Ik luister.'

'Laat maar.'

'Nee. Zeg het.'

'Het ging over Darcy.'

'Wat dan?'

'Waarom kan ze niet bij ons komen wonen?'

'Ze heeft haar eigen familie.'

'Maar ze wil niet naar Spanje.'

'Er moet toch iemand voor haar zorgen.'

'Haar tante heeft de pest aan haar.'

'Wie heeft je dat verteld?'

De aarzeling zegt alles. Charlie maakt het nog erger door zich om te draaien en haar gezicht in een open kartonnen doos met poppenkleertjes te begraven. Ze weigert me aan te kijken.

'Heb jij met Darcy gesproken?'

Ze kiest ervoor te zwijgen in plaats van te liegen.

'Wanneer heb je haar gesproken?'

Charlie kijkt me boos aan, alsof het mijn schuld is dat ze geen geheim kan bewaren.

'Lieverd, alsjeblieft. Ik heb me zorgen gemaakt. Ik moet weten waar ze is.'

'In Londen.'

'Heb je met haar gesproken?'

'Uhuh.'

'Waarom heb je me dat niet verteld?'

'Dat mocht niet van haar. Ze zei dat jij haar dan zou komen zoeken. Ze zei dat jij haar zou dwingen om met haar tante mee te gaan naar Spanje, de tante die rookt en naar ezels stinkt.'

Ik ben eerder opgelucht dan kwaad. Er zijn vijf dagen verstreken sinds Darcy vermist werd en ze heeft op geen van mijn telefoontjes of berichten gereageerd. Charlie besluit haar gemoed te luchten en vertelt me alles. Zij en Darcy hebben bijna elke dag met elkaar gesproken en elkaar sms'jes gestuurd. Darcy verblijft in Londen en trekt op met een ouder meisje dat bij het Royal Ballet heeft gedanst.

'Ik wil dat je haar uit mijn naam belt.'

Charlie aarzelt. 'Moet dat echt?'

'Ja.'

'En als ze dan mijn vriendin niet meer wil zijn?'

'Dit gaat voor.'

Charlie pakt haar mobieltje en toetst het nummer in.

'Ze is er niet,' zegt ze. 'Wil je dat ik een bericht achterlaat?'

Ik denk heel even na. Over vier uur ben ik in Londen.

'Vraag of ze jou wil bellen.'

Charlie laat een bericht achter. Ik pak haar mobieltje uit haar hand en geef haar het mijne.

'We ruilen, alleen voor vandaag. Darcy zal mijn telefoontjes niet beantwoorden, maar de jouwe wel.'

Charlie fronst boos haar wenkbrauwen. De dubbele plooi boven haar neusbrug is allerschattigst.

'Als je mijn sms'jes leest praat ik nooit meer met je!'

50

Ruiz staat tegen een parkbank geleund een sandwich te eten en koffie te drinken. Hij kijkt toe hoe een chauffeur met zijn vrachtwagen over een smal pad achteruit probeert te rijden. Iemand geeft de bestuurder aanwijzingen door links of rechts aan te geven. Een hand geeft een klap op de roldeur.

'Weet je wat er onder andere zo moeilijk is aan gepensioneerd zijn?' vraagt Ruiz.

'Nou?'

'Dat je nooit eens een dag vrij hebt. Geen vakanties, geen lange weekenden.'

'Man schei uit, straks moet ik nog huilen.'

De parkbank kijkt uit over de Theems. Bleek namiddaglicht weet nog net een schittering te ontlokken aan het stroperige bruine water. Roeiploegen en rondvaartboten trekken een wit schuimspoor dat over het wateroppervlak glijdt en op de door het vallende tij tevoorschijn gekomen zompige modder aanspoelt.

Aan de overkant van de rivier bevindt zich het oude waterzuiveringcomplex Barn Elms. Zuid-Londen zou net zo goed een ander land kunnen zijn. Dat is het eigenaardige aan deze stad. Het is niet zozeer een metropool als wel een verzameling dorpen. Chelsea is anders dan Clapham, Clapham anders van Hammersmith, dat weer anders is dan Barnes, dat weer verschilt van een dozijn andere plekken. De scheidslijn mag dan slechts een rivier breed zijn, de sfeer verandert volledig zodra je van de ene naar de andere plaats oversteekt.

Julianne is terug uit Rome. Ik wilde haar op Heathrow ontmoeten, maar ze zei dat het bedrijf een auto had gestuurd en ze naar kantoor moest. We zien elkaar straks wel in het hotel, zei ze, en gaan dan door naar het feest.

'Wil je nog koffie?' vraagt Ruiz.

'Nee dank je.'

Ruiz' huis staat aan de overkant van de straat. Hij doet alsof de Theems een waterpartij is die zijn voortuin siert of zijn eigen privéstuk rivier is. Deze parkbank hier behoort tot zijn tuinmeubilair en hij brengt hier meerdere uren per dag door, al vissend of met zijn hoofd weggedoken in een ochtendkrant. Het gerucht gaat dat hij nog nooit een vis heeft gevangen en dat dat niets te maken heeft met de waterkwaliteit van de rivier of de vispopulatie. Hij gebruikt geen aas. Ik heb hem niet gevraagd of het klopt. Sommige vragen kun je maar het beste onuitgesproken laten.

We nemen onze lege mokken mee terug naar het huis en de keuken. De deur naar het washok staat open. Uit de opening van een wasdroger hangen kleren. Lichtgekleurde, elegante vrouwenkleding. Een Schots geruite rok, een zachtpaarse beha en enkelkousjes. Het tafereel heeft iets vertrouwds, maar ook iets merkwaardig verwarrends. Hoewel hij drie keer getrouwd is geweest zie ik Ruiz nou niet direct vrouwen in zijn leven hebben.

'Is er iets wat je met me wilt delen?' vraag ik.

Hij kijkt naar de droger. 'Ik denk niet dat ze je zouden passen.'

'Je hebt iemand over de vloer.'

'Mijn dochter.'

'Wanneer is ze teruggekomen?'

'Een tijdje geleden.' Hij doet het deurtje dicht, in een poging het gesprek af te kappen.

Ruiz' dochter Claire heeft als danseres in New York gewerkt. Haar gecompliceerde relatie met haar vader had veel weg van de opwarming van de aarde: smeltend poolijs, een stijgende zeespiegel en het weer vlot raken van het schip, dat alles begeleid door sceptische stemmen die vraagtekens zetten bij het resultaat.

We verhuizen naar de zitkamer. Op een salontafel liggen papieren en mappen met informatie over de ondergang van de Argo Hellas uitgespreid. Ruiz gaat zitten en haalt zijn gehavende opschrijfboek tevoorschijn.

'Ik heb zowel met de leider van het onderzoek gesproken als met de lijkschouwer en de commandant van de plaatselijke politie.' Losse bladzijden dreigen uit de gebroken rug los te raken terwijl hij ze omslaat. 'Het was een grondig onderzoek. Dit hier zijn verklaringen van getuigen en een schriftelijke vastlegging van het onderzoek. Ze zijn gisteren per koerier gebracht en ik heb ze gisteravond doorgelezen. Ik heb niets afwijkends kunnen ontdekken.

Drie mensen getuigden dat Helen en Chloë Tyler aan boord van de veerboot waren. Het overtuigendste bewijs kwam van een duiker van de marine die lid was van het reddingsteam dat naar de gezonken veerboot werd gestuurd.'

Ruiz overhandigt me diens verklaring en wacht tot ik hem heb gelezen. De duiker beschrijft hoe hij die dag vier lichamen wist te bergen. Het zicht was minder dan drie meter en een verraderlijke stroming maakte het werk nog lastiger.

Op de vijfde duik van die dag vond hij het lichaam van een jong meisje dat in de buurt van een davit achter de metalen sporten van een ladder vast was komen te zitten, aan stuurboord in de buurt van het achterschip. De duiker wist de banden van het reddingsvest van het meisje door te snijden, maar de stroming rukte haar lichaam uit zijn handen. Hij had niet genoeg lucht over in zijn flessen om haar achterna te zwemmen.

'Hij herkende Chloë op een foto,' zegt Ruiz. 'Het meisje had gips om haar rechterarm. Het klopt met wat de grootvader zei dat er gebeurd was.'

Ik heb desondanks het gevoel dat Ruiz niet helemaal overtuigd is.

'Ik heb die duiker nagetrokken. Hij is een oudgediende met tien jaar ervaring, een van de meest ervaren duikers die ze hebben.'

'Ga verder.'

'De marine heeft hem vorig jaar voor zes maanden geschorst toen hij duikuitrustingen niet grondig genoeg had geïnspecteerd en een leerling bijna verdronk. Het verhaal, eigenlijk meer een gerucht, doet de ronde dat hij te veel zuipt.'

Ruiz overhandigt me een tweede verklaring. Hij is afkomstig van een Canadese student die er een jaar tussenuit was, die verklaarde dat hij net na de afvaart van de veerboot met Helen en

Chloë had gesproken. Ze zaten in een passagiersvertrek aan stuur-boordzijde. Chloë was zeeziek en de rugzaktoerist bood haar een pilletje aan.

'Ik heb met zijn ouders in Vancouver gesproken. Na de onder-gang van het schip vlogen ze naar Griekenland en probeerden ze hem over te halen terug naar huis te komen, maar hij wilde zijn reis voortzetten. De knaap is nog steeds onderweg.'

'Had hij inmiddels niet met zijn studie moeten zijn begon-nen?'

'Zijn jaar ertussenuit begint twee jaar te worden.'

De laatste verklaring is afkomstig van een Duitse vrouw, Yelena Schäfer, die op Patmos een plaatselijk hotel bestiert. Ze bracht moeder en dochter naar de veerboot en zegt dat ze hen heeft uit-gezwaaid.

Ruiz zegt dat hij het hotel heeft geprobeerd te bellen, maar dat het gedurende de winter dicht was.

'Ik heb de conciërge te pakken weten te krijgen, maar zijn ver-haal ging alle kanten op, als een jonge hond op een parketvloer. Hij zei dat hij zich Helen en Chloë kon herinneren. Volgens hem hebben ze in juli drie weken in het hotel gelogeerd. Yelena Schäfer bracht ze naar de veerboot.'

'Waar is Yelena Schäfer nu?'

'Op vakantie.'

'Ze zou familie in Duitsland kunnen hebben.'

'Ik zal de conciërge nog eens bellen. Hij was niet overdreven behulpzaam.'

Ruiz heeft de gordijnen opengelaten. Door de ramen zie ik jog-gers voorbijschieten over het pad langs de Theems en ik hoor meeuwen bekvechten over in het slik achtergebleven etensresten. Van buiten lijkt een metalige geur van sporenelementen en rot-tende planten naar binnen te lekken.

Het rapport van de kustwacht geeft een opsomming van de do-den, vermisten en overlevenden. Een officiële passagierslijst ont-brak. De veerboot onderhield een vaste dienst naar het eiland en zat vol toeristen en leden van de plaatselijke bevolking, waarvan velen geen reservering hadden en hun kaartje aan boord kochten.

Hoogstwaarschijnlijk hebben Helen en Chloë met contant geld betaald om het papieren spoor van een creditcard te omzeilen.

Bryan Chambers zei dat hij zijn dochter voor het laatst telegrafisch geld had overgemaakt op 16 juni, van een rekening op het eiland Man naar een bank op Patmos.

'Wat voor bewijs hebben we nog meer dat Helen en Chloë aan boord van de Argo Hellas waren? Op een strand, drie mijl ten oosten van de stad, is aangespoelde bagage gevonden. Een grote koffer. Een plaatselijke vissersboot pikte een kleinere tas op, die aan Chloë toebehoorde.

Ruiz haalt een gehavend boek met harde kaft tevoorschijn dat versierd is met een collage van uit tijdschriften geknipte en op het omslag geplakte foto's. De pagina's binnenin, op kleinfolioformaat, zijn hard en aan de hoeken gekruld.

'Dit behoorde tot de persoonlijke bezittingen,' licht hij toe. 'Het is Chloë's dagboek. Ik word geacht het aan de familie terug te geven.'

'Hoe ben je daar in godsnaam aan gekomen?'

'Ik heb wat leugentjes om bestwil verkocht.' Hij gaat er niet verder op door.

Ik sla het boek open en ga met mijn vingers over de bladzijden, die omgekruld en gegolfd zijn door het opgedroogde zout. Het boek is meer een plakboek dan een echt dagboek. Er zitten ansichtkaarten in, foto's, reçu's van kaartjes en af en toe een berichtje en een dagboekaantekening.

De broze pagina's doen gedetailleerd verslag van hun reis, hoofdzakelijk langs en over de eilanden. Chloë droogde bloemen tussen de bladzijden. Klaprozen. Ik zie waar de meeldraden en kelkbladen het papier hebben gevlekt. Af en toe is er sprake van mensen: een Turks meisje waarmee ze contact maakte en een jongen die haar liet zien hoe ze vissen moest vangen.

De vlucht uit Duitsland komt niet ter sprake, maar Chloë schrijft wel over de arts in Milaan die haar arm in het gips zette. Hij was de eerste die er zijn handtekening op zette en maakte er een tekening van Winnie de Poeh op.

Aan de hand van de ansichtkaarten en de verwijzingen naar

plaatsen kan ik hun route natrekken. Ze moeten de auto hebben verkocht of hem ergens hebben achtergelaten. Ze namen een bus door de bergen naar Joegoslavië en de grens over Griekenland in. Toen ze voor het eerst wijngaarden zagen zei haar moeder dat ze de kust naderden.

Er zijn dagen waarvan geen verslag wordt gedaan. Weken verdwijnen. Moeder en dochter zetten hun trektocht voort, verder weg van Duitsland, gaan Turkije binnen en volgen de kust. Uiteindelijk stopte hun vlucht op een camping in Fethiye, aan de rand van het Egeïsch gebied.

Chloë's arm genas niet goed. Ze ging opnieuw naar het ziekenhuis. Er werden nieuwe röntgenfoto's genomen. Artsen geraadpleegd. Ze schreef een ansichtkaart voor haar vader, maakte een tekening van hem. Het is duidelijk dat hij nooit op de bus werd gedaan.

Het is het dagboek en plakboek van een zesjarige. Een slim, zorgeloos kind dat haar schoolvriendjes in Duitsland en haar poes Tinkerbell mist, die door iedereen 'Tinkle' werd genoemd omdat dat het geluid was dat het belletje aan haar bandje maakte als ze in de tuin vogels probeerde te verschalken.

De laatste bladzijde met een datum is van 22 juli, twee dagen voor het zinken van de Argo Hellas. Chloë is opgewonden over haar verjaardag. Iets meer dan twee weken later zou ze zeven zijn geworden.

Terugbladerend door de laatste bladzijden voel ik dat Helen en Chloë eindelijk opgehouden waren met vluchten. Op Patmos hadden ze meer tijd doorgebracht dan op welke plek ook die ze in de twee maanden daarvoor hadden bezocht.

Soms ontstaat er als je te ingespannen naar een tafereel kijkt een soort blindheid doordat het beeld in je onderbewuste wordt verankerd en onveranderd blijft, ook al gebeurt er iets nieuws dat je aandacht zou moeten trekken. Het kan ook gebeuren dat de wens om te simplificeren of een situatie als een geheel te beschouwen ertoe leidt dat we details negeren die niet in het beeld passen, in plaats van dat we proberen ze te verklaren.

'Hebben ze bij de spullen die ze hebben opgestuurd een foto

van Helen Chambers gedaan?' vraag ik Ruiz.

'We hebben er al een.'

Ik zeg niets, maar Ruiz voelt waar ik heen wil.

'Wat? Denk je dat het een andere vrouw is?'

'Het ligt voor de hand om dat na te trekken.'

Hij gaat iets achterover zitten en kijkt me enigszins gefascineerd aan. 'Jij bent al net zo'n slechterik als Gideon: jij denkt dat ze nog leven.'

'Nee dat niet, maar ik wil wel weten waarom hij dat denkt.'

'Of hij is op een dwaalspoor gebracht of hij zit in de ontkenningsfase.'

'Of hij weet iets dat wij niet weten.'

Ruiz staat op, met stramme knieën en een grimas op zijn gezicht. 'Als Helen en Chloë nog in leven zijn, waar zijn ze dan?'

'Dan houden ze zich ergens schuil.'

'Hoe heeft ze haar dood in scène gezet?'

'Hun lichamen zijn nooit gevonden. Hun bagage kan in zee zijn gegooid. Je geeft een paar mensen geld om te verklaren dat ze aan boord waren. Bryan Chambers heeft het geld om dat voor elkaar te krijgen.'

'Het gaat wat ver,' zegt Ruiz. 'Ik heb contact gehad met het kantoor van de lijkschouwer. Zij zijn ervan overtuigd dat Helen en Chloë dood zijn.'

Ik kijk naar Chloë's dagboek en laat mijn vinger langs de meeldraadvlekken en de contouren van een bloem gaan.

'Kunnen we hun vragen om ons een foto van Helen Chambers te faxen? Ik wil er gewoon zeker van zijn dat we het over dezelfde vrouw hebben.'

*

Veronica Cray staat op het punt de trein van zes uur terug naar Bristol te nemen. Ik wil haar spreken voordat ze vertrekt. In een taxi rijden we over Fulham Palace Road, door Hammersmith en Shepherd's Bush. De taxi ruikt naar natte wol en stoelenreiniger en aan de rechterkant heeft de vering het bijna begeven. Er zit ongetwijfeld een voetganger beklemd onder de vooras.

Naast mij doet Ruiz er het zwijgen toe. Aan de stoepkant schuiven bussen voorbij die bij de bushaltes stilhouden om rijen wachtenden op te pikken. Passagiers turen door de ramen naar buiten of zitten met hun hoofd tegen het glas weg te dommelen.

Wat als Gideon het bij het rechte eind heeft? De lichamen van Helen en Chloë Chambers zijn nooit geborgen. Dat wil nog niet zeggen dat ze het hebben overleefd, maar Gideon heeft voor geen van de twee mogelijkheden sluitend bewijs. Mogelijk is dat hetgeen waarnaar hij op zoek is, bewijs dat ze dood zijn of bewijs dat ze in leven zijn. Maar dat verklaart niet alles. Wat hij gedaan heeft is te harteloos en te wreed. Hij geniet hier te veel van om ermee op te houden.

De taxi rijdt omlaag Paddington Station binnen. De portieren gaan open. Ruiz moppert over de ritprijs en kijkt argwanend naar de chauffeur. Het is niet eens zijn eigen geld. Ik heb mijn portefeuille al gepakt.

Veronica Cray zit in een cafetaria bij perron één op ons te wachten. Haar opengeknoopte overjas hangt achteloos op de grond. Op een voorpand zit een vlekje dat tandpasta zou kunnen zijn. Zij en Ruiz begroeten elkaar woordloos. Het enige wat ze gemeen hebben zijn hun carrières en de kunst om stiltes boekdelen te laten spreken.

Achter een roestvrijstalen buffet en een sissend koffiezetapparaat staan Italiaanse medewerkers te bekvechten en te schreeuwen alsof ze tot dezelfde grote familie behoren.

Stoelen worden anders neergezet. Horloges geïnspecteerd. Veronica Cray heeft vijftien minuten. De afgelopen paar dagen lijken een klok radicaal vooruit te hebben gezet en haar gezicht jaren ouder te hebben gemaakt. De eens zo luidruchtige, bruisende rechercheur is ondermijnd geraakt door gebeurtenissen die ze niet in de hand heeft.

'Defensie wil het onderzoek overnemen,' meldt ze.

'Hoe bedoelt u?'

'Tyler is gedrost. Ze beweren dat hij nog tot hun rangen behoort. Zij willen de arrestatie verrichten.'

'Wat heeft u daarop gezegd?'

'Ik heb gezegd dat ze konden oprotten. Dat er twee vrouwen dood zijn en dit míjn onderzoek is. En dat ik me niet ga terugtrekken omdat een of andere in kaki gestoken potloodlul die een stijve krijgt van elke tank die voorbijkomt het zegt.'

Ze slaat keihard met haar vuist op haar dij. Het moet pijn doen, maar ze geeft geen krimp. De heftigheid van de beweging contrasteert met de zorgvuldigheid waarmee ze suiker in haar thee doet en er langzaam door roert. Het theekopje tussen duim en wijsvinger houdend drinkt ze het brouwsel voor de helft op, de hitte negerend. Het is alsof er in haar bleke, dikke keel een vuist schuilgaat die op en neer beweegt.

Ze zet het kopje neer en begint te vertellen wat ze te weten is gekomen over Tyler. Via een contact bij de Royal Ulster Constabulary heeft ze ontdekt dat Tyler vier jaar in Belfast heeft doorgebracht als medewerker van de Tasking and Co-ordination Group in Armagh, een inlichtingenonderdeel van het leger dat gespecialiseerd is in surveillance- en ondervragingstechnieken.

'Geen wonder dat hij zo moeilijk op te sporen is,' zegt Ruiz. 'Die lui van de TCG zijn experts in het signaleren en afschudden van achtervolgers. Tyler weet hoe hij zelf iemand moet volgen zonder te worden opgemerkt.'

'En hoe komt het dat u van een dergelijk gegeven op de hoogte bent?' vraagt inspecteur Cray.

'Ik heb een tijdje in Belfast gewerkt.' Ruiz geeft geen verdere toelichting.

Ze gaat verder. 'De marechaussee heeft Tylers dossier nagetrokken. De afgelopen zes jaar is hij meerdere keren naar Pakistan, Polen, Egypte, Somalië, Afghanistan en Irak geweest. De verblijfsduur wisselt: nooit korter dan een week, en nooit langer dan een maand.'

'Waarom Egypte en Somalië?' vraagt Ruiz. 'Daar opereert het Britse leger niet.'

'Misschien heeft hij plaatselijke bewoners opgeleid,' zegt de inspecteur.

'Dat verklaart niet waarom het zo heimelijk ging.'

'Contraspionage.'

'Dat begint er op te lijken.'

'Maureen Bracken zei dat Christine en Sylvia altijd grappen maakten dat Gideon vast een spion was.'

Ik ga de lijst van landen na die hij heeft bezocht: Afghanistan, Irak, Polen, Pakistan, Egypte en Somalië. Hij is een getraind ondervrager, een verondersteld expert in het loskrijgen van informatie van terrorismeverdachten, krijgsgevangenen en politieke gevangenen.

De herinnering aan Sylvia Furness, met een sloop op en hangend aan een tak, vult mijn hoofd. En nog een tweede beeld: Maureen Bracken, geknield en geblinddoekt, met haar handen ver uit elkaar. Sensorische deprivatie, desoriëntatie en vernedering zijn de gereedschappen van de ondervrager.

Als Gideon gelooft dat Helen en Chloë nog in leven zijn ligt het voor de hand dat hij er ook van overtuigd is dat er mensen zijn die hen een schuilplaats bieden. Bryan en Claudia Chambers, Christine Wheeler, Sylvia Furness en Maureen Bracken.

Inspecteur Cray staart me onbeweeglijk aan. Ruiz zit stil, met zijn ogen omhoog gericht, alsof hij naar iets in de verte luistert, een naderende trein of een echo uit het verleden.

'Laten we aannemen dat u gelijk hebt en Tyler inderdaad gelooft dat ze in leven zijn,' zegt Veronica Cray. 'Waarom is hij bezig hen uit hun schuilplaats te verjagen? Wat heeft het voor zin? Helen zal niet bij hem terugkomen en hij zal nooit meer dezelfde lucht inademen als zijn dochter.'

'Hij wil ze niet terug. Hij wil zijn vrouw straffen omdat ze hem verlaten heeft en hij wil zijn dochter zien. Deze man wordt voortgedreven door angst en haat. Dat zijn dingen die hij begrijpt. Angst voor datgene waartoe hij in staat is en angst dat hij zijn dochter nooit meer zal zien. Maar haat is de drijfveer. Haat heeft een geheel eigen structuur.'

'Leg eens uit.'

'Zijn haat eist dat wij een stap opzij doen. Zijn haat doet het recht van anderen teniet, reinigt hem, vergiftigt hem, legt hem zijn overtuigingen op. Haat is wat hem voedt.'

'Wie wordt zijn volgende doelwit?'

'Daar valt geen zinnig woord over te zeggen. Helens familie wordt beschermd, maar ze heeft ongetwijfeld genoeg andere vrienden.'

Inspecteur Cray leunt zwaar op haar knieën en zoekt in de glimmende neuzen van haar schoenen vergeefs naar een sprankje troost. Een vertrekbericht brengt haar in beweging. Ze moet gaan.

Terwijl ze haar overjas dichtknoopt staat ze op en zegt ze gedag en haast zich met een woeste gedrevenheid door de hal naar haar wachtende trein. Ruiz kijkt haar na en krabt aan zijn neus.

'Denk jij dat er in Cray een dunne vrouw schuilt die naar buiten probeert te komen?'

'Ik denk wel twee.'

'Wil je iets drinken?'

Ik kijk op mijn horloge. 'Een andere keer. Juliannes feestje begint om acht uur. Ik wil nog een cadeau voor haar kopen.'

'Zoals?'

'Sieraden doen het altijd goed.'

'Die koop je alleen als je er een scharrel naast hebt.'

'Hoe bedoel je?'

'Kostbare geschenken zijn een uitdrukking van schuldgevoel.'

'Helemaal niet.'

'Hoe duurder de sieraden, des te groter het schuldgevoel.'

'Jij bent wel een hele trieste, achterdochtige kerel.'

'Ik ben drie keer getrouwd geweest. Ik weet waarover ik het heb.'

Ruiz kijkt me zijdelings aan. Ik voel mijn linkerhand trillen.

'Julianne is veel weg geweest. Op reis. Ik mis haar. Ik wilde iets bijzonders voor haar kopen.'

Mijn uitleg klinkt te schel. Ik zou gewoon mijn mond moeten houden. Ik ga Ruiz niet vertellen over Juliannes baas of het bonnetje van roomservice, of de lingerie en de telefoontjes. En ik ga het ook niet over Darcy's kus hebben of Juliannes vraag of ik nog steeds van haar houd. Ik ga niets zeggen en hij zal er niet naar vragen.

Dat is een van de grote paradoxen van mannenvriendschappen.

Het is als een onuitgesproken code: je begint pas te graven als je diep in de put zit.

51

De centrale hal van het British Natural History Museum is omgetoverd in een prehistorisch woud. Apen, reptielen en vogels lijken langs de terracotta muren en hoge bogen omhoog te klimmen. Een graatmagere Diplodocus is groen uitgelicht.

Ik ben gedoucht en geschoren, heb mijn medicijnen ingenomen en mijn beste avondpak aangetrokken, dat al bijna twee jaar niet uit de kast is geweest. Julianne zei dat ik een smoking moest huren bij Moss Bros, maar waarom zou je een in perfecte staat verkerend pak laten verkommeren?

Ik arriveerde alleen. Julianne was niet op tijd in het hotel aangekomen. Een probleem op het werk, zei ze zonder verdere toelichting. Zij en Dirk en Eugene komen later. Zeker honderd van haar collega's zijn al aanwezig en worden gevoederd en gelaafd door obers die zich met zilveren bladen champagne over de mozaïekvloer voortbewegen. De mannen gaan gekleed in klassieke smokings (veel modieuzer dan de mijne) en de vrouwen zien er rank uit in cocktailjurken met diep uitgesneden halslijnen, gewaagde open rugpanden en naaldhakken. Het zijn professionele stellen, durfkapitalisten, bankiers en accountants. In de jaren tachtig waren zij de 'meesters van het universum', tegenwoordig stellen ze zich tevreden met het overmeesteren van grote bedrijven en conglomeraten.

Ik zou het bij jus d'orange moeten houden, maar kan er geen ontdekken. Eén glaasje champagne zal geen kwaad kunnen, schat ik. Laat opblijven en alcohol staan op mijn lijstje met dingen die ik moet vermijden. Meneer Parkinson zou zomaar kunnen komen opduiken. Hij zou midden in een hap of slok mijn arm kunnen grijpen en me stokstijf doen staan, als een van de opgezette primaten op de tweede verdieping.

Julianne zou er onderhand moeten zijn. Op mijn tenen staand

kijk ik over de hoofden heen of ik haar zie. Aan de voet van de trap zie ik een prachtige vrouw in een golvende zijden avondjurk met elegante plooien die op haar onderrug en tussen haar borsten eindigen. Heel even herken ik haar niet. Het is Julianne. Ik heb de avondjapon niet eerder gezien. Ik wou dat ik hem voor haar gekocht had.

Iemand struikelt tegen me aan en morst champagne over me heen.

'Dat zijn die verdomde hakken,' legt ze verontschuldigend uit en biedt me een servet aan.

'U bent duidelijk een wederhelft,' vervolgt ze.

'Pardon?'

'Iemands echtgenoot,' verduidelijkt ze.

'Waar ziet u dat aan?'

'U ziet er verloren uit. Ik ben Felicity, trouwens. Mensen noemen me Flip.'

Ze steekt twee vingers uit bij wijze van handdruk. Ik probeer nog steeds oogcontact te krijgen met Julianne.

'Ik ben Joe.'

'Meneer Joe.'

'Joe O'Loughlin.'

Ze kijkt verbaasd. 'Dus u bent de mysterieuze echtgenoot. Ik heb altijd gedacht dat Juliannes trouwring nep was.'

'Wie heeft er hier een neptrouwring?' dringt een kleinere, topzware vrouw het gesprek binnen.

'Niemand. Dit is Juliannes echtgenoot.'

'Serieus?'

'Waarom zou ze een neptrouwring dragen?' vraag ik.

Flip plukt een nieuw glas champagne van het blad van een passerende ober.

'Om zich ongewenste vrijers van het lijf te houden natuurlijk, maar dat werkt niet altijd. Sommige mannen beschouwen het als een uitdaging.'

De kleine vrouw giechelt, waarbij haar decolleté op en neer wipt. Ze is zo klein dat ik haar niet kan aankijken zonder het gevoel te hebben dat ik in de gleuf staar.

Aan de voet van de trap staat Julianne met verschillende mannen te praten. Het moeten mannen van belang zijn, want aan de buitenkant van de kring zwerven de mindere goden, nerveus delibererend of ze zich ook in het gesprek zullen mengen. Een lange, donkerharige man fluistert iets in Juliannes oor. Zijn hand strijkt langs haar ruggengraat en komt onderaan haar rug tot stilstand.

'Je zult wel trots op haar zijn,' zegt Flip.

'Ja.'

'Jullie wonen in Cornwall, toch?'

'Somerset.'

'Julianne komt niet echt op me over als een plattelandsmeisje.'

'Waarom niet?'

'Ze is zo betoverend. Het verbaast me dat je haar zo ver van huis laat afdwalen.'

De man die met Julianne staat te praten heeft haar aan het lachen gemaakt. Ze doet haar ogen dicht en bevochtigt het midden van haar lippen met het puntje van haar tong.

'Met wie staat ze daar te praten?' vraag ik.

'O, dat is Dirk Cresswell. Heb je hem ontmoet?'

'Nee.'

Dirks hand is verder omlaaggegleden en hangt losjes op de plek waar de zijden stof over Juliannes billen valt. Tegelijkertijd lijken zijn ogen gefixeerd op de halslijn van haar jurk. Ik voel een gloed opstijgen in mijn nek.

'Misschien kun je haar maar beter gaan ontzetten,' lacht Flip.

Ik loop al die kant uit en wring me tussen schouders en ellebogen door, excuses mompelend en mijn best doend geen champagne te morsen. Ik sta even stil en sla de inhoud achterover.

Iemand is de trap opgelopen en tikt hard met een lepel tegen zijn glas om stilte te vragen. Het is een wat oudere man en hij heeft iets gebiedends. Hij moet de voorzitter van de raad van bestuur zijn, Eugene Franklin. Gesprekken verstommen. De toehoorders zijn stil.

'Dank u,' zegt hij en verontschuldigt zich voor de onderbreking. 'We weten allemaal waarom we hier vanavond bijeen zijn.'

'Om dronken te worden,' onderbreekt iemand hem.

'Uiteindelijk wel ja,' reageert Eugene, 'maar de echte reden dat jullie op kosten van het bedrijf aan Bollinger champagne staan te nippen is dat het vandaag onze verjaardag is. De Franklin Equity Group bestaat tien jaar.'

Dit oogst een hoeraatje.

'Welnu, wat ik hier en daar aan "blingbling" zie laat overduidelijk zien dat het tien zeer succesvolle jaren zijn geweest en dat ik jullie allemaal veel te veel geld betaal.'

Julianne lacht mee met de rest van de menigte. Ze ziet er stralend uit en kijkt verwachtingsvol naar Eugene Franklin op.

'Voordat we ons te buiten gaan wil ik graag een paar mensen bedanken,' zegt hij. 'Vandaag hebben we de grootste deal in bijna vijf jaar gesloten, eentje die de garantie biedt dat we een heel vrolijk kerstfeest zullen hebben zodra de bonussen arriveren.

'Jullie kennen allemaal Dirk Cresswell. Net als Dirk was ook ik ooit jong en knap. Ook ik was een vrouwenman, totdat ik tot het besef kwam dat er belangrijkere dingen zijn dan seks.' Hij stopt even. 'Ik heb het over echtgenotes. Ik heb er twee gehad.'

'Dirk heeft tientallen echtgenotes gehad, alleen nooit eentje die van hemzelf was,' roept iemand vanuit de zaal.

Eugene Franklin lacht, net als de rest.

'Ik wil Dirk persoonlijk bedanken voor het binnenhalen van onze grootste overeenkomst. En ik wil ook de vrouw bedanken die hem daarbij heeft geholpen, de schitterende, getalenteerde en (opnieuw een pauze) veeltalige Julianne O'Loughlin.'

Te midden van het applaus en gefluit worden tikjes en knipogen uitgewisseld. Dirk en Julianne worden de trap op geroepen. Ze stapt als een blozende bruid naar voren en neemt de loftuitingen in ontvangst. Er worden glazen geheven. Er wordt een toost uitgebracht.

Het is onmogelijk om nu in haar buurt te komen. Ze zit gevangen in een openbare liefdesbetuiging. Ik glip terug door de menigte en blijf aan de rand van het gezelschap staan.

Mijn mobiele telefoon trilt. Charlies mobieltje. Ik houd de telefoon met gebogen hand tegen mijn oor en druk op het groene knopje.

'Hallo,' zegt Darcy, in de verwachting mijn dochter aan de lijn te krijgen. Ik kan haar amper boven het lawaai uit horen.

'Niet neerleggen.'

Ze aarzelt.

'En niet Charlie de schuld geven. Ik had het geraden.'

'Ik wil dat u ophoudt me te bellen en berichten voor me achter te laten.'

Ik loop weg van de menigte, op zoek naar een rustige plek. Ik sla rechtsaf langs de garderobe en vind een nis onder een stel stenen trappen.

'Ik wil alleen weten of het goed met je gaat.'

'Met mij gaat het prima. Niet meer bellen.'

'Iedereen is bezorgd over je.'

'Mijn voicemailbox zit vol. Het kost me geld om uw berichten af te luisteren.'

'Zeg me alleen waar je zit.'

'Nee.'

'Waar logeer je?'

'Bij een vriendin.'

'In Londen?'

'Houdt u ooit wel eens op met vragen stellen?'

'Ik voel me verantwoordelijk...'

'Dat bent u niet! Hoort u wat ik zeg? U bent niet verantwoordelijk. Ik ben oud genoeg om voor mezelf te zorgen. Ik verdien geld. Ik word danseres.'

Ik vertel haar over Gideon Tyler. Hij zou de man kunnen zijn waar ze in de trein mee heeft zitten praten toen ze voor haar auditie naar Londen onderweg was. De politie wil dat ze zijn foto bekijkt.

Ze overweegt wat ze zal doen. 'U gaat niet proberen me erin te luizen?'

'Nee.'

'En u houdt op me te bellen.'

'Met je zo vaak te bellen.'

Ze peinst nog heel even. 'Oké. Ik bel u morgen. Ik moet nu naar mijn werk.'

'Waar werk je precies?'

'U hebt het me beloofd.'

'Oké, geen vragen.'

Ik kuier terug naar het feest, pak nog een drankje, en nog een. Aan de randen van gesprekken luister ik mee terwijl mannen hun visie geven op de aandelenmarkt, de sterkte van de Amerikaanse dollar en de prijs die je op Twickenham voor een rugbykaartje betaalt. Hun echtgenotes en partners zijn meer geïnteresseerd in het schoolgeld van kostscholen en de vraag waar ze komende winter gaan skiën.

Juliannes arm glijdt om mijn middel.

'Waar heb je uitgehangen?' zegt ze.

'Overal en nergens.'

'Je hebt niet je snor gedrukt.'

'Nee. Darcy belde.'

Haar gezicht betrekt heel even, maar ze verdrijft haar twijfels.

'Gaat het goed met haar?'

'Volgens haar wel. Ze is in Londen.'

'Waar logeert ze?'

'Weet ik niet.'

Julianne strijkt met haar handen over haar heupen om haar jurk glad te strijken.

'Ik ben verliefd op je jurk. Hij is adembenemend.'

'Dank je.'

'Waar heb je hem vandaan?'

'Uit Rome.'

'Dat heb je me niet verteld.'

'Het was een beloning.'

'Heeft Dirk hem voor je gekocht?'

'Hij zag hoe ik hem stond te bewonderen. Ik wist niet dat hij hem zou kopen. Hij verraste me.'

'Een beloning voor wat?'

'Pardon?'

'Je zei dat het een beloning was.'

'O ja, voor de lange dagen. We hebben zo hard gewerkt. Ik zit er helemaal doorheen.'

Ze lijkt niet te merken hoe heet het hier binnen is geworden en hoe moeilijk het is adem te halen.

Ze pakt mijn hand. 'Ik wil dat je Dirk ontmoet. Ik heb hem verteld hoe slim jij bent.'

Ik word meegevoerd door de massa. Lichamen gaan als vanzelf uiteen. Onder de kaken van een dinosaurus die op het punt lijkt te staan hen te gaan verorberen staan Dirk en Eugene met collega's te kletsen. We wachten en luisteren toe. Alles wat Dirk zegt drukt een persoonlijk principe uit: uitgesproken, luid en dogmatisch. Er valt een stilte. Julianne neemt de gelegenheid te baat.

'Dirk, dit is Joe, mijn echtgenoot. Joe, dit is Dirk Cresswell.'

Hij heeft een geduchte handdruk, een vingervermorzelende, toon-me-het-wit-van-je-ogen soort handdruk. Ik probeer hem te evenaren. Hij glimlacht.

'Werk je in de financiële wereld, Joe?' vraagt hij.

Ik schud mijn hoofd.

'Heel verstandig.'

'Wat doe je dan? O, dat is waar ook, ik herinner me dat Julianne zei dat je zielenknijper bent.'

Ik kijk naar Julianne. Eugene Franklin heeft haar iets gevraagd en ze luistert niet meer.

Dirk draait ineens zijn rug naar me toe. Niet volledig. Een schouder. Anderen in de kring zijn interessanter of gemakkelijker te imponeren. Ik voel me als een lakei die met zijn hoofddeksel in de hand staat te wachten tot hij mag gaan.

Er komt een ober voorbij met een blad canapeetjes. Dirk geeft commentaar op de foie gras, die volgens hem niet slecht is, al heeft hij betere gegeten in een restaurantje in Montparnasse dat Hemingway placht te frequenteren.

'Het smaakt anders best als je uit Somerset komt,' zeg ik.

'Ja,' reageert Dirk, 'maar gelukkig komen we niet allemaal uit Somerset.'

Zijn opmerking oogst gelach. Ik overweeg met mijn vuist een deuk in zijn volmaakt rechte neus te slaan. Hij praat verder over Parijs, met een van bevoorrechting en bravoure vervulde stem die dwars door me heen snijdt en me doet denken aan alles wat ik haat aan bullebakken.

Ik maak me langzaam uit de voeten, op zoek naar een drankje. Ik loop Flip weer tegen het lijf, die me aan haar vriend voorstelt, die dealer is.

'Aandelen, geen drugs,' zegt hij.

Ik vraag me af hoe vaak hij dat zinnetje al heeft opgelepeld.

Inmiddels heb ik het stadium van licht aangeschoten achter me gelaten en ben ik meedogenloos dronken. Ik zou helemaal niet moeten drinken, maar elke keer als ik overweeg over te stappen op bronwater heb ik op onverklaarbare wijze het volgende glas champagne in mijn hand.

Even voor middernacht ga ik op zoek naar Julianne. Ik ben dronken. Ik wil weg. Ze is niet op de dansvloer en staat ook niet aan de voet van de dinosaurus. Ik loop de trap op en tuur in donkere hoeken. Het is idioot, ik weet het, maar ik blijf maar denken dat ik haar elk moment kan aantreffen met Dirks tong in haar mond en zijn handen onder haar jurk. Verrassend genoeg voel ik me niet boos of verbitterd. Dit is de verwerkelijking van een zekerheid die me al weken vergezelt.

Ik loop de grote deuren door naar buiten. Daar staat ze, tegen een stenen pilaar geleund. Dirk staat voor haar met één hand tegen het steen geleund om te beletten dat ze wegloopt.

Hij ziet me naderen. 'Als je het over de duivel hebt... Vermaak je je een beetje?'

'Ja, dank je.' Ik wend me tot Julianne. 'Waar zat jij?'

'Ik was je aan het zoeken. Dirk dacht dat hij je naar buiten had zien komen.'

'Nee.'

Dirks hand glijdt omlaag en raakt haar schouder.

'Wil je alsjeblieft van haar afblijven,' zeg ik en herken mijn eigen stem niet.

Juliannes ogen sperren zich wijd open.

Dirk grijnst. 'Ik geloof dat je het niet helemaal bij het juiste eind hebt, vriend.'

Julianne probeert het weg te wuiven. 'Kom op, Joe, ik geloof dat het tijd is om te gaan. Ik ga mijn jas pakken.'

Ze duikt onder zijn armen door. Dirk kijkt me aan met een mengeling van mededogen en triomf.

'Te veel champagne, vriend.'

'Ik ben je vriend niet. En blijf van mijn vrouw af.'

'Mijn excuses,' zegt hij. 'Ik ben een erg aanrakerig iemand.' Hij steekt zijn handen op alsof hij het bewijsmateriaal ophoudt. 'Sorry als er een misverstand is opgetreden.'

'Er is geen misverstand,' reageer ik. 'Ik weet waar jij mee bezig bent. Dat weet iedereen hier. Jij wilt met mijn vrouw naar bed. Misschien ben je dat al geweest. En daarna paradeer je rond als een pauw en ga je er tegenover je kleffe vrindjes over lopen opsnijden op golfweekendjes in de Algarve of jachtpartijtjes in Schotland.

Jij bent "Mister Hole in One". Jij bent "Dirk met het Dodelijke Schot". Jij legt het aan met de vrouwen van andere mannen, neemt ze mee uit eten in een gewilde tent en daarna naar een klein themahotel in Londen met unisex badjassen en een buitenmaat bubbelbad.

Jij probeert indruk te maken door namen te laten vallen, alleen voornamen uiteraard, Nigella en Charles, Madonna en Guy, Victoria en David, omdat jij denkt dat dat je aantrekkelijker maakt voor die vrouwen, maar onder je zonnebankbruin en je dure kapsel ben je een overbetaalde, omhooggevallen verkoper die nog niet eens zichzelf kan verkopen.'

Er begint zich een dichte kring om ons heen te vormen, naar buiten gelokt en niet in staat de verleiding te weerstaan van iemand die het opneemt tegen de grootste pestkop van de school. Julianne komt terugrennen, zich een weg banend door de toeschouwers, wetend dat er iets verschrikkelijks staat te gebeuren. Ze roept mijn naam. Ze smeekt me mijn mond te houden en trekt me aan mijn arm, maar het is al te laat.

'Weet je, ik ken jouw soort, Dirk. Ik ken jouw afgetrapte superieure glimlach en laatdunkende houding tegenover obers en handelslieden en winkelmeisjes. Jij gebruikt sarcasme en overdreven formaliteit om het feit te verbloemen dat jij geen werkelijke invloed of macht hebt.

En dus probeer je dat te compenseren door datgene af te pikken wat andere mannen hebben. Jij maakt jezelf wijs dat het de uitdaging is die jou prikkelt, de jacht, maar de waarheid is dat jij een vrouw niet langer dan een paar weken aan je weet te binden, omdat ze er al snel achter zijn dat jij een pretentieuze, opgeblazen egocentrische klootzak bent en je het daarna wel kunt schudden.'

'Joe, alsjeblieft, stop nou. Houd alsjeblieft je mond.'

'Ik zie dingen, Dirk, ik zie kleine dingen aan mensen. Neem jou nou. Je vingernagels zijn plat en gelig. Dat is een teken van ijzergebrek. Misschien doen je nieren het wel niet goed. Als ik jou was zou ik maar even kalm aan doen met de Viagra en wachten tot de dokter ernaar heeft gekeken.'

52

Tegen de tijd dat ik bij de hotelkamer aankom heeft Julianne zichzelf in de badkamer opgesloten. Ik klop zachtjes op de deur.

'Ga weg.'

'Doe open, alsjeblieft.'

'Nee.'

Ik houd mijn oor tegen een houten paneel en verbeeld me dat ik het vage zijdeachtige glijgeluid van haar japon hoor. Misschien zit ze wel geknield aan de andere kant, met haar oor tegen de deur.

'Waarom doe je dit, Joe? Altijd als ik me gelukkig voel doe jij iets om het te verknallen.'

Ik adem diep in. 'Ik heb een bonnetje gevonden uit Italië. Je had het weggegooid.'

Ze reageert niet.

'Het was voor een op de kamer gebracht ontbijt. Champagne, bacon, eieren, pannenkoekjes... meer dan jij ooit op zou kunnen.'

'Jij hebt in mijn bonnetjes zitten graaien?'

'Mijn oog viel erop.'

'Jij hebt het vuilnis doorzocht, me bespioneerd.'

'Het was geen spioneren. Ik weet waarmee je altijd ontbijt. Vers fruit. Yoghurt. Bircher-muesli...'

Mijn zekerheid en eenzaamheid zijn nu zo sterk dat ze elkaar volmaakt in evenwicht houden.

'Ik heb gezien hoe hij naar je keek. Hij kon zijn handen niet van je af houden. En ik heb de spottende opmerkingen en het gefluister gehoord. Iedereen die in die zaal was denkt dat jullie met elkaar naar bed gaan.'

'En dat denk jij ook! Jij denkt dat ik met Dirk neuk. Jij denkt dat ik een ontbijt heb laten komen nadat we de hele nacht geneukt hadden, hè?'

Ze heeft het nog niet ontkend. Ze heeft geen verklaring gegeven.

'Waarom heb je het me niet verteld van die jurk?'

'Hij heeft hem me pas gisteren gegeven.'

'Dirk heeft hem voor je gekocht.'

'Ja.'

'Was de lingerie ook een beloning… een cadeautje van hem?'

Ze geeft geen antwoord. Ik druk mijn oor steviger tegen de deur en wacht. Ik hoor haar zuchten en weglopen. Er wordt een kraan opengedraaid. Ik wacht. Mijn knieën zijn stram. Ik voel een kopersmaak in mijn mond, een kater in wording.

Eindelijk zegt ze iets. 'Ik wil dat je heel goed nadenkt voordat je me iets vraagt, Joe.'

'Waarom?'

'Jij wilt weten of ik met Dirk heb geneukt? Vraag het. Maar als je dat doet, bedenk dan wel wat er dan afsterft. Vertrouwen. Dat zal niets meer kunnen herstellen, Joe. Ik wil dat je dat begrijpt.'

De deur gaat open. Ik doe een stap achteruit. Julianne heeft zich in een witte badstofjas gehuld en hem strak rond haar middel geknoopt. Zonder me aan te kijken loopt ze naar het bed en gaat liggen, met haar gezicht van me afgewend. De veren van de matras geven amper mee onder haar gewicht.

Haar jurk ligt op de badkamervloer. Ik weersta de aanvechting hem op te rapen en door mijn vingers te laten glijden, hem aan stukken te scheuren en hem door te spoelen.

'Ik ga die vraag niet stellen.'

'Maar je denkt het nog wel. Jij denkt dat ik je ontrouw ben geweest.'

'Ik weet het niet.'

Ze valt stil. De droefheid is verstikkend.

'Het was een grapje,' fluistert ze. 'We hadden echt tot heel laat doorgewerkt om de deal te kunnen sluiten, om de laatste losse eindjes af te wikkelen. Ik viel om van vermoeidheid. Uitgeput. Omdat het al te laat was om Londen nog te bellen stuurde ik Eugene een e-mailtje met het nieuws. Hij zag het bericht pas toen hij op kantoor kwam. Hij vroeg zijn secretaresse mijn hotel te bellen en een champagneontbijt voor me te bestellen. Ze wist niet wat ze moest bestellen en dus zei hij: "Doe de hele kaart maar."

Ik lag te slapen. Iemand van roomservice klopte op de deur. Er stonden drie karretjes met eten. Ik belde de keuken en zei dat er een vergissing in het spel moest zijn. Ze vertelden me dat mijn firma ontbijt voor me had besteld.

Dirk belde vanuit zijn hotelkamer. Eugene had voor hem hetzelfde gedaan. Ik rolde me op mijn buik en viel weer in slaap.'

Mijn linkerhand trilt in mijn schoot. 'Waarom heb je dat niet verteld? Ik pikte je op bij het station en je hebt het me niet verteld.'

'Jij had net een vrouw van een brug zien springen, Joe.'

'Je had het me later kunnen vertellen.'

'Het was Eugenes idee van een grap. Ik vond het niet echt leuk. Ik zie niet graag voedsel verspild worden.'

Mijn pak voelt aan als een dwangbuis. Ik kijk de hotelkamer rond, met zijn pseudoluxe en onpersoonlijke aankleding. Het is het soort plek waar Dirk de vrouw van een ander mee naartoe zou nemen.

'Ik zag hoe hij naar je keek. Hij heeft de hele avond naar je borsten lopen staren. Hij kon zijn handen niet van je afhouden. Jij hebt de snedige opmerkingen en toespelingen niet gehoord.'

'Die heb ik wel gehoord,' fluistert ze. 'En genegeerd.'

'Hij heeft lingerie voor je gekocht... en die jurk.'

'Nou en? Jij denkt dat ik met mannen naar bed ga die dat soort dingen voor me kopen. En wat maakt dat van mij, Joe? Is dat hoe je over me denkt?'

'Nee.'

Ik ga naast haar op bed zitten. Ze lijkt ineen te krimpen en verder weg te kruipen. De alcohol heeft mijn hoofd bereikt, dat bonst. Door de open badkamerdeur herken ik mijn eigen spiegelbeeld amper.

Julianne zegt iets.

'Iedereen weet dat Dirk een goorlap is. Je zou de grappen eens moeten horen die de secretaresses maken. De man laat zijn visitekaartje achter in de vrouwentoiletten als een gigolo op zoek naar klanten. Eugenes secretaresse, Sally, nam hem van de zomer te grazen. Midden in het kantoor ritste ze Dirks gulp open, pakte zijn penis beet en zei: "Is dat alles wat je daar hebt hangen? Ik had gedacht dat iemand die het er zo vaak over heeft als jij, Dirk, toch wel met indrukwekkender bewijsmateriaal voor de dag zou komen." Je had Dirk moeten zien. Ik dacht dat hij zijn tong had ingeslikt.'

Verstoken van emotie klinkt haar stem monotoon, niet in staat een octaaf boven de teleurstelling of bedroefdheid uit te stijgen.

'De manier waarop hij naar je kijkt… je aanstaart, bevalt me niet. Vroeger zou je een man daar nooit mee weg hebben laten komen.'

'Vroeger had ik deze baan niet nodig.'

'Hij wíl dat de mensen denken dat hij met je naar bed gaat.'

'Wat pas een probleem wordt als mensen hem ook geloven.'

'Waarom heb je me niet over hem verteld?'

'Dat héb ik. Jij luisterde nooit. Elke keer als ik mijn werk ter sprake breng, haak jij af. Het interesseert je niet. Mijn carrière is niet belangrijk voor je.'

Ik wil het ontkennen. Ik wil haar ervan beschuldigen dat ze van onderwerp verandert en probeert de schuld te ontwijken.

'Denk je nu echt dat ik ervoor heb gekozen om bij jou en de meiden weg te zijn?' zegt ze. 'Elke avond dat ik weg ben denk ik aan jou. Als ik wakker word denk ik aan jou. De enige reden dat ik niet de héle tijd aan jou denk is dat ik werk te doen heb. Ik móet werken. Dat hebben we besloten. We hebben ervoor gekozen om uit Londen weg te gaan vanwege de meiden en met het oog op jouw gezondheid.

Jij weet niet hoe moeilijk het is… van huis zijn, dingen te missen. Bellen en dan horen dat Emma heeft leren touwtjespringen of hinkelen of op haar driewielertje rijden. Horen dat Charlie voor het eerst ongesteld is geworden of op school wordt gepest. Maar weet je wat nog het meeste pijn doet? Toen Emma laatst was gevallen, toen ze zich pijn had gedaan en bang was, riep ze om jou. Ze had behoefte aan jouw woorden, aan jouw armen om zich heen. Wat voor moeder ben je als je er niet bent om je eigen kind te troosten?'

'Je bent te streng voor jezelf.'

Opnieuw probeer ik over het bed heen mijn armen uit te strekken en haar vast te pakken. Ze schudt mijn handen van zich af. Dat privilege ben ik kwijt. Ik moet het zien te heroveren. Normaal ben ik erg goed met woorden, maar nu kan ik niets bedenken om haar te bevrijden van haar teleurstelling over mij, om haar hart te veroveren, om háár jongen te zijn.

Talloze malen heb ik mezelf geprobeerd wijs te maken dat er een simpele verklaring moest zijn voor het reçu van het hotel en de lingerie en de telefoontjes, maar in plaats van het te geloven heb ik wekenlang geprobeerd haar schuld te bewijzen.

Ik sta op, wankel. De gordijnen zijn open. Een kille stoet koplampen kruipt over Kensington High Street. Boven de daken aan de overkant zie ik de koepel van de Royal Albert Hall oplichten.

'Ik ken je niet meer terug, Joe,' fluistert Julianne. 'Je bent bedroefd. Zo ontzettend bedroefd. En je draagt het met je mee of het hangt over je heen als een wolk die iedereen om je heen aansteekt.'

'Ik ben niet bedroefd.'

'Dat ben je wel. Je maakt je zorgen over je ziekte. Je maakt je zorgen over mij. Je maakt je zorgen over de meisjes. Daarom ben je bedroefd. Je dénkt dat je dezelfde man bent, Joe, maar dat is niet zo. Je bekijkt jezelf elke dag, op zoek naar signalen, je verbeeldt je ze. En je bent kwaad. Je wilt iemand de schuld geven van je Parkinson, maar er is niemand die je de schuld kunt geven. Het is gewoon gebeurd.

Jij laat toe dat het verandert wie je bent, Joe. Je vertrouwt mensen niet meer. Je voelt niets meer voor ze, doet niet meer je best ze te ontmoeten. Je hebt geen vrienden.'

'Wel waar. Wat dacht je van Ruiz?'

'De man die jou ooit arresteerde wegens moord.'

'Jock dan.'

'Jock wil met me naar bed.'

'Iedere man die ik ken wil met jou naar bed.'

Ze draait zich om en kijkt me meewarig aan.

'Hoe krijg jij, iemand die zo slim is, het toch voor elkaar om zo stom en egocentrisch te zijn?'

Ik moet mezelf verdedigen.

'Ik ben wél dezelfde man. Jij bent degene die anders naar me kijkt. Ik maak je niet meer aan het lachen omdat je, als je mij ziet, mijn ziekte ziet.

Wat je zegt is niet waar. Jij bent degene die afstandelijk en afwezig is. Jij zit altijd aan je werk te denken of aan Londen. Zelfs als je thuis bent zit je met je gedachten ergens anders.'

'Leg jezelf maar op de divan, Joe. Wanneer heb jij voor het laatst echt gelachen? Gelachen tot je buik pijn deed en de tranen in je ogen stonden?'

'Wat is dat nou voor een vraag?'

'Jij bent bang dat je een figuur slaat. Je bent panisch dat je in het openbaar onderuit gaat of de aandacht op jezelf vestigt, maar met mij voor schut zetten heb je geen problemen. Wat je vanavond deed in het bijzijn van mijn vrienden – ik heb me nog nooit zo geschaamd… ik… ik…' Ze kan er de woorden niet voor vinden. Ze begint nog eens. 'Ik weet dat jij slim bent, Joe. Ik weet dat jij deze mensen kunt doorzien. Jij kunt hun psyche uiteenrafelen en hun zwakke punten onder vuur nemen, maar we hebben het over goede mensen – zelfs Dirk – die het niet verdienen om in de zeik genomen en vernederd te worden.'

Ze knijpt haar handen samen tussen haar knieën. Ik moet iets terug zien te winnen. Zelfs de magerste verzoening met Julianne zal beter zijn dan het beste pact dat ik met mezelf zou kunnen sluiten.

'Ik dacht dat ik je aan het kwijtraken was,' zeg ik, klaaglijk.

'Jouw probleem is groter dan dat, Joe,' zegt ze. 'Misschien bén je me al kwijt.'

53

De minutenwijzer is voorbij middernacht geklikt en de andere wijzer snelt een nieuwe dag in. Het huis is donker. Op straat is het stil. Het afgelopen uur heb ik gekeken hoe boven de leien daken en de ineengevlochten takken de maan opkwam en schaduwen wierp in de tuinen en onder de dakranden.

De hemel baadt in een ziekelijke gele gloed van de lichten van Bath. De geur van compost draagt bij aan het gevoel van rotting en bederf. Het mengsel is te nat. Goede compost is een combinatie van nat en droog: keukenafval, bladeren, koffieprut, eierdoppen en snippers papier. Te nat en het gaat ruiken. Te droog en het wordt niet afgebroken.

Ik weet dit soort dingen omdat mijn vader dertig jaar lang een volkstuin heeft gehad, op een landje achter de spoorwegemplacementen bij Abbey Wood. Hij had een schuurtje en ik weet nog hoe ik tussen de gereedschappen, bloempotten en pakjes zaad stond, mijn schoenen weeïg ruikend van de aarde.

Op de tuin zag mijn vader er als een vogelverschrikker uit, in lompen gekleed en met een oude hoed op. Hij verbouwde hoofdzakelijk aardappelen en nam ze mee naar huis in een jutezak die naar compost en modder rook. Dan moest ik ze in de gootsteen met een borstel schoonmaken.

Ik duw de herinnering weg. Een paar tellen later voel ik me sterker. Laag bij de grond blijvend loop ik langs een grijze stenen muur die aan de rechterkant van de tuin staat, totdat ik bij de hoek van het huis ben. Ik wring me door het struikgewas. Tuur door het raam. Er is geen alarminstallatie. Geen honden. Een achtergelaten handdoek wappert aan de drooglijn, zwaaiend naar niemand in het bijzonder.

Bij de achterdeur hurkend rol ik de stoffen roltas uit en leg ik mijn

gereedschap voor me neer: de diamanten picks, rakelijzertjes, kam-
metjes, slangstekers, platte picks en een handgemaakte spanner van
zwart staal die ik van een kleine inbussleutel heb gemaakt die ik aan
één kant met een haakse slijper vlak heb geslepen.

Ik haak mijn vingers in elkaar en duw ze van me af tot minuscule
gasbelletjes in de tussen de gewrichtjes gevangen vloeistof uitzetten
en met een knakgeluid uiteenspatten.

Het slot is een tweeplugs-cilinderslot van Yale. De plug gaat met
de klok mee open, van het deurkozijn af. Ik steek een van de gekron-
kelde picks in het sleutelgat, voel hoe hij langs de palletjes hobbelt
en zet iets meer torsie op de spanner. Minuten verstrijken. Het is
geen gemakkelijk slot. Ik doe een poging, die niet slaagt. Een van de
middelste palletjes wordt niet ver genoeg opgetild door de pick die ik
gebruik. Ik verminder de torsie op de spanner en begin opnieuw, me
dit keer op de achterste palletjes concentrerend. Eerst probeer ik het
met weinig torsie en middelmatige druk en kijk of ik het klikje kan
voelen dat optreedt als een palletje tot aan de breuklijn is gedrukt en
de cilinder nauwelijks waarneembaar verdraait.

Het laatste palletje is uit de weg geduwd. De cilinder draait nu
volledig rond. De schoot beweegt. De deur gaat open. Ik stap snel
naar binnen, doe hem achter me dicht en pak een staaflampje uit de
zak van mijn hemd. De smalle lichtbundel strijkt langs een washok
en de daarachter gelegen keuken. Ik beweeg me voetje voor voetje
voorwaarts, laat mijn gewicht langzaam op de vloerplanken neerko-
men, mijn oren gespitst of ze kraken.

De werkbladen in de keuken zijn leeg, op een glazen pot met thee-
zakjes en een suikerpot na. De elektrische waterketel is nog warm.
De zaklantaarn verlicht de etiketten van metalen blikken: bloem,
rijst en pasta. Er is een lade voor het bestek, een andere voor linnen
theedoeken en een derde voor van alles en nog wat, waaronder haar-
speldjes, potloden, elastiekjes en batterijen.

Het is een leuk huis. Keurig. Een centrale hal verbindt de voor- en
achterkant. Aan mijn linkerkant is een zitkamer. De blauw gestof-
feerde bank heeft grote kussens. Hij staat tegenover een salontafel en
een televisie op een voet. Naast een trouwfoto en een knutselwerkje
staan kleine koperen beestjes, zelfgemaakte kaarsen, een porseleinen

paard en een met schelpen omgeven spiegel op de schoorsteenmantel. Ik vang een glimp op van mijn spiegelbeeld. Ik zie eruit als een langpotig zwart insect, een nachtelijk wezen dat op zijn prooi jaagt.

Ze liggen boven te slapen. Ik word naar hen toe getrokken, het gewicht van elke stap beproevend. Er zijn vier deuren. Eén ervan moet de badkamer zijn. De andere drie zijn slaapkamers.

Er klinkt een geluid als van een insect dat achter glas gevangen zit. Het is een draagbare cd-speler. Sneeuwvlokje moet in slaap zijn gevallen met de koptelefoon in haar oren. Haar slaapkamerdeur staat open. Haar bed staat onder het raam. De gordijnen slechts half gesloten. Een vierkantje maanlicht verlicht de vloer. Ik loop de kamer door, kniel naast haar neer en luister naar haar zachte, lieve adem. Ze lijkt op haar moeder, met hetzelfde ovale gezicht en donkere haar.

Ik buig me dicht naar haar gezicht toe en adem mee met haar ademhaling. De plaats van Poeh is ingenomen door Harry Potter en overbetaalde voetbalsterren.

Ik heb ook in een huis zoals dit gewoond. Mijn dochter sliep in een kamer iets verderop op de gang. Ik vraag me af wat ze inmiddels doet? Ik vraag me af of ze nagels bijt, op haar zij slaapt, haar haar lang heeft laten groeien en het los draagt. Ik vraag me af of ze opgewekt is, moedig is en of ze aan me denkt.

Ik loop achteruit, doe zachtjes haar deur achter me dicht en richt me op andere kamers, druk mijn oor tegen het houten paneel en luister of ik slaapgeluiden of stilte hoor. Ik duw voorzichtig een volgende deur open en zie dat de kamer leeg is. Op de twijfelaar die er staat ligt een lapjessprei met daarbovenop drie sierkussens. Ik voel eronder met mijn handen, op zoek naar een nachtpon. Niets.

Ik keer me naar de kledingkast, één hand op de bronzen deurknop, mijn gezicht in de spiegeldeur weerkaatst, en luister opnieuw of ik iets hoor. Niets. Ik duw mijn handen tussen de kleren en stuit op haar geur, de geur die ik wil, haar deodorant en parfum. Nepgeuren. Tijdens mijn jungletraining werd ons geleerd nooit zeep te gebruiken of scheercrème of deodorant. Kunstmatige luchtjes kunnen de vijand verraden waar een soldaat zich bevindt. Wij werden één met het oerwoud, als dieren.

Vrouwen ruiken niet meer zoals vrouwen zouden moeten ruiken. Het komt tegenwoordig uit een flesje. Deze heeft een paar aardige kledingstukken, maar er is iets merkwaardig formeels aan haar: de halflange rokken, donkere kousen en vesten. Ze is zo formeel als een stewardess, maar dan met minder glamour. Ik zal haar met genoegen breken.

Onderin de kledingkast staan dozen met schoenen. Ik wip de deksels eraf en bekijk ze een voor een. Sandalen met open hiel. Muiltjes met een open neus. Pumps. Platte schoenen. Schoenen met een sleehak. Ze is gek op laarzen. Vier paar staan er, waarvan twee met puntneuzen en 'neuk me'-hakken. Zacht leer. Italiaans. Duur. Ik steek mijn neus erin en adem diep in.

Ik zit aan haar kaptafel en leg haar lippenstiften op een rijtje. De donker vermiljoenen is de beste. Hij completeert de kleur van haar huid. En de malachieten halsketting in het fluwelen kistje zal heel mooi uitkomen op haar naakte lichaam.

Languit op het bed liggend staar ik naar het plafond. Een vierkant luik in de hoek voert naar de vliering. Ik zou me daar kunnen verbergen. Ik zou over haar kunnen waken als een engel. Een wraakengel.

Er klinken voetstappen op de overloop. Er is iemand wakker.

'Verstop je!'

'Wacht.'

'Ga je haar afmaken?'

'Alleen als ze me ontdekt.'

Aan de andere kant van de overloop wordt een toilet doorgespoeld. Buizen bonken en het spoelreservoir vult zich weer. Wie het ook was is weer naar bed gegaan, met wazige blik en slechte adem. Ze zullen me niet ontdekken.

Ik sta op van het bed, doe de deur van de kledingkast dicht en vergewis me ervan dat alles weer op zijn plaats ligt. Ik stap de overloop weer op en ga op mijn schreden terug de trap af, de hal door, de keuken door en de achterdeur uit.

Achter in de tuin blijf ik even stilstaan om te kijken hoe de wind de pijnbomen op de proef stelt en voel ik de eerste ijskoude regendruppels. Ik heb mijn territorium afgebakend en onzichtbare gevechtslinies getrokken. Maak voort, ochtend.

54

Toen we net getrouwd waren namen Julianne en ik ons heilig voor dat we nooit met ruzie zouden gaan slapen. Afgelopen nacht was het dan toch zover. Mijn verontschuldigingen werden genegeerd. Mijn toenaderingspogingen werden afgeslagen. We sliepen met de rug naar elkaar toe op hetzelfde witte laken, maar het had evengoed een ijswoestijn kunnen zijn.

We schreven ons om tien uur uit het hotel uit, een voortijdig einde van ons romantische weekend. In de trein terug naar Bath Spa las Julianne tijdschriften en staarde ik uit het raam, nakauwend op wat ze de avond daarvoor tegen me had gezegd. Misschien ben ik inderdaad bedroefd en probeer ik iets buiten mezelf de schuld te geven van wat mij is overkomen. Ik dacht dat ik het rouwstadium voorbij was. Misschien gaat het wel nooit over.

Zelfs nu, naast haar in een taxi op de thuisreis vanaf het station, blijf ik mezelf voorhouden dat het gewoon een ruzie was. Getrouwde stellen overleven ze voortdurend. Eigenaardigheden worden vergeven, vaste regels aanvaard, kritiek niet uitgesproken.

De taxi houdt stil voor het huis. Emma komt het pad af rennen en slaat haar armen om mijn nek. Ik neem haar op mijn heup.

'Ik heb vannacht het spook gezien, pappa.'

'O ja. Waar dan?'

'Hij was in mijn kamer; hij zei dat ik weer moest gaan slapen.'

'Wat een verstandig spook.'

Julianne rekent met de creditcard van haar bedrijf af met de chauffeur.

Emma praat nog steeds tegen me. 'Charlie zei dat het een vrouwtjesspook was, maar dat was niet zo. Ik heb hem gezien.'

'En een praatje gemaakt.'

'Heel even maar.'

'Wat heb je gezegd?'

'Ik zei: "Wie ben jij?" en hij zei: "Ga maar weer slapen."'

'Meer niet?'

'Nee.'

'Heb je gevraagd hoe hij heette?'

'Nee.'

'Waar is Charlie?'

'Die is een eindje fietsen.'

'Wanneer is ze weggegaan?'

'Weet ik niet. Ik kan nog niet klokkijken.'

Julianne is klaar met afrekenen. Emma wurmt zich uit mijn armen en glijdt langs mijn borstkas omlaag. Haar gymschoenen raken het gras en ze rent naar haar moeder.

Imogen is naar buiten gekomen om onze weekendtassen aan te pakken. Ze heeft twee berichten voor me. Het eerste is van Bruno Kaufmann. Hij wil met me praten over Maureen en over de vraag of ze er een paar weken tussenuit zullen gaan als ze uit het ziekenhuis komt.

Het tweede bericht is van Veronica Cray. Vijf woorden: 'Tyler is een volleerd slotenmaker.'

Ik bel haar op Trinity Road. Het op en neer gaande gejank van een faxapparaat begeleidt haar antwoorden.

'Ik dacht dat slotenmakers een vergunning moesten hebben.'

'Dat is niet zo.'

'Door wie is hij opgeleid?'

'Door het leger. Hij heeft beschikbaarheidsdiensten gedraaid voor T.B. Henry, een plaatselijk bedrijf, en reed in een zilverkleurige bestelwagen. We hebben ontdekt dat het kenteken overeenkomt met dat van een voertuig dat een uur voordat Christine Wheeler over de omheining klom over de Clifton Suspension Bridge is gereden.'

'Werkt hij vanuit een kantoor?'

'Nee.'

'Hoe kunnen ze hem bereiken?'

'Via een mobiele telefoon.'

'Kunnen jullie die achterhalen?'

'Hij geeft geen signaal meer. Oliver houdt het nauwlettend in de gaten. Zodra Tyler hem aanzet weten we meer.'

Er gaat een andere telefoon. Ze moet ophangen. Ik vraag of ik iets kan doen, maar ze heeft al neergelegd.

Julianne is boven aan het uitpakken. Emma helpt haar door op het bed op en neer te springen.

Ik bel Charlie. Ze heeft mijn mobieltje nog.

'Hai?'

'Je bent er.'

'Yep.'

'Waar zit je?'

'Bij Abbie.'

Abbie is eveneens twaalf en de dochter van een plaatselijke boer die zo'n anderhalve kilometer buiten Wellow aan Norton Lane woont.

'Hé pap, ik ken een mop,' zegt Charlie.

'Vertel hem maar als je thuis bent.'

'Ik wil hem nu vertellen.'

'Oké, kom maar op dan.'

'Een moeder stapt met haar baby in een bus en de chauffeur zegt: "Dat moet de lelijkste baby zijn die ik ooit heb gezien." De moeder is woest maar ze rekent haar kaartje af en gaat zitten. Zegt een andere passagier: "Dat moet je niet pikken. Je moet teruggaan en het hem betaald zetten. Kom maar, ik houd het aapje wel even vast."'

Charlies lach klinkt alsof er een afvoer leegloopt. Ook ik moet lachen.

'Tot gauw.'

'Ik kom eraan.'

55

Het begint met een getal: tien cijfers, drie ervan zessen. (Volgens sommigen een ongeluksgetal.) Daarna komt het overgaan... dan het opnemen.

'Hallo?'

'Spreek ik met mevrouw O'Loughlin?'

'Ja.'

'De vrouw van professor O'Loughlin?'

'Ja, met wie spreek ik?'

'Ik vrees dat jouw dochter Charlie een ongelukje heeft gehad. Ze is van haar fiets gevallen. Ik denk dat ze in een bocht de macht over het stuur is kwijtgeraakt. Ze is een echte waaghals op die fiets. Ik wil dat je er gerust op bent dat ze het goed maakt. Dat ze in goede handen is. In de mijne.'

'Wie bent u?'

'Ik zei u al: ik ben de persoon die Charlie onder zijn hoede heeft.'

Er is een trilling in haar stem, een zacht woelend signaal van naderend gevaar, iets groots en zwarts en verschrikkelijks aan de horizon dat op haar af komt snellen.

'Het is zo'n lekker ding, die Charlie van je. Ze zegt dat ze eigenlijk Charlotte heet. Ze ziet er ook uit als een Charlotte, maar je kleedt haar als een echte wildebras.'

'Waar is ze? Wat heeft u met haar gedaan?'

'Ze is hier, ze ligt naast me. Dat klopt toch, Sneeuwvlokje? Lieftallig als een perzik, een zoete, zoete perzik...'

Inwendig schreeuwt ze het uit. Elke warme, vochtige plek in haar borst is gevuld met angst.

'Ik wil Charlie spreken. Blijf van haar af. Alstublieft. Laat me met haar praten.'

'Dat gaat niet. Het spijt me. Ze heeft een sok in haar mond die met plakband vastzit.'

Zo begint het, de eerste barst in haar geest, een minuscuul scheurtje dat de zachte, onbeschermde delen van de psyche blootlegt. Ik kan de hysterie door haar lichaam voelen trillen. Ze roept Charlies naam. Ze smeekt. Ze vleit. Ze huilt.

Dan hoor ik een andere stem. De professor pakt haar de telefoon af.

'Wie bent u? Wat wilt u?'

'Willen? Moeten? Ik wil dat je de telefoon weer aan je vrouw geeft.'

Een stilte. Ik heb nooit begrepen wat mensen bedoelen als ze zeggen dat een stilte zwanger van iets is. Dat wil zeggen: tot dit moment. Deze stilte is zwanger van iets. Deze is zwanger van duizend mogelijkheden.

Julianne snikt. De professor doet zijn hand over de hoorn. Ik kan niet horen wat hij tegen haar zegt maar ik neem aan dat hij haar instructies geeft en vertelt wat ze moet doen.

'Geef me je vrouw of ik zal Charlie moeten straffen.'

'Wie bent u?'

'Jij weet wie ik ben, Joe.'

Opnieuw een stilte.

'Gideon?'

'Kijk eens aan, gaan we voornamen gebruiken? Geef me je vrouw.'

'Nee.'

'Jij denkt dat ik Charlie niet in handen heb. Je denkt dat ik bluf. Jij hebt tegen de politie gezegd dat ik een lafaard was, Joe. Ik zal je zeggen wat ik ga doen. Ik ga ophangen en jouw kleine meisje neuken en dan bel ik terug. Ondertussen zou ik willen voorstellen dat je haar gaat zoeken. Kom op. Snel een beetje. Probeer Norton Lane maar, dat is waar ik haar heb gevonden.'

'Nee! Nee! Niet ophangen.'

'Geef me Julianne weer.'

'Ze is te overstuur.'

'Geef me haar of je ziet Charlie nooit meer terug.'

'Luister naar me, Gideon, ik weet waarom jij dit doet.'

'Geef me je vrouw.'

'Ze is niet in staat om…'

"HET KAN ME NIET VERROTTEN WAARTOE ZE IN STAAT IS.'

'Oké. Oké. Geef me nog een minuut.'

Hij dekt opnieuw de telefoon af. Hij zegt tegen zijn vrouw dat ze de politie moet bellen op hun vaste lijn. Ik pak een ander mobieltje en toets het nummer in. De telefoon gaat over. Julianne neemt hem op.

'Dag mevrouw O'Loughlin.'

Een snik blijft steken in haar keel.

'Als je je echtgenoot je deze telefoon laat afpakken gaat je dochter eraan.'

Haar volgende snik klinkt luider.

'Blijf aan de lijn, mevrouw O'Loughlin.'

'Wat wilt u?'

'Ik wil jou.'

Ze reageert niet.

'Mag ik Julianne zeggen?'

'Ja.'

'Laat me je dit vertellen, Julianne. Als jouw echtgenoot deze telefoon uit je handen pakt, ga ik je dochter een poosje verkrachten. Daarna snijd ik plakjes van haar lichaam af en sla ik spijkers in haar handen. En na afloop, dat beloof ik je, zal ik haar mooie blauwe ogen eruit snijden en ze in een doosje naar je opsturen.'

'Nee! Nee! Ik zal u te woord staan.'

'Alleen jij kunt Charlie redden.'

'Hoe?'

'Herinner je je nog hoe je de keren dat je zwanger was die baby's in je baarmoeder in leven hield? Baby Emma en baby Charlie. Nou, deze telefoon is als een navelstreng. Jij kunt Charlie alleen in leven houden door aan deze lijn te blijven. Leg hem neer en ze sterft. Laat iemand de telefoon van je overnemen en ze sterft. Begrepen?'

'Ja.'

Ze haalt diep adem en vermant zich. Ze is sterk, deze vrouw. Een uitdaging.

'Is je man daar nog. Julianne? Staat hij in je oor te fluisteren zoals ik in Charlies oor fluister? Wat zegt hij? Vertel me wat hij zegt of ik zal haar huid moeten bezeren.'

'Hij zegt dat u haar niet in handen hebt. Hij zegt dat u bluft. Hij zegt dat Charlie thuis bij haar vriendinnetje is.'

'Heeft hij geprobeerd haar te bellen?'

'Het nummer is bezet.'

'Hij zou haar moeten gaan zoeken.'

'Hij is al weg.'

'Dat is mooi. Hij zou buiten moeten kijken... in het dorp. Hij zou naar Abbies huis moeten gaan. En jullie kindermeisje?'

'Die is ook aan het zoeken.'

'Misschien vinden ze haar wel. Het zou kunnen dat ik bluf. Wat denk jij?'

'Weet ik niet.'

'Heb jij een schermpje op je telefoon waarop je kan zien wie er belt, Julianne?'

'Ja.'

'Kijk maar eens naar het nummer. Herken je het?'

Haar antwoord is meer gekreund dan gesproken. De gesmoorde bevestiging zit klem in haar keel, amper in staat naar buiten te komen.

'Van wie is het nummer?'

'Van mijn mans mobiele telefoon.'

'Wat moet Charlie met Joe's telefoon?'

'Ze hebben geruild.'

'Dus je gelooft me.'

'Ja. Doe haar alstublieft geen pijn.'

'Ik ga een vrouw van haar maken, Julianne. Alle moeders willen dat hun dochters groot worden en vrouw worden.'

'Ze is nog maar een kind.'

'Nu nog wel, ja, maar als ik met haar klaar ben niet meer.'

'Nee. Nee. Alstublieft, blijf van haar af. Ik zal alles doen wat u wilt.'

'Alles?'

'Ja.'

'Weet je dat zeker?'

'Ja.'

'Want als jij dat niet doet, zal Charlie het doen.'

'Ik zal doen wat u zegt.'

'Trek je kleren uit, Julianne, je rok en dat leuke topje, met dat metaaldraad erdoorheen. Ja, ik weet wat je aanhebt. Ik weet alles van jou, Julianne. Ik heb Charlies spijkerbroek al uitgetrokken. Het spijt me, maar ik heb erin moeten knippen. Ik heb heel voorzichtig gedaan. Ik ben heel handig met de schaar en met het scheermes. Ik zou mijn initialen in haar buik kunnen kerven. Dan zou ze een souvenir hebben om aan mij terug te denken. En elke man die haar ooit naakt ziet zal dan weten dat ik daar als eerste was... in elke opening.'

'Nee, niet doen!'

'Ben je je al aan het uitkleden?'

'Ja.'

'Laat me dat eens zien dan.'

Ze aarzelt.

'Ga bij het slaapkamerraam staan en doe de gordijnen open – dan kan ik je zien.'

'Zult u haar dan laten gaan?'

'Dat hangt van jou af.'

'Ik zal doen wat u vraagt.'

'Charlie knikt. Het is zo schattig. Ja, inderdaad, mammie is aan de telefoon. Wil je dag zeggen? Het spijt me, maar mammie heeft niet gedaan wat ik vroeg, dus je mag niet met haar praten. Sta je al bij het raam, Julianne?'

'Ja.'

'Doe de gordijnen open, zodat ik je kan zien.'

'Doet u Charlie dan geen pijn?'

'Doe nou maar gewoon die gordijnen open.'

'Oké.'

'Je hebt make-up nodig. Op je kaptafel. De vermiljoenkleurige lippenstift. Ik wil dat je die opdoet en ik wil dat je de malachieten halsketting draagt die in het fluwelen kistje ligt.'

'Hoe weet u...?

'Ik weet alles van je... alles van Charlie... alles van je echtgenoot.'

'Alstublieft, laat Charlie gaan. Ik heb gedaan wat u vroeg.'

'Naakt is niet genoeg, Julianne.'

'Wat?'

'Het is niet genoeg. Charlie heeft meer te bieden.'

'Maar u zei...'

'Je verwacht toch zeker niet van mij dat ik een trofee als deze op-geef? Weet je wat ik van plan ben, Julianne? Nu ik je dochters kleren heb losgeknipt wil ik haar vlees openleggen. Ik wil haar van haar keel tot aan haar kut openritsen, zodat ik bij haar naar binnen kan klimmen. Daarna ga ik haar hart in mijn handen houden en zal ik het voelen kloppen terwijl ik haar van binnen naar buiten neuk.'

De lange trage schreeuw is als een mortiergranaat die in mijn oren ontploft.

Het volgende palletje is gevallen.

Het slot is bijna open.

Haar geest is het aan het begeven.

*

Herinnering voelt nu als materie. Herinnering is het enige wat werkelijk is. Ik ren Mill Hill af, over de brug, tussen de heggen door tegen de volgende helling op.

Twintig minuten geleden heb ik Charlie gesproken. Haar vriendinnetje Abbie woont ongeveer anderhalve kilometer verderop aan Norton Lane. Hoe lang doet ze op de fiets over anderhalve kilometer? Ze kan elk moment de hoek om komen, stampend met haar benen, staartje omhoog, zich verbeeldend dat ze meedoet aan de Tour de France.

Ik blijf haar mobieltje proberen. Mijn mobieltje. Ik heb hem aan haar gegeven. We ruilden, zodat ik Darcy te spreken kon krijgen. Hij is bezet. Met wie is ze in gesprek?

Norton Lane is een smalle strook slingerend asfalt, ingeklemd tussen heggen, meidoornstruiken en hekken. Voertuigen moeten achteruit rijden of een zijweggetje boven een duiker in schieten om andere auto's of trekkers te laten passeren. Langs sommige stukken zijn de heggen hoog en wild en maken ze de weg tot een groene kloof, hier en daar onderbroken door boerenhekken die toegang bieden tot een weiland.

Tussen de kronkelende takken door zie ik een kleurzweem. Het is een vrouw die haar hond uitlaat. Mevrouw Aymes. Ze heeft een aantal werkhuizen in het dorp.

'Heeft u Charlie gezien?' schreeuw ik.

Boos dat ik haar aan het schrikken heb gemaakt schudt ze haar hoofd.

'Is ze hierlangs gekomen? Ze was op de fiets.'

'Geen fiets gezien,' zegt ze met een zwaar accent.

Ik ren verder en steek een bruggetje over dat een beek overspant die zich in een stroomversnellinkje omlaagstort.

Gideon heeft haar niet in handen. Gideon doet slechts alsof hij kinderen ontvoert. Fysieke confrontatie is zijn stijl niet. Manipulatie wel. Uitbuiting. Waarschijnlijk observeert hij me op dit moment. Of hij observeert Julianne. Hij praat met haar.

Vanaf de heuveltop kijk ik achterom naar het dorp. Ik bel Veronica Cray. Woorden tuimelen tussen happen adem door naar buiten.

'Tyler beweert dat hij mijn dochter heeft. Hij zegt dat hij haar gaat verkrachten en vermoorden. Hij is aan de telefoon met mijn vrouw. Jullie moeten hem zien te stoppen.'

'Waar bent u?'

'Ik ben Charlie aan het zoeken. Ze zou onderhand thuis moeten zijn.'

'Wanneer hebt u haar voor het laatst gesproken?'

Ik kan niet helder denken. 'Dertig minuten geleden.'

Inspecteur Cray probeert me te kalmeren. Ze zegt dat ik rationeel moet denken. Tyler heeft eerder mensen misleid. Dat is wat hij doet.

'Hij moet ergens hier vlak in de buurt zijn,' zeg ik. 'Waarschijnlijk heeft hij het huis in de gaten gehouden. Jullie moeten het dorp afsluiten. De wegen afzetten.'

'Ik kan niet zomaar een dorp laten afsluiten, tenzij ik zeker weet dat er een kind is ontvoerd.'

'Zorg dat zijn signaal wordt gepeild.'

'Ik stuur een paar wagens. Ga terug naar uw vrouw.'

'Ik moet Charlie vinden.'

'Ga naar huis, Joe.'

'Wat nou als hij niet bluft?'

'Laat Julianne niet alleen.'

Boven op de volgende heuvelrug tekenen de opstallen van een boerderij zich af tegen de lucht. Te midden van modderige karrensporen staan een stuk of zes schuren en loodsen van golfplaat, baksteen en hout. In een hoek van het erf staan afgedankte oude landbouwmachines, het gras hoog opgeschoten onder hun roestige karkassen. Van de meeste machines heb ik geen idee waar ze voor dienen. Het hoofdgebouw ligt het dichtst bij de weg. Vanuit hondenhokken klinkt opgewonden geblaf.

Abbie doet open.

'Is Charlie hier?'

'Nee.'

'Wanneer is ze vertrokken?'

'Eeuwen geleden al.'

'Welke kant ging ze op?'

Ze kijkt me vreemd aan. 'Er is maar één kant.'

'Heb je haar weg zien gaan?'

'Uh-huh.'

'Was er nog iemand anders op de weg?'

Ze schudt haar hoofd. Ik maak haar bang. Ze wordt bang van me. Ik keer al om en ren over het erf terug naar de weg. Ik kan haar niet zijn misgelopen. Waar zou ze anders heen gaan? Naar Norton St. Phillips is het zo'n zesenhalve kilometer. Charlie zou vast niet in de tegengestelde richting van huis zijn gefietst.

Ik bel opnieuw haar mobieltje. Waarom is ze nog steeds aan het bellen?

De terugtocht gaat voor het merendeel heuvelafwaarts. Ik stop bij boerenhekken en klim op de ijzeren dwarsstangen om de achterliggende velden beter te kunnen zien, waarover een zweem van jong gras ligt. Tegenover sommige hekken zitten rode kleivlekken op het asfalt.

Ik ga terug het bruggetje over en tuur in de greppels aan weerzijden van de weg. Langs sommige stukken van de geul komen de braamstruiken en brandnetels tot aan mijn dijen. Naast het asfalt zijn bandensporen te zien. Hier moet een voertuig zijn uitgeweken om een ander te laten passeren.

Op dat moment zie ik een fiets, half verborgen tussen onkruid. Ik wilde voor Charlie een aluminium frame kopen, maar zij wilde er een van matzwart staal, met vuurballen op de stang en schokdempers op de voorvork.

Ik waad door de brandnetels en doorns en trek de fiets los. Het voorwiel is krom en ontwricht door een klap. Ik schreeuw haar naam. Kraaien schieten in een wirwar van vleugels op uit de bomen.

Mijn arm trilt. Mijn been. Mijn borstkas. Ik doe een stap en zak bijna in elkaar. Ik zet nog een stap en val. Ik probeer overeind te komen. Het lukt me niet. Ik verman me, laat de fiets vallen en klim terug naar de weg. Vervolgens sprint ik als een idioot over het asfalt. De verschrikkingen van spijt en wijsheid achteraf hebben me van mijn zuurstof beroofd en ik krijg Charlies naam niet meer uit mijn mond.

Terwijl ik Mill Hill oploop schiet mijn linkerbeen ineens op slot als ik hem naar voren zwaai en ik val op mijn gezicht. De pijn voel ik niet. Ik hijs mezelf op de been en begin weer te rennen, in een vreemde, struikelende paradepas.

Twee meisjes te paard komen op me af klipklopperen. Een van de twee herken ik. Ze kent Charlie. Ik zwaai met mijn armen. Een van de paarden wordt schichtig. Ik roep dat ze naar Charlie moeten uitkijken, boos dat ze niet meteen gehoorzamen.

Ik kan hier niet blijven. Ik moet naar huis. Ik heb geprobeerd Julianne te bellen. Het nummer is bezet. Gideon heeft haar aan de lijn.

Ik bereik High Street, steek over en speur de trottoirs af. Misschien is Charlie van haar fiets gevallen. Misschien heeft iemand haar een lift gegeven. Niet Gideon, maar iemand anders, een échte barmhartige Samaritaan.

Ik nader het huis. Ik kijk omhoog en zie Julianne naakt voor het slaapkamerraam staan, haar mond besmeurd met lippenstift. Ik neem met twee treden tegelijk de trap, smijt de deur open en trek haar weg bij het raam. Ik pak de sprei, doe hem om haar schouders en pak haar ondertussen de telefoon af. Gideon is nog altijd aan de lijn.

'Hallo, Joe, heb je Charlie gevonden? Denk je nog steeds dat ik bluf? Ik wil niet vervelend zijn, maar ik heb het je gezegd.'

'Waar is ze?'

'Bij mij natuurlijk, tegen jou lieg ik toch niet?'

'Bewijs het.'

'Sorry?'

'Bewijs dat je haar in handen hebt.'

'Welk deel van haar wil je dat ik op de post doe?'

'Laat me met haar spreken.'

'Geef me Julianne weer.'

'Nee, ik wil Charlie horen.'

'Ik geloof niet dat jij in een positie verkeert waarin je eisen kunt stellen, Joe.'

'Ik ga geen spelletjes met jou spelen, Gideon. Bewijs me dat je Charlie hebt en dan praten we verder. Zo niet, dan ben ik niet geïnteresseerd.'

Ik druk op een toets van de telefoon en maak een eind aan het gesprek.

Julianne schreeuwt en werpt zich bovenop me en probeert de telefoon te grijpen.

'Vertrouw me. Ik weet wat ik doe.'

'Niet ophangen! Niet ophangen!'

'Ga zitten. Alsjeblieft. Vertrouw me.'

De telefoon gaat over. Ik neem op. 'Geef me mijn dochter.'

Gideon ontploft. 'DOE DAT GODVERDOMME NOOIT MEER!'

Ik verbreek de verbinding.

'Hij gaat haar vermoorden. Hij gaat haar vermoorden,' snikt Julianne.

De telefoon gaat.

'DOE DAT NOG EENS EN IK ZWEER JE DAT…'

Ik geef een tik op de knop en breek hem af.

Hij belt terug.

'WIL JE HAAR DOOD HEBBEN? WIL JE DAT IK HAAR OMLEG? IK DOE HET NU!'

Ik leg neer.

Julianne probeert me de telefoon te ontfutselen, hamert met haar vuisten op mijn borstkas. Ik moet de telefoon buiten haar bereik houden.

'Laat me met hem praten. Laat me,' gilt ze.

'Ik weet wat ik doe.'

'Niet neerleggen.'

'Kleed je maar aan en ga naar beneden. De politie is onderweg. Ik wil dat jij ze binnenlaat.'

Ik probeer zelfverzekerd te klinken, maar vanbinnen ben ik zo bang dat ik amper nog functioneer. Het enige wat ik zeker weet is dat Gideon als een meesterpoppenspeler aan de touwtjes heeft zitten trekken, volkomen de baas. Iemand moet hem in zijn vaart stuiten, hem afremmen.

Als je over gijzelaars onderhandelt is de eerste regel dat je eist dat men bewijst dat ze nog in leven zijn. Gideon wil niet onderhandelen. Nog niet. Ik moet hem zijn plannen laten heroverwegen en zijn methodes laten veranderen.

De telefoon gaat opnieuw.

'LUISTER, KLOOTZAK. IK GA HAAR OPENSNIJDEN. IK GA ZIEN HOE HAAR INGEWANDEN DAMPEN...,' tiert Gideon.

Ik leg neer terwijl Julianne een uitval doet naar de telefoon en op de grond terechtkomt. Ik buk me om haar overeind te helpen. Ze slaat mijn hand opzij en keert zich met een angstwekkend verwrongen gezicht naar me toe en schreeuwt: 'DIT IS JOUW SCHULD! DIT HEB JIJ VEROORZAAKT!'

'We krijgen haar terug,' zeg ik.

'Ik heb het je nog zo gezegd! Ik heb je gezegd je er niet mee te bemoeien. Ik wilde niet dat jij ons gezin met jouw zieke, geschifte patiënten zou besmetten of met de sadisten en psychopaten waar jij zoveel van af weet.'

Julianne valt hevig en snuivend snikkend op bed neer. 'Charlie, arme Charlie.' Ze heeft haar armen om haar knieën geslagen en haar hoofd hangt op haar naakte dijen. Er is niets wat ik tegen haar kan zeggen wat haar kan troosten. Ik kan mezelf niet troosten.

De telefoon gaat. Ik neem op.

'Hallo pap, met mij.'

Mijn hart breekt.

'Hallo, schat, alles goed?'

'Ik heb mijn been pijn gedaan. Mijn fiets ligt in puin. Het spijt me.'

'Het is niet jouw schuld.'

'Ik ben ba…'

Ze maakt haar zin niet af. Haar woorden worden afgebroken en ik hoor plakband van een rol getrokken worden.

Ik hoor Gideons stem in plaats van de hare.

'Zeg maar dag, Joe, je zult haar nooit meer zien. Jij denkt dat je met mij kan lopen kutten. Jij hebt geen idee waartoe ik in staat ben.'

'Waarom doe je dit?'

'Ik wil dat wat jij hebt.'

'Je vrouw en dochtertje zijn dood.'

'O ja?'

'Laat mij haar plaats innemen.'

Ik hoor hoe er nog meer plakband van de rol wordt getrokken.

'Wat doe je?'

'Ik ben mijn cadeautje aan het inpakken.'

'Laten we het over je vrouw hebben.'

'Hoezo? Heb je haar gevonden?'

'Nee.'

'Nou, ik heb een nieuw vriendinnetje om mee te spelen. Zeg maar tegen Julianne dat ik haar straks bel om haar alles in geuren en kleuren te vertellen.'

Voordat ik nog een vraag kan stellen valt de verbinding weg. Ik toets het nummer in, Gideon heeft de mobiele telefoon uitgezet.

Julianne kijkt me niet aan. Ik wikkel de sprei om haar schouders. Ze huilt niet. Ze schreeuwt niet tegen me. De enige tranen zijn die van mij, in mijn binnenste. Ze zijn nog nooit zo gemakkelijk in me opgeweld.

56

Een tiental rechercheurs en nog eens twee keer zoveel geüniformeerde agenten hebben het dorp en de toegangswegen afgegrendeld. Bestelwagens en vrachtwagens worden doorzocht en bestuurders ondervraagd.

Veronica Cray is in de keuken, in gezelschap van Monk en Safari Roy. Ze bekijken me met een mengeling van respect en medelijden. Ik vraag me af of ik er ook zo uitzie als ik tegenover andermans ongeluk sta.

Julianne heeft twee keer gedoucht en een spijkerbroek en pullover aangetrokken. Ze heeft de lichaamstaal van een verkrachtingsslachtoffer, haar armen stijf over elkaar voor haar borst, alsof ze zich wanhopig vastklampt aan iets waarvan ze het zich niet kan permitteren het kwijt te raken. Ze ontwijkt mijn blik.

Oliver Rabb heeft nog twee mobiele telefoons die hij moet traceren: de mijne en de telefoon waarmee Gideon Julianne de eerste keer belde. Hij zou de signalen tot een halfuur geleden moeten kunnen herleiden, het moment dat Gideon het contact verbrak.

Midden in een veld, een kleine tweehonderd meter ten noordwesten van het dorp, staat een tien meter hoge gsm-mast. De dichtstbijzijnde mast die daarna komt staat op Baggridge Hill, anderhalve kilometer zuidelijker, en de daarop volgende aan de rand van Peasedown St. John, iets meer dan drie kilometer naar het westen.

'Tyler moet wel terugbellen,' zegt inspecteur Cray.

'Dat gaat hij ook doen,' antwoord ik met een blik op Juliannes mobieltje, dat op de keukentafel ligt. Hij kende het nummer. Hij kende ons thuisnummer. Hij wist welke kleren ze droeg, welke lippenstift en sieraden ze op haar kaptafel had liggen.

Julianne heeft me niet precies verteld wat Gideon tegen haar heeft gezegd. Als ze een cliënte was in mijn spreekkamer zou ik haar aanmoedigen om te praten, om dingen in hun context te plaatsen om met haar trauma in het reine te komen. Maar ze is geen cliënte. Ze is mijn vrouw en ik wil de details niet weten. Ik wil doen alsof het niet is gebeurd.

Ik heb altijd mijn best gedaan donkere gedachten opzij te schuiven en me in te beelden dat mijn gezin alleen maar goede dingen zou overkomen. Soms, als ik naar Charlies lieve, bleke, beweeglijke gezicht keek, geloofde ik bijna zelf dat ik haar kon beschermen tegen pijn of verdriet. En nu is ze verdwenen. Julianne heeft gelijk. Het is mijn schuld. Een vader wordt geacht zijn kinderen te beschermen, te zorgen dat ze veilig zijn en zijn leven voor hen te geven.

Ik blijf mezelf wijsmaken dat Gideon Tyler Charlie niets zal aandoen. Het is als een mantra in mijn hoofd, maar de boodschap brengt geen rust. Ik probeer mezelf ook wijs te maken dat mensen als Gideon, sadisten en psychopaten, dun gezaaid zijn. Maakt dat Charlie tot een van de weinige pechvogels? Ga mij niet vertellen dat het leven in een vrije samenleving zijn prijs heeft. Niet deze prijs. Niet als het mijn dochter betreft.

Aan de vaste verbinding van het huis wordt opnameapparatuur gekoppeld en er wordt een scanner geprogrammeerd om gesprekken via onze mobiele telefoons te kunnen oppikken. Onze simkaarten zijn overgezet naar telefoons met gps-volgmogelijkheden. Ik vraag waarom dat gebeurt. De inspecteur zegt dat het voor-het-geval-dat is. Ze zouden een poging kunnen wagen tot een mobiele onderschepping.

Het raam omkadert het dorp, dat eruitziet als een bladzijde uit een voorleesboek, met grote golvende, door de zon doorsneden wolken. Imogen en Emma zijn naar hiernaast gegaan, naar mevrouw Nuttall. Buren zijn naar buiten gekomen om de politiewagens en busjes te bekijken die in de straat geparkeerd staan. Ze praten ontspannen met elkaar, wisselen grapjes uit en doen hun best om net te doen of ze de rechercheurs die van deur tot deur gaan niet aangapen. Hun kinderen zijn naar binnen geloodst, afgesloten van het onbekende gevaar dat hun straten afschuimt.

Gideon Tyler is in mijn huis geweest. Hij heeft ons alles afgenomen wat belangrijk is: vertrouwen, gemoedsrust, rust. Hij heeft mijn kinderen zien liggen slapen. Emma zei dat ze een spook had gezien. Ze werd wakker en sprak met hem. Hij heeft Julianne geïsoleerd. Hij zei haar welke lippenstift en welke sieraden ze moest dragen. Hij liet haar naakt voor het slaapkamerraam staan.

Boven hoor ik opnieuw de douche lopen. Julianne staat onder de straal en probeert opnieuw dat wat er is gebeurd van zich af te spoelen. Hoe lang is het geleden? Drie uur. Wat er ook gaat gebeuren, Charlie zal zich deze dag altijd blijven herinneren. Ze zal worden achtervolgd door Gideon Tylers gezicht, door zijn woorden, door zijn aanraking.

Monk bukt als hij de keuken weer binnen stapt, die daardoor ineens kleiner lijkt. Hij kijkt naar inspecteur Cray en schudt zijn hoofd. De wegversperringen staan al twee uur op hun plek. De politie heeft bij elk huis aangeklopt, bewoners ondervraagd en herleid waar Charlie geweest is. Niets.

Ik weet wat zij denken. Gideon is verdwenen. Hij is erin geslaagd weg te komen voordat de politie de wegen had afgesloten. Geen van de mobieltjes die Gideon gebruikte heeft na 12.42 uur nog een signaal uitgezonden. Hij moet op de hoogte zijn van het feit dat we de signalen kunnen peilen. Dat is de reden dat hij zo vaak van telefoon wisselt en ze uitzet.

Alsof het afgesproken werk is komt Oliver Rabb het pad naar de voordeur op schuifelen, als een zenuwachtige zwerfster. Hij heeft een laptop in een schoudertas bij zich en een tweedpet op die zijn gladde schedel warm moet houden. Hij veegt zijn voeten drie keer op de deurmat.

Hij installeert zijn schootcomputer op de keukentafel, haalt de laatste gegevens van de dichtstbijzijnde basisstations binnen en rekent de signaalgegevens om tot een kruispeiling.

'In een omgeving als deze is het lastiger,' legt hij uit terwijl hij onzichtbare plooien uit zijn broek strijkt. 'Hier zijn minder masten.'

'Op excuses zit ik niet te wachten,' zegt Veronica Cray.

Oliver keert zich weer naar het scherm. Buiten in de tuin staan rechercheurs bijeen in de schaarse plekken zonlicht, met hun voeten stampend om warm te blijven.

Oliver maakt een snuivend geluid.

'Wat is er?'

'Beide gesprekken kwamen via dezelfde mast binnen, de dichtstbijzijnde.' Hij stopt even. 'Maar ze waren afkomstig van een mast buiten het gebied.'

'Wat wil dat zeggen?'

'Dat hij niet in het dorp was toen hij jullie belde. Hij was het gebied al uit.'

'Maar hij wist wat Julianne aanhad. Hij droeg haar op bij het slaapkamerraam te gaan staan.'

Oliver haalt zijn schouders op. 'Dan heeft hij haar zeker eerder op de dag gezien.'

Hij kijkt opnieuw naar het scherm en legt uit welke weg Charlie is gegaan. Ze had mijn mobieltje bij zich, dat toen ze bij Abbie thuis was een pingsignaal uitstuurde naar een mast ongeveer anderhalve kilometer ten zuiden van Wellow. Het signaal veranderde toen ze net na het middaguur de boerderij verliet. Volgens de sterkteanalyse bewoog ze zich in eerste instantie in de richting van ons huis. Dat was het moment waarop Gideon haar van haar fiets reed en haar in tegenovergestelde richting meenam.

Oliver brengt een satellietbeeld op het scherm en projecteert er een tweede kaart overheen waarop de locaties van de telefoonmasten te zien zijn.

'Degene die de telefoon bij zich had ging tot Wells Road zuidwaarts en daarna in westelijke richting door Radstock en Midsomer Norton.'

'Waar viel het signaal weg?'

'In de buitenwijken van Bristol.'

Inspecteur Cray begint orders uit te delen, geeft het dorp weer vrij en deelt de agenten opnieuw in. Haar stem heeft een metalige klank, alsof hij door Olivers satellieten wordt weerkaatst. Het brandpunt van het onderzoek verplaatst zich weg van het huis.

Ze maakt een handgebaar naar Oliver. 'We weten dat Tyler twee mobiele telefoons heeft. Zodra hij een ervan aanzet wil ik dat je hem traceert. Niet waar hij gisteren was, of een uur gelden, ik wil weten waar hij nú zit.'

Julianne staat op de overloop te wachten, teruggetrokken in een hoek tussen het raam en de slaapkamerdeur. Haar donkere haar is nog warrig en nat van de douche.

Ze heeft zich opnieuw omgekleed en draagt nu een zwarte broek en een kasjmieren vest en net genoeg make-up om haar oogleden donker te maken en haar jukbeenderen te doen uitkomen. Ik sta perplex hoe mooi ze is. In vergelijking met haar voel ik me aftands en stokoud.

'Zeg me waar je aan denkt.'

'Geloof me, dat wil jij niet weten,' reageert ze. Ze zegt het recht-uit, zonder emotie. Ik herken haar stem nog amper.

'Ik geloof niet dat hij Charlie iets wil aandoen.'

'Dat weet je niet,' fluistert ze.

'Ik ken hem.'

Julianne kijkt op met een tartende blik. 'Dat wil ik niet horen Joe, omdat als jij een man op deze manier kent, als jij begrijpt waarom hij dit doet, ik me afvraag hoe jij 's nachts nog kunt sla-pen. Hoe jij… hoe jij…'

Ze slaagt er niet in de zin af te maken. Ik probeer haar vast te pakken, maar ze verstrakt en wringt zich van me los.

'Jij kent hem niet,' zegt ze beschuldigend. 'Jij zei dat hij blufte.'

'Dat was tot dusverre ook zo. Ik denk niet dat hij haar iets zal aandoen.'

'Hij doet haar nu al iets aan. Alleen al door haar vast te houden.'

Ze keert zich weer naar het raam en zegt beschuldigend: 'Het is jouw schuld dat dit ons nu overkomt.'

'Dit had ik nooit verwacht. Hoe had ik dit kunnen weten?'

'Ik heb je gewaarschuwd.'

Ik voel hoe mijn stem stroever wordt. 'Ik ben vijfenveertig, Juli-anne. Ik kan mijn leven niet leiden door aan de zijlijn te blijven. Ik kan mensen niet mijn rug toedraaien of weigeren hen te helpen.'

'Je hebt Parkinson.'

'Ik heb nog een leven te leven.'

'Je hád een leven… met ons.'

Ze spreekt in de verleden tijd. Dit gaat niet over Dirk of het roomservicebonnetje of mijn jaloerse uitbarsting op het feestje van haar werk. Dit gaat over Charlie. En tussen de angst en de onzekerheid op haar gezicht gaat iets schuil wat ik daar niet had verwacht. Minachting. Walging.

'Ik houd niet meer van je,' zegt ze uitdrukkingsloos, kil. 'Niet op de goede manier, niet zoals het was.'

'Er is geen goede manier. Er is alleen liefde.'

Ze schudt haar hoofd en wendt zich af. Het voelt alsof er een vitaal deel uit mijn borst is gesneden. Mijn hart. Ze laat me alleen op de overloop; een onzichtbaar touwtje trekt aan mijn vingers, vastgehouden door een trillende poppenspeler. Misschien heeft hij wel Parkinson.

De deuren staan open. Het huis is koud. Het afgelopen uur heeft het team plaats delict het huis onderzocht, met poeder de gladde oppervlakken afgezocht op vingerafdrukken en vezels opgezogen. Een aantal van de agenten herken ik. Normaal gesproken goed genoeg voor een knikje van herkenning. Op dit moment keuren ze me geen blik waardig. Ze hebben een klus te klaren.

Gideon is gediplomeerd slotenmaker. Hij kan vrijwel elke deur open krijgen: een huis, een flat, een loods, een kantoor… In Bristol staan duizenden gebouwen leeg. Hij zou Charlie in elk ervan verborgen kunnen houden.

Veronica Cray heeft in de keuken met Monk en Safari Roy overlegd. Ze wil dat we om de tafel gaan zitten voor een tactische bespreking.

'We moeten bepalen wat we gaan doen als hij weer belt,' zegt ze. 'We moeten er klaar voor zijn. Oliver heeft tijd nodig om de bron en de locatie te bepalen, dus is het van belang dat we Tyler zo lang mogelijk aan de telefoon zien te houden.'

Ze kijkt naar Julianne. 'Bent u hier klaar voor?'

'Laat mij maar,' zeg ik in haar plaats.

'Misschien wil hij alleen uw vrouw spreken,' zegt de inspecteur.

'We dwingen hem met mij te spreken. Hij moet geen andere keuze krijgen.'

'En als hij weigert?'

'Hij wil gehoord worden. Laat mij met hem praten. Julianne is niet sterk genoeg.'

Ze reageert boos. 'Praat niet over me alsof ik er niet bij ben.'

'Ik probeer je alleen te beschermen.'

'Ik heb geen bescherming nodig.'

Ik sta op het punt ertegen in te gaan, maar ze valt tegen me uit. 'Geen woord meer, Joe. Niet voor mij praten. En niet tegen me.'

Ik voel hoe ik achteruit wankel, alsof ik klappen sta te ontwijken. De vijandigheid doet de mensen in het vertrek stilvallen. Niemand durft me aan te kijken.

'Ik wil dat u beide uw kalmte hervindt,' zegt de inspecteur.

Ik probeer op te staan, maar voel Monks hand op mijn schouder die me dwingt te blijven zitten. Veronica Cray praat met Julianne en schetst de mogelijke scenario's. Tot nu toe heeft de inspecteur mij met respect behandeld en mijn advies op prijs gesteld. Nu denkt ze dat mijn oordelingsvermogen is aangetast. Ik ben er te nauw bij betrokken. Op mijn mening kan niet meer worden vertrouwd. Het hele tafereel is een soort droom geworden en een tikje uit het lood komen te staan. De anderen zijn zakelijk en wijs. Ik ben verward en stuurloos.

Veronica Cray wil de operatie naar Trinity Road verplaatsen, om het voor de politie makkelijker te maken op gebeurtenissen te reageren. De vaste telefoonlijn zal worden doorgeschakeld naar de commandokamer.

Julianne begint vragen te stellen, haar stem amper hoorbaar. Ze wil gedetailleerdere informatie over de strategie. Oliver heeft minimaal vijf minuten nodig om een gesprek te traceren en de signalen van de drie dichtstbijzijnde telefoonmasten tot een kruispeiling te verwerken. Als de klokken in deze basisstations volmaakt synchroon lopen kan hij de beller mogelijk tot op honderd meter nauwkeurig lokaliseren.

De methode is niet onfeilbaar. Signalen kunnen worden beïnvloed door gebouwen, het landschap, de weersomstandigheden. Als Gideon ergens naar binnen gaat zal de signaalsterkte veranderen en als de klokken ook maar een microseconde afwijken kan dat een afwijking van tientallen meters veroorzaken. Microseconden en meters, dat is wat er van mijn dochters leven is geworden.

'We hebben een gps-volger en een hands-freehouder in uw auto geïnstalleerd. Gideon gaat mogelijk instructies geven. Hij zal u zich mogelijk in allerlei bochten laten wringen. We zijn nog niet klaar voor een mobiele onderschepping, dus u moet hem aan het lijntje zien te houden.

'Hoe lang?' fluistert ze.

'Nog een paar uur.'

Julianne schudt resoluut haar hoofd. Het moet sneller.

'Ik weet dat u uw dochter terug wilt, mevrouw O'Loughlin, maar we moeten eerst úw veiligheid waarborgen. Deze man heeft twee vrouwen vermoord. Ik heb een paar uur nodig om helikopters en onderscheppingsteams in gereedheid te laten brengen. Tot die tijd moeten we hem aan het lijntje zien te houden.'

'Dit is waanzin,' zeg ik. 'U weet wat hij heeft gedaan.'

Inspecteur Cray knikt naar Monk. Ik voel hoe zijn vingers zich om mijn arm sluiten.

'Kom mee, professor, we gaan een eindje lopen.'

Ik probeer me uit de hand van de grote man los te wringen, maar hij verstevigt zijn greep. Zijn andere arm haakt zich om mijn schouder. Van een afstand ziet het er waarschijnlijk uit als een vriendelijk gebaar, maar ik kan geen vin verroeren. Hij loopt met me de keuken door en de achterdeur uit het pad langs de waslijn op. Een eenzame handdoek wappert als een verticale vlag in de wind.

Mijn longen zijn gevuld met een muffe, onsmakelijke lucht. Hij is van mezelf afkomstig. Mijn medicatie laat het ineens afweten. Mijn hoofd, schouders en armen schokken en sidderen als een slang.

'Gaat het?' vraagt Monk.

'Ik moet mijn pillen innemen.'

'Waar liggen die?'

'Boven, naast mijn bed. Het witte plastic flesje. Levodopa.'

Hij verdwijnt het huis in. Politieagenten en rechercheurs staan vanaf de straat toe te kijken, toeschouwers in een rariteitenkabinet. Parkinsonlijders hebben het vaak over het behoud van hun waardigheid. Die van mij is op dit moment ver te zoeken. Soms stel ik me voor dat dit is hoe ik zal eindigen. Een schokkend, sidderend slangenmens of een levensgroot standbeeld, gevangen in een permanente pose, niet in staat aan mijn neus te krabben of de duiven te verjagen.

Monk komt terug met het flesje pillen en een glas water. Hij moet mijn hoofd stil houden om de tabletten op mijn tong te kunnen leggen. Water loopt langs mijn overhemd.

'Doet het pijn?' vraagt hij.

'Nee.'

'Heb ik iets gedaan wat het erger maakte?'

'Jij kan er niks aan doen.'

Levodopa is met afstand de vaakst voorgeschreven medicatie voor Parkinson. Het wordt niet alleen geacht de tremoren tegen te gaan, maar ook het plotselinge verstarren van mijn lichaam.

Mijn bewegingen worden rustiger. Ik kan zelf het glas water vasthouden voor nog een slok.

'Ik wil weer naar binnen.'

'Dat gaat niet,' zegt hij. 'Uw vrouw wil u niet in haar buurt.'

'Ze weet niet wat ze zegt.'

'Mij leek ze anders zeker genoeg.'

Ineens hebben woorden, mijn sterkste wapens, me in de steek gelaten. Ik kijk langs Monk heen en zie hoe Julianne, in een overjas, naar een politiewagen wordt geleid. Veronica Cray is bij haar.

Monk laat me niet verder dan tot bij het hek komen.

'Waar gaan jullie heen?' schreeuw ik.

'Naar het station,' zegt de inspecteur.

'Ik wil mee.'

'U moet hier blijven.'

'Laat me met Julianne praten.'

'Ze wil even niet met u praten.'

Julianne is op de achterbank van de auto gaan zitten. Voordat het portier dicht slaat stopt ze haar jas onder haar dijen. Ik roep haar naam, maar ze reageert niet. De motor slaat aan.

Ik kijk hoe ze wegrijden. Ze hebben het mis. Elke vezel van mijn lichaam zegt dat ze het mis hebben. Ik ken Gideon Tyler. Ik ken zijn geest. Hij gaat Julianne vernietigen. Het doet er niet toe dat ze de sterkste, meelevendste, intelligentste vrouw is die ik ooit heb ontmoet. Dat is waar hij op loert. Hoe meer zij vóelt, des te erger zal hij haar beschadigen.

De overgebleven auto's vertrekken. Monk blijft achter. Ik loop achter hem aan terug naar het huis en ga aan tafel zitten terwijl hij een kop thee voor me maakt en telefoonnummers van Juliannes familie en de mijne verzamelt. Imogen en Emma zouden vannacht ergens anders moeten logeren. Mijn ouders wonen het dichtst bij. Juliannes ouders zijn het evenwichtigst. Monk regelt het.

Ondertussen zit ik aan de keukentafel met mijn ogen dicht en probeer me Charlies gezicht voor de geest te halen, haar scheve glimlach, haar lichte ogen, het kleine litteken van toen ze op haar vierde uit een boom viel.

Ik adem diep in en bel Ruiz. Op de achtergrond brult een menigte. Hij zit naar een rugbywedstrijd te kijken.

'Wat is er?'

'Charlie. Hij heeft Charlie.'

'Wie? Tyler?'

'Ja.'

'Weet je het zeker?'

'Ja. Hij belde Julianne. Ik heb met Charlie gesproken.'

Ik vertel hoe ik Charlies fiets heb gevonden en over de telefoontjes. Terwijl ik mijn verhaal doe hoor ik Ruiz van de mensenmassa weglopen naar een rustigere plek.

'Wat denk je te gaan doen?' vraagt hij.

'Ik weet het niet,' zeg ik schor. 'We moeten haar terughalen.'

'Ik kom eraan.'

Het gesprek is ten einde en ik staar naar de telefoon, vurig hopend dat hij zal overgaan. Ik wil Charlies stem horen. Ik probeer me de laatste woorden die ze tegen me zei te herinneren, de woorden voordat Gideon haar te pakken kreeg. Ze vertelde me een mop over een vrouw in een bus. Ik kan me de clou niet meer herinneren, maar ze kwam niet meer bij van het lachen.

Iemand belt aan de voordeur aan. Monk doet open. De predi-kant is gekomen om zijn steun aan te bieden. Ik heb hem maar één keer ontmoet, kort nadat we naar Wellow waren verhuisd. Hij nodigde ons uit om een zondagsdienst bij te wonen, waar het nog steeds niet van gekomen is. Ik wou dat ik zijn naam nog wist.

'Ik dacht dat u misschien wel wilde bidden,' zegt hij zacht.

'Ik ben niet gelovig.'

'Dat geeft niet.'

Hij doet een stap naar voren, knielt neer en slaat een kruisteken. Ik kijk naar Monk, die terugkijkt, niet goed wetend wat te doen.

De predikant heeft zijn hoofd gebogen en zijn handen gevou-wen.

'Heer, ik vraag u de kleine Charlotte O'Loughlin te behoeden en haar weer veilig thuis te brengen bij haar familie…'

Zonder na te denken kniel ik ineens met gebogen hoofd naast hem neer. Soms heeft bidden minder met woorden te maken dan met zuivere emotie.

57

*Wanneer een man niets heeft wat hij het zijne kan noemen vindt hij
wegen om andermans bezittingen in handen te krijgen.*

*Neem nou dit huis. De Arabische zakenman is nog steeds weg,
als een trekvogel naar het zuiden getrokken om te overwinteren.
Vlak voor hij terugkeert doet een beheerder de zaak weer van het
slot, schudt de kussens op en lucht de kamers. Er is ook een tuinman die in de zomer twee keer per week langskomt, maar in deze
tijd van het jaar slechts één keer per maand, omdat het gras niet
meer groeit en de bladeren in schimmelende hopen bijeen zijn ge-
harkt.*

*Het huis is zoals ik het me herinner, hoog en onbevallig, met een
torenkamer die op de brug uitkijkt. Een weervaan wijst permanent
naar het oosten. De gordijnen zijn dicht. Ramen en deuren zijn ver-
grendeld.*

*De tuin is zompig en ruikt naar bederf. Een touwschommel heeft
het begeven en hangt, aan één kant gerafeld, tot halverwege een tak
en de grond. Ik loop eronderdoor, omzeil het tuinmeubilair en kom
bij een houten schuurtje. De deur is met een hangslot afgesloten.
Gehurkt steek ik een lockpick in het sleutelgat en voel hoe hij over de
palletjes danst. Het eerste slot dat ik leerde openmaken was van dit
type. Voor de televisie zittend zat ik urenlang te oefenen.*

*De binnencilinder beweegt. Ik haak het hangslot los uit de grendel
en duw de deur open, waardoor licht op de aangestampte vloer valt.
Op metalen planken staan plastic bloempotten, kiembakjes en oude
verfblikken. In de hoek staat tuingereedschap. In het midden staat
een zitmaaier.*

*Ik doe een stap terug en neem de afmetingen van het schuurtje in
me op. Er is net genoeg ruimte voor me om rechtop te staan. Daarna
begin ik de metalen planken leeg te halen en sleep de rekken naar één*

kant. Ik rijd de maaimachine het gras op en begin de verfblikken en zakken mest naar de garage te dragen.

De achterwand van het schuurtje is nu vrij. Ik pak een pikhouweel en zwaai het omlaag. De aangestampte aarde breekt uiteen tot een grillige puzzel van gedroogde modder. Ik zwaai achter elkaar door met het pikhouweel en stop af en toe om de aarde opzij te schuiven. Na een uur stop ik voor een pauze en hurk met mijn hoofd op de greep van het pikhouweel geleund neer. Buiten drink ik uit de tuinslang. Het gat in de vloer is vijfentwintig centimeter diep en bijna net zo lang als de wand. Het is lang genoeg voor het stuk gipsplaat dat ik in de garage heb gevonden. Ik wil het dieper maken.

Ik ga weer aan het werk en draag emmers aarde naar het eind van de tuin, waar ik de grond door de composthoop meng. Nu ben ik klaar om de kist te maken. De zon valt door de takken van de bomen heen. Misschien moet ik even gaan kijken hoe het meisje het maakt.

Binnen in het huis, op een slaapkamer op de tweede verdieping, ligt ze op een ijzeren bed met een kaal matras. Ze heeft een gestreept topje, vest, spijkerbroek en sportschoenen aan en heeft zich opgerold tot een bal, alsof ze zichzelf onzichtbaar probeert te maken.

Ze kan me niet zien: er zit plakband over haar ogen. Haar handen zitten met witte plastic kabelbinders achter haar rug vast en haar voeten zijn aan elkaar geketend met precies genoeg tussenruimte om te kunnen strompelen. Ze kan niet ver komen. Rond haar nek is een lus geslagen die aan een radiator vastzit en net lang genoeg is om haar bij een kleine badkamer met wastafel en toilet te kunnen laten komen. Ze beseft het nog niet. Als een blind katje klampt ze zich vast aan de zachtheid van het bed, niet van zins om de ruimte te verkennen.

Ze zegt iets.

'Hallo, is daar iemand?'

Ze luistert.

'Hallo... is daar iemand... kunt u me horen?'

Luider ditmaal. 'HELP! ALSTUBLIEFT, HELP ME! HELP!'

Ik druk op 'Record'. Het bandje loopt. Schreeuw maar, kleintje, schreeuw maar zo luid als je kunt.

Een kleine lamp werpt licht in de kamer, maar bereikt de hoek waar ik zit niet. Ze probeert de band om haar polsen uit, wringt haar schouders naar links en naar rechts in een poging haar handen los te maken. De plastic bandjes snijden in haar huid.

Haar hoofd slaat tegen de muur. Ze draait zich op haar rug, tilt haar benen op en schopt met beide voeten tegelijk tegen de lambrisering. Het hele huis lijkt te schudden. Ze schopt nog eens en nog eens, vervuld van angst en machteloosheid.

'Straks doet ze zich nog pijn.'

'Maak je geen zorgen.'

'Wat doet ze nou?'

'Geen idee.'

Ze kromt zich achterover, buigt haar rug en gaat op haar schouders en haar voeten in een brug staan. Ze steekt haar benen in een halve schouderstand in de lucht, buigt vervolgens door haar middel, brengt haar knieën naar haar borstkas en verder omlaag tot ze aan weerszijden van haar hoofd het bed raken. Ze heeft zichzelf tot een bal gevouwen. Nu laat ze haar gebonden polsen langs haar onderrug, heupen en billen glijden. Het kan niet anders of ze moet iets ontwrichten.

Haar handen persen zich langs haar voeten. Ze kan haar benen weer strekken. Wat slim! Haar handen bevinden zich nu vóór in plaats van achter haar. Ze trekt haar blinddoek van plakband los en draait zich naar de lamp. Ze kan mij in mijn donkere hoek nog altijd niet zien.

Ze haakt haar vingers achter de lus om haar nek, doet hem los en staart vervolgens naar haar geketende voeten en de plastic bandjes om haar polsen. De huid is opgesprongen. Over de witte bandjes sijpelt bloed.

Ik krom mijn handen en sla ze enkele malen hard tegen elkaar. Het spottende applaus weerkaatst als pistoolschoten in de stilte van de kamer. Het meisje gilt en probeert weg te rennen, maar de kettingen om haar enkels doen haar languit op de grond belanden.

Ik grijp haar achter in haar nek, houd haar terwijl ik schrijlings op haar zit met mijn lichaamsgewicht tegen de grond gedrukt en voel hoe de lucht uit haar longen wordt geperst. Ik grijp haar haar,

435

trek haar hoofd naar achteren en fluister in haar oor.

'*Je bent een heel slim meisje, Sneeuwvlokje. Ik zal voortaan beter mijn best moeten doen.*'

'*Nee! Nee! Nee! Alstublieft. Laat me gaan.*'

De eerste winding plakband bedekt haar neus en sluit de lucht-toevoer af. De volgende winding bedekt haar ogen. Ik doe het ruw en trek haren mee. Ze rolt met haar hoofd terwijl ik meer tape over haar voorhoofd en kin wikkel en haar in plastic hul. Algauw is alleen haar mond nog onbedekt. Op het moment dat ze hem open doet om te gillen laat ik het stuk tuinslang tussen haar lippen en tanden naar binnen glijden, tot achterin haar keel. Ze kokhalst. Ik trek hem een stukje terug. Nog meer plakband wikkelt zich rond haar hoofd, met een gierend geluid op de momenten dat ik het van de rol trek.

Haar wereld is donker geworden. Ik hoor haar adem piepend door de slang gaan.

Ik praat zachtjes tegen haar. '*Luister naar wat ik zeg, Sneeuwvlokje. Verzet je niet. Hoe meer je worstelt, des te moeilijker het wordt om adem te halen.*'

Ze verzet zich nog steeds tegen mijn armen. Ik houd een vinger op het uiteinde van de slang en blokkeer de luchttoevoer. Haar lichaam verstijft van schrik.

'*Zo simpel is het, Sneeuwvlokje. Ik kan je ademhaling met één vinger stopzetten. Knik als je me begrijpt.*'

Ze knikt. Ik haal mijn vinger eraf. Ze zuigt lucht naar binnen door de slang.

'*Normaal ademhalen,*' *zeg ik tegen haar.* '*Het is een paniekaanval, dat is alles.*'

Als ik haar weer op het bed til rolt ze zich op tot een bal.

'*Herinner je je de kamer?*' *vraag ik.*

Ze knikt.

'*Zo'n tweeënhalve meter rechts van je staat een toilet, naast een wastafel. Je kunt erbij. Ik zal het je laten zien.*'

Ik trek haar overeind, zet haar voeten op de grond en tel de stappen terwijl ze naar voren dribbelt tot aan de wastafel. Ik leg haar handen op de rand van de bak. '*De koude kraan zit rechts.*'

Dan laat ik haar zien waar het toilet staat en laat haar erop gaan zitten.

'Ik laat je je handen voor je lichaam houden, maar als je het masker lostrekt zal ik je straffen. Begrepen?'

Ze reageert niet.

'Als je geen antwoord geeft op mijn vraag houd ik de slang dicht. Zul je van het masker afblijven?'

Ze knikt.

Ik neem haar mee terug naar het bed en zet haar rechtop. Haar ademhaling is regelmatiger. Haar smalle borstkas gaat op en neer. Ik doe een paar stappen achteruit, zet de mobiele telefoon aan en wacht tot het schermpje oplicht. Dan schakel ik de camerastand in en leg het beeld vast.

'Rustig blijven zitten nu. Ik moet even weg. Ik zal iets te eten voor je meebrengen.'

Ze schudt haar hoofd en snikt achter haar masker.

'Maak je geen zorgen. Ik ben zo terug.'

Ik loop het huis uit en de trap af. Tussen een groepje bomen staat een garage. Binnen staat mijn bestelwagen geparkeerd, naast een Range Rover die van de Arabier is. Handig genoeg heeft hij voor mij de sleutels op een haakje in de kelderkast laten hangen, naast een stuk of tien andere, keurig van labels voorziene, sleutels voor zaken als de stoppenkast en de brievenbus. Vreemd genoeg kon ik geen sleutel van het schuurtje vinden. Geen probleem.

'Vandaag nemen we de Range Rover,' zeg ik tegen mezelf.

'Natuurlijk, meneer.'

De ene dag een Ferrari Spider, de dag daarop een Range Rover – het leven is mooi.

De garagedeur gaat automatisch omhoog. Onder de banden mummelt het grind.

Bij Bridge Road aangekomen sla ik rechtsaf en nog een keer naar rechts Clifton Down Road op en zigzag ik over Victoria Square en Queen's Road. Achter de kunstijsbaan van Bristol rij ik een parkeergarage binnen en draai over de betonnen toeritten omhoog, op zoek naar een vrij plekje.

De Range Rover gaat met een geruststellende klik en knipperende lichten in het slot. Ik loop de trappen af en stap de buitenlucht in, Frogmore Street volgend tot ik me onder het winkelende publiek en de toeristen kan begeven.

Voor me zie ik de golvende voorgevel van het gemeentehuis en daarachter de kathedraal. Verkeerslichten verspringen. Er wordt geschakeld. Dieselwalmen uitbrakend rolt er een bus met open dak voorbij. Bij de stoplichten sta ik stil en zet ik het mobieltje aan. Onder begeleiding van een slap deuntje licht het schermpje op.

Menu. Opties. Laatst gebelde nummer.

Ze neemt hoopvol op. 'Charlie?'

'Hallo Julianne, heb je me gemist?'

'Ik wil Charlie spreken.'

'Ik ben bang dat ze bezet is.'

'Ik moet weten of ze het goed maakt.'

'Vertrouw me.'

'Nee. Ik wil haar horen.'

'Weet je het zeker?'

'Ja.'

Ik druk op de play-toets. Het bandje begint te draaien. Charlies gegil klinkt in haar oren en scheurt haar hart aan flarden, de breuklijnen in haar geest iets wijder makend.

Ik zet het bandje stil. Juliannes ademhaling bibbert.

'Luistert je man mee?'

'Nee.'

'Wat heeft hij over me gezegd?'

'Hij zegt dat u Charlie geen pijn zult doen. Hij zegt dat u kinderen geen pijn doet.'

'En jij gelooft hem?'

'Dat weet ik niet.'

'Wat heeft hij nog meer over me gezegd?'

'Hij zegt dat u vrouwen wilt straffen... mij wilt straffen. Maar ik heb u niets misdaan. Charlie heeft u niets misdaan. Alstublieft, alstublieft, laat me met haar praten.'

Haar jankstem begint me te irriteren.

'Ben jij wel eens ontrouw geweest, Julianne?'

'Nee.'

'Je liegt tegen me. Je bent net als alle anderen. Je bent een stiekeme, schijnheilige, achterbakse slet met een pesthol tussen je benen en ook nog eentje in je gezicht.'

Een voetgangster heeft meegeluisterd. Haar ogen zijn wijd opengesperd. Ik buig me naar haar toe en zeg: 'Boe!' Ze struikelt over haar eigen benen als ze zich uit de voeten maakt.

Ik steek de straat over en loop de tuinen op het plein voor de kathedraal door. Er lopen moeders achter kinderwagens. Oudere stelletjes zitten op banken. Onder de dakoverstekken fladderen duiven.

'Ik vraag het je nog een keer, Julianne: ben je wel eens ontrouw geweest?'

'Nee,' snikt ze.

'En met je baas dan? Al die keren dat je hem belt. Je logeert bij hem in Londen.'

'Hij is een vriend.'

'Ik heb je tegen hem horen praten, Julianne. Ik heb gehoord wat je zei.'

'Nee... nee. Daar wil ik niet over praten.'

'Dat is omdat de politie meeluistert met ons gesprek,' zeg ik. 'Je bent doodsbenauwd dat je man achter de waarheid komt. Zal ik het hem vertellen?'

'Hij weet hoe het zit.'

'Zal ik hem vertellen dat je het zat werd om bij hem in bed te liggen en tegen zijn puisterige rug aan te moeten kijken en toen maar vreemd bent gegaan?'

'Alsjeblieft, houd daarmee op. Ik wil alleen met Charlie praten.'

Door de nevelige regen tuur ik naar de gebouwen aan de overkant van Park Street. Op het dak van het Wine Museum zie ik het silhouet van een telefoonmast. Het is waarschijnlijk de dichtstbijzijnde.

'Ik weet dat dit gesprek wordt opgenomen, Julianne. Het is vast een heuse babbelbox. Het is aan jou om mij zo lang mogelijk aan de lijn te houden zodat zij het signaal kunnen traceren.'

Ze aarzelt. 'Nee.'

'Je liegt niet echt overtuigend. Ik heb met een aantal van de beste *leugenaars te maken gehad, maar tegenover mij hielden ze het nooit lang vol.'*

In de schaduw van de kathedraal loop ik College Green over en speur Anchor Road af. Binnen een cirkel van een meter of achthonderd moeten zo'n vijftien masten staan. Hoe lang zal het hun kosten voordat ze me vinden?

'Charlie is erg lenig, vind je niet? Zoals ze haar lichaam kan buigen. Ze kan haar knieën achter haar oren leggen. Ik word erg blij van haar.'

'Alstublieft, raak haar niet aan.'

'Daar is het nu te laat voor. Je mag hopen dat ik haar niet vermoord.'

'Waarom doet u dit?'

'Vraag dat maar aan je man.'

'Die is er niet.'

'Waarom niet? Hebben jullie ruzie gehad? Heb je hem eruit getrapt? Geef jij hem de schuld van dit alles?'

'Wat wilt u van ons?'

'Ik wil dat wat hij heeft.'

'Ik begrijp het niet.'

'Ik wil wat mij toebehoort.'

'Uw vrouw en dochtertje zijn dood.'

'Heeft hij je dat verteld?'

'Ik vind het heel erg wat u is overkomen, meneer Tyler, maar wij hebben niets gedaan om u te kwetsen. Laat Charlie alstublieft vrij.'

'Menstrueert ze al?'

'Wat doet dat ertoe?'

'Ik wil weten of ze ovuleert. Misschien schop ik haar wel met jong. Je kunt oma worden, een betoverende grootmoeder.'

'Neem mij in haar plaats.'

'Waarom zou ik een grootmoeder nemen? Ik zal het je eerlijk zeggen, Julianne, je bent een vrouw die er prima uitziet, maar ik geef de voorkeur aan je dochter. Niet dat ik op kleine meisjes val. Ik ben geen pedo. Weet je, Julianne, als ik haar neuk, neuk ik jou. Als ik haar pijn doe, doe ik jou pijn. Ik kan jou raken op manieren die jij je niet eens kunt voorstellen, zonder dat ik je met een vinger aanraak.'

Ik kijk naar links en naar rechts de straat af en steek over. Om me heen lopen mensen. Af en toe raakt iemand mijn schouder en verontschuldigt zich. Mijn ogen speuren de straat af die voor me ligt.

'Ik zal alles doen wat u vraagt,' snikt ze.

'Alles?'

'Ja.'

'Ik geloof je niet. Je zult het moeten bewijzen.'

'Hoe?'

'Je zult het me moeten laten zien.'

'Goed, maar alleen als u me Charlie laat zien.'

'Dat kan. Ik laat je haar zo direct zien. Ik stuur je iets.'

Ik druk op een toets en de foto wordt verstuurd. Ik wacht en luister hoe ze reageert. Daar komt-ie! Het is een scherp inademen, een gesmoorde kreet. Ze is sprakeloos terwijl ze naar het hoofd van haar dochter staart, omwikkeld met afplakband, door een slang ademend.

'Breng mijn groeten over aan je man, Julianne. Zeg hem dat zijn tijd op begint te raken.'

Over St. Agustine's Parade komen in zuidelijke richting politiewagens aanrijden. Ik stap in een bus die naar het noorden gaat en kijk hoe de politie in de tegenovergestelde richting voorbijkomt. Ik leun met mijn hoofd tegen het raam en kijk naar de Christmas Steps die rechts van me omlaag voeren.

Vijf minuten later stap ik op Lower Maudlin Street, vlak voor de rotonde, uit de bus. Terwijl ik mijn handen boven mijn hoofd uitstrek voel ik overal in mijn ruggengraat de wervels kraken en ploppen.

De bus is de hoek om gegaan. Weggestopt tussen twee stoelen, in een hamburgerdoosje, gaat de mobiele telefoon door met zenden. Uit het oog, uit het hart.

441

58

Sniffy duwt haar benige kopje tegen mijn enkel en loopt te spinnen terwijl ze met haar lijf langs mijn kuit strijkt en met een pirouette weer terugkomt. Ze heeft honger. Ik doe de koelkast open en zie een half blik met folie afgedekt kattenvoer. Ik lepel er wat uit, doe het in haar bakje en geef haar een beetje melk.

De keukentafel ligt bezaaid met de restanten van de dag. Tussen de middag heeft Emma boterhammen met kaas gehad en een glas jus. Ze heeft de korstjes laten liggen. Dat deed Charlie ook altijd. 'Ik heb nu wel genoeg krullen in mijn haar,' zei ze tegen me toen ze vijf was. 'Ik geloof dat ik nu wel genoeg korstjes heb gegeten.'

Ik zal de aanblik van Charlies geboorte nooit vergeten. Ze kwam twee weken te laat, op een bitter koude januariavond. Ik denk dat ze op een warm plekje wilde blijven. De gynaecoloog leidde haar geboorte in met Prostaglandine en zei ons dat het middel pas na acht uur zijn werk zou doen en ging daarom thuis slapen. Julianne kreeg versnelde weeën en had binnen drie uur volledige ontsluiting. Er was niet genoeg tijd meer voor de gynaecoloog om naar het ziekenhuis terug te komen. Een grote, zwarte vroedvrouw bracht Charlie ter wereld en commandeerde me als een dressuurhondje de verloskamer rond.

Julianne wilde niet dat ik naar het 'hoofdprogramma' zou zitten te kijken, zoals zij het noemde. Ze wilde dat ik vlak naast haar gezicht bleef staan, haar voorhoofd bette en haar hand vasthield. Ik was ongehoorzaam. Toen ik eenmaal de donker behaarde kruin van het babyhoofdje tussen haar dijen zag verschijnen was ik niet meer van mijn plaats te krijgen. Ik zat eerste rij bij het schitterendste schouwspel dat je maar kunt bedenken.

'Het is een meisje,' zei ik tegen Julianne.

'Weet je dat zeker?'

Ik keek nog eens. 'Jaha, heel zeker.'

Zoals ik het me herinner was er daarna een wedstrijd wie van ons tweeën het eerst huilde: de baby of ik. Charlie won omdat ik vals speelde en mijn gezicht verborg. Ik was nog nooit zo tevreden geweest dat ik met de eer mocht gaan strijken van iets waar ik zo'n geringe rol in had gespeeld.

De vroedvrouw overhandigde me een schaar om de navelstreng door te knippen. Ze bakerde Charlie in en gaf haar aan mij. Hoewel het Charlies verjaardag was, was ik degene die alle cadeautjes kreeg. Ik liep met haar naar een spiegel en staarde naar ons evenbeeld. Ze sloeg de blauwste ogen op die je je maar kon indenken en keek me aan. Tot op de dag van vandaag heeft nooit meer iemand me zo aangekeken.

Julianne was uitgeput in slaap gevallen. Dat deed Charlie ook. Ik wilde haar wakker maken. Ik bedoel, welk kind verslaapt nou haar eigen verjaardag? Ik wilde dat ze me net zo aankeek als daarvoor, alsof ik de eerste persoon was die ze ooit had gezien.

De zoemende koelkast valt ratelend stil en in de plotselinge stilte voel ik in mijn binnenste een lichte, ononderbroken tremor vibreren die groter wordt en mijn longen vult. Ik ben afgesneden van de wereld. Koud. Mijn handen zijn gestopt met trillen. Ineens voel ik me als verlamd door een geurloos, kleurloos, onzichtbaar gas. Wanhoop.

Ik hoor de deur niet opengaan. Ik hoor geen voetstappen.

'Hallo.'

Ik sla mijn ogen op. Darcy staat in de keuken. Ze draagt een pet, een spijkerjasje en een opgelapte spijkerbroek.

'Hoe ben je hier gekomen?'

'Een vriend heeft me gebracht.'

Ik keer me naar de deur en zie Ruiz staan, verkreukeld, afgetobd, zijn rugbystropdas zoals altijd op halfzeven.

'Hoe gaat het, Joe?'

'Niet zo goed.'

Hij schuifelt naderbij. Als hij me omhelst ga ik nog huilen. Darcy doet het in zijn plaats, slaat haar armen om mijn nek en pakt me van achteren stevig vast.

443

'Ik hoorde het op de radio,' zegt ze. 'Is het dezelfde man, degene die ik in de trein ontmoette?'

'Ja.'

Ze doet haar bontgekleurde handschoenen uit. Haar wangen zijn rood van de temperatuurswisseling.

'Hoe hebben jullie elkaar weten te vinden?' vraag ik.

Darcy werpt Ruiz een blik toe. 'Ik heb min of meer bij hem gelogeerd.'

Ik kijk het tweetal verbijsterd aan.

'Sinds wanneer?'

'Sinds ik was weggelopen.'

Dan schieten me de kleren in de droger in Ruiz' washok weer te binnen; een Schots geruite rok. Ik had hem moeten herkennen. Darcy had hem aan toen ze de eerste keer bij het huis opdook.

Ik kijk Ruiz aan. 'Jij zei dat je dochter thuis was gekomen.'

'Dat is ze ook,' antwoordt hij, mijn woede net zo gemakkelijk van zich af schuddend als zijn overjas.

'Claire is danseres,' gaat Darcy verder. 'Weet je dat ze is opgeleid bij het Royal Ballet? Ze zegt dat er een speciale beurs voor mindervermogenden is, voor mensen zoals ik. Ze gaat me helpen met de aanvraag.'

Ik heb geen aandacht voor de strekking van wat ze vertelt. Ik wacht nog altijd op een verklaring van Ruiz.

'Het kind had wat tijd nodig. Ik dacht niet dat het kwaad kon.'

'Ik maakte me zorgen over haar.'

'Ze is jouw zorg niet.'

De uitspraak heeft iets scherps. Ik vraag me af hoeveel hij weet.

Darcy is nog niet uitgepraat. 'Vincent heeft mijn vader opgespoord. Ik heb met hem gesproken. Het was nogal maf, maar wel oké. Ik dacht dat hij knapper zou zijn, weet je, langer of misschien wel beroemd, maar hij is gewoon een doorsnee oude man. Normaal. Hij is voedselimporteur. Hij haalt kaviaar hierheen. Dat zijn visseneitjes. Hij heeft me ervan laten proeven. Over smerig gesproken. Hij zei dat het als oceaanmist smaakte, ik vond het naar stront smaken.'

'Hé! Woordgebruik!' zegt Ruiz. Darcy kijkt hem schaapachtig aan.

Ruiz is tegenover me gaan zitten, met zijn handen plat op tafel. 'Ik heb de man nagetrokken. Woont in Cambridge. Getrouwd. Twee kinderen. Hij deugt.'

Dan verandert hij van onderwerp en informeert naar Julianne.

'Ze is met de politie mee.'

'Jij zou bij haar moeten zijn.'

'Ze wil mij er niet bij hebben en de politie denkt dat ik een sta-in-de-weg ben.'

'Een sta-in-de-weg. Interessante analyse. Maar goed, ik heb vaak gedacht dat jouw ideeën gevaarlijk subversief waren.'

'Ik ben nou niet echt een radicaal.'

'Meer een kandidaat voor de Rotary.'

Hij zit me te plagen. Ik kan de energie niet opbrengen voor een glimlach.

Darcy informeert naar Emma. Ze is weg. Mijn ouders hebben haar meegenomen naar Wales, samen met Imogen. Mijn moeder barstte in tranen uit toen ze Charlies kamer zag en hield pas op met snotteren toen mijn vader haar een grote doos tissues gaf en zei dat ze in de auto moest wachten. Daarna stak Gods-eigen-lijfarts zijn rechte-rugtoespraak voor me af, die klonk als iets wat Michael Caine ten beste gaf in *Zulu*, maar dan zonder het cockneyaccent.

Iedereen bedoelt het goed. Ik ben gebeld door drie van mijn zussen, die me stuk voor stuk zeiden dat ik me kranig hield en dat ze voor ons baden.

Helaas ben ik niet geïnteresseerd in dooddoeners of woorden van troost. Ik wil deuren opentrappen en dingen omvergooien tot ik mijn Charlie terug heb.

Ruiz zegt tegen Darcy dat ze naar boven moet gaan en het bad moet laten vollopen. Ze gehoorzaamt onmiddellijk. Dan buigt hij zich naar me toe.

'Weet je nog wat ik je vertelde over geestelijk gezond blijven, professor? Zorg dat je niet aan de ziekte ten onder gaat.' Hij zit op een zuurtje te sabbelen dat tegen zijn tanden rammelt. 'Ik weet het mijne van tragiek. Een van de dingen die je ervan leert is dat je in beweging móet blijven. En dat is precies wat jij gaat doen. Jij gaat je wassen, omkleden en dan gaan we je dochter vinden.'

'Hoe.'

'Dat bekijken we wel als je weer naar beneden komt. Maar ik zal je één ding beloven. Ik ga die klootzak vinden. Het kan me niet schelen hoe lang het duurt. En als het zover is, ga ik de muren schilderen met zijn bloed. Tot de allerlaatste druppel.'

Als ik de trap oploop komt Ruiz achter me aan. Darcy heeft een schone handdoek gevonden. Vanuit de deuropening van Charlies kamer slaat ze ons gade.

'Dank je,' zeg ik tegen Ruiz.

'Wacht maar tot ik echt iets heb gedaan om jouw dank te verdienen. Kom naar beneden als je klaar bent. Ik heb iets dat ik je wil laten zien.'

59

Ruiz vouwt een vel papier open en strijkt het op de salontafel glad.

'Dit kreeg ik vanmiddag doorgefaxt,' zegt hij. 'Het is afkomstig van het maritiem reddings- en coördinatiecentrum in Piraeus.'

Het is een gefaxte foto, een vrouw met kort donker haar en een rond gezicht die zo op het oog midden tot eind dertig is. Haar gegevens staan met kleine lettertjes onderaan in een hoek afgedrukt.

Helen Tyler (geboren Chambers)
Geb.dat.: 6 juni 1970
Nat.: Brits
Pasp.nr.: E754769
Signalement: blank, Indo-Europees, lengte 175 cm, slank, haar bruin, ogen bruin

'Ik heb gebeld om er zeker van te zijn dat er geen sprake was van een vergissing,' zegt hij. 'Dit is de foto die ze hebben gebruikt bij hun zoektocht naar Tylers echtgenote.'

Ik staar naar het portret, alsof ik verwacht dat het me ineens bekender zal voorkomen. Hoewel grofweg van de juiste leeftijd, lijkt de afgebeelde vrouw in geen enkel opzicht op degene op de pasfoto die Bryan Chambers me gaf. Ze heeft korter haar, een hoger voorhoofd en een andere vorm ogen. Het kan niet dezelfde persoon zijn.

'En Chloë?'

Ruiz slaat zijn aantekenboek open en haalt een polaroidkiekje tevoorschijn. 'Deze hebben ze gebruikt. Hij is gemaakt door een gast van het hotel waar ze verbleven.'

Dit meisje herken ik. Haar blonde haar is als een lichtbaken. Ze zit op een schommel. Het gebouw op de achtergrond heeft witgesausde muren, langs een latwerk groeien wilde rozen.

Ik loop terug naar de gefaxte foto, die nog steeds op de salontafel ligt uitgestald. Ruiz heeft zichzelf een glas whisky ingeschonken en komt naar de bank teruglopen. Zijn rokerige bruine ogen kijken me van tussen gerimpelde plooien aan.

'Wie heeft de Grieken deze foto ter hand gesteld?' vraag ik.

'Hij is via Buitenlandse Zaken en de Britse ambassade bij hen terechtgekomen.'

'En hoe kwam BZ eraan?'

'Van haar familie.'

De autoriteiten waren op zoek naar Helen en Chloë. In het mortuarium moesten ze stoffelijke overschotten identificeren en in de ziekenhuizen de overlevenden. Ze zouden per ongeluk de verkeerde foto kunnen hebben verstuurd, maar iemand had dat inmiddels toch wel ontdekt moeten hebben. De enige andere verklaring wijst in de richting van misleiding. De sterfgevallen werden in scène gezet.

Drie mensen legden een verklaring af die inhield dat Helen en Chloë aan boord van de veerboot waren: de duiker van de marine, de Canadese student en de hotelmanager. Waarom zouden ze liegen? Voor geld, is het voor de hand liggende antwoord. Bryan Chambers heeft genoeg om dat voor elkaar te krijgen.

Het moest snel worden geregeld. De veerbootramp was een kans voor Helen en Chloë om te verdwijnen. Er moest bagage in zee worden gegooid. Moeder en dochter werden als vermist opgegeven. Bryan Chambers vloog een week nadat het schip was vergaan naar Griekenland, wat inhoudt dat Helen het merendeel van het voorbereidende werk moet hebben gedaan door met geld van haar vader de misleiding vorm te geven.

Iemand op het eiland moet hen hebben gezien. Waar zouden ze zich verborgen hebben gehouden?

Ik haal Helens foto uit mijn portefeuille, de foto die Bryan Chambers me ten kantore van zijn advocaat gaf. De foto was volgens Chambers gemaakt voor een nieuw paspoort, uitgegeven op haar meisjesnaam.

Vanaf het moment dat ze Duitsland ontvluchtte, in mei, gebruikte Helen geen creditcards meer, belde ze niet meer naar huis en verstuurde ze geen e-mails of brieven meer. Ze deed al het mogelijke om haar verblijfplaats voor haar echtgenoot verborgen te houden en een van de eerste dingen die haar te doen stonden was zich van haar trouwnaam te ontdoen. In plaats daarvan wachtte ze tot halverwege juli met het aanvragen van een nieuw paspoort.

Ik staar naar de uit Griekenland gefaxte foto.

'Wat nu als niemand op Patmos wist hoe Helen en Chloë Tyler er in werkelijkheid uitzagen?' vraag ik.

'Hoe bedoel je?'

'Wat als moeder en dochter al onder een andere naam reisden?'

Ruiz schudt zijn hoofd. 'Ik begrijp nog steeds niet waar je heen wilt.'

'Helen en Chloë kwamen begin juni op het eiland aan. Ze boekten een hotel, hielden zich koest en betaalden alles contant. Ze gebruikten niet hun echte namen. Ze noemden zich anders omdat ze wisten dat Gideon naar hen op zoek was. Dan, door een afschuwelijke speling van het lot, zinkt er op een stormachtige middag een veerboot. Helen ziet een kans om te verdwijnen. Ze gooit hun bagage in zee en geeft Helen en Chloë Tyler als vermist op. Ze geeft een rugzaktoerist en een duiker van de marine geld om tegen de politie te liegen.'

Ruiz pakt de draad op. 'En die rugzaktoerist heeft ineens geld genoeg om verder te reizen, terwijl zijn ouders hem elk moment thuis verwachten.'

'En een in ongenade gevallen marineduiker die wegens wangedrag voor een commissie moet verschijnen zou wel eens om geld verlegen kunnen zitten.'

'En de Duitse vrouw,' vraagt hij. 'Wat voor baat heeft die erbij?'

Ik blader door de verklaringen en leg de hare bovenop de stapel. Yelena Schäfer, geboren in 1970. Ik kijk naar de geboortedatum en voel de roes van herkenning.

'Hoe lang verbleef Helen in Duitsland?'

'Zes jaar.'

'Lang genoeg om de taal vloeiend te kunnen spreken.'

'Denk je dat…?'

'Yelena is een variatie op Helen.'

Ruiz buigt voorover met zijn handen tussen zijn knieën en zit erbij als een met stomheid geslagen antiek beeld. Zijn ogen sluiten zich heel even, in een poging de details te zien zoals ik ze zie.

'Dus volgens jou is de hotelmanager, de Duitse vrouw, Helen Chambers?'

'De hotelmanager was de geloofwaardigste getuige waarover de politie beschikte. Wat kon zij voor reden hebben om te liegen over een Engelse moeder en dochter die in haar hotel verbleven? Het was een perfecte dekmantel. Ze sprak Duits. Ze kon doen of ze Yelena Schäfer was en de dood van haar vroegere zelf bekendmaken.'

Ruiz doet zijn ogen open. 'De conciërge klonk nerveus toen ik hem sprak. Hij zei dat Yelena Schäfer op vakantie was gegaan. Hij zei niets over een dochter.'

'Wat is het nummer van het hotel?'

Ruiz heeft de betreffende bladzijde in zijn opschrijfboek al gevonden. Ik kies het nummer van het hotel en wacht. Een slaperige stem neemt op.

'Hallo, u spreekt met de internationale luchthaven van Athene. We hebben een tas gevonden die enkele dagen terug niet is meegegaan met een vlucht. Volgens het bagagelabel was hij ingecheckt door mejuffrouw Yelena Schäfer, maar er moet iets mis zijn gegaan. Reisde ze met iemand samen?'

'Ja, met haar dochter.'

'Van zes.'

'Zeven.'

'Waar ging hun vlucht heen?'

De conciërge is wakkerder nu. 'Waarom belt u zo laat op de avond?' vraagt hij boos.

'De tas is met de verkeerde vlucht meegegaan. We hebben een nazendadres nodig.'

'Mejuffrouw Schäfer moet de tas als vermist hebben opgegeven,' zegt hij. 'Ze heeft ongetwijfeld een nazendadres opgegeven.'

'Zo te zien niet.'

Hij ruikt onraad. 'Wie bent u? Waar bent u van?'

'Ik ben op zoek naar Yelena Schäfer en haar dochter. Ik moet ze absoluut vinden.'

Hij schreeuwt iets onverstaanbaars en hangt op. Ik druk op de herhaaltoets. De telefoon is in gesprek. Hij heeft hem ernaast gelegd of is iemand aan het bellen. Misschien wel iemand aan het waarschuwen.

Ik bel Trinity Road. Safari Roy heeft de leiding over de commandokamer. Inspecteur Cray is gaan eten. Ik geef hem Yelena Schäfers naam en de meest waarschijnlijke datum waarop ze met haar dochter een vlucht vanuit Athene heeft genomen.

Passagierslijsten zijn niet eerder dan tegen de ochtend beschikbaar, laat hij me weten. Hoeveel vluchten zijn er dagelijks vanuit Athene? Honderden. Ik heb geen idee waar moeder en dochter heen zijn gegaan.

Ik hang op en staar naar de foto's. Konden ze maar tegen me praten. Zou Helen het riskeren naar huis te komen terwijl Gideon Tyler haar nog steeds zoekt?

*

Ruiz laat zijn handen losjes bovenop het stuurwiel rusten, alsof hij de Mercedes zelf de weg laat vinden. Hij oogt ontspannen en in gedachten verzonken, maar ik weet dat zijn geest overuren maakt. Soms denk ik dat hij doet alsof hij nooit diep nadenkt of dat hij traag van begrip is, als manier om mensen op het verkeerde been te zetten, zodat ze hem onderschatten.

Darcy zit op de achterbank met haar hoofd in de muziek. Misschien had ik het mis toen ik me zorgen over haar maakte.

'Trek?' vraagt Ruiz.

'Nee.'

'Wanneer heb je voor het laatst gegeten?'

'Mijn ontbijt.'

'Je moet iets eten.'

'Het gaat prima zo.'

'Dat blijf jij maar zeggen en er komt een dag dat je je ook prima zult voelen, maar dat is niet vandaag. Je moet niet verwachten dat je je prima voelt. Je zult je pas prima voelen als je Charlie weer bij je hebt... en Julianne, en jullie weer het gelukkige gezinnetje kunnen uithangen.'

'Daar is het misschien al te laat voor.'

Hij kijkt me schuins aan en richt zijn blik weer op de weg.

'We krijgen haar terug,' zegt hij na een lange stilte.

Sinds ze het huis verliet heb ik niets meer van Julianne vernomen. Monk heeft contact gehad met de commandokamer. Gideon heeft opnieuw gebeld, met mijn mobieltje. Hij bevond zich ergens in het centrum van Bristol, in de buurt van de kathedraal. Oliver Rabb slaagde er niet in hem te lokaliseren voordat het toestel in een bus werd achtergelaten. De telefoon is een uur geleden opgehaald op de remise op Muller Road.

Er wordt niets gezegd over Charlie. Volgens Monk wordt alles op alles gezet, maar dat klopt niet. Er zijn veertig rechercheurs op de zaak gezet. Waarom niet vierhonderd of vierduizend? Er is een oproep gedaan via de televisie en de radio. Waarom klinken er geen sirenes van de daken en wordt niet elke woning, pakhuis, boerderij, kippenhok en buiten-wc doorzocht? Waarom is Tommy-Lee Jones niet opgeroepen om de zoekactie op touw te zetten?

Ruiz draait de oprit naar het landgoed Daubeney op. De metalen hekken lichten wit op in het groot licht van de koplampen. Er reageert niemand op de zoemer. Ruiz houdt hem dertig seconden ingedrukt. Stilte.

Hij stapt uit de auto en gluurt door de spijlen. In het huis brandt licht.

'Hé, Darcy, hoeveel weeg jij?'

'Dat vraag je niet aan een meisje,' reageert ze.

'Denk je dat je over die muur kunt klimmen?'

Ze volgt zijn blik. 'Jazeker.'

'Pas op voor het gebroken glas.'

Ruiz gooit zijn jas over de muur als bescherming voor haar handen.

'Wat doe je?' vraag ik.

'Aandacht trekken.'

Darcy zet haar rechtervoet in zijn gebogen handen en wordt op de muur gehesen. Ze pakt zich vast aan een tak en komt tussen de in het beton gevatte gebroken flesjes overeind. Ze heeft haar armen uitgestrekt om haar evenwicht te bewaren, maar de kans dat ze valt is nihil. Haar zelfverzekerdheid en gevoel voor evenwicht zijn het resultaat van eindeloos oefenen.

'Straks wordt ze nog neergeschoten,' zeg ik tegen Ruiz.

'Zo goed kan Skipper niet mikken,' reageert hij.

Een stem uit het donker geeft hem antwoord. 'Ik schiet de ogen van een eekhoorn er op vijftig pas afstand nog uit.'

'En ik maar denken dat u een natuurliefhebber was,' reageert Ruiz. 'Maar u bent natuurlijk een conservatief in hart en nieren.'

Skipper duikt op in het schijnsel van de koplampen, met een geweer tegen zijn borst geklemd. Darcy staat nog altijd op de muur.

'Kom daar eens af, meisje.'

'Moet dat?'

Hij knikt.

Darcy gehoorzaamt, maar anders dan hij verwacht. Ze springt naar hem toe en Skipper moet zijn geweer laten vallen om haar op te vangen voor ze neerkomt. Nu is ze aan zíjn kant van het hek. Het is een complicatie waar hij geen rekening mee heeft gehouden.

'We moeten de heer en mevrouw Chambers spreken,' zeg ik.

'Die kunnen u niet te woord staan.'

'Dat zei u de laatste keer ook,' zegt Ruiz.

Skipper heeft Darcy bij haar arm vast. Hij weet niet wat hij moet doen.

'Mijn dochter wordt vermist. Gideon Tyler heeft haar ontvoerd.'

Aan de manier waarop zijn ogen naar de mijne schieten zie ik dat ik zijn volledige aandacht heb. Dat is de reden dat hij hier is, om te voorkomen dat Gideon binnenkomt.

'Waar is Tyler nu?'

'Dat weten we niet.'

Hij kijkt naar de auto, alsof hij bang is dat Gideon zich daarin verschuilt. Hij grijpt in zijn jaszak, haalt een walkietalkie tevoorschijn en roept het huis op. Ik kan het antwoord niet horen, maar de hekken gaan langzaam open. Skipper loopt om de auto heen en controleert de oprijlaan in beide richtingen voordat hij gebaart dat we door kunnen rijden.

Langs de oprijlaan floepen beveiligingslampen aan als de Mercedes voorbijglijdt. Skipper zit op de passagiersstoel met zijn geweer op schoot, gericht op Ruiz.

Ik kijk op mijn horloge. Charlie wordt inmiddels acht uur vermist.

Wat ga ik tegen Bryan en Claudia Chambers zeggen? Ik ga smeken. Ik ga me aan strohalmen vastklampen. Ik ga hun om precies datgene vragen wat Gideon wil: zijn vrouw en dochter. Hij is erin geslaagd me te laten geloven wat hij gelooft. Ze zijn in leven. Ik heb geen andere keuze dan dit te accepteren.

Skipper begeleidt ons de trap op, de hoofdingang en de hal door. Wandlampen worden weerspiegeld in de gewreven houten vloer en uit de zitkamer komt het licht van fellere lampen.

Bryan Chambers staat op van een bank en recht zijn schouders. 'Ik dacht dat wij klaar waren met elkaar.'

Claudia zit tegenover hem. Ze staat op en doet haar rokband goed. Haar mooie amandelvormige ogen maken geen contact met de mijne. Ze is met een machtig man getrouwd, log en met een dikke huid, maar haar eigen kracht is gereserveerder.

'Dit is Darcy Wheeler,' zeg ik. 'De dochter van Christine.'

Op Claudia's gezicht staat al haar droefheid te lezen. Ze pakt Darcy's hand en trekt haar zachtjes naar zich toe. Ze zijn bijna even groot.

'Ik vind het zo erg,' fluistert ze. 'Je moeder was een geweldige vriendin voor mijn dochter.'

Bryan Chambers kijkt met een soort verwondering naar Darcy. Hij gaat zitten en leunt voorover met zijn handen tussen zijn knieën. Er staan stoppels op zijn kaken en in zijn mondhoeken zitten witte spuugvlekjes.

'Gideon Tyler heeft mijn dochter ontvoerd,' verklaar ik.

De sidderende stilte die volgt zegt meer over de Chambers dan een uur in de spreekkamer me duidelijk had kunnen maken. Het is niet alleen wat ze laten zien, maar ook wat ze verborgen proberen te houden.

'Ik weet dat Helen en Chloë nog leven.'

'U bent gek,' zegt Bryan Chambers. 'U bent al net zo krankzinnig als Tyler.'

Zijn vrouw verstijft lichtjes en haar ogen ontmoeten die van haar echtgenoot. Het is een micro-expressie. Het kleinst denkbare spoortje beweging, maar het is voldoende.

Dat is het met leugens. Ze komen er gemakkelijk uit, maar zijn lastig te verbergen. Er zijn mensen die er briljant in zijn, maar de meesten van ons hebben er moeite mee, aangezien onze geest ons lichaam niet volledig onder controle heeft. Er zijn duizenden automatische menselijke reacties, van een kloppend hart tot een kriebelende huid, die niets te maken hebben met vrije wil, dingen die we niet onder controle hebben, die ons verraden.

Bryan Chambers heeft zich omgedraaid. Hij schenkt zichzelf een whisky in uit een kristallen karaf. Ik wacht op de aanraking van glas tegen glas. Zijn hand is onwaarschijnlijk vast.

'Waar zitten ze?'

'Mijn huis uit!'

'Gideon is erachter gekomen. Daarom valt hij jullie lastig, achtervolgt hij jullie, kwelt hij jullie. Hoeveel weet hij?'

Op zijn hakken wiebelend houdt hij het whiskyglas omklemd. 'Maakt u me uit voor leugenaar? Gideon Tyler heeft ons leven tot een beproeving gemaakt. De politie heeft niets gedaan. Niets.'

'Hoeveel weet Gideon?'

Chambers lijkt op ontploffen te staan. 'Mijn dochter en kleindochter zijn dood,' sist hij met opeengeklemde tanden.

Claudia komt naast hem staan, haar ogen hebben een harde, koude tint blauw. Ze houdt van haar man. Ze houdt van haar gezin. Ze zal alles doen om hen te beschermen.

'Het spijt me van uw dochter,' fluistert ze. 'Maar we hebben Gideon Tyler al genoeg gegeven.'

Ze liegen – ze liegen allebei – maar het enige wat ik weet op te brengen is van mijn ene been op het andere te gaan staan en mijn keel te schrapen met een soort hulpeloos raspgeluid.

'We kunnen hem tegenhouden,' probeert Ruiz. 'We kunnen ervoor zorgen dat hij het niet nog een keer doet.'

'Jullie kunnen hem niet eens vinden,' smaalt Bryan Chambers. 'Niemand kan dat. Hij kan door muren heen lopen.'

Ik kijk de kamer rond en probeer een reden te bedenken, een argument, een dreigement, alles wat de uitkomst zou kunnen veranderen. Overal staan en hangen foto's van Chloë, op de schoorsteenmantel, de wandtafels, ingelijst aan de muur.

'Waarom heeft u de Griekse autoriteiten de foto van iemand anders dan Helen gegeven?' vraag ik.

'Ik weet niet waar u het over heeft,' zegt Bryan Chambers.

Ik haal de gefaxte foto uit mijn zak en vouw hem uit op de tafel.

'Het is een misdrijf om gedurende een politieonderzoek valse informatie te verstrekken,' zegt Ruiz. 'En dat geldt ook voor een onderzoek in het buitenland.'

Bryan Chambers' gezicht wordt drie slagen donkerder van het bloed dat in hem opstijgt. Ruiz laat niet los. Ik geloof dat hij het idee van terrein prijsgeven niet begrijpt, niet als het gaat om vermiste kinderen. Er zijn er te veel geweest in zijn loopbaan, kinderen die hij niet heeft weten te redden.

'Jullie hebben hun de verkeerde foto gestuurd omdat jullie dochter nog leeft. Jullie hebben haar dood in scène gezet.'

Bryan Chambers leunt achteruit om de eerste klap uit te delen. De beweging verraadt zijn bedoelingen. Ruiz ontwijkt de klap en geeft hem een tik op zijn achterhoofd alsof hij een oorvijg uitdeelt aan een stout schoolknaapje.

Het moedigt hem alleen maar aan. Met een brul en een sprong vooruit ramt Chambers zijn hoofd in Ruiz' maagstreek, slaat zijn armen om hem heen en duwt hem achteruit tegen de muur. De botsing lijkt het hele huis te doen schudden. Ingelijste foto's vallen om als dominostenen.

'Ophouden! Ophouden!' gilt Darcy. Ze staat bij de deur, met

gebalde vuisten en ogen waarin tranen blinken.

Alles vertraagt. Zelfs het tikken van de staande klok klinkt als een langzaam druppelende kraan. Bryan Chambers houdt zijn hoofd vast. Hij heeft een snee boven zijn linkeroog. Hij is niet diep, maar bloedt hevig. Ruiz bekommert zich om zijn ribben.

Ik buk me en begin de foto's op te rapen. Van een van de lijstjes is het glas gebroken. Het is een kiekje van een verjaardagsfeestje. Kaarsjes staan in Chloë's ogen weerspiegeld terwijl ze met gebolde wangen als van een trombonist over een taart geleund staat. Ik vraag me af wat voor wens ze deed.

Het is geen ongewone foto, maar iets klopt er niet. Ruiz heeft een geheugen als een ijzeren klem, waarin feiten voor altijd vast blijven zitten. Ik heb het niet over nutteloze weetjes als popliedjes of legendarische renpaarden of rechtsbacks die na de oorlog de kleuren van Manchester United hebben verdedigd. Belangrijke informatie. Data. Adressen. Signalementen.

'Wanneer is Chloë geboren?' vraag ik hem.

'8 augustus 2001.'

Bryan Chambers is nu gruwelijk nuchter. Claudia is naar Darcy toe gelopen en probeert haar te troosten.

'Leg mij eens uit,' zeg ik terwijl ik naar de foto wijs. 'Hoe kan het dat uw kleindochter zeven kaarsjes uitblaast op een verjaardags‑taart als ze twee weken vóór haar zevende verjaardag is gestor‑ven?'

De in de vloer verborgen knop heeft Skipper gealarmeerd. Hij heeft een geweer bij zich, maar dit keer ligt het wapen niet in zijn elleboogholtes. Hij heeft de loop op borsthoogte voor zich uit ge‑stoken en zwaait ermee.

'Werk ze mijn huis uit,' buldert Bryan Chambers, die nog altijd zijn voorhoofd omklemd houdt. Er is bloed over zijn wenkbrauw en zijn wang gelopen.

'Hoeveel slachtoffers zullen er nog vallen als we dit nu niet we‑ten te stoppen?' probeer ik.

Het heeft geen effect. Skipper zwaait met het geweer. Darcy gaat voor hem staan. Ik weet niet waar ze de moed vandaan haalt.

'Laat maar,' zeg ik. 'We gaan.'

'En Charlie dan?'

'Dit maakt het er niet beter op.'

Er gaat helemaal niets veranderen. Het verkeerde van de situatie, de naderende catastrofe, ontgaat de Chambers, die gevangen lijken te zitten in een permanente schemering van angst en ontkenning.

Ik word voor de tweede maal het huis uit gebonjourd. Ruiz gaat voorop, gevolgd door Darcy. Terwijl ik door de hal loop vang ik, in het uiterste randje van mijn gezichtsveld, een glimp op van iets wits dat tegen de leuning van de trap gedrukt zit. Het is een kind, blootsvoets en met een wit nachthemd aan, dat door de gedraaide houten balusters naar ons zit te gluren. Ze ziet er oneindig licht en haast buitenaards uit en kijkt met een lappenpop in haar armen toe terwijl we vetrekken.

Ik blijf staan en kijk haar aan. De anderen draaien zich om.

'Je moet slapen,' zegt Claudia.

'Ik werd wakker. Ik hoorde een klap.'

'Het was niks. Ga maar weer naar bed.'

Ze wrijft in haar ogen. 'Komt u me instoppen?'

Ik voel het ritme van mijn bloed onder mijn huid. Bryan Chambers gaat voor me staan. De kolf van het geweer zit tegen Skippers schouder gedrukt. Op de trap klinken voetstappen. Er verschijnt een geagiteerd uitziende vrouw. Ze pakt het kind op.

'Helen?'

Ze reageert niet.

'Ik weet wie je bent.'

Ze draait zich naar me om en tilt een hand op om een haarlok uit haar ogen te strijken. Ze heeft haar hoofd tussen haar schouders getrokken en haar dunne armen klemmen zich stijf om Chloë.

'Hij heeft mijn dochter.'

Ze geeft geen antwoord. In plaats daarvan draait ze zich om om de trap op te gaan.

'Jij hebt het tot hier gered. Help me.'

Ze is verdwenen, terug naar haar kamer, niet gezien, niet gehoord, niet overtuigd.

60

Ik loop op een over de straatklinkers liggend tapijt van dode bladeren en ga door de louvredeuren de eetkamer binnen. Het meubilair is afgedekt met oude lakens waaronder leunstoelen en banken er als vormeloze hompen uitzien.

In de kleine open haard ligt een voor eeuwig zwart geworden smeedijzeren kolenrooster onder een oude schoorsteenmantel die vol met punaisegaatjes zit van tientallen kerstkousen, geen ervan van de Arabier.

Ik ga de trap op. Het meisje ligt er rustig bij. Ze heeft geen poging gedaan het plakband van haar hoofd te trekken. Wat is ze gehoorzaam geworden. Wat meegaand.

Buiten krassen door de wind tegen de muren gedrukte takken langs het schilderwerk. Af en toe tilt ze haar hoofd op, alsof ze zich afvraagt of het geluid op iets anders duidt. Ze tilt opnieuw haar hoofd op. Misschien hoort ze me ademen.

Ze gaat rechtop zitten en laat haar voeten voorzichtig op de grond zakken. Dan leunt ze voorover tot haar handen de radiator raken. Op de tast haar weg zoekend hupt ze zijwaarts tot ze het toilet heeft bereikt. Ze blijft staan en luistert en trekt dan haar spijkerbroek omlaag. Ik hoor het veelbetekenende gekletter.

Ze haalt haar broek op en slaagt erin de wasbak te vinden. Er zijn twee kranen, warm en koud. Links en rechts. Ze draait de koude kraan open en houdt haar vingers onder de straal. Ze buigt haar hoofd en probeert de slang in haar mond in de waterstroom te houden. Het is alsof ik naar een onhandige vogel kijk die zijn dorst lest. Ze moet haar adem inhouden en iets van de waterstraal zien op te zuigen. Het gaat mis en ze schiet in een hoestbui die haar snikkend op de grond doet belanden.

Ik raak haar hand aan. Ze gilt en probeert weg te kruipen en slaat met haar hoofd tegen de waterleidingbuizen.

'Rustig maar, ik ben het maar.'

Ze kan geen antwoord geven.

'Je bent een brave meid geweest, maar nu moet je je weer rustig houden.'

Ze krimpt ineen als ik haar aanraak. Ik begeleid haar naar het bed en zeg haar te gaan zitten. Ik steek het onderste blad van een kleermakersschaar achterin haar nek onder het plakband en begin in kleine stapjes omhoog te knippen. Ik snijd door haar lokken en trek plukken haar en plakband mee. Het moet zeer doen. Ze geeft geen krimp, totdat ik het van haar gezicht trek, zo snel mogelijk om haar pijn te besparen. Ze gilt door de slang en spuugt hem uit.

Ik leg de schaar neer. Het 'masker' is af en ligt op de grond als de huid van een van zijn ingewanden ontdaan beest. Haar gezicht is overdekt met tranen, snot en zacht geworden lijm. Er zijn ergere dingen.

Ik zet een fles water aan haar lippen. Ze drinkt gulzig. Er vallen druppeltjes op haar vest. Ze veegt haar kin af aan haar schouder.

'Ik heb eten voor je gehaald. De hamburger is koud geworden, maar is vast wel lekker.'

Ze neemt een hapje. Genoeg.

'Kan ik nog iets voor je halen?'

'Ik wil naar huis.'

'Dat begrijp ik.'

Ik trek er een stoel bij en ga tegenover haar zitten. Het is voor het eerst dat ze me kan zien. Ze weet niet waar ze moet kijken.

'Weet je nog wie ik ben?'

'Ja. U stapte in de bus. Uw been is weer beter.'

'Hij was helemaal niet gebroken. Heb je het koud?'

'Een beetje.'

'Ik zal een deken voor je pakken.'

Ik pak een sprei van een van de stoelen en drapeer hem om haar schouders. Ze huivert onder mijn aanraking.

'Wil je nog wat water?'

'Nee.'

'Misschien heb je liever iets fris, cola of zo?'

Ze schudt haar hoofd.

'Je bent te jong om het te kunnen begrijpen. Eet je hamburger op.'

Ze snottert en neemt nog een klein hapje. De stilte lijkt te groot voor de kamer.

'Ik heb een dochter. Ze is jonger dan jij.'

'Hoe heet ze?'

'Chloë.'

'Waar is ze?'

'Dat weet ik niet. Ik heb haar al een poos niet gezien.'

Het meisje neemt nog een hap van haar hamburger. 'Toen we in Londen woonden had ik een vriendin die Chloë heette. Ik heb haar niet meer gezien sinds we verhuisd zijn.'

'Waarom zijn jullie uit Londen weggegaan?'

'Mijn vader is ziek.'

'Wat mankeert hem?'

'Hij heeft Parkinson. Hij moet ervan beven en moet pillen slikken.'

'Ik heb er wel eens van gehoord ja. Kun je het een beetje vinden met je pa?'

'O ja.'

'Wat voor dingen doen jullie samen?'

'Balletje trappen en lange wandelingen maken... gewoon dingen.'

'Leest hij je voor?'

'Daar ben ik een beetje te oud voor.'

'Maar vroeger wel.'

'Ja, ik geloof van wel. Hij leest Emma voor.'

'Je zus.'

'Uh-huh.'

Ik kijk op mijn horloge. 'Ik moet zo meteen weer weg. Ik ga je vastbinden, maar ik zal geen plakband meer om je hoofd doen zoals eerst.'

'Gaat u alstublieft niet weg.'

'Ik ben zo weer terug.'

'Ik wil niet dat u weggaat.' Er glinsteren tranen in haar ogen. Is het niet merkwaardig: ze is banger voor het alleen zijn dan voor mij.

'Ik zal de radio aan laten. Dan kun je naar muziek luisteren.'

Ze snottert en rolt zich op het bed op, de half opgegeten hamburger nog in haar hand.

'Gaat u me doodmaken?'

'Waarom denk je dat?'

'U zei tegen mijn moeder dat u me open ging snijden... dat u dingen met me ging doen.'

'Je moet niet alles geloven wat je een volwassene hoort zeggen.'

'Wat wil dat zeggen?'

'Precies wat het zegt.'

'Ga ik dood?'

'Dat hangt van je moeder af.'

'Wat moet ze doen?'

'Jouw plaats innemen.'

Ze huivert. 'Meent u dat?'

'Ja, dat meen ik. En nu stil of ik doe weer plakband over je mond.'

Ze trekt de sprei over zich heen, keert haar rug naar me toe en zinkt weg in de schaduwen. Ik loop weg en trek mijn schoenen en mijn jas aan.

'Alstublieft, laat me niet alleen,' fluistert ze.

'Ssst. Ga nu maar slapen.'

61

De Mercedes glijdt door donkere straten, uitgestorven op een enkele figuur na die zich naar de laatste bus spoedt of van de pub op weg naar huis is. Het zijn vreemden die mij niet kennen. Die Charlie niet kennen. Mensen wier levens nooit met het mijne in aanraking zullen komen. De enige mensen die me kunnen helpen zijn niet bereid te luisteren of het risico te lopen blootgesteld te worden aan Gideon Tyler. Helen en Chloë leven nog. Eén raadsel is opgelost.

Nog voordat ik bij ons huis ben zie ik dat er in de straat andere auto's geparkeerd staan. Ik weet wat voor auto mijn buren rijden. Deze zijn van andere mensen.

De Mercedes stopt. Een stuk of tien autoportieren gaan gelijktijdig open. Verslaggevers, cameralieden en fotografen drommen rond de Mercedes, leunen over de motorkap en schieten door de voorruit hun plaatjes. Verslaggevers roepen vragen.

Ruiz kijkt me van opzij aan. 'Wat wil je?'

'Naar binnen.'

Ik duw met moeite het portier open en probeer mezelf tussen de lichamen door te wringen. Iemand grijpt me bij mijn jasje. Een jonge vrouw verspert me de weg. Ik krijg een taperecorder in mijn gezicht geduwd.

'Denkt u dat uw dochter nog in leven is, professor?'

Wat is dat voor een vraag?

Ik geef geen antwoord.

'Heeft hij contact met u gehad? Heeft hij haar bedreigd?'

'Alstublieft, laat me erdoor.'

Ik voel me als een in een hoek gedreven dier waar een troep leeuwen omheen cirkelt, loerend op hun kans om me af te maken. 'Wacht, kunt u niet even iets zeggen, professor? We willen alleen maar helpen.'

Ruiz pakt me vast. Hij heeft zijn andere arm om Darcy heen geslagen. Met zijn hoofd omlaag baant hij zich als een rugbyspeler in het losse werk een weg. De vragen blijven komen.

'Is er losgeld geëist?'

'Waar is hij op uit, denkt u?'

Monk doet de voordeur open en doet hem weer dicht. Schijnwerpers van televisieploegen houden het huis nog steeds gevangen in een zee van licht, dat door kieren in de gordijnen en zonwering naar binnen valt.

'Ze zijn een uur geleden gearriveerd,' zegt Monk. 'Ik had jullie moeten waarschuwen.'

Publiciteit is positief, maak ik mezelf wijs. Misschien herkent iemand Charlie of Tyler en tippen ze de politie.

'Is er nog nieuws?' vraag ik Monk.

Hij schudt zijn hoofd. Ik kijk langs hem heen en zie een onbekende in de keuken staan. Hij heeft een donker pak en een gesteven wit overhemd aan en is zo te zien noch politieman noch verslaggever. Zijn haar heeft de kleur van gepolijst cederhout en zijn zilveren manchetknopen weerkaatsen het licht als hij zijn vingers door zijn pony haalt.

De onbekende lijkt in de houding te gaan staan als ik naderbij kom, met zijn handen op zijn rug. Het is een houding die er op exercitieterreinen eindeloos is ingeslepen. Hij stelt zichzelf voor als eerste luitenant William Greene en wacht tot ik hem mijn hand aanbiedt voor een handdruk en steekt dan pas de zijne uit.

'Wat kan ik voor u doen, luitenant?'

'De vraag is meer wat ik voor ú kan betekenen, meneer,' zegt hij met een afgemeten kostschoolaccent. 'Voorzover ik heb begrepen heeft u contact gehad met majoor Gideon Tyler. Wij zijn in hem geïnteresseerd.'

'En wie zijn "wij"?'

'Het ministerie van Defensie, meneer.'

'Dan kunt u achteraan in de rij plaatsnemen,' lacht Ruiz.

De luitenant negeert hem. 'Het leger werkt samen met de politie. Wij willen majoor Tyler lokaliseren en uw dochters veilige thuiskomst faciliteren.'

Ruiz bauwt hem na. 'Faciliteren? Jullie eikels hebben de zaak tot op heden alleen maar gehinderd.'

Eerste luitenant Greene geeft geen krimp. 'Er zijn bepaalde complicerende factoren die volledige openheid in de weg hebben gestaan.'

'Werkte Tyler voor de militaire inlichtingendienst?'

'Ja.'

'Wat deed hij daar?'

'Ik ben bang dat die informatie geheim is.'

'Hij was ondervrager.'

'Informatieverzamelaar.'

'Waarom is hij uit dienst getreden?'

'Dat is hij niet. Hij is gedeserteerd nadat zijn vrouw hem had verlaten. Hem hangt de krijgsraad boven het hoofd.'

De luitenant staat niet langer in de houding. Zijn voeten staan een centimeter of dertig uit elkaar, zijn gepoetste schoenen iets naar buiten toe, zijn handen langs zijn lichaam.

'Waarom is Tylers conduitestaat geheim?' vraag ik.

'Zijn werk was nogal gevoelig van aard.'

'Dat is geen antwoord,' zegt Ruiz. 'Wat deed die gast precies?'

'Hij ondervroeg gevangenen,' ben ik de luitenant voor. 'Hij martelde hen.'

'De Britse regering staat marteling niet toe. Wij houden ons aan de Geneefse Conventie…'

'Jullie hebben die klootzak opgeleid,' onderbreekt Ruiz hem.

De luitenant gaat er niet op in.

'Wij denken dat majoor Tyler een soort inzinking heeft gehad. Hij is nog altijd dienstdoend Brits officier en het is mijn taak om samen met de politie van Avon en Somerset zijn spoedige arrestatie te bewerkstelligen.'

'In ruil voor wat?'

'Zodra majoor Tyler zich in hechtenis bevindt, zal hij aan het leger worden overgedragen.'

'Hij heeft wel twee vrouwen vermoord,' zegt Ruiz ongelovig.

'Hij zal door legerpsychologen worden onderzocht om te bepalen of hij in staat is terecht te staan.'

'Allemaal onzin,' zegt Ruiz.

Ik ben zo ver heen dat het mij niet meer uitmaakt. Defensie mag Gideon Tyler hebben, zolang ik Charlie maar terugkrijg.

De luitenant richt zich rechtstreeks tot mij. 'Het leger kan bepaalde middelen en technologie inzetten voor een burgeronderzoek zoals dit. Zodra ik van uw medewerking verzekerd ben, heb ik de bevoegdheid u die hulp aan te bieden.'

'Op wat voor manier word ik geacht mee te werken?'

'Majoor Tyler had speciale taken. Heeft hij daar met u over gesproken?'

'Nee.'

'Heeft hij namen genoemd?'

'Nee.'

'Specifieke locaties?'

'Nee. Hij was een erg stille soldaat.'

Luitenant Greene blijft even stil, zijn woorden zorgvuldig kiezend.

'Als hij u gevoelige informatie heeft onthuld, zou ongeautoriseerde openbaarmaking van die informatie kunnen leiden tot een aanklacht tegen u conform de Official Secrets Act, die overheidsgeheimen moet helpen beschermen. Detentie is een van de mogelijke straffen voor een dergelijk vergrijp.'

'O, u bedreigt meneer hier,' zegt Ruiz op hoge toon.

De luitenant is goed opgeleid. Hij bewaart zijn kalmte. 'Zoals u wellicht al heeft opgemerkt, stellen de media belang in majoor Tyler. Er gaan ongetwijfeld vragen komen van verslaggevers. Er zal een officieel onderzoek komen naar de dood van Christine Wheeler en Sylvia Furness. Het zou kunnen zijn dat u als getuige wordt opgeroepen. Ik raad u aan buitengewoon voorzichtig te zijn met wat u zegt.'

Ineens ben ik kwaad. Ik ben al die lui zat: het leger met hun gedraai en hun geheimen, Bryan en Claudia Chambers met hun blinde loyaliteit, Helen Chambers met haar slapheid, de verslaggevers, de politie en ikzelf met mijn gevoel van hulpeloosheid.

Het is de tweede keer deze avond dat Ruiz iemand een klap wil verkopen. Ik zie hoe hij de gevechtshouding aanneemt tegenover de jongeman, die de bedreiging met een gelaten gevoel van onvermijdelijkheid aanziet. Ik probeer de angel uit de situatie te halen.

'Vertel me één ding, luitenant. Hoe belangrijk is mijn dochter voor u?'

Hij begrijpt de vraag niet.

'Jullie willen Gideon Tyler te pakken krijgen. Wat nou als mijn dochter jullie daarbij in de weg zit?'

'Haar veiligheid staat bij ons voorop.'

Ik wou dat ik hem kon geloven. Ik zou inderdaad willen geloven dat de knapste koppen en medewerkers van het Britse leger al het mogelijke zullen doen om Charlie te redden. Helaas was Gideon Tyler een van hun beste medewerkers. En zie wat er met hem is gebeurd.

Ik voel hoe ik heel even wankel en grijp trillend de tafel vast.

'Bedankt voor uw hulp, luitenant, u kunt uw superieuren verzekeren dat ik zal meewerken. Ik zal hen net zo helpen als ze mij geholpen hebben.'

Greene kijkt me aan, niet goed wetend wat hij van die uitspraak moet denken.

'Gideon Tylers echtgenote en dochter zijn in leven. Ze logeren bij haar ouders thuis.'

Ik bestudeer zijn reactie. Niets. Ik krijg een tintelend gevoel in mijn vingertoppen. In plaats van dat ik hem iets nieuws heb verteld heb ik zijn geheim blootgelegd. Hij wist het al, van Helen en Chloë.

In de afwachtende stilte klettert de waarheid als een slagregen mijn bewustzijn binnen. Het leger bewaakt de buitenplaats Daubeney. Ruiz had het bij ons eerste bezoek al in de smiezen. Volgens hem was Skipper oud-militair. Laat dat 'oud' maar weg. Hij is nog in actieve dienst. De camera's, bewegingssensoren en de veiligheidslampen zijn onderdeel van een lopende beschermingsoperatie. Het Britse leger is al veel langer op zoek naar Gideon Tyler dan de politie.

*

467

Veronica Cray meldt dat Julianne een kalmeringsmiddel heeft gekregen en slaapt. De arts vond het beter haar niet te laten storen.

'Waar is ze nu?' vraag ik.

'In een hotel.'

'Waar?'

'Temple Circus. Doe geen poging haar te bellen, professor. Ze moet echt rusten.'

'Is er iemand bij haar?'

'Ze wordt bewaakt. Een van mijn agenten zit op de gang.'

De inspecteur ademt zachtjes in de hoorn. Ik zie haar rechthoekige hoofd, haar korte haar en bruine ogen voor me. Ze heeft medelijden met me, maar zal haar beslissing daar niet door laten beïnvloeden. Met mijn huwelijk houdt ze zich niet bezig.

'Als u Julianne ziet...' Ik probeer een boodschap voor haar te bedenken, maar er schiet met niets te binnen. Woorden ontbreken. 'Houd een oogje in het zeil, zorg dat ze het goed maakt.'

Het gesprek is ten einde. Darcy is naar bed gegaan. Ruiz kijkt me monsterend aan. 'Je zou wat slaap moeten pakken.'

'Ik voel me prima.'

'Ga liggen. Doe je ogen dicht. Ik maak je over een uur wakker.'

'Ik slaap toch niet.'

'Probeer het. Vannacht kunnen we niets meer doen.'

De trap is steil. Het bed is zacht. Ik staar naar het plafond in een soort wakende bedwelming, uitgeput en tegelijkertijd bang mijn ogen te sluiten. Wat als ik toch in slaap val? Wat als ik 's ochtends wakker word en dit allemaal niet heeft plaatsgevonden? Charlie die in haar schooluniform aan de keukentafel zit, nog maar half wakker, humeurig. En dan een lang verhaal over een droom, waar ik maar met een half oor naar luister. Het gaat nooit om de inhoud van Charlies verhalen. Waar het om gaat is dat ze slim, uniek en verbazingwekkend is. Een meisje. En wat voor een meisje.

Ik doe mijn ogen dicht en blijf stil liggen. Ik verwacht niet dat ik zal slapen maar hoop dat de wereld me misschien een paar tellen alleen laat en gelegenheid geeft te rusten.

Ergens gaat een telefoon. Ik kijk op de digitale wekker op het nachtkastje. Het is twaalf over drie in de nacht. Mijn hele lichaam trilt, alsof het met een stemvork is aangeraakt.

De telefoon in huis is doorgeschakeld naar Trinity Road en het is niet de ringtoon van mijn mobieltje. Misschien gaat Darcy's mobieltje over in de logeerkamer. Nee, het komt van ergens dichterbij. Ik glip uit bed en loop over de koude planken.

Het bellen is gestopt. Het begint weer. Het geluid komt uit Charlies kamer...haar ladekast. Ik trek de bovenste la open en haal sokken en opgerolde schoolkousen overhoop. In een paar gestreepte voetbalkousen voel ik iets trillen: een mobiele telefoon. Ik haal hem eruit en klap hem open.

'Hé, Joe, heb ik je wakker gemaakt? Man, dat jij kan slapen in tijden als deze! Wat ben jij een koele kikker.'

Ik kreun Charlies naam. Haar matras zakt onder me weg. Gideon moet het mobieltje hebben verstopt toen hij bij ons inbrak. De politie heeft gezocht naar vingerafdrukken en vezelsporen, niet naar mobiele telefoons.

'Luister, Joe, ik heb bedacht dat jij wel het nodige af zult weten van hoeren, aangezien je met een hoer bent getrouwd.'

'Mijn vrouw is geen hoer.'

'Ik heb met haar gesproken. Ik heb haar geobserveerd. Ze is zo gruizig als wat. Dat heeft ze me verteld. Ze smeekte me haar een veeg te geven. "Neem mij, neem mij," zei ze.'

'Dat is de enige manier waarop jij een vrouw kunt krijgen – door haar dochter te ontvoeren.'

'O ja? Haar baas ligt anders wel met haar te rampetampen. Hij tekent haar bonussen af en volgens mij maakt dat haar tot hoer.'

'Dat klopt niet.'

'Waar was ze vrijdagnacht?'

'In Rome.'

'Merkwaardig. Ik zou kunnen zweren dat ik haar in Londen heb gezien. Ze bleef slapen in een huis in Hampstead Heath. Arriveerde om acht uur en ging de volgende ochtend om acht uur weer weg. Eigendom van een rijke gast genaamd Eugene Franklin. Leuk optrekje. Beetje goedkope sloten alleen.'

Mijn borstkas trekt samen. Is dit Gideons zoveelste leugen? Hij doet het zo moeiteloos, met precies genoeg kloppende feiten om twijfel en verwarring te zaaien. Ineens voel ik me een buitenstaander in mijn eigen huwelijk. Ik wil Julianne verdedigen. Ik wil met bewijzen komen dat hij het mis heeft. Maar mijn argumenten klinken nietig en mijn verklaringen laten al voordat ze van mijn lippen rollen een laffe smaak na.

Charlies pyjama steekt onder haar kussen uit, een roze jasje en flanellen broek. Ik wrijf het geruwde katoen tussen mijn duim en wijsvinger, alsof ik haar tevoorschijn probeer te toveren, tot in het kleinste detail.

'Waar is Charlie?'

'Hier.'

'Kan ik haar spreken?'

'Op dit moment is ze vastgebonden. Ingebonden als een kerstkalkoen. Klaar om te worden gevuld.'

'Waarom heb je haar meegenomen?'

'Denk maar eens na.'

'Ik weet dingen van je Gideon. Je bent gedrost uit het leger. Je werkte voor de militaire inlichtingendienst. Ze willen je terug.'

'Het is fijn om gewenst te zijn.'

'Waarom zijn ze er zo tuk op jou weer in te lijven?'

'Als ik je dat zou vertellen, Joe, zou ik je misschien wel moeten vermoorden. Het woord geheim in geheime dienst hebben ze van mij. Ik ben een van die soldaten die geacht worden niet te bestaan.'

'Je bent ondervrager.'

'Ik weet hoe ik de juiste vragen moet stellen.'

Het gesprek begint hem te vervelen. Ik denk aan Charlie. Op de een of andere manier moet ik deze man zien te bereiken, zijn obsessies doorgronden.

'Waarom is je vrouw bij je weggegaan?'

Ik kan het trage, gestage geluid van zijn ademhaling horen.

'Je hebt haar weggejaagd,' ga ik verder. 'Je probeerde haar opgesloten te houden als een prinses in een toren. Waarom was je er zo van overtuigd dat ze iets met een ander had?'

'Wat is dit? Een staaltje van die klotetherapie van je?'

'Ze heeft je verlaten. Jij kon haar geluk niet in stand houden. Welk gevoel gaf dat jou? Tot de dood ons scheidt, is dat niet wat jullie elkaar hadden beloofd?'

'Die teringhoer liep weg. Ze stal mijn dochter.'

'Wat ik heb gehoord is dat ze niet weglíep, maar wegrénde. Ze trapte dat gaspedaal in een maakte dat ze weg kwam, met jou in de achtervolging op de oprit, met je broek half op je knieën.'

'Wie heeft je dat verteld? Heeft zij je dat verteld? Weet je waar ze is?' Nu schreeuwt hij tegen me. 'Wil je echt weten wat er is gebeurd? Ik gaf haar een kind. Ik bouwde een huis voor haar. Ik gaf haar alles wat ze wilde. En weet je hoe zij haar dankbaarheid toonde? Door weg te lopen en me Chloë af te nemen. Die godgloeiende hoerenkut, dat ze moge rotten in de hel...'

'Je hebt haar geslagen.'

'Nee.'

'Je hebt haar bedreigd.'

'Ze liegt.'

'Je hebt haar bang gemaakt.'

'ZE IS EEN HOER!'

'Haal eens diep adem, Gideon. Beheers je.'

'Houd op me te commanderen. Jij mist je dochter, Joe, maar ik heb de mijne al in geen vijf maanden gezien. Ooit had ik een hart, een ziel, maar een vrouw heeft hem er bij me uitgerukt. Ze brak me in duizend stukjes en liet niets over dan een losse gloeidraad, maar hij brandt nog steeds, Joe. Ik koester dat licht. Ik houd het brandend tegen de hoeren.'

'Misschien moeten we het over dat licht hebben.'

'En hoeveel reken jij voor een sessie, Joe?'

'Voor jou doe ik het gratis. Waar wil je dat we elkaar ontmoeten?'

'Hoe wordt iemand eigenlijk professor in de psychologie?'

'Het is maar een titel.'

'Maar jij voert hem wel. Is dat omdat je dan slimmer overkomt?'

'Nee.'

'Denk jij dat je slimmer bent dan ik, Joe?'

'Nee.'

'Ja, dat denk je wel. Jij denkt dat je alles over me weet. Jij denkt dat ik een lafaard ben, dat heb je de politie zelf verteld. Je hebt een profiel van me gemaakt.'

'Dat was voordat ik je kende.'

'Klopte het niet?'

'Ik ken je nu beter.'

Zijn lach klinkt hatelijk. 'Dat is nou het gelul met psychologen. Gasten als jij kiezen nooit eens partij, geven geen mening. Alles wordt tussen haakjes en aanhalingstekens gezet. Of jullie zetten overal een vraagteken achter. Jullie willen horen wat ieder ander te zeggen heeft. Ik kan me jou voorstellen terwijl je je vrouw een beurt geeft en er tussen haar benen op los ligt te raggen en dan zegt: 'Het is duidelijk dat jij het naar je zin hebt, schat, maar hoe beleef ik het zelf?'

'Je schijnt nogal wat van psychologie af te weten.'

'Ik ben een expert.'

'Heb je het gestudeerd?'

'In de praktijk.'

'Wat wil dat zeggen?'

'Dat wil zeggen, Joe, dat idioten zoals jij die jezelf professional noemen niet weten hoe ze de juiste vragen moeten stellen.'

'Wat voor soort vraag zou ik moeten stellen?'

'Martelen is een ingewikkeld vakgebied, Joe, een enorm uitgebreid vakgebied. In de jaren vijftig spendeerde de CIA meer dan een miljoen dollar aan een onderzoeksproject om de code van het menselijk bewustzijn te kraken. Ze hadden de briljantste geesten van het land erop gezet, mensen van Harvard, Princeton en Yale. Ze probeerden lsd, mescaline, elektroshocks, natriumthiopental. Geen van die middelen werkte.

De doorbraak werd bereikt aan McGill University. Daar ontdekten ze dat een persoon die van zijn of haar zintuiglijke waarnemingen wordt beroofd binnen achtenveertig uur begint te hallucineren en uiteindelijk breekt. Ongemakkelijke houdingen versnellen het proces, maar er is iets wat nog effectiever is.'

Gideon stopt even. Hij wil dat ik hem vraag wat dan wel, maar ik gun hem dat genoegen niet.

'Stel dat je blind was, Joe, waar zou je dan de meeste waarde aan hechten?'

'Mijn gehoor.'

'Precies. Je zwakste punt.'

'Dat is ziek.'

'Het is creatief.' Hij lacht. 'Dat is nou wat ik doe. Ik zoek het zwakste punt. Ik ken het jouwe, Joe. Ik weet wat jou 's nachts uit je slaap houdt.'

'Ik ga geen spelletjes met je spelen.'

'Jaha, dat ga je wel.'

'Nee.'

'Kies maar.'

'Ik weet niet wat je bedoelt.'

'Ik wil dat jij kiest tussen die hoererende vrouw van je en je dochter. Wie van de twee zou je redden? Stel je voor dat ze zich in een brandend gebouw bevinden en er niet uit kunnen. Jij stormt door de vlammen heen naar binnen en trapt de deur open. Ze zijn allebei bewusteloos. Je kan ze niet allebei tegelijk tillen. Wie van de twee ga je redden?'

'Ik doe hier niet aan mee.'

'Het is de volmaakte vraag, Joe. Dat is waarom ik meer van psychologie weet dan jij ooit zult doen. Ik kan een geest openbreken. Ik kan hem uit elkaar halen. Ik kan met de onderdelen spelen. Weet je dat ik ooit een gast heb weten wijs te maken dat hij met een stopcontact was verbonden, terwijl hij alleen maar een paar draden in zijn oren had? Hij dacht dat hij een zelfmoordterrorist was, maar zijn bomvest ging niet af. Hij dacht dat hij als martelaar rechtstreeks naar de hemel zou gaan. Dat de Vestaalse maagden hem tot in eeuwigheid zouden liggen pijpen. Tegen de tijd dat ik met hem klaar was had ik hem ervan overtuigd dat de hemel niet bestaat. Dat was het moment dat hij begon te bidden. Merkwaardig, niet? Je overtuigt zo'n gast ervan dat er geen hemel is en het eerste wat hij doet is tot Allah bidden. Hij had voor mij moeten bidden. Op het laatst haatte hij me niet eens. Het enige wat hij wilde was sterven en wat dan ook mee de dood in nemen, zolang het maar niet mijn stem of mijn gezicht was.

Weet je Joe, er is een moment waarop alle hoop vervliegt, waarop elk gevoel van trots, elke verwachting, elk geloof, elk verlangen verdwijnt. Ik bezit dat moment. Het behoort mij toe. Het is het moment waarop ik het geluid hoor.'

'Welk geluid?'

'Het geluid van een geest die breekt. Het is geen luid kraken zoals wanneer botten breken of een ruggengraat of een schedel. Het is ook niet iets zachts en nats, zoals een gebroken hart. Het is een geluid dat maakt dat je je afvraagt hoeveel pijn je iemand kunt aandoen, een geluid dat zelfs de allersterkste wil breekt en het verleden naar het heden doet weglekken, een geluid zo hoog dat alleen de hellehonden het kunnen horen. Hoor je het al?'

'Nee.'

'Er ligt iemand tot een balletje opgerold zachtjes te huilen in een nacht zonder einde. Is dat godverdomme niet poëtisch? Ik ben een dichter zonder het te weten! Ben je daar nog, Joe? Volg je me nog? Dat is wat ik met Julianne ga doen. En als haar geest breekt, breekt die van jou ook. Dan heb ik er twee voor de prijs van één. Misschien bel ik haar nog even.'

'Nee! Alsjeblieft. Praat met mij.'

'Praten met jou komt me mijn strot uit.'

Hij gaat ophangen. Ik moet iets zeggen om hem tegen te houden.

'Ik heb Helen en Chloë gevonden,' flap ik eruit.

Stilte. Hij wacht. Dat kan ik ook.

Hij zegt als eerste iets. 'Heb je hen gesproken?'

'Ik weet dat ze in leven zijn.'

Opnieuw een stilte.

'Jij krijgt je dochter te zien als ik die van mij te zien krijg.'

'Zo simpel ligt het niet.'

'Dat ligt het nooit.'

Hij heeft opgehangen. In de leegte van de slaapkamer kan ik de holle echo van mijn eigen ademhaling horen en zie ik mezelf weerkaatst in de spiegel. Mijn lichaam siddert. Ik weet niet of het de Parkinson is of de kou of iets fundamentelers en diepers. Heen en weer schommelend op het bed, met Charlies pyjama in mijn vuisten geklemd, huil ik zonder geluid te maken.

62

Vanaf de onderste kelderverdieping begint de dienstlift aan zijn weg langs de hoger geleden etages. Een lichtje glijdt langs de cijfers op het bedieningspaneel.

Het is tien over vijf in de ochtend en de gang is verlaten. Ik trek aan de mouwen van mijn jasje. Wanneer heb ik voor het laatst een pak gedragen? Maanden geleden. Het moet de keer zijn geweest dat ik de aalmoezenier bezocht omdat mijn vrouw bij hem langs was geweest. Hij zei me dat alle liefde ter wereld mijn deel zou kunnen zijn, maar dat een huwelijk zonder vertrouwen, eerlijkheid en communicatie niet kon slagen. Ik vroeg hem of hij ooit getrouwd was geweest. Hij antwoordde nee.

'Dus God was nooit getrouwd, Jezus niet en u ook niet.'

'Daar gaat het niet om,' zei hij.

'Daar zou het verdomme wel om moeten gaan,' antwoordde ik.

Hij wilde ertegen ingaan. Het probleem met aalmoezeniers en priesters is dat elke les die ze voor je in petto hebben over het huwelijk gaat. Al gaat het gesprek over kunstgras, de opwarming van de aarde of over wie prinses Diana heeft vermoord, ze weten het gesprek steevast uit te laten monden in een preek over het huwelijk als de hoeksteen van huiselijk geluk, raciale verdraagzaamheid en de wereldvrede.

Terwijl ik een andere gang in loop zie ik de nooddeur. Ik werp een blik in het trappenhuis. Leeg. Aan het andere eind van de gang is een kleine hal waar de deuren van de gewone liften op uitkomen. Aan weerszijden van een klein gepoetst tafeltje staan twee gemakkelijke stoelen. In een ervan zit een rechercheur een tijdschrift te lezen.

In mijn broekzak glijden mijn vingers in de ringen van een bronzen boksbeugel. Het koude metaal is opgewarmd op mijn dijbeen.

Als ik hem nader kijkt hij op en doet zijn benen van elkaar. Zijn rechterhand is niet zichtbaar.

'Een hele zit.'

Hij knikt.

'Is ze er klaar voor?'

'Ik heb instructies haar niet wakker te maken.'

'De chef wil dat ze naar het bureau komt.'

Hij herkent me niet. 'Wie bent u?'

'Brigadier-rechercheur Harris, we zijn gisteravond met zijn vieren vanuit Truro hierheen gereden.'

'Waar is uw insigne?'

Zijn rechterhand zit nog steeds verborgen. Ik ram mijn vuist tegen zijn keel en hij zakt weer achterover, met een verbrijzelde luchtpijp waar bloed uit opborrelt. Ik laat de boksbeugel weer in mijn broekzak glijden, pak zijn pistool en steek het wapen in mijn broeksband.

'Langzaam en rustig ademen,' zeg ik tegen hem. 'Dan houd je het langer uit.' Hij kan niet meer praten. Ik pak de walkietalkie uit zijn zak. Hij heeft een kaartsleutel van haar kamer. Zwak gekreun en een zwakke ademhaling als voorboden van bewusteloosheid. Zijn hoofd valt achterover. Ik pak het tijdschrift, leg het over zijn gezicht en doe zijn benen weer over elkaar. Zo is het net of hij slaapt.

Vervolgens klop ik op de deur. Het duurt heel even voor ze antwoord geeft. De deur gaat op een kier. Ze staat afgetekend tegen een waas van wit licht dat uit de badkamer achter haar komt.

'Mevrouw O'Loughlin, ik ben gekomen om u naar het bureau te brengen.'

Ze knippert met haar ogen. 'Is er iets gebeurd? Hebben ze haar gevonden?'

'Bent u aangekleed? We moeten gaan.'

'Even mijn tas pakken.'

Ze loopt weg en ik zet mijn voet tegen de deur om te voorkomen dat hij dichtvalt. Ik hoor haar blote voeten zachtjes flipflappen op de betegelde badkamervloer. Ik wil haar naar binnen volgen om mezelf ervan te vergewissen dat ze niet met iemand belt. Op de gang kijk ik naar links en rechts. Wat is ze allemaal aan het doen?

Ze komt weer terug. Kleine dingen aan haar verschijning laten zien dat ze het zwaar heeft. Haar bewegingen zijn traag en overdreven. Haar haar is niet geborsteld. De mouwen van haar vest zijn uitgerekt, de uiteinden samengebald in haar vuisten.

Ze houdt haar handtas tegen haar buik geklemd en slaat geen acht op haar spiegelbeeld in de wandspiegels.

'Heeft hij weer gebeld?' vraagt ze.

'Ja.'

'Wie heeft hij gebeld?'

'Uw echtgenoot.'

'Hoe gaat het met Charlie?'

'Daar heb ik niets over gehoord.'

We zijn in de hal van het hotel aangekomen. Ik houd mijn hand een paar centimeter achter haar onderrug en wijs met mijn linkerhand naar de glazen draaideur. De hal is verlaten, op een receptioniste en een schoonmaker na, die met een machine bezig is de marmeren vloer te poetsen.

De Range Rover staat op de hoek geparkeerd. Ze loopt te langzaam. Ik moet steeds stoppen om op haar te wachten. Ik houd het autoportier open.

'Weet u zeker dat we elkaar niet eerder hebben ontmoet? Uw stem klinkt heel bekend.'

'Misschien hebben we elkaar aan de telefoon gehad.'

63

Bureau Trinity Road ligt met één oog open in diepe rust. De onderste verdiepingen zijn verlaten, maar in de meldkamer, waar een tiental rechercheurs de hele nacht heeft doorgewerkt, zijn de lichten aan. De deur van Veronica Crays kamer zit nog dicht. Ze slaapt. Buiten is het nog donker. Ik heb Ruiz gewekt en hem gevraagd me hierheen te brengen. Ik heb eerst een koude douche genomen en daarna mijn kleren aangetrokken en mijn medicijnen ingenomen. Het kostte me al met al twintig minuten om me gereed te maken.

De doodsportretten van Christine Wheeler en Sylvia Furness kijken vanaf de whiteboards toe. Eromheen zijn luchtfoto's van de plaatsen delict te zien, sectierapporten en een wirwar van zwarte lijnen die de connecties aangeven tussen gemeenschappelijke vrienden en zakenrelaties.

Ik hoef de gezichten niet te zien. Ik wend mijn hoofd af en zie een nieuw whiteboard, een nieuwe foto, dit keer van Charlie. Het is een schoolportret waarop ze haar haar naar achteren draagt en een ondoorgrondelijke glimlach op haar gezicht heeft. Ze had eigenlijk geen zin om op de foto te gaan.

'We laten er elk jaar een maken,' had Julianne gezegd.

'En dus hoeft het niet nog een keer.'

'Ik vind het leuk om ze te kunnen vergelijken.'

'Zeker om te kunnen zien hoe ik ben gegroeid.'

'Ja.'

'Hebben jullie daar nou echt een foto voor nodig?'

'Hoe kom jij toch aan die sarcastische toon?' Op dat moment had Julianne mijn kant op gekeken.

Monk komt binnen met de ochtendkranten. Er staat een foto

van mij op de voorpagina, met mijn hand omhoog naar de ca-
mera, alsof ik hem uit de handen van de fotograaf wil grissen.
Er is ook een foto van Charlie, een andere, uit het familiealbum.
Julianne moet hem hebben uitgekozen.

Iemand heeft croissants en pasteitjes laten aanrukken. De geur
van verse koffie is genoeg om de inspecteur wakker te krijgen, die
in gekreukte kleren haar werkkamer uit komt. Haar haar is zo
kortgeknipt dat het geen kam nodig heeft. Ze doet me denken aan
een trekpaard – een logge tred en niet snel kwaad te krijgen, maar
wel onmetelijk sterk.

Monk brengt haar op de hoogte van de gebeurtenissen bij mij
thuis. Het maakt haar stemming er niet beter op. Ze wil het huis
nog een keer laten doorzoeken, maar nu wel goed. Tot in elke kast
en elke kruipruimte, om te voorkomen dat zich nog meer verras-
singen voordoen.

De inspecteur heeft Oliver Rabb opgetrommeld en om hem
het gesprek te laten traceren. Hij stapt de meldkamer binnen in
dezelfde wijde broek en met hetzelfde vlinderdasje als gisteren,
aangevuld met een sjaal die zijn nek warm moet houden. Hij blijft
plotseling staan, fronst en slaat op zijn zakken, alsof hij op weg
naar boven iets is verloren.

'Gisteren had ik een eigen kamer. Ik heb het zeker ergens neergelegd.'

'Eind van de gang,' antwoordt Veronica Cray. 'U hebt een nieuwe partner. Laat u niet door hem koeioneren.'

Achter glaspanelen van een hokkerig kantoortje naast de radio-
kamer is eerste luitenant William Greene al aan het werk.

'Op samenwerking met anderen zit ik nou niet bepaald te wachten,' zegt Oliver mismoedig.

'Wel waar. Als u het lief vraagt mag u van de luitenant vast met
zijn militaire satellieten spelen.'

Oliver vermant zich, doet zijn bril goed en loopt dan verder de
gang door.

Ik wil Veronica Cray spreken voordat Julianne arriveert. Ze doet
haar kamerdeur dicht en neemt met een grimas alsof ze kiespijn
heeft een voorzichtige slok koffie. Boven de in de verte zichtbare

kades zie ik meeuwen rondcirkelen, aan de horizon opent zich een spleet licht. Ik vertel haar dat Helen en Chloë Chambers nog in leven zijn. Bij haar ouders thuis zijn. De informatie heeft ogenschijnlijk geen effect op de inspecteur. Ze gooit twee suikerzakjes leeg in haar koffie, aarzelt even en doet er nog een derde bij. Daarna pakt ze het kopje en kijkt me over de dampende rand met een neutrale blik aan.

'Wat wilt u dat ik doe? Hen arresteren kan ik niet.'

'Ze zijn medeplichtig aan het in scène zetten van twee sterfgevallen.'

'Op dit moment ben ik meer geïnteresseerd in het terugvinden van uw dochter, professor. Eén zaak tegelijk.'

'Het gaat om dezelfde zaak. Zij zijn de reden dat Tyler dit doet. We kunnen Helen en Chloë inzetten in onze onderhandelingen met hem.'

'We gaan niet uw dochter uitruilen tegen de zijne.'

'Dat weet ik, maar we kunnen haar gebruiken om hem uit zijn tent te lokken.'

Ze strijkt een lucifer af en steekt een sigaret op. 'Concentreert u zich nou maar op uw dochter, professor, ze wordt al sinds gistermiddag vermist.' Vanuit haar vuist kringelt een spiraal rook omhoog. 'Ik kan Helen Chambers niet dwingen om mee te werken, maar ik zal iemand bij haar thuis langs sturen om met haar te praten.'

Ze loopt naar de deur van haar werkkamer. Doet hem open. 'Ik wil iedereen om zeven uur bij elkaar voor een briefing,' buldert haar stem door de commandokamer. 'Ik wil antwoorden, mensen.'

Julianne kan elk moment arriveren. Wat ga ik tegen haar zeggen? Ze wil geen woorden horen, tenzij ze uit de mond van Charlie komen, in haar oor gefluisterd terwijl ze haar in haar armen houdt.

Ik vind een lege werkkamer en ga in het donker zitten. De zon begint zich te laten zien en laat druppels licht vallen in het water van de wereld. Tot voor kort had ik nog nooit van Gideon Tyler gehoord, maar nu voelt het alsof hij me al jaren in de gaten heeft gehouden, in het donker heeft staan neerkijken op mijn slapende gezin terwijl bloed van zijn vingers op de grond druppelde.

Hij is fysiek niet bijzonder sterk, geen bodybuilder of krachtpatser. Gideons kracht schuilt in zijn intellect en zijn planning en zijn bereidheid dingen te doen die voor anderen niet te bevatten zijn.

Hij is een waarnemer, iemand die menselijke kenmerken catalogiseert, een verzamelaar van aanwijzingen die hem dingen over personen kunnen vertellen. De manier waarop ze lopen, staan en praten. In wat voor auto ze rijden. Welke kleren ze dragen. Of ze oogcontact maken als ze praten. Of ze open zijn, op hun gemak, geneigd tot flirten of juist geslotener en introspectiever van aard. Ik doe hetzelfde, mensen observeren, maar in het geval van Tyler is het een opmaat naar onheil.

Hij strijkt op elk teken van zwakte neer. Hij herkent een wankelend gemoed, weet het verschil tussen innerlijke kracht en uiterlijk vertoon en weet de haarscheurtjes in iemands psyche te vinden. Heel veel verschillen doen we niet, hij en ik, maar we hebben een ander doel voor ogen. Hij scheurt geesten aan flarden, ik probeer ze te helen.

Oliver en eerste luitenant William Greene zijn in hun goudvissenkom van een kantoortje aan het werk, over laptops leunend en gegevens vergelijkend. Ze vormen een merkwaardig koppel. Met zijn stramme loopje en bevroren uitdrukking op zijn gezicht heeft de luitenant wel iets weg van een blikken opwindsoldaatje. Het enige wat nog ontbreekt is het ratelend terugdraaiende sleuteltje tussen zijn schouderbladen.

Een grote landkaart die de hele muur beslaat is bezaaid met gekleurde spelden die met zigzaggende lijnen verbonden zijn tot elkaar overlappende driehoeken. Het laatste telefoontje van Gideon Tyler werd doorgegeven door een telefoonmast op Temple Circus, in het centrum van Bristol. De politie is de beelden van vier beveiligingscamera's aan het bestuderen om te zien of ze het telefoontje aan een voertuig kunnen koppelen.

De in Charlies slaapkamer verstopte mobiele telefoon werd op vrijdag ontvreemd uit een winkel in watersportbenodigdheden op bedrijfsterrein Princes Wharf. Het toestel waarmee Gideon belde is herleid tot een telefoonwinkel in Chiswick, Londen. Naam en adres van de koper waren van een student die in Bristol met anderen een huis deelde. Als bewijs van identiteit werden een gasrekening en een creditcardafschrift overlegd (beide gestolen).

Ik bestudeer de kaart en probeer uit te vinden waar de rode, groene en zwarte spelden voor staan. Het is alsof ik een nieuw alfabet moet leren.

'Hoewel niet volledig, hebben we de meeste gesprekken weten te traceren,' zegt de luitenant.

Hij legt uit dat de rode spelden staan voor door Gideon Tyler gepleegde telefoontjes en de dichtstbijzijnde zendmast van elk signaal. De duur van de gesprekken is vastgelegd en ook de tijdstippen en de signaalsterkte. Gideon heeft geen van de mobiele telefoons vaker dan een keer of zes gebruikt en belde telkens vanaf een andere locatie. In vrijwel alle gevallen werd het mobieltje pas enkele seconden voordat hij ging bellen aangezet en onmiddellijk erna weer uitgezet.

Oliver neemt met mij de volgorde der gebeurtenissen door, te beginnen bij Christine Wheelers verdwijning. Uit de telefoonsignalen valt op te maken dat Gideon Tyler zich in Leigh Woord en op het moment van haar sprong in de buurt van de Clifton Suspension Bridge bevond. Ook bevond hij zich binnen een honderdtal meters van Sylvia Furness op het moment dat haar lichaam met handboeien aan de boom werd vastgemaakt en was hij in Victoria Park toen Maureen Bracken een pistool op mijn borst richtte.

Ik bestudeer opnieuw de kaart, voel het landschap van het papier omhoog komen en vaste vorm krijgen. Tussen de overwegend rode, groene en blauwe spelden springt één eenzame witte speld eruit.

'Wat betekent die?' vraag ik.

'Die staat voor een uitbijter.'

'Wat voor soort uitbijter?'

'Het betrof iets anders dan een telefoongesprek. Het toestel stuurde een 'ping' uit om een beschikbare gsm-mast te vinden en viel daarna stil.'

'Hoe kwam dat?'

'Misschien zette hij de telefoon aan en veranderde hij van gedachten.'

'Het zou ook een vergissing kunnen zijn,' doet de luitenant een duit in het zakje.

Oliver kijkt hem geërgerd aan. 'Vergissingen hebben altijd een reden.'

Mijn vingertoppen aaien over de speldenkoppen alsof ik een in braille gesteld document lees. Ze komen tot stilstand boven de eenzame witte speld.

'Hoe lang stond de telefoon aan?'

'Op zijn hoogst veertien seconden,' zegt Oliver. 'Het digitale signaal wordt iedere zeven seconden uitgestuurd. Het werd twee keer opgepikt. De witte speld is de locatie van de dichtstbijzijnde mast.'

Fouten en afwijkingen zijn het domein van gedragspsychologen en cognitief psychologen. In de ruwe data zoeken wij naar patronen die mogelijk steun geven aan onze theorieën. Het is de reden dat uitbijters zo funest kunnen zijn. Als we echt mazzel hebben blijft een theorie net lang genoeg overeind tot zich de volgende, betere theorie aandient.

Gideon heeft er alles aan gedaan om geen sporen, al dan niet digitaal, achter te laten. Hij heeft voorzover we weten bitter weinig fouten gemaakt. Patricks zus gebruikte Christine Wheelers mobieltje om een pizza te bestellen, bij mijn weten de enige fout. Misschien was dit er nog een.

'Kunnen jullie die traceren?' vraag ik.

Oliver heeft zijn bril weer omhooggeduwd en zijn hoofd achterover gekanteld om mijn hele gezicht scherp te kunnen zien.

'Het zou kunnen dat het signaal door andere masten is opgepikt.'

De luitenant kijkt hem ongelovig aan. 'Die telefoon stond maar veertien seconden aan. Dat is als zoeken naar een scheet in een novemberstorm.'

Oliver trekt zijn wenkbrauwen op. 'Wat een kleurrijke vergelijking. Moet ik hieruit concluderen dat het leger niet op deze taak berekend is?'

Eerste luitenant Greene beseft dat hij wordt uitgedaagd, wat hij vagelijk beledigend vindt, aangezien hij overduidelijk van mening is dat Oliver maar een slappe, bleke, halfzachte techneut is die zelfs met beide handen zijn eigen reet nog niet zou kunnen vinden.

Ik haal iets van de kou uit de lucht. 'Leg eens uit wat er gaat gebeuren als Tyler weer belt?'

Oliver geeft een uitleg van de technologie en het voordeel van het gebruik van satellieten om mensen en dingen te volgen. De luitenant lijkt niet op zijn gemak nu dit onderwerp ter sprake wordt gebracht, alsof er militaire geheimen onthuld gaan worden.

'Hoe snel kunnen jullie Tylers telefoontje traceren als hij belt?'

'Dat hangt ervan af,' zegt Oliver. 'De signaalsterkte varieert naar gelang je positie. Gebouwen of het landschap kunnen voor dode plekken zorgen. Die kun je in kaart brengen en in je berekeningen verdisconteren, maar het is niet gezegd dat dat ook werkt. Idealiter hebben we de signalen van minstens drie verschillende masten nodig. Doordat radiogolven zich met een bekende, constante snelheid voortplanten kunnen we de afstand berekenen die elk van de signalen heeft afgelegd.'

'En als je nou maar van één toren een signaal hebt?'

'Dan hebben we een aankomstrichting en een globaal idee van de afstand. Elke kilometer zorgt voor een signaalvertraging van drie microseconden.'

Oliver haalt een pen achter zijn oor vandaan en begint op een stuk papier zendmasten en verbindingslijnen te tekenen.

'Het probleem met een afgelezen signaalrichting is dat het signaal door een gebouw of ander obstakel kan zijn weerkaatst. We kunnen er niet altijd op vertrouwen. Signalen van drie basisstations geven ons genoeg informatie voor een kruispeiling van een locatie, zolang de klokken op de basisstations maar honderd procent nauwkeurig gesynchroniseerd staan.'

'Dan hebben we het over microseconden,' gaat Oliver verder. 'Door de verschillen in aankomsttijden te berekenen, kunnen we met behulp van hyperboolfuncties en algebra een mobiele telefoon traceren. Dat veronderstelt wel dat de beller stationair is. Als Tyler in een bus of trein zit werkt het niet. Zelfs als hij een gebouw binnengaat zal er een verandering in de signaalsterkte optreden.'

'Hoe lang moet hij op één plek blijven?'

Oliver en de luitenant kijken elkaar aan. 'Vijf à tien minuten,' zegt Oliver.

'En wat als hij een gewone telefoonlijn gebruikt, een vaste verbinding?'

De luitenant schudt zijn hoofd. 'Dat risico zal hij niet willen lopen.'

'En als wij hem daar nou eens een handje bij helpen?'

Hij trekt zijn wenkbrauwen op. 'Hoe denkt u dat te gaan doen?'

'Hoe simpel is het om gsm-masten uit te zetten?'

'Daar zouden de telecombedrijven nooit mee akkoord gaan. Dat kost hen veel te veel geld,' zegt luitenant Greene.

'Het hoeft niet lang te duren. Tien minuten op zijn hoogst.'

'Dat betekent duizenden telefoontjes die niet kunnen plaatsvinden. Klanten zullen er niet echt blij mee zijn.'

Oliver lijkt meer voor het idee open te staan. Hij kijkt naar de kaart aan de muur. De meeste van Gideons telefoontjes kwamen uit het centrum van Bristol, waar de grootste concentratie zendmasten staat. Het merendeel van de aanbieders zou moeten meewerken.

Oliver denkt hardop. 'Een beperkt geografisch gebied, misschien vijftien masten.' Zijn interesse is gewekt. 'Ik heb geen idee of het al eerder is gedaan.'

'Maar het kan wel?'

'Het is haalbaar.'

Hij draait zich om en buigt zich over een laptop. Terwijl zijn bril steeds verder van zijn neus zakt dansen zijn vingers over het toetsenbord. Oliver, heb ik het idee, voelt zich prettiger in het gezelschap van computers. Met hen kan hij praten. Hij begrijpt hoe ze informatie verwerken. Een computer zal het worst wezen of hij zijn tanden wel heeft gepoetst of in bad zijn nagels knipt of zijn sokken aanhoudt in bed. Volgens sommigen is dat de definitie van ware liefde.

64

Er klinkt geschreeuw, mensen beginnen te rennen. Veronica Cray overschreeuwt het rumoer met haar orders, rechercheurs zetten koers naar de lift. Ik kan niet horen wat ze zegt. Een rechercheur loopt me bijna ondersteboven en mompelt een verontschuldiging terwijl hij mijn wandelstok opraapt.

'Wat is er aan de hand?'

Hij geeft geen antwoord.

Een rilling van schrik rolt langs mijn schouders. Er is iets niet goed. Ik hoor Juliannes naam genoemd worden. Ik schreeuw boven de stemmen uit.

'Zeg me wat er is gebeurd.'

Gezichten draaien mijn kant op. Ze kijken me aan, staren. Niemand zegt iets. Mijn zachte, vochtige ademhaling is luider dan de telefoons die overgaan en het geschuifel van voeten.

'Waar is Julianne? Wat is er gebeurd?'

'Een van onze agenten is er slecht aan toe,' zegt Veronica Cray, heel even aarzelend voordat ze verdergaat. 'Hij stond op wacht bij uw vrouws hotelkamer.'

'Hij stond op wacht.'

'Ja.'

'Waar is ze nu?'

'We zoeken het hotel en de omliggende straten af.'

'Wordt ze vermist?'

'Ja, meneer.'

'In de lobby en buiten op straat hangen beveiligingscamera's. We zijn bezig de beelden te achterhalen.'

Ik zie haar mond bewegen maar hoor de woorden niet. Juliannes hotel staat in de buurt van Temple Circus. Volgens Oliver Rabb is dat de omgeving van waaruit Gideon om kwart over drie 's ochtends belde. Hij moet haar hebben geobserveerd.

Weer is alles anders geworden en trilt en verschuift alles als een losgetrilde flinter gezond besef uit mijn voorstellingsvermogen los, weg de nacht in. Ik sluit een moment mijn ogen en probeer mezelf in te beelden dat ik me van het gevoel ontdoe, maar ben in plaats daarvan getuige van mijn eigen hulpeloosheid. Hij kan aan het gas. Ik zal niet toestaan dat hij mijn gezin van me afneemt. Ik laat me niet door hem vernietigen.

Voor de ochtendbriefing zijn alleen nog staanplaatsen. Rechercheurs staan tegen de rand van bureaus of tegen pilaren geleund over elkaars schouders te turen. Het gevoel van urgentie heeft gezelschap gekregen van ongeloof en verbijstering. Iemand uit de eigen gelederen ligt in het ziekenhuis met een verbrijzelde luchtpijp en mogelijk een hersenbeschadiging als gevolg van zuurstofgebrek.

Veronica Cray is op een stoel gaan staan om te kunnen worden gezien. Ze beschrijft wat er te gebeuren staat: een mobiele onderschepping waaraan meer dan twintig burgerwagens en helikopters van de luchtbrigade van de politie deelnemen.

'Afgaand op eerdere telefoontjes zal Gideon een mobiele telefoon gebruiken en in beweging blijven. Fase één is bescherming. Fase twee is het gesprek traceren. Fase drie is contact met het doelwit. Fase vier is zijn arrestatie.'

Ze gaat verder en legt uit hoe de communicatie zal verlopen. Tussen de auto's zal een radiostilte worden gehandhaafd. Elke eenheid zal worden aangeduid met een code en een getal. De zin 'Voetganger aangereden', gevolgd door de naam van een straat en een zijstraat, is het signaal om tot actie over te gaan.

Er gaat een arm de lucht in. 'Draagt hij een wapen, chef?'

Cray kijkt op het vel papier in haar hand. 'De rechercheur die mevrouw O'Loughlin bewaakte droeg een standaard vuurwapen. Het pistool is zoek.'

De vastberadenheid in de ruimte lijkt toe te nemen. Monk wil weten waarom het een onderschepping en een arrestatie gaat worden. Waarom gaat Tyler niet gevolgd worden?

'We kunnen het risico niet nemen dat we hem kwijtraken.'

'En hoe zit het dan met de gijzelaars?'

'Die vinden we als we Tyler eenmaal hebben.'

De inspecteur doet het voorkomen alsof dit de logische aanpak is, maar ik heb het vermoeden dat haar handen gebonden zijn. Het leger wil Tyler in handen krijgen. Er wordt druk uitgeoefend. Niemand zet vraagtekens bij haar beslissing. Kopieën van de foto van Tyler gaan van hand tot hand. Ik weet wat zij zich afvragen. Ze willen weten of het erbovenop ligt, of het zichtbaar is, of iemand als Tyler zijn verdorvenheid als een insigne of een tatoeage met zich meedraagt. Ze beelden zich graag in dat ze verdorvenheid en zedeloosheid in een andere persoon kunnen herkennen, dat ze het aan zijn ogen of aan zijn gezicht kunnen zien. Dat is niet zo. De wereld wemelt van de geknakte mensen en het merendeel van hun beschadigingen zit van binnen.

Van de andere kant van de meldkamer komt het geluid van een stoel die omvalt en het gekletter van een prullenbak die de lucht in wordt geschopt. Ruiz komt tussen de bureaus door stuiven en priemt zijn vinger in de richting van Veronica Cray.

'Door hoeveel agenten werd ze bewaakt?'

Inspecteur Cray kijkt hem ijzig aan. 'Ik zou u willen adviseren in te binden en u te realiseren tegen wie u het heeft.'

'Hoeveel?'

Haar woede doet niet onder voor de zijne. 'Die discussie ga ik hier niet voeren.'

Om me heen staan de rechercheurs als aan de grond genageld, zich schrap zettend voor de botsing van ego's. Het schouwspel is dat van twee gnoes die met de koppen omlaag op elkaar afstormen.

'U liet haar door één politieman bewaken. Aan wat voor godvergeten vlooiencircus geeft u eigenlijk leiding?'

Cray ontsteekt in een sputterende, met hoofdknikken doorspekte tirade. 'Dit is míjn commandokamer en míjn onderzoek. Ik accepteer níet dat er aan mijn autoriteit wordt getwijfeld.' Ze blaft naar Monk. 'Gooi hem eruit.'

De grote man maakt aanstalten om op Ruiz af te stappen. Ik ga tussen hen in staan.

'Kalm aan allemaal.'

Cray en Ruiz kijken elkaar in een soort stuurs verzet dreigend aan en besluiten op de een of andere onuitgesproken manier om in te binden. De spanning is ineens uit de lucht. De rechercheurs draaien zich gehoorzaam om, lopen terug naar hun bureaus en gaan de trap af, op weg naar hun gereedstaande auto's.

Ik loop achter de inspecteur aan haar kantoor binnen, waar ze haar volgende sigaret aansteekt en geërgerd met haar tong klakt.

'Ik weet dat hij een vriend van u is, professor, maar die man is wel een olympische dwarsligger.'

'Hij is een gepassioneerde dwarsligger.'

Ze kijkt strak uit het raam, haar vlezige gezicht wit en wasachtig. Ineens glinsteren er tranen bij haar oogleden. 'Ik had het anders moeten aanpakken,' fluistert ze. 'Uw vrouw had in veiligheid moeten zijn. Ze was mijn verantwoordelijkheid. Het spijt me.'

Gêne. Schaamte. Woede. Teleurstelling. Stuk voor stuk emoties als een masker, maar ze wil zich niet verbergen. Niets wat ik kan zeggen zal haar zich beter kunnen laten voelen of iets kunnen veranderen aan het gewelddadige, roofzuchtige verlangen waarmee deze zaak van meet af aan doordrenkt is geweest.

Ruiz klopt zachtjes op de kamerdeur.

'Ik wil mijn excuses aanbieden voor mijn uitbarsting,' zegt hij. 'Hij was buiten proportie.'

'Excuses aanvaard.'

Hij draait zich om en wil weglopen.

'Blijf,' zeg ik tegen hem. 'Ik wil dat je dit hoort. Ik denk dat ik ervoor kan zorgen dat Gideon Tyler zich niet meer verplaatst.'

'Hoe dan?' vraagt de inspecteur.

'We bieden hem zijn dochter aan.'

'Maar we hebben haar niet. De familie zal niet meewerken, dat hebt u zelf gezegd.'

'We misleiden hem net zoals hij Christine Wheeler en Sylvia Furness en Maureen Bracken heeft misleid. We overtuigen hem ervan dat we Chloë en Helen in handen hebben.'

Veronica Cray kijkt me ongelovig aan. 'U wilt tegen hem líegen?'

'Ik wil hem misleiden. Tyler weet dat zijn vrouw en dochter nog leven. En hij weet dat wij over de middelen beschikken om hen hierheen te halen. Als hij met hen wil praten of hen wil zien, moet hij eerst Charlie en Julianne vrijlaten.'

'Hij zal je niet geloven. Hij zal bewijs willen zien,' zegt de inspecteur.

'Ik hoef hem alleen maar aan het lijntje te houden en te zorgen dat hij op één plek blijft. Ik heb Chloë's dagboek gelezen. Ik weet waar ze allemaal is geweest. Ik kan hem overbluffen.'

'Wat doen we als hij haar wil spreken?'

'Dan zeg ik tegen hem dat ze onderweg is of dat ze niet met hem wil praten. Ik verzin wel een uitvlucht.'

Inspecteur Cray zuigt lucht naar binnen door neusgaten die samentrekken en weer wijd uit gaan staan als ze uitademt. Onder haar huid malen haar kaakspieren.

'Wat geeft u de overtuiging dat hij hier in stinkt?'

'Het feit dat dit hetgene is wat hij wíl geloven.'

Ineens neemt Ruiz het woord. 'Ik vind het een goed idee. Tot dusverre heeft Tyler ons rondjes laten rennen alsof onze reet in lichterlaaie stond. Misschien heeft de professor gelijk en kunnen wij nu eens onder zíjn reet een vuurtje stoken. Het is het proberen waard.'

De inspecteur trekt aan haar sigaret en lijkt de rook in te slikken in plaats van te inhaleren. Tussen de knopen van haar overhemd zitten kruimels bladerdeeg als alpinisten op een rotswand tegen haar boezem geklemd.

'Op één voorwaarde,' zegt ze terwijl ze met een rokende knuist naar Ruiz gebaart. 'U gaat op weg naar Helen Chambers. Vertel haar waar we mee bezig zijn. Het wordt wel eens tijd dat iemand in die familie laat zien wat hij waard is.'

Ruiz doet een stap achteruit en laat mij voorgaan de kamer uit.

'Je bent gek,' mompelt hij zodra we buiten gehoorsafstand zijn. 'Je gelooft toch zeker zelf niet dat je die gast kunt misleiden?'

'Waarom heb je er dan mee ingestemd?'

Hij haalt zijn schouders op en slaakt een quasizielige zucht.

'Ken je die mop van die kleuterjuf die voor de klas gaat staan en zegt: "Ik wil dat iedereen die zichzelf stom vindt gaat staan." Een klein jongetje, Jimmy, gaat staan en de juffrouw zegt: "Vind jij jezelf echt stom, Jimmy?"

Waarop Jimmy zegt: "Nee, juf, maar ik vond het zo zielig u daar in uw eentje te zien staan."'

65

Vanaf mijn dunne matras kijk ik toe hoe het meisje ligt te slapen. Ze jammert zachtjes in haar droom en rolt met haar hoofd. Mijn Chloë deed dat altijd als ze een enge droom had.

Ik loop de kamer door en kijk op haar neer. De nachtmerrie heeft haar in zijn greep en haar lichaam rijst en daalt onder het dekbed. Ik strek mijn hand uit en raak haar arm aan. Ze houdt op met jammeren. Ik loop terug naar mijn matras.

Een tijd later wordt ze echt wakker en gaat rechtop zitten, turend in het duister. Ze kijkt of ik er ben.

'Bent u daar?'

Ik geef geen antwoord.

'Praat tegen me, alstublieft.'

'Wat is er?'

'Ik wil naar huis.'

'Ga maar weer slapen.'

'Ik kan niet slapen.'

'Wat gebeurde er in je nachtmerrie?'

'Ik had geen nachtmerrie.'

'Wel waar. Je lag te kreunen.'

'Dat weet ik niet meer.'

Ze draait haar gezicht naar de dichte gordijnen. Langs de randen sijpelt licht naar binnen. Ik kan meer van haar gelaatstrekken onderscheiden. Ik heb haar haar geruïneerd, maar dat zal wel weer aangroeien.

'Ben ik hier ver van huis?' vraagt ze.

'Hoe bedoel je?'

'Ik bedoel in kilometers. Is het ver?'

'Nee.'

'Zou ik het redden als ik de hele dag doorliep?'

'Zou kunnen.'

'U zou me kunnen laten gaan en dan zou ik naar huis kunnen lopen. Ik zou niemand vertellen waar u woont. Ik zou niet weten hoe ik het terug moest vinden.'

Ik loop de kamer door en doe een bedlampje aan. Schaduwen maken zich uit de voeten. Buiten hoor ik een geluid. Ik houd een vinger tegen mijn lippen.

'Ik heb niets gehoord,' zegt ze.

In de verte hoor ik een hond blaffen.

'Misschien was het die hond.'

'Ja.'

'Ik moet naar het toilet. Niet kijken alstublieft.'

'Ik zal me omdraaien.'

'U zou ook de kamer uit kunnen gaan.'

'Wil je dat?'

'Ja.'

Ik loop de slaapkamer uit en blijf op de overloop staan. Ik hoor hoe ze over de vloer schuifelt en hoor het tinkelen van haar urine in de pot.

Ze is klaar. Ik klop op de deur.

'Mag ik weer binnenkomen?'

'Nee.'

'Waarom niet?'

'Ik heb een klein ongelukje gehad.'

Ik duw de deur open. Ze staat in de badkamer en probeert een donkere vlek in het kruis van haar spijkerbroek droog te deppen.

'Doe hem maar uit. Ik hang hem wel te drogen.'

'Nee, dat hoeft niet.'

'Ik haal wel iets anders voor je.'

'Ik wil hem niet uittrekken.'

'Je kunt geen natte spijkerbroek aanhouden.'

Ik loop weg en kijk in de grote slaapkamer die ingebouwde kledingkasten heeft en ladekasten. De broeken en truien zijn haar te groot. Op een hangertje zie ik een witte badjas. Hij is van een hotel. Zelfs een rijke Arabier schaamt zich er niet voor om een hotelbadjas te pikken. Misschien is hij daarom wel zo rijk.

Ik neem hem mee. Ik moet de kettingen aan haar voeten losmaken om haar de spijkerbroek te kunnen laten uittrekken. Ze vraagt me de kamer uit te gaan.

'Het raam zit op slot. Je kunt niet ontsnappen,' zeg ik tegen haar.

'Dat doe ik ook niet.'

Ik blijf aan de deur staan luisteren tot ze zegt dat ik weer binnen kan komen. De badjas is haar veel te groot en valt over haar knieën tot op haar enkels. Ik pak haar spijkerbroek en spoel hem uit in de wastafel. Er is geen heet water. De boiler is uitgeschakeld. Ik draai de spijkerbroek tot een spiraal, wring hem uit en hang hem over de rugleuning van een stoel.

Ik voel haar blik.

'Heeft u echt Darcy's moeder vermoord?'

Ze vraagt het nerveus.

'Ze is gesprongen.'

'Heeft u haar gezegd dat ze moest springen?'

'Zou iemand jóu kunnen overhalen te springen?'

'Weet ik niet. Ik denk het niet.'

'Nou, dan kan jou denk ik niks gebeuren.'

Ik rommel in mijn rugzak en haal er een klein blik perziken uit, dat ik met een blikopener openmaak.

'Hier. Je moet iets eten.'

Ze pakt het blik aan en begint de glibberige stukjes fruit op te eten, af en toe het sap van haar vingers zuigend.

'Voorzichtig. Die randjes zijn scherp.'

Ze brengt het blik naar haar lippen, drinkt het sap op en veegt haar mond af aan haar mouw. Dan gaat ze achterover zitten en trekt de badjas om zich heen. Buiten begint de lucht helderder te worden. Nu kan ze meer van de kamer zien.

'Gaat u me vermoorden?'

'Is dat wat je denkt?'

'Ik weet het niet.' Ze heeft op haar onderlip gebeten.

Het is mijn beurt om een vraag te stellen. 'Zou jij mij vermoorden als je daar de kans toe had?'

Ze fronst haar wenkbrauwen. Boven haar neusbrug staan twee identieke rimpeltjes. 'Ik geloof niet dat ik dat zou kunnen.'

'En als ik nou je familie bedreigde, je moeder of je vader of je zus, zou je me dan wél vermoorden?'

'Ik zou niet weten hoe.'

'En als je een geweer had?'

'Misschien dan wel.'

'Dus zoveel verschillen we niet van elkaar, jij en ik. We zijn allebei bereid te moorden als de omstandigheden zich daarvoor lenen. Jij vermoordt mij en ik vermoord jou.'

In haar ooghoek perst zich een stille traan naar buiten.

'Ik moet zo meteen weer even weg.'

'Ga niet weg.'

'Het duurt niet lang.'

'Ik vind het niet leuk om alleen te zijn.'

'Ik moet je voeten weer aan elkaar ketenen.'

'Niet mijn gezicht bedekken.'

'Alleen je mond.'

Ik scheur een stuk plakband van de rol.

'Ik heb dit geluid eerder gehoord,' zegt ze voordat ik haar mond kan afdekken. 'U deed dit bij iemand anders.'

'Wat bedoel je?'

'Ik hoorde u plakband van zo'n zelfde rol trekken. U was beneden.'

'Heb jij dat gehoord?'

'Ja. Is er nog iemand hier?'

'Je stelt te veel vragen.'

Ik druk de beugel van het hangslot in tot de kettingen om haar enkels goed vastzitten.

'Ik vertrouw erop dat je dit plakband niet van je mond haalt. Als je me teleurstelt, stop ik die slang weer in je keel en plak ik je hele hoofd weer af. Begrepen?'

Ze knikt.

Ik doe een groot, rechthoekig stuk tape over haar mond. Nu schieten haar ogen vol tranen. Ze laat zich zijdelings langs de muur omlaag glijden tot ze opgerold op het matras ligt. Ik kan haar gezicht niet meer zien.

66

Op het bureau ratelt de telefoon. Door de glazen tussenwand kijk ik naar Oliver Rabb en William Greene. Oliver knikt.

'Hallo?'

'Goedemorgen, Joe, goed geslapen?'

Gideon belt vanuit een auto. Ik hoor hoe de weg onder de banden door roffelt en hoor het geluid van de motor.

'Waar is Julianne?'

'Je gaat me toch niet vertellen dat je haar kwijt bent? Wat slordig: in minder dan vierentwintig uur je vrouw en dochter kwijtraken. Dat moet een record zijn.'

'Zo ongebruikelijk is het nou ook weer niet,' zeg ik tegen hem. 'Jij bent die van jou ook kwijtgeraakt.'

Hij valt stil. Ik geloof niet dat hij de vergelijking kan waarderen.

'Laat me met Julianne praten.'

'Nee. Ze slaapt. Wat kan die meid naaien, Joe. Volgens mij stelde ze het echt op prijs nu eens door een echte man te worden geneukt en niet door zo'n mongool als jij. Ze kwam klaar als een zeventigklapper, helemaal toen ik mijn duim in haar reet duwde. Ik ga haar zo meteen weer een beurt geven. Misschien geef ik ze allebei wel een veeg, moeder en dochter.

Charlie is een hele brave meid geweest. Gehoorzaam. Onderdanig. Je zou trots op haar zijn geweest. Telkens als ik naar haar kijk word ik vanbinnen helemaal warm en doezelig. Weet je dat ze in haar slaap kreunt als een geliefde? Heb je mijn vrouw en dochter al gevonden?'

'Ja.'

'Waar zijn ze?'

'Ze zijn onderweg.'

'Fout antwoord.'

'Ik heb vanochtend met Chloë gesproken. Het is een pienter meisje. Ze had een vraag voor je.'

Hij aarzelt. Oliver en William Greene zitten over hun laptops gebogen. Verspreid over Bristol hebben tientallen politie-eenheden positie gekozen, in de lucht hangen twee helikopters.

'Wat wil ze weten?'

'Ze wil iets weten over haar poes, Tinkle. Ik geloof dat ze zei dat dat een afkorting was van Tinkerbell. Ze vroeg of Tinkle het goed maakte. Ze hoopt dat jij haar bij de Hahns hebt achtergelaten om voor haar te zorgen. Ze zei dat de Hahns in een boerderij naast jullie woonden.'

Nauwelijks merkbaar is Gideons ademhaling veranderd. Ik heb zijn volledige aandacht. Via een oortelefoontje luister ik mee met wat Oliver Rabb aan het doen is.

[*'We hebben een krachtig niveau van zeven dBm. De signaalsterkte ligt 18 decibel boven die van de volgende dichtstbijzijnde mast. Het toestel is minder dan 150 meter van het basisstation verwijderd...'*]

'Ben je daar nog, Gideon? Wat moet ik tegen Chloë zeggen?'

Hij aarzelt. 'Zeg haar dat ik Tinkle aan de Hahns heb gegeven.'

'Dat zal ze fijn vinden.'

'Waar is ze.'

'Wat ik al zei: ze is onderweg.'

'Dit is een truc.'

'Ze heeft me verteld over een ansichtkaart die ze je vanuit Turkije schreef.'

'Ik heb geen ansichtkaart gekregen.'

'Ze mocht hem niet versturen van haar moeder. Weet je nog hoe je haar hebt leren snorkelen? Ze is wezen snorkelen vanaf een boot en heeft onderwaterruïnes gezien. Ze dacht dat het misschien wel Atlantis was, de verloren stad, ze wilde aan jou vragen of dat kon.'

'Laat me met haar spreken.'

'Je krijgt haar te spreken als ik Charlie te spreken krijg.'

'Niet met me lopen fokken, Joe. Geef me Chloë. Ik wil nu met haar spreken.'

'Ik heb je al gezegd: ze is niet hier.'

Opnieuw Olivers stem in mijn oor:

[*'We hebben* BMS-*signalen van drie masten. Ik kan de* DOA *(richting van binnenkomst) schatten, maar hij blijft bewegen, waarbij hij buiten het bereik van een toren raakt en door een andere wordt opgepikt. U moet zorgen dat hij ergens stilstaat.'*]

'Ze zaten in Griekenland. Maar een paar dagen terug zijn ze thuisgekomen. Ze staan onder bescherming.'

'Ik wist dat ze nog leefden.'

'Je stem slaat steeds over, Gideon. Misschien kun je beter even ergens stoppen.'

'Ik blijf liever in beweging.'

Ik heb alles gebruikt wat ik me uit Chloë's dagboek kan herinneren. Ik weet niet hoe lang ik deze poppenkast nog volhoud. Aan de andere kant van de commandokamer zie ik Ruiz opduiken, half hollend en buiten adem. Achter hem heeft Helen Chambers de hand van haar dochter vast, die ze amper kan bijhouden. Chloë's slaperige ogen verraden de snelheid waarmee ze is gewekt, aangekleed en uit de warmte van haar bed hierheen is gebracht.

Gideon is nog steeds aan de lijn.

'Je dochter is er.'

'Bewijs het.'

'Niet voordat ik Charlie en Julianne te spreken krijg.'

'Jij denkt dat ik gek ben. Jij denkt dat ik niet weet waar jij mee bezig bent.'

'Ze heeft blond haar. Bruine ogen. Ze draagt een strakke spijkerbroek en een groen vest. Ze is hier met haar moeder. Ze praten met inspecteur Cray.'

'Laat me Chloë spreken.'

'Nee.'

'Bewijs me dat ze daar is.'

'Laat mij met Charlie of Julianne spreken.'

Hij tandenknarst. 'Ik wil dat je één ding goed begrijpt, Joe. Niet iedereen waar jij van houdt gaat dit overleven. Ik was van plan je de keuze te geven wie van de twee, maar ik begin hier genoeg van te krijgen.'

'Laat me met mijn vrouw en dochter spreken.'

Zijn koude, beheerste, onbuigzame toon is verdwenen. Hij is razend. Gaat tekeer. Hij gilt in de hoorn.

'LUISTER, KLOOTZAK, GEEF ME MIJN DOCHTER AAN DE LIJN OF IK BEGRAAF JOUW BEMINDE ECHTGENOTE ZO DIEP DAT JE HAAR LICHAAM NOOIT ZULT VINDEN.'

Ik zie voor me hoe zijn mond zich verwringt en hoe kloddertjes speeksel in het rond vliegen. Ik hoor remmen piepen, op de achtergrond klinkt een claxon. Hij begint zijn concentratie te verliezen.

Ondertussen praat ook Oliver Rabb tegen me.

['Hij is zojuist doorgezet naar een nieuwe mast. Signaalsterkte 5 dBM, teruglopend. Straal 300 meter. U moet zorgen dat hij ergens stopt.']

Door de glazen scheidingswand knik ik hem toe.

'Doe eens wat rustiger, Gideon.'

'Zeg me niet wat ik moet doen. Geef me Chloë!'

'Wat krijg ik daarvoor in ruil?'

'De keuze of je vrouw of je dochter het overleeft.'

'Ik wil ze allebei terug.'

Ik hoor een verbeten lach. 'Ik stuur je een souvenir. Kun je mooi laten inlijsten.'

'Wat voor souvenir?'

Het mobieltje trilt tegen mijn oor. Ik houd het toestel zo ver mogelijk van me af, alsof het zou kunnen ontploffen. In het kleine verlichte rechthoekje verschijnt een foto. Julianne, naakt en vastgebonden en haar lichaam bleek als kaarsvet, ligt in een kist met haar mond en ogen afgeplakt en verdrogende kluiten aarde op haar buik en dijen.

Een dunne, ranzige stank van angst vult mijn neusgaten en in mijn borstkas schiet iets kleins en donkers weg en nestelt zich in de kamers van mijn hart, op zoek naar een schuilplaats. Dan komt het geluid waar Gideon het over had: het zachte huilen in een eindeloze nacht, een geest die breekt.

'Hoor je me nog, Joe?' vraagt hij, weer de oude.

Een droog, breekbaar flintertje adem is alles wat ik kan opbrengen. Herinneringen komen in groepjes uit vergeten krochten opzetten. Mijn vrouw. Wat heeft hij gedaan?

'Ga niet weg, Joe,' zegt hij op kalme, insinuerende toon. 'De laatste keer dat ik haar zag leefde ze nog. Ik geef je nog steeds de keuze.'

'Wat heb je gedaan?'

'Ik heb haar gegeven wat ze wilde.'

'En dat is?'

'Ze wilde haar dochters plaats innemen.'

Het groteske beeld tart elke beschrijving. In plaats daarvan produceert mijn verbeelding beelden. Voor mijn geestesoog zie ik Juliannes ademende lichaam, nippend van het duister, niet in staat te bewegen, haar haar uitgespreid onder haar hoofd.

'Alsjeblieft, alsjeblieft doe dit niet,' smeek ik met overslaande stem.

'Geef me mijn dochter aan de telefoon.'

'Wacht.'

Ruiz staat voor me. Hij heeft Chloë en Helen bij zich. Hij trekt twee stoelen bij het bureau en gebaart dat ze moeten gaan zitten. Helen heeft een spijkerbroek en een gestreept topje aan. Met Chloë's hand omklemd zit ze met haar hoofd tussen haar schouders getrokken, haar gezicht ziet eruit als een verfrommeld masker. Uitgeput. Verslagen.

Ik houd mijn hand over de telefoon. 'Bedankt.'

Ze knikt.

Chloë's blonde pony is over haar ogen gevallen. Ze duwt hem niet weg. Het is een fysieke barrière waar ze zich achter kan verschuilen.

'Hij wil Chloë spreken.'

'Wat moet ze zeggen?'

'Ze hoeft alleen gedag te zeggen.'

'Meer niet?'

'Nee.'

Chloë bungelt met haar onder de stoel hangende benen en bijt op een vingernagel. Een te ruim vallend groen vest hangt tot op haar dijen en de nauwe spijkerbroek doet haar benen er als in denim verpakte stokjes uitzien.

Ik gebaar naar haar. Ze loopt op haar tenen om het bureau heen, alsof ze bang is haar hielen te bezeren. Ik houd het spreekgedeelte bedekt en maak met mijn lippen de woorden die ik wil dat ze gaat zeggen.

Dan houd ik mijn hand omhoog voor Oliver en tel ik af door mijn vingers één voor één te laten zakken. Vijf... vier... drie...

Chloë neemt het toestel over en fluistert: 'Hallo pap, met mij.'

... twee... een...

Ik laat mijn arm zakken. Aan de andere kant van het glas drukt Oliver een knop in of zet hij een schakelaar om waarmee hij een tiental gsm-masten het zwijgen oplegt.

Ik zie voor me hoe Gideon naar zijn telefoontje staart, zich afvragend waar het signaal gebleven is. Net was zijn dochter nog aan de lijn, maar haar woorden werden weggerukt. Dertig politie-eenheden bevinden zich binnen honderdvijftig meter van zijn laatst bekende locatie, bij Prince Street Bridge. Veronica Cray is onderweg om zich bij hen te voegen.

Chloë begrijpt niet wat er is gebeurd.

'Je hebt het heel goed gedaan,' zeg ik terwijl ik het mobieltje van haar overneem.

'Waar is pappa nou gebleven?'

'Hij gaat ons terugbellen. We willen dat hij een andere telefoon gebruikt.'

Door het raam kijk ik naar Oliver en luitenant Greene. Het lijkt alsof ze broederlijk de adem inhouden. Er zijn twee minuten verstreken. We kunnen de telefoonmasten niet langer dan tien minuten op zwart laten. Hoe lang zal het duren voordat Gideon een vaste telefoon heeft gevonden?

Schiet op.

Bel.

67

Een van de schaarse dingen die ik me nog herinner van de na-
tuurkundelessen op school is dat niets zich sneller verplaatst dan
het licht. En dat als een persoon zich met de lichtsnelheid over
lange afstanden kon verplaatsen de tijd voor die persoon langza-
mer zou gaan lopen en zelfs tot stilstand zou komen.

Ik heb mijn eigen theorieën over de tijd. Angst doet de tijd uit-
dijen. Paniek doet hem volledig in elkaar klappen. Op dit moment gaat mijn hartslag razendsnel en is mijn geest alert, maar
heeft al het andere in de meldkamer de serene rust van een warme
zondagmiddag en een dikke hond die in de schaduw ligt te slapen.
Zelfs de secondewijzer van de klok lijkt tussen twee tikken in te
aarzelen, niet zeker of hij vooruit zal gaan of stil zal staan.

Voor me is het bureau leeg, op twee vaste toestellen na die met
de telefooncentrale van het bureau zijn verbonden. Oliver Rabb
en luitenant Greene zitten hiernaast in de communicatiekamer.
Helen en Chloë wachten in Veronica Crays werkkamer.

Terwijl ik aan een van de stoel afbladderend schilfertje verf pulk
staar ik naar de telefoons, hopend dat ze overgaan. Misschien kan
ik als ik maar hard genoeg staar hem visualiseren terwijl hij belt.
Door het oortelefoontje hoor ik Oliver opnieuw een minuut aftel-
len. Er zijn er al acht voorbij. Mijn borstkas gaat op en neer. Ontspan je. Hij zal bellen. Hij moet alleen een vast toestel vinden.

Het duurt een moment voordat ik besef dat de telefoon over-
gaat. Ik werp een blik in de richting van Oliver Rabb. Hij wil dat
ik hem vier keer laat overgaan.

Ik neem op.

'Hallo.'

'Waar is Chloë, godverdomme.'

'Waarom hing je op toen je haar aan de lijn had?'

Gideon ontploft. 'Ik heb niet opgehangen. De lijn viel weg. Als dit een of ander kutgeintje is...'

'Chloë zei dat je ophing.'

'Er is geen signaal, eikel. Kijk maar op je mobieltje.'

'Verdomd.'

'Geef me Chloë aan de telefoon.'

'Ik zal iemand vragen haar te halen.'

'Waar is ze?'

'Hiernaast.'

'Ga haar halen.'

'Ik schakel je naar haar door.'

'Ik weet wat jij aan het doen bent. Ik wil haar nú aan de lijn!'

Ik kijk naar Oliver en William Greene. Ze zijn nog steeds bezig het gesprek te traceren. Mijn linkerkant trilt. Als ik mijn been op de grond houd kan ik het schudden tegenhouden.

Ruiz komt met Chloë de kamer binnen. Ik houd de telefoon afgedekt.

'Gaat het?'

Ze knikt.

'Ik luister zo meteen mee. Als je bang wordt, wil ik dat je je hand op de hoorn houdt en het me vertelt.'

Ze knikt en pakt de hoorn van de tweede telefoon op.

'Hallo pap, met mij.'

'Hai, hoe gaat het?'

'Goed.'

'Sorry dat we werden onderbroken. Ik kan niet lang praten.'

'Er is een tand bij me uit.'

'Echt waar?'

'De tandenfee heeft me twee keer centjes gegeven. Ik heb een briefje voor de tandenfee neergelegd. Mammie heeft me geholpen met schrijven.'

Chloë is een natuurtalent. Zonder enige moeite weet ze zijn aandacht volledig vast te houden en hem aan de lijn te houden.

'Is je mamma daar ook?'

'Ja.'

'Luistert ze mee?'

'Nee.'

Aan de andere kant van het glas draait Oliver zich om en steekt beide duimen op. Ze hebben het gesprek getraceerd. Chloë is uitgepraat. Gideon stelt haar vragen. Haar antwoorden zijn kort en vormelijk. Af en toe knikt ze in plaats van te antwoorden.

'Zit je in de problemen?'

'Maak je over mij maar geen zorgen.'

'Heb je iets gedaan wat niet mag?'

Op de achtergrond hoor ik het op en neer gieren van naderende sirenes. Gideon heeft ze ook gehoord. Ik pak Chloë de hoorn af.

'Het is over,' zeg ik. 'Waar zijn Charlie en Julianne?'

Gideon gilt in de telefoon. 'Klootzak die je bent! Vieze vuile smiecht! Ik leg je reet open! Je bent er geweest! Nee, je vrouw is er geweest! Je ziet haar niet meer levend terug.'

Er klinken nog meer sirenes, begeleid door gillende remmen en autoportieren die opengaan. Ik hoor brekend glas en een pistoolschot weergalmt door de hoorn. In godsnaam, schiet hem niet neer.

Er klinkt gejuich uit de meldkamer. Vuisten doorklieven de lucht. 'We hebben die klootzak te pakken,' zegt iemand.

Chloë kijkt me aan, verward, bang. Ik houd de hoorn nog altijd tegen mijn oor gedrukt en hoor zeker twintig vuurwapens in gereedheid gebracht worden. Iemand schreeuwt Gideon toe dat hij plat op de grond moet gaan liggen, met zijn handen achter zijn hoofd. Nog meer stemmen. Zware laarzen.

'Hallo? Is daar iemand? Hallo?'

Niemand luistert.

'Kan iemand me horen? Neem hem op!' schreeuw ik in de hoorn. 'Vertel me wat er is gebeurd.'

Ineens klinkt er een stem aan de andere kant van de lijn. Het is Veronica Cray.

'We hebben hem.'

'En Charlie en Julianne?'

'Die waren niet bij hem.'

68

Gideon Tyler ziet er anders uit. Fitter. Slanker. Hij is niet langer de stotterende fantast en verteller van leugens. Er staan geen onzichtbare muizenvallen meer op de grond. Het is bijna alsof hij in staat is zichzelf fysiek te transformeren door een nieuwe persoonlijkheid aan te nemen, zijn ware persoonlijkheid.

Sommige dingen zijn hetzelfde gebleven. Zijn dunne blonde haar hangt slap over zijn oren en zijn bleekgrijze ogen blikken van achter een rechthoekige bril met stalen montuur de wereld in. Zijn handen zijn geboeid en liggen met de handpalmen omlaag plat op tafel. De enige tekenen van stress zijn de zweetkringen in de oksels van zijn overhemd.

Hij is tot op het naakte lichaam gefouilleerd en door een arts onderzocht en zijn riem en schoenveters zijn hem afgenomen, evenals zijn horloge en andere persoonlijke eigendommen. Hij heeft al die tijd in zijn eentje in de verhoorkamer naar zijn handen zitten staren, alsof hij met zijn geestkracht probeerde de stalen handboeien te breken, de deur te openen en zijn bewakers in rook te doen opgaan.

Ik zit door een observatievenster naar hem te kijken, een doorkijkspiegel die er van hem uit gezien als een doodgewone spiegel uitziet. Hoewel hij me niet kan zien, voel ik dat hij weet dat ik hier zit. Af en toe kijkt hij op en staart in de spiegel, niet om zijn eigen gelaatstrekken te bestuderen, maar om er doorheen te kijken en zich mijn gezicht voor de geest te halen.

Veronica Cray is boven in gesprek met een stel legeradvocaten en de commissaris. Het leger eist Gideon te mogen ondervragen, met als argument dat het een zaak van nationale veiligheid betreft. Inspecteur Cray zal waarschijnlijk geen terrein prijsgeven. Mij maakt het niet uit wie de vragen stelt. Er had al lang iemand bij hem moeten zitten en hem om antwoorden moeten vragen die naar mijn vrouw en dochter leiden.

Achter me gaat een deur open. Ruiz stapt vanuit het duister van de gang het duister van de observatieruimte binnen. Verlichting ontbreekt. Elk spoortje licht zou door de spiegel kunnen vallen en de verborgen ruimte kunnen verraden.

'Dat is hem dus.'

'Dat is hem, ja. Kunnen we niet iets doen?'

'Zoals?'

'Hem aan het praten zien te krijgen. Ik bedoel, als dit een film was zou jij naar binnen gaan en hem te grazen nemen.'

'Vroeger misschien, ja,' zegt Ruiz, met zo te horen oprecht heim-wee.

Gideon ziet er niet uit als een man die de rest van zijn leven in de gevangenis zal slijten. Hij ziet er niet uit als een man die zich over wat dan ook het hoofd breekt.

'Zijn ze nog steeds aan het bakkeleien?'

Hij knikt.

'Het leger stuurt een helikopter. Ze willen hem naar een leger-basis overbrengen. Ze zijn bang dat hij tegenover ons iets zal los-laten. De waarheid, bijvoorbeeld.'

Veronica Cray zal vast en zeker weigeren iets van haar be-voegdheden prijs te geven. Ze zal haar zaak voorleggen aan de commissaris, de minister van Binnenlandse Zaken. Ze heeft twee moorden, een schietpartij en twee ontvoeringen binnen haar district, in haar wijk. Het geargumenteer en juridisch ge-harrewar nemen te veel tijd in beslag. Ondertussen zit Gideon vier meter hiervandaan in zichzelf te neuriën en in de spiegel te turen.

Inspecteur Cray komt de verhoorruimte binnen. Monk zit op de tweede rang. Een derde persoon, een legeradvocaat, neemt achter hen plaats, alsof hij zich gereed houdt om elk moment tussen-beide te kunnen komen. De kamer is ontdaan van microfoons. Er zijn geen schrijfblokken of potloden. De ondervraging wordt niet vastgelegd. Ik betwijfel of er wel iets is vastgelegd van Gideons arrestatie en zijn vingerafdrukken. Iemand is vastbesloten om elk spoor van hem uit te wissen.

Uit een plastic fles schenkt Veronica Cray water in een plastic bekertje. Met haar hoofd achterover haalt ze diep adem. Tyler lijkt geïnteresseerd haar keel te bekijken.

'Zoals u waarschijnlijk al hebt opgemerkt is dit geen formeel verhoor,' zegt ze. 'Niets van wat u zegt zal worden genoteerd. Het kan niet tegen u worden gebruikt. U hoeft slechts één vraag te beantwoorden: waar zijn Julianne en Charlotte O'Loughlin?'

Gideon drukt zijn rug tegen de rugleuning van zijn stoel en strekt zijn armen uit, de vingers gespreid op tafel. Dan tilt hij langzaam zijn hoofd op, zijn ogen verdwijnen in de fluorescerende schittering van zijn brillenglazen.

'Ik praat niet met u,' fluistert hij.

'U móet met me praten.'

Zijn hoofd gaat heen en weer.

'Waar zijn Charlie en Julianne O'Loughlin?'

Hij gaat stijf rechtop zitten. 'Mijn naam is majoor Gideon Tyler. Geboren op 6 oktober 1969. Ik ben soldaat bij Hare Majesteits Eerste Militaire Inlichtingeneenheid.'

Hij houdt zich aan de gedragsregels bij gevangenname: naam, leeftijd en rang.

'Laat die flauwekul maar achterwege,' zegt Veronica Cray.

Gideon kijkt haar met een melkachtig-grijze blik strak aan. 'Het zal niet meevallen als pot bij de politie, als je van de zwarte driehoek bent en lid bent van de zwaluwstaartclub. U zult wel een hoop hatelijke opmerkingen te verduren krijgen. Hoe noemen ze u achter uw rug om?'

'Geef antwoord op mijn vraag.'

'Geeft u maar eens antwoord op míjn vraag. Lukt het een beetje? Ik ben altijd benieuwd naar potten, of jullie het vaak doen en zo. U bent zo lelijk als de nacht, dus dat zal wel niet.'

Veronica Crays toon blijft beleefd, maar de achterkant van haar nek is rood. 'Uw fantasieën hoor ik een andere keer wel.'

'O, ik laat nooit iets aan de fantasie over, rechercheur. Dat zou u zo langzamerhand toch moeten weten.'

De opmerking heeft iets gruwelijk insinuerends.

'U gaat voor de rest van uw leven de gevangenis in, majoor Tyler. In de gevangenis gebeuren er dingen met mensen zoals u. Ze veranderen.'

Gideon glimlacht. 'Ik ga de gevangenis niet in, inspecteur. Vraag maar aan hem.' Hij draait zijn hoofd naar de legeradvocaat, die zijn blik ontwijkt. 'Ik betwijfel zelfs of ik hier wel uit wegkom.

Heeft u wel eens gehoord van uitlevering?' gaat Gideon verder. 'Zwarte gevangenissen? Spookvluchten?'

De advocaat doet een stap naar voren. Hij wil dat er een eind aan de ondervraging komt.

Veronica Cray negeert hem. 'U bent soldaat, een man die regels naleeft. Ik heb het niet over militaire gedragsregels of erecodes van een regiment. Ik heb het over uw eigen regels, regels waarin ú gelooft, en kinderen schade toebrengen hoort daar niet bij.'

'Ga mij niet vertellen wat ik wel of niet geloof,' zegt hij terwijl hij met zijn hakken over de grond schraapt. 'Kom bij mij niet aan met eer of voor koningin en vaderland. Er zíjn geen regels.'

'Vertel me slechts wat u met mevrouw O'Loughlin en haar dochter heeft gedaan.'

'Laat me de professor eens bekijken.' Hij keert zich naar de spiegel. 'Kijkt hij mee? Ben je daar, Joe?'

'Nee. U zult het met mij moeten doen,' zegt de inspecteur.

Gideon strekt zijn armen uit boven zijn hoofd en strekt zijn rug tot zijn wervels ploppen en knakken. Dan ramt hij met zijn vuisten op tafel. De combinatie van zijn kracht en de metalen handboeien zorgt voor een geluid als een geweerschot en iedereen in de kamer krimpt ineen, behalve de inspecteur. Gideon doet zijn polsen over elkaar en houdt ze voor zich uit alsof hij haar op afstand probeert te houden. Dan rukt hij zijn handen vaneen en vliegt er een lange guts bloed over de tafel, die op haar blouse terechtkomt.

Met de rand van zijn handboeien heeft Gideon een jaap in zijn linkerhandpalm getrokken. Inspecteur Cray zegt niets, maar haar gezicht is plotseling bleek. Ze duwt haar stoel achteruit, staat op en kijkt naar de dieprode streep bloed op haar witte overhemd. Ze maakt haar verontschuldigingen en gaat iets anders aantrekken.

Met drie snelle, stijve passen is ze bij de deur. Gideon roept haar na. 'Zeg de professor dat hij bij me moet komen. Dan zal ik hem vertellen hoe zijn vrouw aan haar eind is gekomen.'

69

Ik tref Veronica Cray op de gang bij de verhoorkamer. Ze kijkt me hulpeloos aan en slaat haar ogen neer, gebukt onder het gewicht van wat ze weet en wat ze niet weet. De bloedvlek op haar overhemd begint al op te drogen.

'Er is een legerhelikopter onderweg. Ik kan ze niet tegenhouden. Ze hebben een door de minister van Binnenlandse Zaken ondertekend arrestatiebevel.'

Twee soldaten in overjas komen de gang in lopen. Ze hebben beiden een rode baret onder hun arm. Het zijn agenten van de koninklijke militaire politie.

'En Charlie en Julianne dan?'

Onder haar overhemd schieten haar schouderbladen als opgevouwen vleugels opzij. 'Ik kan niets meer doen.'

Dit is waar ik bang voor was. Het ministerie van Defensie is meer bezig met de vraag hoe ze Gideon Tyler het zwijgen kunnen opleggen dan met de zoektocht naar een vermiste moeder en dochter.

'Laat me met hem praten,' zeg ik. 'Hij wil me spreken.'

Heel even staat de tijd stil en wijkt het rumoer van de wereld terug. Dit is levensgevaarlijk terrein.

Veronica Cray pakt een sigaret uit een pakje in haar broekzak. Ze legt hem tussen haar lippen. Ik zie dat haar hand lichtjes trilt. Woede. Teleurstelling. Frustratie. Misschien wel allemaal tegelijk.

'Ik zal zorgen dat die legeradvocaat opkrast,' zegt ze. 'U hebt mogelijk niet meer dan twintig minuten. Neem Ruiz mee. Hij weet wat hem te doen staat.'

De suggestieve toon is nieuw. Ze draait zich om en loopt langzaam de gang door naar de trap.

Ik ga de verhoorkamer binnen. De deur zwaait achter me dicht.

Heel even zijn we alleen. De lucht in de kamer lijkt zich in de uiterste hoeken te hebben verzameld. Gideon kan niet langer opspringen of door de kamer ijsberen. Zijn handboeien zitten aan het tafelblad vast, gefixeerd met slotbouten met verzonken koppen. Een arts heeft de snee in zijn handpalm verbonden.

Ik loop naar hem toe, ga tegenover hem zitten en leg mijn handen op tafel. Mijn linkerduim en wijsvinger tikken een geluidloze roffel. Ik trek de hand terug en stop hem tussen mijn bovenbenen. Ruiz is achter me aan de kamer binnengeglipt en doet de deur dicht alsof hij bang is iemand wakker te maken.

Gideon kijkt me met een vage glimlach onbeweeglijk aan. Ik zie de puinhopen van mijn leven in zijn bril weerspiegeld.

'Hallo, Joe, heb je recent nog wat van je vrouw vernomen?'

'Waar is ze?'

'Ze is dood.'

'Dat geloof ik niet.'

'Jij hebt haar doodvonnis getekend op het moment dat ik werd gearresteerd.'

Ik kan de geur van zijn ingewanden ruiken, de ranzige, etterende vrouwenhaat.

'Zeg waar ze zijn.'

'Je krijgt maar één van beiden terug. Ik heb je gezegd dat je moest kiezen.'

'Nee.'

'Ik kreeg geen keuze toen ik mijn vrouw en dochter kwijtraakte.'

'Je bent ze niet kwijtgeraakt. Ze zijn gevlucht.'

'Die slet heeft me bedrogen.'

'Je zoekt naar uitvluchten. Je bent geobsedeerd door wat jij denkt dat jou toekomt. Jij gelooft dat je, omdat je voor je vaderland hebt gevochten, er verschrikkelijke dingen voor hebt gedaan, recht heb op iets beters.'

'Nee. Niet iets beters. Ik wil wat iedereen wil. Maar wat als mijn droom botst met die van jou? Wat als mijn geluk ten koste gaat van jou?'

'Daar moeten we maar mee leren leven.'

'Dat is te mager,' zegt hij terwijl hij langzaam met zijn ogen knippert.

'De oorlog is voorbij, Gideon. De manschappen kunnen naar huis.'

'Oorlogen zijn nooit voorbij,' lacht hij. 'Oorlogen floreren omdat er altijd genoeg mannen zijn die er gek op zijn. Je komt wel eens mensen tegen die denken dat ze oorlogen kunnen stoppen, persoon voor persoon, maar dat is gelul. Ze klagen dat onschuldige vrouwen en kinderen sterven of gewond raken, mensen die er niet voor kiezen om te vechten, maar ik wed dat velen van hen hun zonen en echtgenoten zouden uitwuiven op weg naar de strijd. Sokken voor hen zouden breien. Hun voedselpakketten zouden sturen.

Weet je, Joe, niet elke vijandelijke strijder draagt een geweer. Het zijn oude mannen in rijke landen die oorlogen laten plaatsvinden. En de mensen die op de bank naar het nieuws zitten te kijken en op hen stemmen. Kom bij mij niet aan met lulpreken over dat er onschuldige slachtoffers vallen. Die bestaan niet.'

Ik ga geen politieke discussie voeren met deze man. Ik wil zijn rechtvaardigingen en uitvluchten, zijn wandaden en nalatigheden niet horen.

'Wil je me vertellen waar ze zijn?'

'En wat geef jij me daarvoor terug?'

'Vergeving.'

'Ik hoef geen vergeving voor wat ik heb gedaan.'

'Ik vergeef je dat je bent zoals je bent.'

De opmerking lijkt hem heel even van zijn stuk te brengen.

'Ze komen me halen, hè?'

'Er is een helikopter onderweg.'

'Wie hebben ze gestuurd?'

'Luitenant Greene.'

Gideon kijkt naar de spiegel. 'Greenie! Zit hij mee te luisteren? Zijn vrouw Verity heeft een heerlijk kontje. Ze brengt elke dinsdagmiddag door in een goedkoop hotel in Ladbroke Grove, waar ze met een luitenant van inkoop ligt te wippen. Een gast van operatiën had in die kamer een verborgen camera geïnstalleerd.

Je had de video eens moeten zien! Hij is het hele regiment langs geweest.'

Hij grijnst en doet zijn ogen dicht, alsof hij een onzichtbare foto bekijkt waarop hij het bewuste moment heeft vastgelegd. Een bloeddonkere schaduw doet mijn hart trillen en ik wil me met één arm naar achteren gekromd over de ruimte tussen ons in heen buigen en mijn vuist in zijn gezicht planten.

'Zou je voor mij even mijn bril goed willen doen, Joe?' vraagt hij.

Hij is half van zijn neus gezakt. Ik buig me naar voren, raak met mijn duim en wijsvinger het gebogen montuur aan en schuif hem terug op zijn neusbrug. Het licht van de tl-buizen blijft een moment hangen in de glazen en maakt zijn ogen wit. Hij neigt zijn hoofd en zijn ogen zijn weer groen. De glazen lijken geen vergrotingsfactor te hebben.

Hij fluistert. 'Ze gaan me vermoorden, Joe. En als ik sterf, zul jij Julianne en Charlie nooit meer terugzien. We hebben allemaal een klok die doortikt, maar de mijne tikt denk ik ietsje sneller dan de meeste, en die van je vrouw ook.'

Als ik mijn lippen van elkaar doe ontstaat er een speekselbel die uiteenspat, maar woorden blijven uit.

'Ik heb altijd een hekel gehad aan tijd,' gaat hij verder. 'Ik telde de zondagen en stelde me voor hoe mijn dochter zonder mij opgroeide. Dat was mechanische tijd, die van klokken en kalenders. Inmiddels houd ik me met iets diepers bezig dan dat. Ik verzamel tijd van mensen. Ik pak hun hun tijd af.'

Gideon doet het klinken alsof jaren handelswaar zijn. Mijn verlies kan zijn winst betekenen.

'Jij houdt van je dochter, Gideon. Ik houd van die van mij. Ik kan onmogelijk volledig begrijpen wat jij hebt doorgemaakt, maar jij zult niet toelaten dat Charlie sterft. Dat weet ik.'

'Is zij degene die je terug wilt?'

'Ja.'

'Dus je maakt een keuze.'

'Nee. Ik wil hen allebei. Waar zijn ze?'

'Niet kiezen is ook een keuze, weet je nog wel?' Hij glimlacht.

'Heb je je vrouw gevraagd over haar slippertje? Ik wed dat ze heeft ontkend en dat jij haar geloofde. Kijk eens naar haar sms'jes. Ik heb ze gezien. Ze heeft haar baas er eentje gestuurd waarin ze zei dat jij iets begon te vermoeden en ze hem niet meer kon ontmoeten. Wil je haar nog altijd redden?'

Mijn huid kriebelt van woede.

'Ik geloof je niet.'

'Kijk maar naar haar berichten.'

'Het kan me niet schelen.'

Zijn stem barst uit in een hese lach. 'O jawel.'

Hij kijkt naar Ruiz en weer naar mij. 'Ik zal je vertellen wat ik met je vrouw heb gedaan. Ook haar heb ik een keuze geboden. Ik heb haar in een kist gestopt en haar verteld dat haar dochter in een kist ernaast zat. Ze kon door een slang ademhalen en in leven blijven, maar alleen door haar dochter haar lucht te ontnemen.'

Hoewel zijn handen aan de tafel vastgeklonken zitten, kan ik voelen hoe zijn vingers in mijn hoofd rondtasten, zich tussen de twee helften van het cerebellum wringen en ze uit elkaar wrikken.

'Wat denk jij dat ze zal doen, Joe? Zal ze Charlies lucht inpikken om zelf iets langer in leven te blijven?'

Ruiz werpt zichzelf dwars door de kamer en slingert zijn vuist in Gideons gezicht met een kracht die hem omver zou hebben gekegeld als zijn polsen niet zaten vastgeklonken. Ik hoor het geluid van brekend bot.

Hij grijpt Gideon onder zijn onderste ribben vast en plant een knie in zijn nieren zodat er pijnscheuten door zijn lichaam jagen. Transpiratie. Lege longen. Angst. Ontlasting. Ruiz schreeuwt nu tegen hem, beukt met zijn vuisten op zijn gezicht in en eist dat hij het adres noemt. Hij is niet langer een dienstdoend lid van de politiemacht. Regels gelden niet meer. Dit is waar Veronica Cray op doelde.

Golven van pijn breken en slaan te pletter op Gideons lichaam. Zijn gezicht begint al te kneuzen en op te zwellen van de klappen, maar er komt geen klacht of schreeuw van zijn lippen.

'Gideon,' fluister ik. Zijn ogen ontmoeten de mijne. 'Ik laat hem zijn gang gaan. Ik zweer het je. Als je mij niet vertelt waar ze zijn, laat ik hem zijn gang gaan en je vermoorden.'

Op zijn lippen verschijnt een bloedige schuimmassa, zijn tong glijdt langs zijn tanden en trekt er een rode waas overheen. Terwijl de spieren zich aanspannen en ontspannen verschijnt er een buitenaardse glimlach op zijn gezicht.

'Doe het.'

'Wat?'

'Martel me.'

Ik kijk naar Ruiz, die zijn vuisten tegen elkaar wrijft. Zijn knokkels liggen open.

Gideon jut me op. 'Martel me. Stel me de juiste vragen. Laat me zien wat je waard bent.'

Hij ziet me aarzelen en buigt zijn hoofd als voor een biecht. 'Wat is er? Kom niet bij me aan met dat je een sentimenteel persoon bent. Je hebt toch zeker voldoende rechtvaardiging om me te martelen?'

'Ja.'

'Ik beschik over de informatie die jij nodig hebt. Ik weet precies waar je vrouw en dochter zich bevinden. En jij weet dat ik dat weet. Zelfs als je daar maar voor vijftig procent zeker van was, was dat al voldoende rechtvaardiging. Ik heb mensen wel om minder gemarteld. Ik martelde ze omdat ze op het verkeerde moment op de verkeerde plaats waren.'

Hij staart naar zijn handen als een man die zijn toekomst overdenkt en hem verwerpt.

'Martel me. Dwing me het te vertellen.'

Het voelt alsof iemand een sluisdeur heeft opengezet en mijn vijandigheid en woede wegstromen. Ik haat deze man meer dan woorden kunnen uitdrukken. Ik wil hem pijn doen. Ik wil dat hij sterft. Maar het zal geen enkel verschil maken. Hij zal me niet zeggen waar ze zijn.

Gideon wil geen vergeving of rechtvaardigheid of begrip. Hij heeft gebaad in het bloed van een verschrikkelijk conflict, de bevelen opgevolgd van regeringen en geheime afdelingen en schimmige organisaties die buiten de wet om opereren. Hij heeft geesten gebroken, geheimen ontfutseld, levens vernietigd en nog veel meer levens gered. Het heeft hem veranderd. Hoe kon het ook anders. En toch heeft hij zich, totdat ze hem werd afgenomen, al die tijd vastgehouden aan het ene pure, onschuldige, onbezoedelde dat hij in zijn leven kende: zijn dochter.

Ik kan Gideon haten, maar ik kan hem niet méér haten dan hij zichzelf haat.

70

'Er is nog iets afwijkends,' zegt Oliver Rabb terwijl hij zijn scheef-
hangende vlinderdasje goed doet en met een bijpassende zakdoek
zijn voorhoofd dept. Als ik niet reageer praat hij verder. 'Vanochtend om 7.35 uur heeft Tyler zijn mobieltje aangezet en weer uitgezet.'
Hij kijkt me opnieuw verwachtingsvol aan. De informatie zwelt
aan en valt als een golf over me heen, mijn maag keert zich om en
komt weer tot bedaren.
'Het stond iets meer dan eenentwintig seconden aan,' gaat
Oliver verder. 'Net als de laatste keer. U vroeg me naar afwijkingen
te zoeken. Die leek u van belang te achten. Ik denk dat ik weet wat
hij aan het doen was. Hij was een foto aan het nemen.'
Eindelijk begint er iets te dagen. Het is geen groots visioen of
verblindend inzicht. De dingen zijn helderder geworden, helderder dan gisteren.
Gideon heeft foto's genomen van Julianne en Charlie. Hij gebruikte de camera van een mobiele telefoon. Hij moet hem hebben aangezet om een foto te kunnen maken. De afwijkingen zijn
verklaard. Een verklaring die ons een nieuw aanknopingspunt
biedt.
Ik volg Oliver naar boven, de commandokamer door. Ik neem
niet waar of er rechercheurs naar hun bureaus zijn teruggekeerd
of niet. Ik neem niet waar of mijn linkerhand aan het geldtellen
is of dat mijn linkerarm een normale zwaaibeweging maakt. Die
dingen zijn onbelangrijk.
Oliver loopt recht op de wandkaart af. Vlak naast de eerste
steekt een tweede witte speld naar voren.
'De afwijking van gisteren deed zich voor om 15.07 uur. De mobiele telefoon stond veertien seconden aan, maar werd niet ge-

bruikt om te bellen. Het was dezelfde telefoon waarmee hij een foto naar de telefoon van uw vrouw stuurde. Dezelfde die in de bus werd achtergelaten.'

Oliver roept de foto op het scherm waarop Charlie staat afgebeeld met haar hoofd in plakband gehuld en een stuk slang in haar mond. Ik kan het raspen van haar ademhaling door de nauwe opening bijna horen.

'De tweede onregelmatigheid was vanmorgen, een uur voordat Tyler de foto van uw vrouw verzond.'

Gideon wist dat de politie in staat was een mobieltje te traceren, vandaar dat hij zich bleef verplaatsen en zo vaak van telefoon wisselde. Hij maakte geen fouten. Maar nu verliep het anders. Er was sprake van twee signalen en twee foto's.

'Kunt u ze traceren?' vraag ik.

Oliviers ogen glimmen. 'Met maar één signaal had ik er een harde dobber aan, maar nu maken we een kans.'

Ik ga naast hem zitten. Van de meeste van zijn handelingen ontgaat me het waarom. Golven getallen lopen over het scherm terwijl hij de software bevraagt, foutmeldingen wegklikt en problemen omzeilt. Het is alsof Oliver al doende de software herschrijft.

'Beide signalen werden opgepikt door een tien meter hoge gsm-mast in The Mall, minder dan achthonderd meter bij de Clifton Suspension Bridge vandaan,' zegt hij. 'De DOA, de aankomstrichting, doet een locatie ten westen van de mast vermoeden.'

'Hoe ver weg?'

'Ik ga de TOA, het tijdstip van aankomst, vermenigvuldigen met de signaalvoortplantingssnelheid.'

Hij tikt verder en gebruikt de een of andere vergelijking om de berekening uit te voeren. Het antwoord zint hem niet.

'Ergens tussen de tweehonderd en twaalfhonderd meter.'

Oliver pakt een zwarte viltstift en trekt op de kaart een grote druppelvormige figuur. Het spitse uiteinde ligt bij de mast en het bredere deel omvat tientallen straten, een gedeelte van de rivier de Avon en de helft van Leigh Woods.

'Een tweede gsm-mast pikte de handtekening van het toestel op en stuurde een bericht terug, maar de eerste mast had al verbinding gemaakt.' Hij wijst opnieuw op de kaart. 'De tweede mast bevindt zich hier. Het is dezelfde die het laatste gesprek met mevrouw Wheeler doorgaf voordat ze sprong.'

Oliver loopt terug naar zijn laptop. 'De aankomstrichting is anders. Noord tot noordoost. Er is sprake van overlappende connectiviteit.'

De wetenschap begint me boven de pet te gaan. Oliver staat opnieuw op uit zijn stoel, loopt weer naar de kaart en trekt een tweede druppelvorm, die de eerste gedeeltelijk overlapt. Het gemeenschappelijke gedeelte bestrijkt misschien achthonderd à negenhonderd vierkante meter en een tiental straten. Hoeveel tijd zou het kosten om daar van deur tot deur te gaan?

'We hebben een satellietkaart nodig,' zeg ik.

Oliver is me voor. Het beeld op zijn laptop wordt wazig en langzaam weer scherp. Het is alsof we uit de ruimte komen vallen. Topografische details krijgen vorm: heuvels, straten, de hangbrug.

Ik loop naar de deur en schreeuw: 'Waar is de inspecteur?'

Een tiental hoofden draait zich om. Safari Roy geeft antwoord. 'Ze zit bij de hoofdcommissaris.'

'Ga haar roepen! Ze moet een zoekactie op touw zetten.'

*

Het geluid van een sirene doorsnijdt gillend de middag en stijgt vanuit de drukke straten een koperkleurige hemel in. Zo begon het, minder dan vier weken geleden. Als ik de klok kon terugzetten zou ik dan op de universiteit in die politiewagen stappen en naar de Clifton Suspension Bridge gaan?

Nee. Ik zou weglopen. Ik zou uitvluchten verzinnen. Ik zou de echtgenoot zijn die Julianne wil dat ik ben, de man die de andere kant op rent en om hulp roept.

Ruiz zit naast me en houdt zich aan de dakgreep vast terwijl de auto de volgende bocht in zwiept. Monk zit voorin naast de bestuurder instructies te roepen.

'De volgende links. Haal die klootzak in. Oversteken. Ga langs die bus. Noteer het nummer van die eikel.'

521

De chauffeur schiet door rood en negeert de gillende remmen en het getoeter. Minstens vier politiewagens rijden in konvooi met ons mee. Uit andere delen van de stad zijn nog een stuk of tien andere auto's onderweg. Over de radio hoor ik ze met elkaar praten.

Op Marlborough Street en Queens Road staat het verkeer vast. We zwenken het trottoir aan de overkant op. Voetgangers stuiven als geschrokken duiven uiteen.

De auto's verzamelen zich op Caledonia Place naast een smalle strook park die het plein van West Mall scheidt. We bevinden ons in een welgesteld deel van de stad, vol grote huizen, hotels met logies en ontbijt en pensions. Sommige ervan zijn vier verdiepingen hoog, in pasteltinten geschilderd en hebben aan de buitengevel bevestigde afvoeren en erkers. Uit schoorstenen kringelen dunne slierten rook die in westelijke richting over de rivier wegdrijven.

Er arriveert een politiebus met nog eens twintig agenten. Als een terriër in het strijdgewoel deelt inspecteur Cray instructies uit. Agenten gaan van deur tot deur, praten met buren, laten foto's zien en maken aantekening van eventuele leegstaande flats en huizen. Iemand moet iets hebben gezien.

Ik werp opnieuw een blik op de satellietkaart, die op de voorklep van een auto ligt uitgespreid. Statistieken zijn nog geen wetenschap. En al het menselijke gedrag laat zich niet in getallen kwantificeren of terugbrengen tot vergelijkingen, wat iemand als Oliver Rabb ook moge vinden. Plaatsen zijn belangrijk. Verplaatsingen zijn belangrijk. Elke expeditie, elk uitstapje dat we maken is een verhaal, een innerlijke vertelling waarvan we soms niet eens beseffen dat we de lijn ervan volgen. Wat voor reis maakte Gideon? Hij pochte dat hij door muren heen kon lopen, maar was eigenlijk eerder een soort menselijk behang, in staat om met de achtergrond te versmelten terwijl hij huizen observeerde en binnendrong.

Hij was erbij toen Christine Wheeler sprong. Hij fluisterde in haar oor. Hij moet zich ergens vlak in de buurt hebben bevonden. De Clifton Suspension Bridge ligt minder dan tweehonderd meter ten westen van hier. Ik kan de stank van de zee en de doornstruiken ruiken. Waarschijnlijk kijk je hier op sommige adressen vanaf de bovenste verdieping uit over de brug.

Er fietst een man voorbij met elastiekjes om zijn broekspijpen die moeten voorkomen dat de stof in de ketting blijft haken. Op het gras laat een vrouw haar zwarte spaniël uit. Ik wil hen staande houden, hen bij hun bovenarmen pakken en de vraag in hun gezicht brullen of ze mijn vrouw en dochter hebben gezien. In plaats daarvan sta ik de straat te observeren, op zoek naar iets dat afwijkt van het normale: mensen die hier niet thuishoren of de verkeerde kleding aan hebben, iets dat niet past of juist te veel zijn best doet te passen of om een andere reden de aandacht trekt.

Gideon zou een huis hebben uitgekozen, geen flat, ergens weg van de nieuwsgierige blikken van buren, geïsoleerd of afgeschermd, met een oprit of een garage zodat hij zijn voertuig beschut kon parkeren en Charlie en Julianne ongezien naar binnen kon smokkelen. Een huis dat te koop staat, wellicht, of een huis dat alleen tijdens vakanties of in de weekenden wordt bewoond.

Ik stap over het modderige grasperkje heen en begin de straat af te lopen. De stammen van bomen zijn met ijzerdraad omwikkeld en de takken sidderen in de wind.

'Wat gaat u doen?' schreeuwt de inspecteur.

'Ik zoek een huis.'

Ruiz heeft me ingehaald en Monk, die achter ons aan is gestuurd om een oogje in het zeil te houden, ligt niet ver op hem achter. Terwijl ik mijn best doe niet te struikelen blijf ik naar de silhouetten van de huizen kijken. Mijn wandelstok klikklakt op het trottoir terwijl ik het kleine heuveltje af loop, een huizenrij passeer en Sion Lane in sla. Ik kan de brug nog altijd niet zien.

De volgende zijstraat is Westfield Place. Er staat een voordeur open. Een vrouw van middelbare leeftijd is haar stoepje aan het vegen.

'Kunt u van hieruit de brug zien?' vraag ik.

'Nee lieverd.'

'En vanaf de bovenste verdieping?'

'De makelaar had het over gedeeltelijk uitzicht,' lacht ze. 'U hebt verloren.'

Ik laat haar de foto's van Charlie en Julianne zien. 'Heeft u misschien een van deze twee mensen gezien?'

Ze schudt haar hoofd.

'En deze man?'

'Die zou ik me zeker herinnerd hebben,' zegt ze, terwijl het tegenovergestelde waarschijnlijk het geval is.

We lopen verder over Westfield Place. De wind werpt bladeren en snoeppapiertjes op die elkaar in de goot achternazitten. Ineens steek ik over naar een met een rollaag afgedekte bakstenen muur.

'Geef me eens een kontje,' zegt Ruiz, die zijn voet in Monks samengevouwen handen zet en omhoog wordt geduwd tot hij met zijn onderarmen op de witgeschilderde deklaag geleund hangt.

'Het is een tuin,' zegt hij. 'Verderop staat een huis.'

'Kun je de brug zien?'

'Van hieraf niet, maar misschien wel vanaf de bovenverdieping van het huis. Er is een torenkamer.'

Hij komt omlaag springen en we volgen de muur, op zoek naar een poort. Monk ligt nu op ons voor. Ik kan zijn pas niet bijhouden en moet om de paar meter hollen om weer bij te komen.

Stenen pilaren markeren de toegang tot een oprit. De hekken staan open. In de plassen hebben banden bladeren tot moes gedrukt. Hier heeft kortgeleden een auto gereden. Het huis is groot en stamt uit een voorbijgegaan tijdperk. Het is aan één kant overgroeid met klimop, onderbroken door kleine donkere ramen. Ik loop achter Monk aan de trap op. Hij belt aan. Er doet niemand open. Ik roep Charlies naam en dan die van Julianne en druk mijn gezicht tegen een smal paneel melkglas, in een poging de minuscule trillingen van een antwoord op te vangen. Me de trillingen te verbeelden.

Ruiz is poolshoogte gaan nemen bij een garage aan de zijkant van het huis, onder de bomen. Hij verdwijnt een zijdeur in en komt onmiddellijk weer naar buiten.

'Het is Tylers bestelwagen,' schreeuwt hij. 'Leeg.'

Mijn hoofd vult zich met tuimelende en opspringende emoties.

Monk heeft inspecteur Cray aan de lijn. 'Zeg haar dat ze een ziekenwagen moet laten komen,' zeg ik.

Hij geeft de boodschap door en klapt zijn telefoon dicht. Dan heft hij zijn elleboog en laat hem met kracht neerkomen tegen de glazen ruit, die aan stukken naar binnen valt. Voorzichtig naar binnen reikend doet hij de deur van het slot en zwaait hem open. De hal is breed en met zwarte en witte tegels belegd. Ik zie een spiegel en een paraplubak, een wandtafel met een menu van de afhaalchinees en een lijst met alarmnummers.

De lichten doen het, maar de schakelaars zitten als gecamoufleerd tegen het bloemetjesbehang. Het huis is op slot gedaan voor de winter, met lakens en kleedjes over het meubilair en de haardroosters schoongeveegd. In gedachten zie ik onzichtbaar op de loer liggende figuren die zich muisstil in hoekjes verborgen houden.

Achter ons komt een drietal politiewagens tussen de hekken door het grindpad op rijden. Portieren gaan open. Inspecteur Cray gaat de mannen voor de treden van het voorbordes op.

Gideon zei dat Julianne en Charlie in een kist begraven lagen en dezelfde lucht inademden. Ik wil hem niet geloven. Zoveel van wat hij tegen mensen heeft gezegd was bedoeld om hen te verwonden en te breken.

Ik sta weifelend in de eetkamer en zie een strook licht door de deur naar de patio vallen. Op het geruite parket zitten modderige voetafdrukken.

Ruiz is naar boven gegaan. Hij roept me. Ik neem de trap met twee treden tegelijk, me aan de leuning vastgrijpend en mezelf omhooghijsend. Mijn stok valt uit mijn hand en klettert over de treden omlaag op de zwarte en witte tegels.

'Hierheen,' schreeuwt hij.

Ik sta stil in de deuropening. Ruiz zit geknield naast een smal gietijzeren bed. Op het matras ligt in opgerolde houding een kind, haar ogen en mond met plakband afgeplakt. Ik herinner me niet dat ik een kik heb gegeven, maar Charlies hoofd komt omhoog en draait zich in de richting van mijn stem voordat ze een gesmoorde snik loslaat. Haar hoofd wiegt heen en weer. Ik moet haar vasthouden terwijl Ruiz van een dun matras in een andere hoek van de slaapkamer een kleermakersschaar pakt.

Zijn handen trillen. Die van mij ook. De punten van de schaar gaan rustig op en neer en ik pel het plakband af. Ik staar haar aan met een soort onbegrip, met open mond, nog altijd niet in staat te geloven dat zij het is. Ik kijk in Charlies bleke ogen. Ik zie haar door een glimmende vloeistof heen, die zich niet weg laat knipperen.

Ze is vies. Haar haar is tot op haar schedel gekortwiekt. Haar huid ligt open. Ze bloedt bij haar polsen. Ze is het prachtigste schepsel dat ooit adem heeft gehaald.

Ik druk haar stijf tegen mijn borst. Ik wieg haar in mijn armen. Ik wil haar vasthouden tot ze stopt met huilen, tot ze alles vergeet. Ik wil haar vasthouden totdat ze zich alleen nog de warmte van mijn omhelzing kan herinneren, mijn woorden in haar oor en mijn tranen op haar voorhoofd.

Charlie heeft een badjas aan. Haar spijkerbroek hangt over een stoel.

'Heeft hij…?' De woorden blijven in mijn keel steken. 'Heeft hij aan je gezeten?'

Ze knippert niet-begrijpend met haar ogen.

'Moest je dingen van hem doen? Je kunt het me rustig zeggen.'

Ze schudt haar hoofd en veegt met haar mouw haar neus af.

'Waar is mamma?' vraag ik.

Ze trekt een frons.

'Heb je haar gezien?'

'Nee. Waar is ze?'

Ik kijk naar Monk en Ruiz. Ze zijn al in actie gekomen. Het huis wordt doorzocht. Ik hoor hoe deuren geopend worden, kasten doorzocht, het geluid van zware schoenen op de zolder en in de torenkamer. Stilte. Zes slagen van mijn hart. De zware schoenen zetten zich weer in beweging.

Charlie legt haar hoofd weer op mijn borst. Monk komt aanlopen met een enorme betonschaar. Ik houd haar enkels vast terwijl hij behoedzaam de bek van de tang in de schakels zet en de poten naar elkaar toe duwt tot het metaal het begeeft en de ketting kronkelend op de grond valt. Er is een ziekenwagen gearriveerd. De verpleegkundigen staan voor de slaapkamerdeur. Een van hen is jong en blond en heeft een EHBO-koffer bij zich.

'Ik wil me aankleden,' zegt Charlie, ineens bleu.

'Natuurlijk. Maar laat eerst deze broeders even naar je kijken. Voor de zekerheid.'

Ik laat haar alleen en loop de trap af. Ruiz is in de keuken met Veronica Cray. Het huis is doorzocht. Inmiddels zijn rechercheurs de tuin en de garage aan het uitkammen, met zware schoenen tussen dode bladeren rommelend en neerhurkend om de composthoop nader te inspecteren.

De bomen langs de noordkant zijn net skeletten en het schuurtje ziet er verlaten en vervallen uit. Een smeedijzeren tafel en bijpassende stoelen staan te roesten onder een iep, die omringd is door na de regens opgekomen paddenstoelenkolonies.

Ik loop de achterdeur uit, langs het washok en over het zompige gras. Ik heb de griezelige sensatie van stilvallende vogels en aarde die zich aan mijn voeten vastzuigt. Terwijl ik tussen bloemperken door laveer en in enorme stenen potten geplante citroenbomen passeer zakt mijn wandelstok weg in de grond. Tegen het achterhek staat een uit gasbetonblokken opgetrokken vuilverbrandingsoven, met daarnaast een stapel oude spoorbielzen om de tuin mee af te bakenen.

Veronica Cray is naast me komen lopen.

'We kunnen binnen het uur een grondradar ter plaatse hebben. In Wiltshire zijn lijkopsporingshonden beschikbaar.'

Ik sta stil bij het schuurtje. Het slot is tijdens de zoekactie opengeramd en de deur hangt scheef aan roestige scharnieren. Binnen ruikt het naar diesel, mest en aarde. In het midden van de vloer staat een grote zitmaaier. Langs twee wanden lopen metalen planken en er staat tuingereedschap in de hoek. Het blad van de schoffel is schoon en droog.

Kom op, Gideon, praat tegen me. Vertel me wat je met haar hebt gedaan. Je sprak halve waarheden. Je zei dat je haar zo diep zou begraven dat ik haar nooit zou vinden. Je zei dat zij en Charlie dezelfde lucht deelden. Alles wat jij deed was geoefend. Gepland.

Je leugens bevatten elementen van waarheid, waardoor ze gemakkelijker in stand te houden waren.

Op mijn stok steunend buk ik en pak ik het hangslot en de gebroken grendel op. Ik veeg de modder eraf. Op het dof geworden metaal tekenen zich kleine zilverkleurige krasjes af.

Dan kijk ik de schuur weer in. De wielen van de maaier zijn gedraaid en hebben het stof weggewist. Mijn ogen gaan de planken langs, de kiembakken, antibladluismiddel, onkruidverdelgers. Aan een metalen haak hangt een opgerolde tuinslang. Ik volg de windingen en het begint me te duizelen. Eén uiteinde van de slang hangt omlaag langs de staander van het rek.

'Help me de maaier te verplaatsen,' zeg ik.

De inspecteur pakte het zadel vast terwijl ik aan de voorkant duw en de machine naar buiten rijd. De vloer is van aangestampte aarde. Ik probeer de legplank te verplaatsen. Hij is te zwaar. Monk duwt me opzij, grijpt beide uiteinden beet, wiegt hem heen en weer en loopt ermee naar de deur. Kiembakken en glazen potten tuimelen op de grond.

Ik laat me op mijn knieën vallen en kruip naar voren. Dichter bij de muur, waar het rek stond, wordt de aangestampte aarde losser. Er zit een groot stuk multiplex vastgeschroefd. De tuinslang hangt langs het multiplex en lijkt erin te verdwijnen.

Ik kijk achterom naar Veronica Cray en Monk.

'Er bevindt zich iets achter de muur. We moeten meer licht hebben.'

Ze willen niet dat ik meehelp met graven. Ze willen niet dat ik meekijk. Groepjes van twee agenten wisselen elkaar af en zijn bezig met spaden en emmers de grond open te leggen. Ze hebben een politieauto het gras op gereden die hen met zijn koplampen bijlicht.

Als ik mijn ogen tegen het felle licht beschut zie ik achter het keukenraam Charlie zitten. De blonde verpleger heeft haar iets warms te drinken gegeven en een deken om haar schouders gelegd.

'Iemand waarvan je houdt gaat sterven,' zei Gideon tegen me.

Hij vroeg me een keuze te maken. Ik kon het niet. Ik wilde het niet. 'Niet kiezen is ook een keuze,' zei hij. 'Ik laat Julianne beslissen.' Wat Gideon ook nog zei was dat ik me hem zou blijven herinneren. Of hij nu vandaag stierf of levenslang de gevangenis in ging, hij zou niet worden vergeten.

Julianne zei me dat ze niet meer van me hield. Ze zei dat ik niet meer de persoon was waarmee ze destijds was getrouwd. Ze had gelijk. Daar heeft meneer Parkinson voor gezorgd. Ik bén anders, zwaarmoediger, filosofischer en melancholieker. Deze ziekte heeft me niet tegen een rots stukgeslagen, maar is als een parasiet met tentakels die in mijn binnenste rondkronkelen en mijn bewegingen overnemen. Ik probeer het te verbergen. Het lukt me niet.

Ik wil niet weten of ze iets heeft gehad met Eugene Franklin of Dirk Cresswell. Het kan me niet schelen. Nee, dat is niet waar. Het kan me wél schelen. Alleen vind ik het belangrijker dat ik haar behouden terugkrijg. Het is mijn schuld, maar dit gaat niet over verlossing of het sussen van een opgezwollen geweten. Julianne zal me nooit vergeven. Dat weet ik. Ik zal haar alles geven wat ze wil. Ik zal haar alles beloven wat ze wil. Ik zal gaan. Ik zal haar laten gaan. Als ze maar leeft.

Monk roept om assistentie. Twee andere agenten voegen zich bij hem. Het graafwerk heeft de onderrand van het multiplex blootgelegd. Ze gaan de wand neerhalen. Stof en vuil lichten op in de lichtbundels van de koplampen die de holle ruimte binnendringen. Binnenin ligt Juliannes lichaam, opgerold als een foetus, met haar knieën tegen haar kin en haar handen om haar hoofd geslagen. Ik vang een zweem van urine op en zie het blauwige schijnsel van haar huid.

De handen van andere mannen reiken de holle ruimte in en tillen haar lichaam eruit. Monk neemt haar van zijn collega's over en draagt haar het licht in, stapt over een hoop aarde en legt haar op een brancard. Haar hoofd is omwikkeld met plastic tape. De koplampen geven haar lichaam een zilverkleurig aanschijn.

Een verpleegster trekt een slang uit Juliannes mond, trekt haar lippen naar voren en blaast met kracht lucht in haar longen. Ze beginnen het plakband rond haar hoofd los te knippen.

'Pupillen verwijd. Haar abdomen voelt koud aan. Ze is onder-koeld,' roept de verpleegster naar haar collega. 'Ik heb wel een pols.'

Ze rollen Julianne voorzichtig op haar rug. Dekens bedekken haar naaktheid. De blonde verpleegster knielt naast de brancard en legt warmtepakkingen in Juliannes nek.

'Wat heeft ze?' vraag ik.

'De kerntemperatuur van haar lichaam is te laag. Haar hartslag is onregelmatig.'

'Warm haar dan op.'

'Ik wou dat het zo simpel was. We moeten haar naar het zieken-huis zien te krijgen.'

Ze rilt niet. Ze beweegt helemaal niet. Er wordt een zuurstofmas-ker over haar gezicht getrokken.

'Ze gaat het halen.'

Julianne doet knipperend haar ogen open, blind als een jong katje in het heldere licht. Ze probeert iets te zeggen maar komt niet verder dan een zwak gekreun. Haar mond beweegt opnieuw.

'Charlie is in veiligheid. Ze maakt het goed,' zeg ik haar.

De verpleegster geeft aanwijzingen. 'Zeg dat ze niet moet pra-ten.'

'Gewoon stil blijven liggen.'

Julianne hoort me niet. Haar hoofd gaat heen en weer. Ze wil iets zeggen. Ik houd mijn wang vlak bij het zuurstofmasker. 'Hij zei dat ze in een kist zat. Ik heb geprobeerd zo min mogelijk te ademen. Ik probeerde lucht te sparen.'

'Hij loog.'

Haar hand schiet onder de dekens vandaan en grijpt mijn pols. Hij is als ijs.

'Ik heb onthouden wat je zei. Je zei dat hij Charlie niet zou ver-moorden. Anders was ik gestopt met ademhalen.'

Ik weet het.

We zijn bijna bij de deuren van de ziekenwagen. Charlie komt over het gras het huis uit rennen. Twee rechercheurs proberen haar tegen te houden. Ze maakt een schijnbeweging naar links en naar rechts en duikt onder hun armen door.

Ruiz pakt haar om haar middel en draagt haar de laatste paar meters. Ze werpt zichzelf op Julianne en noemt haar 'mammie'. Een woord dat ik haar al vier jaar niet meer heb horen gebruiken.

'Voorzichtig. Niet te hard knijpen,' waarschuwt de jonge blonde verpleegster.

'Heeft u kinderen?' vraag ik haar.

'Nee.'

'U zult er nog wel achter komen dat het geen pijn doet als ze je stevig vastpakken.'

Het is een typische lentedag, een dag waarop de nevel al vroeg wordt verjaagd en de lucht zo weids en blauw is dat het onbestaanbaar lijkt dat het heelal een donker uitspansel is. De beek ziet er helder uit, ondiep aan de zijkanten, waar het grind schoon is en kleine draaikolkjes rond de grassprieten kringelen. Aan de andere kant van de vallei is door de bomen heen de weg zichtbaar, die zich rond een kerk slingert en dan over de richel uit het zicht verdwijnt.

'Willen ze een beetje bijten?'

'Nee,' zegt Charlie.

Ik houd een oogje op Emma, die met Gunsmoke aan het spelen is, een goudkleurige labrador die ik uit het asiel heb gered. Het is een heel serieuze hond, die mij beschouwt als de slimste mens die hij ooit heeft ontmoet. Als waakhond blaft hij zodra ik thuiskom en slaat hij pas acht op vreemden als ze al meer dan een uur in huis zijn, wat voor hem het moment is om te gaan janken alsof hij zojuist een beruchte seriemoordenaar door het raam heeft zien klimmen. De meiden zijn gek op hem, wat verklaart waarom ik hem heb genomen.

We zitten te vissen in een beek op zo'n vierhonderd meter van de weg af, een boerenhek en een weiland door. Op een stuk gras langs de oever, vlak bij het kiezelstrandje, ligt een picknickleed uitgespreid.

Charlie heeft de Vincent Ruiz-hengelmethode omarmd en schuwt aas, lokaas en haakjes. Niet om filosofische redenen (of, zoals in zijn geval, om in alle rust bier te kunnen drinken), maar omdat ze zichzelf er niet toe kan zetten een 'levende en ademende' worm aan de haak te rijgen.

'Stel nou dat hij een hele wormenfamilie heeft die hem zal missen als hij wordt opgegeten,' zegt ze.

Waarop ik probeerde uit te leggen dat wormen aseksueel zijn en niet aan gezinsvorming doen, wat de zaak alleen maar verwarrender maakte.

'Het is maar een regenworm. Hij heeft geen gevoelens.'

'Hoe weet jij dat nou. Kijk, hij kronkelt helemaal, hij probeert te ontsnappen.'

'Hij kronkelt omdat hij een regenworm is.'

'Nee, hij zegt: "Alsjeblieft, steek die grote haak niet in me."'

'Ik wist niet dat jij het regenworms beheerste.'

'Ik kan zijn lichaamstaal lezen.'

'Lichaamstaal.'

'Inderdaad.'

Ik gaf het op. En nu zit ik met brood te vissen en hou een oogje op Emma, die er in is geslaagd in een poeltje te gaan zitten en fonteinkruid in haar haar heeft. De regenwormendiscussie ontgaat haar. Gunsmoke is er vandoor gegaan, achter de konijnen aan.

De veranderende seizoenen, de kringloop van leven en dood, springen meer in het oog sinds we Londen achter ons hebben gelaten. Elke boom draagt bloesem en in elke tuin staan narcissen.

Er zijn zes maanden verstreken sinds die middag op de brug. De herfst en winter zijn achter de rug. Darcy volgt een dansopleiding aan de Royal Ballet School in Londen. Ze woont nog altijd bij Ruiz en dreigt voortdurend met weggaan als hij niet ophoudt haar als een kind te behandelen.

Ik heb niets meer gehoord over Gideon Tyler. Er is geen zitting van de krijgsraad geweest of een officiële verklaring uitgegeven. Niemand schijnt te weten waar Gideon wordt vastgehouden en of hij ooit terecht zal staan. Van Veronica Cray heb ik gehoord dat de legerhelikopter na het vertrek uit Bristol een gedwongen landing heeft gemaakt. Naar het schijnt was Gideon erin geslaagd om met zijn brilmontuur het slot van zijn handboeien open te peuteren. Hij dwong de piloot zijn toestel in een weiland aan de grond te zetten, maar werd volgens het ministerie van Defensie kort daarop overmeesterd.

Ik heb bericht ontvangen van Helen Chambers en Chloë. Ze

stuurden me een ansichtkaart vanuit Griekenland. Helen heeft voor het toeristenseizoen het hotel geopend en Chloë gaat naar een plaatselijke school op Patmos. Veel hadden ze niet te melden op hun ansichtkaart. Dank je wel, daar kwam het ongeveer op neer.

'Mag ik iets vragen?' zegt Charlie terwijl ze haar hoofd schuin houdt.

'Natuurlijk.'

'Denk je dat mam en jij ooit weer bij elkaar zullen komen?'

De vraag haakt zich als een vishaak vast in mijn borst. Misschien is dit hoe een regenwurm zich voelt… of een vis, mochten we er ooit een vangen.

'Dat weet ik niet. Heb je het je moeder gevraagd?'

'Ja.'

'En wat zegt ze?'

'Ze verandert van onderwerp.'

Ik knik en kijk omhoog, de warmte voelbaar op mijn wangen. Deze warme, koele, heldere dagen geven me troost. Ze vertellen me dat de zomer onderweg is. De zomer is goed.

Julianne heeft geen echtscheiding aangevraagd. Misschien doet ze dat alsnog. Ik heb een afspraak gemaakt. Een pact gesloten. Ik zei dat, als ze bleef leven, ik alles zou doen wat ze vroeg. Ze vroeg me het huis te verlaten. Dat heb ik gedaan. Ik woon nu in Wellow, tegenover de pub.

Ze lag nog in het ziekenhuis toen ze me zei wat ze wilde. De regen trok strepen op de ramen van haar kamer. 'Ik wil niet dat je naar huis terugkomt,' zei ze. 'Ik wil dat je nooit meer terugkomt.'

Ze had me er al eens eerder uit gegooid. Maar dat was anders. In die tijd zei ze dat ze van me hield, maar niet met me kon leven. Dit keer heeft ze me een dergelijke kruimel troost niet voorgehouden. Ze geeft mij de schuld van wat er is gebeurd. Ze heeft gelijk. Het was mijn schuld. Met die wetenschap leef ik elke dag, als ik Charlie observeer, op zoek naar tekenen van posttraumatische stress. Ik observeer Julianne ook en vraag me af hoe ze ermee omgaat. Of ze nachtmerries heeft. Of ze badend ik het koude zweet wakker wordt en de sloten op de ramen en deuren controleert.

Charlie haalt haar snoer binnen. 'Ik weet een mop voor je, pap.'

'En die gaat?'

'Wat zei de ene hangtiet tegen de andere hangtiet?'

'Nou?'

'Als niemand ons steunt word ik gek.' Ze lacht. Ik moet ook lachen. 'Denk je dat ik hem aan mam kan vertellen?'

'Misschien beter van niet.'

Ik beschouw mezelf nog steeds als getrouwd. Gescheiden zijn is een geestesgesteldheid en mijn geest is nog niet zover. Hector, de bareigenaar, wil dat ik lid word van de club van gescheiden mannen, waarvan hij de onofficiële voorzitter of preses is. Ze zijn maar met zijn zessen en komen elke maand bij elkaar om naar de film te gaan of in de pub te hangen.

'Ik ben niet gescheiden,' zei ik tegen hem, maar hij deed alsof het een onbelangrijk technisch detail betrof. Daarna trakteerde hij me op de preek dat je over de zandbanken heen moet zien te komen en het midden van de stroom moet opzoeken. Ik zei hem dat ik niet het type ben dat ergens lid van wordt. Ik ben nooit ergens lid van geweest, niet van een sportschool en ook niet van een politieke partij of een geloof. Ik vraag me af wat ze doen in een club van gescheiden mannen. Ik wil niet alleen zijn. Ik wil de lange, lege momenten niet. Het doet me te sterk denken aan armzalige studentenkamers en de periode nadat ik het huis uit was gegaan en ik geen vriendin kon krijgen.

Het is niet zo dat ik niet op mezelf kan wonen. Dat kan ik best. Maar ik blijf me verbeelden dat Julianne hetzelfde denkt en tot de conclusie zal komen dat ze samen gelukkiger was dan alleen. Mamma, pappa, twee kinderen, de poes, de hamsters en de hond, die ik mee zou kunnen brengen. We zouden kunnen winkelen, rekeningen kunnen betalen, scholen uitkiezen, films kijken en elkaar als normale getrouwde stellen periodiek het hof kunnen maken, met bloemen op Valentijnsdag en verjaardagen.

Over verjaardagen gesproken, vandaag is een wel heel speciale: Emma's verjaardag. Ik moet haar tegen drieën thuisbrengen voor een partijtje. We halen onze vislijnen binnen en pakken de picknickmand weer in. Gunsmoke is vies geworden en stinkt en geen van de twee meisjes wil in de auto naast hem zitten.

We laten de ramen open. Er is een hoop gegil en meisjesachtig gelach voordat we het huis bereiken, waar ze de auto uit tuimelen en doen alsof ik hen heb bedwelmd. Julianne staat vanuit de deuropening toe te kijken. Ze heeft gekleurde ballonnen bevestigd aan het latwerk en de brievenbus.

'Moet je nou toch eens zien,' zegt ze tegen Emma. 'Hoe kom jij zo nat?'

'We zijn wezen vissen,' zegt Charlie. 'We hebben niets gevangen.'

'Maar wel een longontsteking opgelopen,' zegt Julianne, die ze naar boven stuurt om in bad te gaan.

Onze gesprekken hebben tegenwoordig een abstract soort intimiteit. Ze is dezelfde vrouw waarmee ik ooit trouwde. Bruin haar. Prachtig. Net veertig. En ik houd nog altijd van haar op elke mogelijke manier, behalve de lichamelijke waarbij we lichaamssappen uitwisselen en de volgende morgen naast elkaar wakker worden. Als ik haar in het dorp tegenkom word ik nog altijd overvallen door verwondering: wat heeft ze ooit in mij gezien en hoe heb ik haar kunnen laten gaan?

'Je had Emma niet zo nat moeten laten worden,' zegt ze.

'Sorry. Ze had het naar haar zin.'

Gunsmoke rent door de tuin achter een eekhoorn aan en vertrapt haar bloemen. Ik probeer hem te roepen. Hij staat stil, tilt zijn kop op, kijkt me aan alsof ik buitengewoon wijs ben en gaat er weer vandoor.

'Hoe laat begint Emma's partijtje,' vraag ik.

'Ze kunnen elk moment hier zijn.'

'Met zijn hoevelen zijn ze?'

'Zes kleine meisjes van de dagopvang.'

Juliannes handen zitten weggestopt in de voorste zak van haar schort. We weten allebei dat we onze tijd op deze manier zouden kunnen doorbrengen, kletsend over stormen of over de vraag of we de goten moeten schoonmaken of de tuin bemesten. Geen van ons tweeën heeft de woordenschat of het temperament om dat wat nog van onze intimiteit rest met elkaar te delen. Misschien is dit wel een vorm van rouw.

'Nou, ik moet me maar eens klaar gaan maken,' zegt ze terwijl ze haar handen afveegt.

'Goed. Zeg tegen de meiden dat ik ze van de week kom opzoeken.'

'Charlie heeft tentamens.'

'In het weekend dan.'

Ik schenk haar een charmante glimlach. Ik tril niet. Ik draai me om en loop naar de auto, met zwaaiende armen en mijn hoofd omhoog.

'Hé, Joe,' roept ze. 'Het lijkt wel of je blijer bent.'

Ik kijk achterom. 'Vind je?'

'Je lacht meer.'

'Ik red me wel.'

DANKBETUIGING

Ik heb me bij het schrijven van dit verhaal laten inspireren door waargebeurde gebeurtenissen in twee verschillende landen, maar het is op geen van beide gebaseerd. Het had niet kunnen worden verteld zonder David Hunt en John Little, wier hulp van onschatbare waarde was tijdens mijn bronnenonderzoek. Tot de anderen die mijn vragen beantwoordden en mijn enthousiasme deelden behoorden Georgie en Nick Lucas, Nicki Kennedy en Sam Edenborough.

Zoals altijd ben ik dank verschuldigd aan mijn redacteuren en hun medewerkers: Stacy Creamer van Doubleday US en Ursula Mackenzie van Little Brown UK, en mijn literair agent Mark Lucas en iedereen van Lucas Alexander Whitley, Ltd., Londen.

Ik dank Richard, Emma, Mark en Sara en hun respectieve kinderen voor hun niet-aflatende gastvrijheid. Ook mijn eigen kinderen verdienen erkenning: Alex, Charlotte en Bella, die ondanks mijn smeekbeden dat ze vooral moeten blijven zoals ze zijn groter worden waar ik bij sta.

Als laatste, maar niet als minste, dank ik Vivien, mijn onderzoekster, critica, lezer, therapeute, minnares en echtgenote. Ik heb haar beloofd dat ik op een dag de juiste woorden zal weten te vinden.